Perfect Guide Book of
Windows 10 for Users
[Complete Edition]

[改訂3版]

2020-2021年
最新バージョン対応

Windows 10

完全ガイド

基本操作 ＋ 疑問・困った解決 ＋ 便利ワザ

井上 香緒里

本書に関するお問い合わせ

この度は小社書籍をご購入いただき誠にありがとうございます。小社では本書の内容に関するご質問を受け付けております。本書を読み進めていただきます中でご不明な箇所がございましたらお問い合わせください。なお、ご質問の前に小社Webサイトで「正誤表」をご確認ください。最新の正誤情報を下記のWebページに掲載しております。
右のQRコードからもサポートページにアクセスできます。

本書サポートページ https://isbn2.sbcr.jp/07357/

上記ページの「正誤情報」のリンクをクリックしてください。
なお、正誤情報がない場合、リンクは用意されていません。

ご質問送付先

ご質問については下記のいずれかの方法をご利用ください。

Webページより

上記のサポートページ内にある「お問い合わせ」をクリックしていただき、ページ内の「お問い合わせ先」にある「書籍の内容について」をクリックすると、メールフォームが開きます。要綱に従ってご質問をご記入の上、送信してください。

郵送

郵送の場合は下記までお願いいたします。

〒106-0032
東京都港区六本木2-4-5
SBクリエイティブ　読者サポート係

はじめに

「Windows 95」の発売で日本中が湧いた1995年から25年、その間に進化を遂げてきた「Windows 10」は、マイクロソフトの最新のOS（オペレーティングシステム）であり、最後のWindowsでもあります。マイクロソフトによると、今後はWindows 10をベースにその都度大型のアップデートをしていく形式になるようです。そうなると、私たちユーザーはこれからもずっとWindows 10と付き合っていくことになります。それならば、Windows 10が持つ機能を正しく理解して最大限に活用していくことが、今後のパソコンライフの充実につながるでしょう。

本書は、2020年5月の「May 2020 Update」に伴い、『Windows 10完全ガイド』（2019年3月発売）の書籍を改訂したものです。これからWindows 10を使い始める方が最初につまずく基本操作の疑問を解決するのはもちろんのこと、よくあるトラブルの解決方法やWindows 10を便利に使いこなすワザをQ&A形式でわかりやすく解説しています。さらに、「May 2020 Update」で追加された新機能についても解説しています。

まずは目次を見て、Windows 10でどんなことができるのかをチェックしてみてください。気になる項目があったら、そのページを開いて、実際に操作してみるとよいでしょう。便利だと思った機能は、繰り返して使うことで自然と身に付きます。また、Windowsの操作に慣れていると思っていても、便利な機能を知らずに遠回りの操作をしていたり、トラブルを解決するのに多くの時間を費やしていたりすることもあります。普段よく使っている機能のページをあらためて読んでみると、新しい発見があるかもしれません。本書が、皆様のWindowsライフをサポートする1冊になれば幸いです。

最後に、本書を改訂するにあたり、ご尽力いただいた編集部および関係者の皆様に心より感謝申し上げます。

2020年8月

井上香緒里

本書の使い方

- 本書はWindows 10をこれから使う人に必要な基本的な情報、よくある疑問、知っておくと便利なワザ・ノウハウをぎっしり詰め込んだ解説書です。Q&A形式で、知りたいことから探すことができます。
- それぞれのワザは実際の画面をふんだんに掲載して丁寧に解説しています。手順を追うだけで確実に操作を実行することができます。
- 本編以外にも、ローマ字かな対応表、ショートカットキー一覧、用語集などお役立ち情報を多数掲載しています。お手元に置いて、必要なときにご参照ください。

紙面の構成

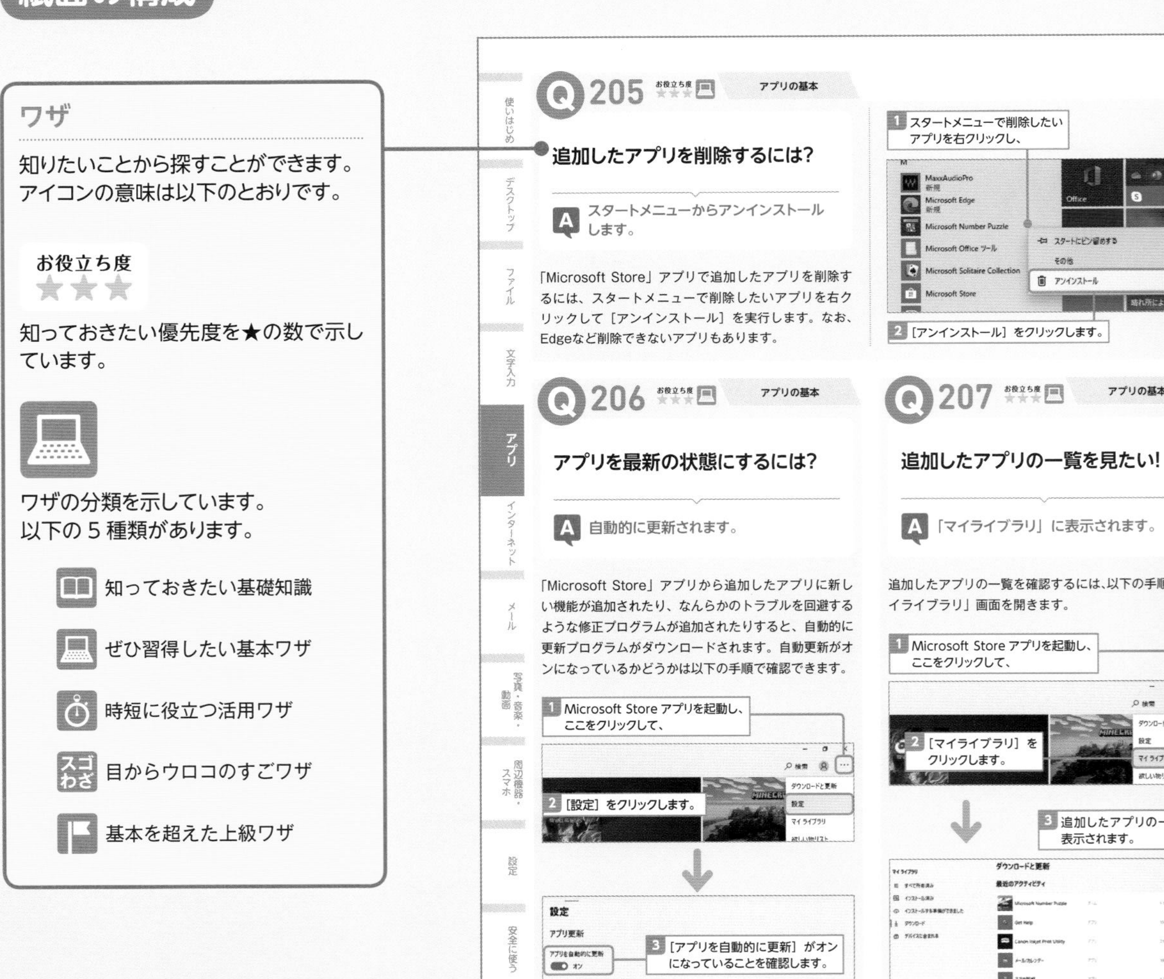

ワザ
知りたいことから探すことができます。
アイコンの意味は以下のとおりです。
お役立ち度
知っておきたい優先度を★の数で示しています。
ワザの分類を示しています。
以下の５種類があります。
知っておきたい基礎知識
ぜひ習得したい基本ワザ
時短に役立つ活用ワザ
スゴわざ
目からウロコのすごワザ
基本を超えた上級ワザ
Q 205
お役立ち度
アプリの基本
追加したアプリを削除するには?
A スタートメニューからアンインストールします。
「Microsoft Store」アプリで追加したアプリを削除するには、スタートメニューで削除したいアプリを右クリックして［アンインストール］を実行します。なお、Edgeなど削除できないアプリもあります。
1 スタートメニューで削除したいアプリを右クリックし、
2 ［アンインストール］をクリックします。
Q 206
アプリを最新の状態にするには?
A 自動的に更新されます。
「Microsoft Store」アプリから追加したアプリに新しい機能が追加されたり、なんらかのトラブルを回避するような修正プログラムが追加されたりすると、自動的に更新プログラムがダウンロードされます。自動更新がオンになっているかどうかは以下の手順で確認できます。
1 Microsoft Store アプリを起動し、ここをクリックして、
2 ［設定］をクリックします。
3 ［アプリを自動的に更新］がオンになっていることを確認します。
Q 207
追加したアプリの一覧を見たい!
A 「マイライブラリ」に表示されます。
1 Microsoft Store アプリを起動し、ここをクリックして、
2 ［マイライブラリ］をクリックします。
使いはじめ
デスクトップ
ファイル
文字入力
アプリ
インターネット
メール
写真・音楽・動画
周辺機器・スマホ
設定
安全に使う
144

「知りたい情報」+「困った解決」の見つけ方

1 まずは章から絞り込む	本書では、Windows 10の使いこなしに関する幅広い情報を掲載しています。 デスクトップの章、インターネットの章のようにカテゴリー分けされているので、まずは章から知りたいことを絞り込んでください。
2 次にテーマで探す	それぞれの章では、いくつかのテーマで関連するワザがまとめられています。テーマでさらに絞り込んで、目的の項目を探してください。
3 キーワードからも探せる	巻末には、目的引き索引、語句索引を用意しています。キーワードから知りたいことを探したいときに活用してください。

Q208 お役立ち度 ★★★ アプリの基本

デスクトップアプリとストアアプリは何が違うの?

A デスクトップアプリはパソコンだけで使います。

Windows 10で利用できるアプリには、デスクトップアプリとストアアプリの2種類があります。

デスクトップアプリ

デスクトップアプリは従来の「ソフト」に該当するもので、パソコンで利用します。パッケージソフトとして購入したり、開発元からダウンロードしたりして入手できます。有料や無料のデスクトップアプリがたくさんありますが、一般的にストアアプリよりも高性能であることが多いです。

ストアアプリ

ストアアプリは、Windows 8から登場したアプリで、パソコン、スマホ、タブレット端末などで利用できます。ストアアプリは、Q201で解説したように「Microsoft Store」アプリからダウンロードして利用します。有料や無料のストアアプリが公開されており、ボタンをクリックするだけで簡単にインストールできます。

「Microsoft Store」アプリからダウンロードできるのがストアアプリ

同じアプリでも、デスクトップアプリ版とストアアプリ版があります。

Q209 お役立ち度 ★★★ アプリの基本

インストールされているデスクトップアプリを確認するには?

A コントロールパネルの「プログラムと機能」で確認できます。

パソコンにインストールされているデスクトップアプリは、「コントロールパネル」の「プログラムと機能」で確認できます。デスクトップアプリをインストールした日付を確認したり、不要なデスクトップアプリをアンインストールしたりすることもできます。

1 Q450の操作で「コントロールパネル」を表示します。

2 [プログラム]をクリックし、

3 [プログラムと機能]をクリックすると、

4 デスクトップアプリの一覧が表示されます。

おトクな情報 デスクトップアプリをアンインストールするには

削除したいアプリをクリックし、[アンインストール]をクリックすると、指定したアプリをパソコンからアンインストールできます。

使いはじめ / デスクトップ / ファイル / 文字入力 / アプリ / インターネット / メール / 写真・音楽・動画 / 周辺機器・スマホ / 設定 / 安全に使う

145

テーマ

ワザは同じテーマでまとめられています。関連するワザを知りたいときは前後のワザを参照してください。

解説

ワザのポイントについて解説しています。関連するワザの参照先を掲載している場合もあります。

操作手順

具体的な操作内容の説明です。番号順に操作してください。

おトクな情報

ワザにまつわる役立つ情報を掲載しています。

パソコンの基本操作

パソコンの操作は、キーボードとマウスを使って行います。ノートパソコンでは、マウスの代わりにタッチパッドを使用するのが一般的です。ここではマウスとタッチパッドの操作方法を説明します。
また、タッチパネル対応のディスプレイを備えたパソコンの場合は、画面を指で触って操作をすることもできます。

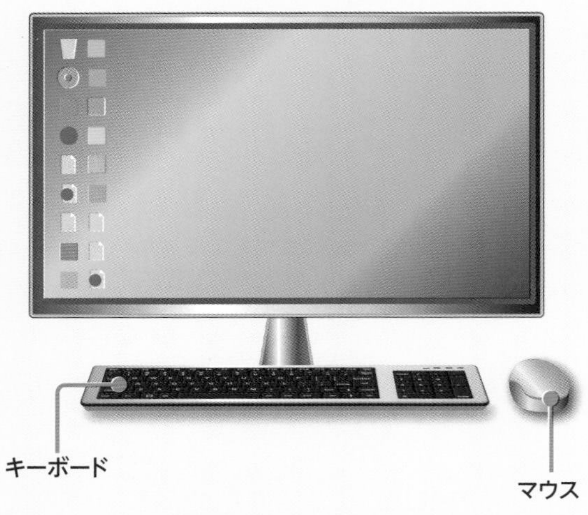

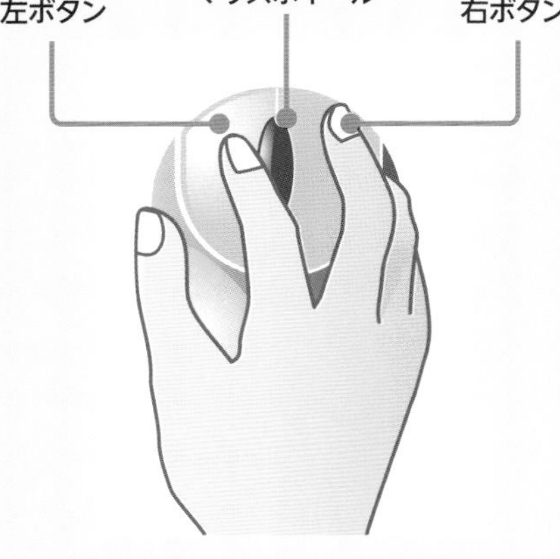

マウスの左ボタンに人差し指を置き、右ボタンに中指を置きます。
マウスホイールは人差し指または中指で回転させます。

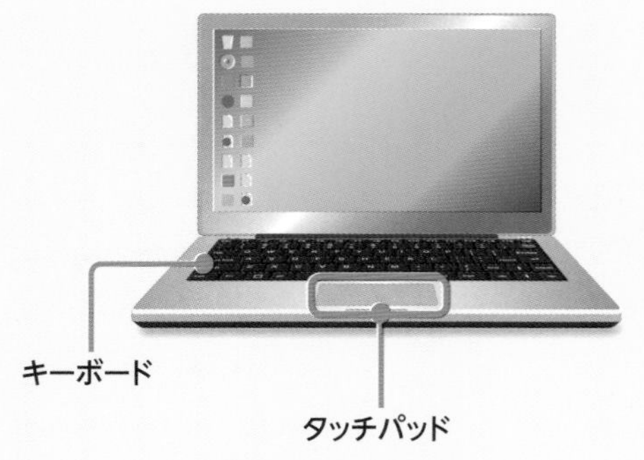

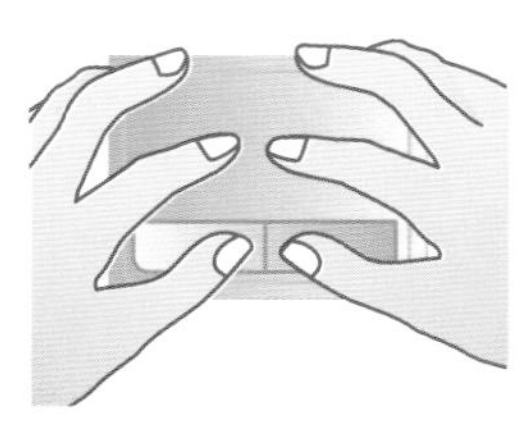

タッチパッドには左ボタンと右ボタンが付いています。これが、マウスの左ボタンと右ボタンと同じ働きをします。

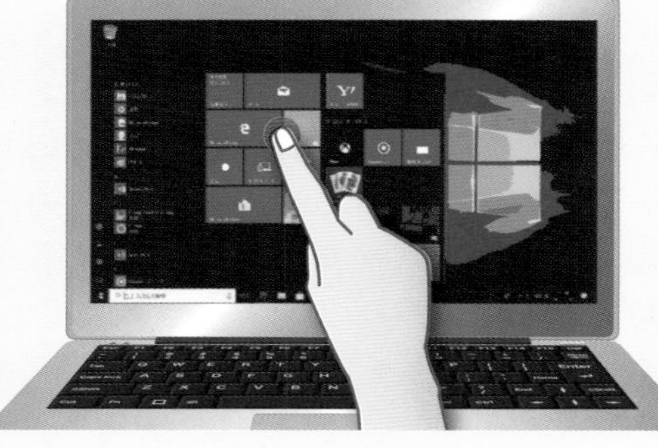

タッチパネル対応のディスプレイの場合は、画面をタッチして操作できます。

マウス／タッチパッドの操作

クリック

画面上のものやメニューを選択したり、ボタンをクリックしたりするときに使います。

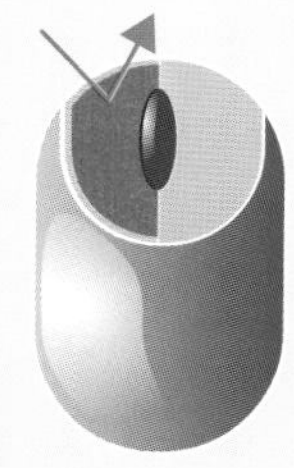

左ボタンを 1 回押します。

左ボタンを 1 回押します。

右クリック

操作可能なメニューを表示するときに使います。

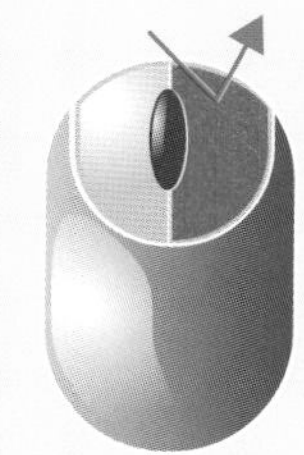

右ボタンを 1 回押します。

右ボタンを 1 回押します。

ダブルクリック

ファイルやフォルダーを開いたり、アプリを起動したりするときに使います。

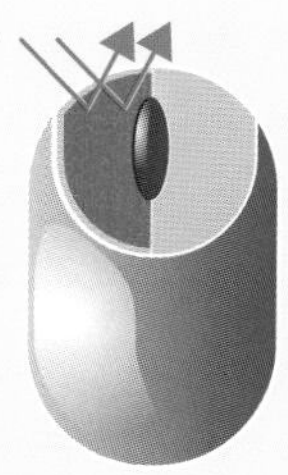

左ボタンをすばやく 2 回押します。

左ボタンをすばやく 2 回押します。

ドラッグ

画面上のものを移動するときに使います。

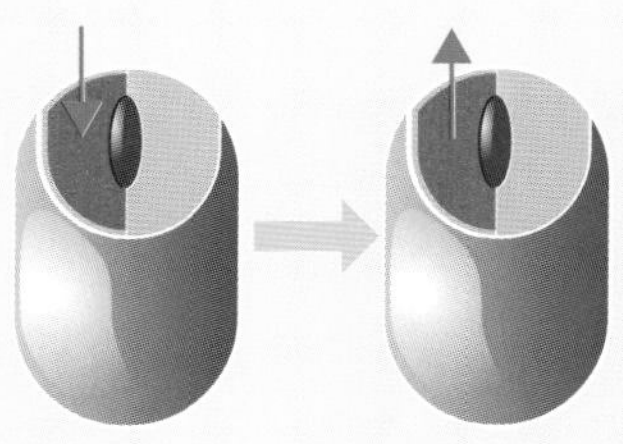

左ボタンを押したままマウスを移動し、移動先で左ボタンを離します。

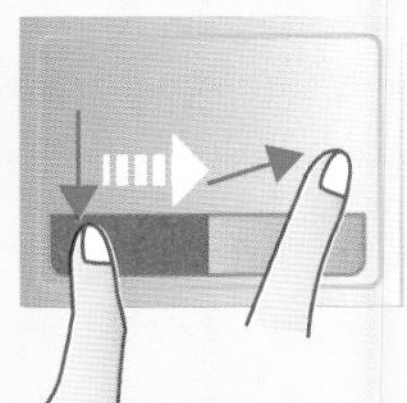

左ボタンを押したままタッチパッドを指でなぞり、移動先で左ボタンを離します。

タッチパネルでのタッチ操作

タッチパネル対応のディスプレイの場合は、画面をタッチして操作できます。

タップ

マウスのクリックに当たります。

指で 1 回トンと触れます。

ロングタッチ

マウスの右クリックに当たります。

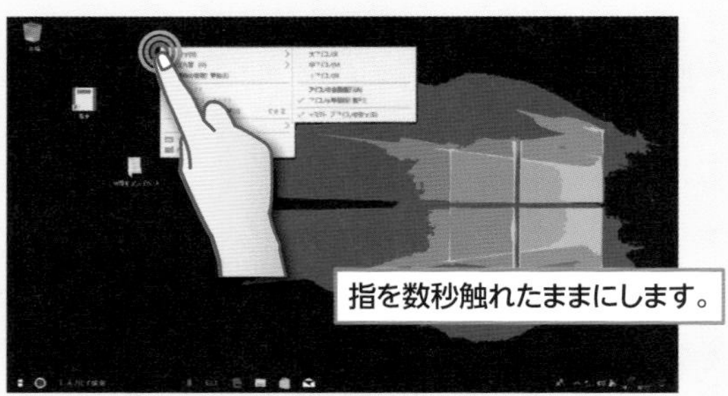

指を数秒触れたままにします。

ダブルタップ

マウスのダブルクリックに当たります。

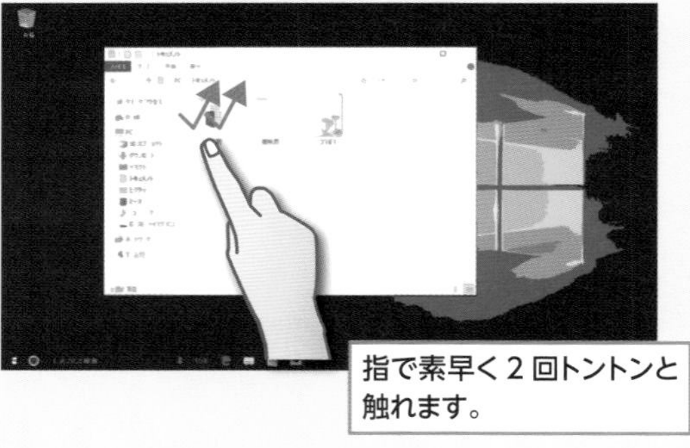

スライド

画面をスクロールさせるときなどに使用します。

画面を指で触れたまま
上下左右に動かします。

スワイプ

画面の右側からスワイプしてアクションセンターを呼び出すなど、Windows 10特有の機能を使用します。

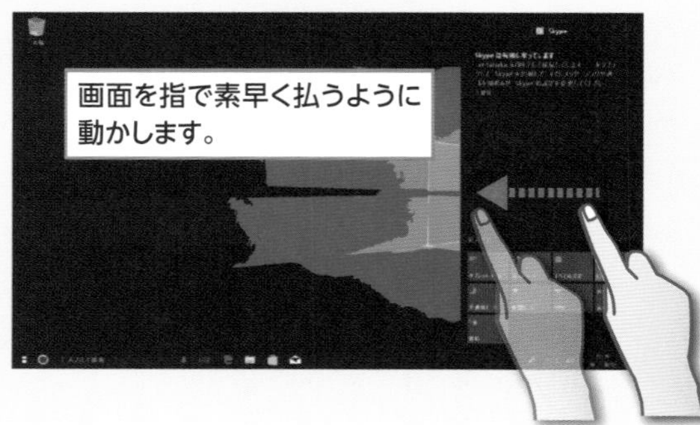

画面を指で素早く払うように
動かします。

ピンチ／ストレッチ

画面を拡大/縮小させるときに使用します。

画面に触れた 2 本の指を
つまんだり広げたりします。

よく使うキー

Esc（エスケープ）キー
操作を取り消すときに使います。

半角 / 全角キー
日本語入力モードと半角英数モードを切り替えます。

BackSpace（バックスペース）キー
カーソルの左側の文字を削除します。

Delete（デリート）キー
カーソルの右側の文字を削除します。

テンキー
電卓のように数字や演算記号が集まったキーです。

Shift（シフト）キー
他のキーと組み合わせて使います。

スペースキー
空白の入力や漢字への変換に使います。

Enter（エンター）キー
文字の確定や改行入力で使います。

矢印キー
カーソルを上下左右に移動します。

Ctrl（コントロール）キー
他のキーと組み合わせて使います。

ショートカットキー

複数のキーを組み合わせて押すことで、特定の操作を素早く実行することができます。本書中では ○○ ＋ △△ キーのように表記しています。

▶ Ctrl ＋ A キーという表記の場合

2つのキーを
同時に押します。

▶ Ctrl ＋ Shift ＋ Esc キーという表記の場合

3つのキーを
同時に押します。

CONTENTS

まずはスタートメニューから

第2章 「デスクトップ」を使いこなそう！ 53

デスクトップの使用

タスクバーを有効活用

ウィンドウの操作

ファイル整理術

OneDriveの利用

文字入力の便利技

第5章 いろんな「アプリ」を楽しもう！ 139

アプリの基本

身の回りの情報整理アプリ

予定管理のアプリ

さまざまなアプリを楽しむ

第6章 「インターネット」を快適に利用しよう！ 167

インターネットを利用する準備

ブラウザーの基本操作

Webページの検索

お気に入りの利用

ブラウザーの使いこなし技

第7章 「メール」を手軽にやり取りしよう！ 201

メールを利用する準備

「メール」アプリの基本操作

「メール」アプリの整理術

連絡先の利用

Webメール（Outlook.com）の利用

第8章 「写真」「音楽」「動画」を楽しもう！ 229

デジカメから写真を取り込む

「フォト」アプリの利用

動画を楽しむ

印刷

USBメモリーとDVD

スマホとの連携

第10章 Windows 10を使いやすく「設定」しよう！ 283

基本の設定

画面の設定

本書の掲載内容について

- 本書では、2020年8月7日現在の情報に基づき、Windows 10についての解説を行っています。
- 画面および操作手順の説明には、以下の環境を利用しています。
  - Windows 10のバージョン ：May 2020 Update（バージョン2004）
  - Windows 10のエディション：Windows 10 Home Edition（Windows 10 Proでも動作確認済み）
  - パソコンがインターネットに接続されていることを前提にしています。
- 本書の発行後、Windows 10がアップデートされた際に、一部の機能や画面、操作手順が変更になる可能性があります。また、インターネット上のサービスの画面や機能が予告なく変更される場合があります。あらかじめご了承ください。

Windows 10の「基本のキ」を知ろう！

2015年に登場したWindows 10は、2020年6月現在で最新のOSです。購入したパソコンに最初からWindows 10が入っていたという場合もあれば、自分のパソコンをWindows 10にバージョンアップしようか迷っている場合もあるでしょう。そこで本章では、Windows 10で何ができるのか、今までとどう違うのかといった特徴を解説します。また、Windows 10の起動と終了といった基本操作についても解説します。

アイコンの意味

ぜひ習得したい基本ワザを示します。

時短に役立つ活用ワザを示します。

知っておきたい基礎知識を示します。

目からウロコのすごワザを示します。

基本を超えた上級ワザを示します。

Q 001

お役立ち度 ★★★ Windows 10の特徴

Windows 10って何?

A Windows 10は、基本ソフト(OS)のひとつです。

Windows(ウィンドウズ) は、マイクロソフトが開発したパソコンを動かす土台になる基本ソフト(OS)の名前です。OS(オーエス)とは、Operating Systemの略で、ファイルを管理したりプリンターなどの周辺機器を動かしたりするなど、パソコンを使ううえで最も基本的な機能を提供しています。

Windows 10は2015年7月に公開されたOSで、何度か大きなアップデートが行われています。Windows 10では、先ほど述べたパソコンの基本機能を提供するだけでなく、インターネットを見るアプリやメールをやり取りするアプリ、音楽を聴くアプリなどが最初から使えるようになっています。関連 Q003 Windowsの歴史

おトクな情報 Windows 以外の OS

OSには、マイクロソフトが開発したWindows以外に、アップルが開発したmacOS(マックオーエス)などもあります。

Windows 10の初期画面

■OSの主な役割

アプリを追加/削除する	Windows 10に対応しているアプリの追加や削除を行います。
アプリを動かす	アプリの起動や終了を行います。また、アプリが正常に動く環境を整えます。
ファイルを管理する	Windows 10で作成したファイルの保存や管理を行います。
周辺機器を動かす	プリンターやスピーカー、マウスやキーボードなど、パソコンに接続して使用する周辺機器が正常に動く環境を整えます。

Q 002 お役立ち度 ★★★ Windows 10の特徴

Windows 10 で新しく追加された機能は何?

A スタートメニューが使いやすくなりました。

Windows 10では、Windows 8で廃止された**スタートメニュー**が使いやすくなって復活しました。スタートメニューを表示すると、アプリの一覧とタイルが表示され、目的のアプリを簡単に起動できます。また、「クリップボードの履歴」から貼り付けができるようになったり、音声で操作する**Cortana（コルタナ）**というアシスタント機能や、新しいブラウザーの**Edge（エッジ）**が使えるようになりました。さらに、2020年5月の「May 2020 Update」では、日本語入力システムのIMEの使い勝手が向上し、画面右下の［A］や［あ］を右クリックして表示されるメニューが強化されています。

スタートメニューが復活しました。

音声アシスタント「Cortana」

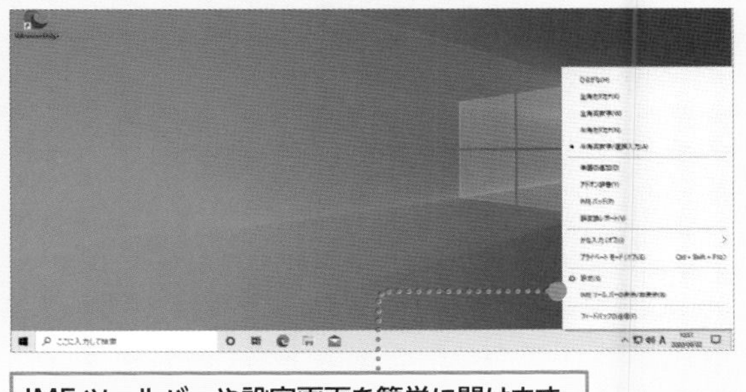

IME ツールバーや設定画面を簡単に開けます。

■ Windows 10 の主な新機能

スタートメニュー	［スタート］ボタンをクリックすると、スタートメニューが表示され、アプリの一覧とタイルが表示されます。スタートメニューは自分が使いやすいようにカスタマイズできます。関連 Q027
Cortana（コルタナ）	パソコンを音声で操作する Cortana というアシスタントが使えます。Cortana に話しかけて天気予報を調べたり、Web の情報を検索したりすることができます。関連 Q054
タスクビュー	［タスクビュー］ボタンをクリックして、起動中のアプリの一覧を表示し、アプリを簡単に切り替えられます。関連 Q085
タイムライン	過去に作業したファイルや閲覧した Web サイトなどを時系列で一覧表示し、作業を再開したり、Web サイトを再表示したりできます。関連 Q097
仮想デスクトップ	複数のデスクトップ画面を作成して使い分けられます。関連 Q092
アクションセンター	パソコンからのさまざまな通知が、アクションセンターにまとめて表示されます。関連 Q074
設定	パソコン用の設定画面が追加され、さまざまな設定を直感的に行うことができます。従来のコントロールパネルも使用可能です。関連 Q451
Edge（エッジ）	新しいブラウザーの Edge が追加されました。従来の Internet Explorer も使用可能です。関連 Q248
タブレットモード	画面をタッチしてパソコンを操作するのに適したタブレットモードが追加されました。関連 Q014
メモ	付箋メモを書いたり、手書きメモを残したりできる機能が追加されました。関連 Q210
IME	言語バーの表示や IME の設定画面を開く操作が、通知領域のボタンからできるようになりました。

お役立ち度 ★★★ Windows 10の特徴

Q003 Windows の進化の歴史が知りたい!

A Windows はバージョンアップを重ねて Windows 10 が登場しました。

Windowsはさまざまな進化を重ね、新しくなるたびにバージョンが上がります。現在、最新のWindowsは「Windows 10」ですが、1995年に家庭向けの「Windows 95」が発売されたときのフィーバーぶりを覚えている方もいるでしょう。「Windows」の後に続く数字や英字がWindowsのバージョンを表しています。なお、Windows 10は「最後のWindows」と発表されており、今後は、春と秋の年2回予定されている更新プログラムの提供によって進化していくものと思われます。

■Windows の変遷

年	Windows
1995 年	Windows 95
1998 年	Windows 98
2000 年	Windows ME
2001 年	Windows XP
2006 年	Windows Vista

年	Windows
2009 年	Windows 7
2012 年	Windows 8
2013 年	Windows 8.1
2015 年	Windows 10

■Windows 10 大型アップデートの歩み

年	アップデート
2015 年 7 月	Windows 10 登場（バージョン 1507）
2015 年 11 月	November Update（バージョン 1511）
2016 年 8 月	Anniversary Update（バージョン 1607）
2017 年 4 月	Creators Update（バージョン 1703）
2017 年 10 月	Fall Creators Update（バージョン 1709）
2018 年 4 月	April 2018 Update（バージョン 1803）
2018 年 10 月	October 2018 Update（バージョン 1809）
2019 年 5 月	May 2019 Update（バージョン 1903）
2019 年 11 月	November 2019 Update（バージョン 1909）
2020 年 5 月	May 2020 Update（バージョン 2004）

お役立ち度 ★★★ Windows 10の特徴

Q004 Windows 10 にはどんな種類（エディション）があるの?

A 用途に応じてさまざまな種類（エディション）が用意されています。

Windows 10には、個人・家庭向けの「Home」、ビジネスユーザー向けの「Pro」、上級ユーザー向けの「Pro for Workstations」などの種類があります。また、企業向けにボリュームライセンス契約などで提供される「Enterprise」シリーズや、教育機関向けの「Education」シリーズなどがあります。家電量販店などで販売されているパソコンの多くは、Windows 10 HomeまたはWindows 10 Proが最初からインストールされています。なお、Windows 10の種類は、変更になることもあります。

■Windows 10 の種類（エディション）

エディション名	用途
Windows 10 Home	一般ユーザー向けのエディションです。
Windows 10 Pro	小規模な企業で使用するエディションです。会社のネットワークでパソコンやユーザーを管理する「ドメイン」というグループに参加できます。
Windows 10 Pro for Workstations	次世代の高性能のパソコンに対応したエディションです。Windows 10 Pro よりもさらに高速にデータを処理する機能などが備わっています。
Windows 10 Enterprise	中～大規模な企業で使用するエディションです。Windows 10 Pro よりもさらに高度なさまざまな機能やセキュリティに関する機能などが用意されています。
Windows 10 Education	学生や教員、その他教育機関の職員向けのエディションです。

おトクな情報 **Home ではリモートデスクトップ機能が制限される**

Pro のパソコンは「リモートデスクトップ」という機能を使って他のパソコンからネットワーク経由で接続して操作することができますが、Home の場合はそれができません。

Q005 お役立ち度 ★★★ Windows 10の特徴

自分のパソコンのエディションを確認するには?

A 設定画面の「バージョン情報」で確認します。

Windows 10の**エディション**を確認するには、以下の手順で「設定」画面を開いて、「バージョン情報」を確認します。

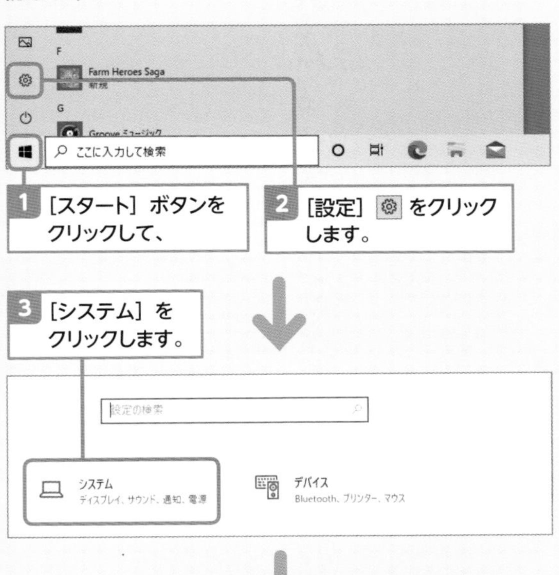

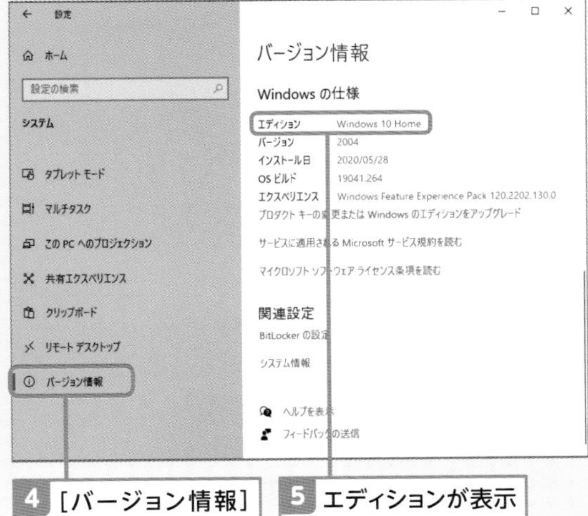

Q006 お役立ち度 ★★★ Windows 10の特徴

Windows 10 が使えるパソコンの性能は?

A インストールされている OS やメモリなどをチェックしましょう。

Windows 10が使えるパソコンの性能は、下の表のとおりです。マイクロソフトのWebページでパソコンがWindows 10に対応しているかどうかをチェックしたり、お使いのパソコンメーカーのWebページでWindows 10の対応状況を確認したりするとよいでしょう。なお、Windows 10のシステム要件は、Windows 10のバージョンによって異なる場合があります。

■ Windows 10 のシステム要件

	32 ビット版	64 ビット版
OS	最新の OS (Windows 7 Service Pack 1 (SP1) または Windows 8.1 Update) がインストールされている	
プロセッサ (CPU)	1GHz 以上	
メモリ	1GB 以上	2GB 以上
ハードディスクの空き容量	16GB 以上	32GB 以上
グラフィックスカード	DirectX 9 以上 (WDDM 1.0 ドライバー)	
ディスプレイ	800 × 600 以上	

■ マイクロソフトの Web ページ

移行前の準備が大切! 最新 OS への移行準備をしましょう!

https://www.microsoft.com/ja-jp/atlife/article-windows10-portal-upgrade.aspx

32 ビット版と 64 ビット版の違い

パソコンでさまざまな処理を行うプロセッサ (CPU) の性能の違いです。一般的に、64 ビットのほうが効率的に処理を行えます。パソコンが 64 ビット対応のプロセッサ (CPU) の場合は、64 ビット版の Windows 10 を利用します。

旧いWindowsからWindows 10にアップグレードするには？

Windows のバージョンや状況によって方法が異なります。

2020年1月にWindows 7のサポートが終了し、Windows 10へのアップグレードをする方が増えています。旧いWindowsからWindows 10にアップグレードするには、Windows 10の製品版を購入し、以下の手順でアップグレードします。アップグレード方法は、パソコンメーカーによって異なる場合があるため、操作に迷ったときは、お使いのパソコンメーカーのWebページなどで確認しましょう。

おトクな情報　アップグレードインストールとクリーンインストール

Windows 10をインストールする方法には、「アップグレードインストール」と「クリーンインストール」の2つがあります。アップグレードインストールは、使用中のパソコンのファイルや設定、アプリなどを引き継いでインストールする方法です。一方、クリーンインストールは、使用中のパソコンの情報を引き継がずに新しくインストールする方法です。

① お使いのパソコンで Windows 10 が使用できるか確認します。 関連 Q006 Windows 10 が使えるパソコン

② 現在お使いの Windows のバージョンを確認します。

Windows 7 や Windows 8/8.1 からアップグレードするには、それぞれ、最新の OS がインストールされている必要があります。最新の OS になっていない場合は、更新プログラムをダウンロードして最新の OS の状態にしてから操作します。

③ Windows 10 の製品版を準備します。

Windows 10 は、年に2回、大規模なアップデートプログラムが公開されています。最新のアップデートプログラムが適用された Windows 10 の製品版を用意しましょう。パッケージ版の他にダウンロード版もあります。

④ ファイルのバックアップを行います。

Windows 10 をインストールする前に、重要なファイルなどは、あらかじめバックアップをとっておきましょう。

⑤ Windows 10 をインストールします。

Windows 10 の製品版の指示に従ってインストールを行います。インストールの途中に表示される画面で、アップグレードインストールするかクリーンインストールするかを選択します。なお、Windows 10 をダウンロード版などで購入した場合は、購入した Web ページを参照してインストールを進めます。

Q008 お役立ち度 ★★★ Windows 10の特徴

Windowsの大型アップデートはいつあるの?

A 春と秋に大型アップデートがあります。

Windows 10は、バグやセキュリティなどの不具合を改善する不定期なアップデートの他に、年に2回の大型アップデートがあります。不定期なアップデートでWindows 10の品質や安全性を確保し、大型アップデートで新しい機能を追加して使い勝手を向上しています。

関連 Q011 Windows 10 を最新の状態で使うには

■2 種類のアップデート

	目的	時期	更新方法
通常のアップデート	バグの修正やセキュリティの強化	不定期	自動更新
大型アップデート	新機能の追加と機能強化	1 年に 2 回	自動更新 手動更新

Q009 お役立ち度 ★★★ Windows 10の特徴

Windowsのサポートが切れたらどうなるの?

A 更新プログラムが配布されなくなります。

2020年1月にWindows 7のサポートが終了し、Windows 7に関するアップデートはなくなりました。アップデートがなくなると、新しいウイルスに対応するセキュリティ関連の更新プログラムが配布されなくなるのでパソコンが危険な状態になります。Windows 10は最後のOSと言われ、永久に使うことができます。ただし、アップデートしないで使い続けると、更新プログラムが利用できなくなる場合もあります。必ずアップデートして最新の状態で使いましょう。

Q010 お役立ち度 ★★★ Windows 10の特徴

旧いWindowsで使っていたアプリ(ソフト)は使えるの?

A ほとんどは使えます。

旧いWindowsからWindows 10にアップグレードしても、それまで使用していたアプリはほとんどそのまま使用できます。ただし、中にはWindows 10に対応していないアプリもあるので注意が必要です。Windows 10に対応していないアプリでも、右のように**互換モード**で実行すれば使用できる場合もあります。

1 アプリのアイコンを右クリックして、[プロパティ]をクリックします。

2 [互換性]タブにある[互換モードでこのプログラムを実行する]にチェックを付けて、

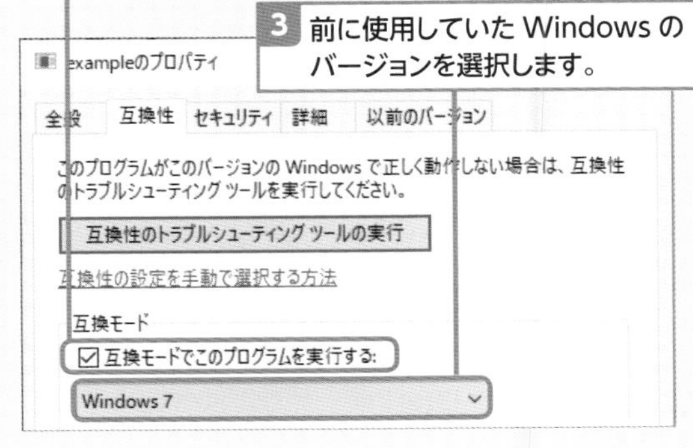

Q011 お役立ち度 ★★★ Windows 10の特徴

Windows 10を最新の状態で使うには?

A 更新プログラムが自動的にダウンロードされます。

Windows 10の追加機能やセキュリティに関する機能、問題が発生した場合の修正プログラムがあった場合は、インターネット経由で**更新プログラム**として提供されます。通常、Windows 10では更新プログラムが自動的にダウンロードされますが、最新の更新プログラムが適用されているかどうかわからないときは、以下の手順で確認できます。

1 [スタート]ボタンをクリックし、[設定] をクリックします。

2 [更新とセキュリティ] をクリックします。

3 [Windows Update] をクリックし、

4 [更新プログラムのチェック] をクリックすると、

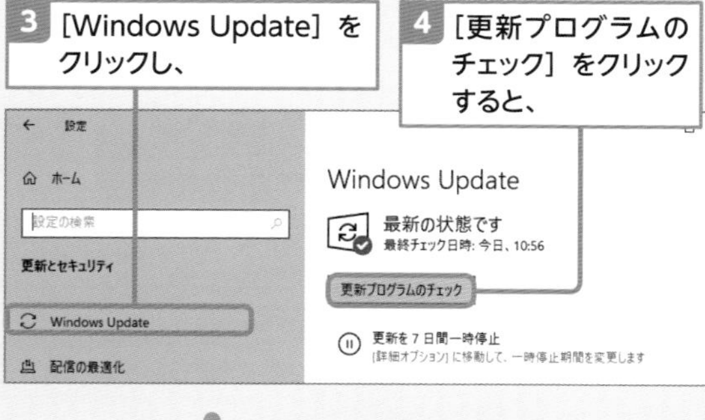

5 更新状態が表示されます。

Q012 お役立ち度 ★★★ Windows 10の特徴

自分が使っているWindows 10は最新の状態なの?

A Windows 10のバージョンやビルドを確認しましょう。

自分が使っているWindows 10が最新の状態かどうかを確認するには、Windows 10の**バージョン**や**ビルド**を確認します。バージョンとは、比較的大きな更新があったときに変更される数字です。一方、ビルドは細かい修正などの更新があったときに変更される数字です。いずれも、数字が大きいほうがより新しい更新プログラムが適用されていることを示しています。

1 [スタート]ボタンをクリックし、[設定] をクリックします。

2 [システム] をクリックします。

3 [バージョン情報] をクリックすると、

4 バージョンとビルドが表示されます。

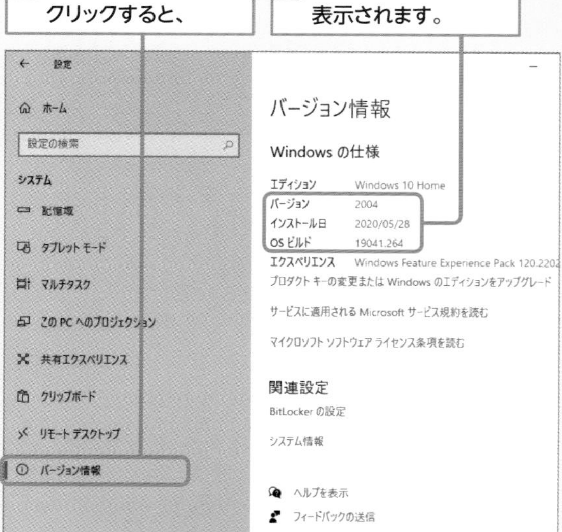

Q013 お役立ち度 ★★★ Windows 10の特徴

画面をタッチしても動かないのはなぜ?

A ディスプレイがタッチパネルに対応していない可能性があります。

Windows 10がインストールされているパソコンに**タッチパネル対応のディスプレイ**が接続されていると、画面をタッチして操作できます。タッチパネル対応のディスプレイをタッチしても動かない場合は、タッチパネルの使用が有効になっているかどうかを確認しましょう。ただし、タッチパネルに対応していないディスプレイは、画面をタッチして操作することはできません。

1 検索ボックスに「でばいすまねーじゃー」と入力し、

2 [デバイスマネージャー]をクリックします。

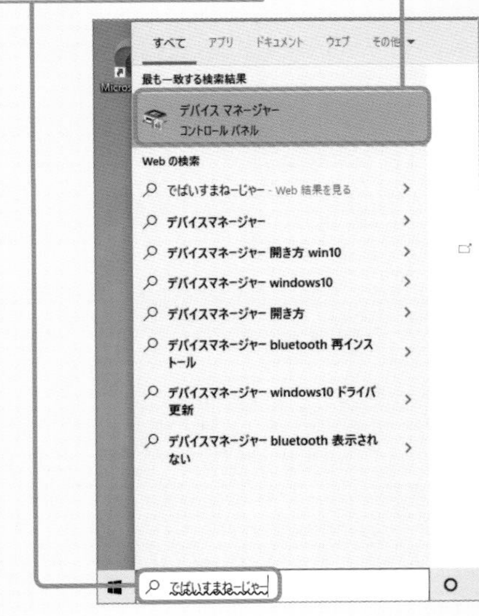

3 [ヒューマンインターフェイスデバイス]の先頭の[>]をクリックし、

4 タッチパネルのデバイス名を右クリックして、

5 [デバイスを有効にする]をクリックします。

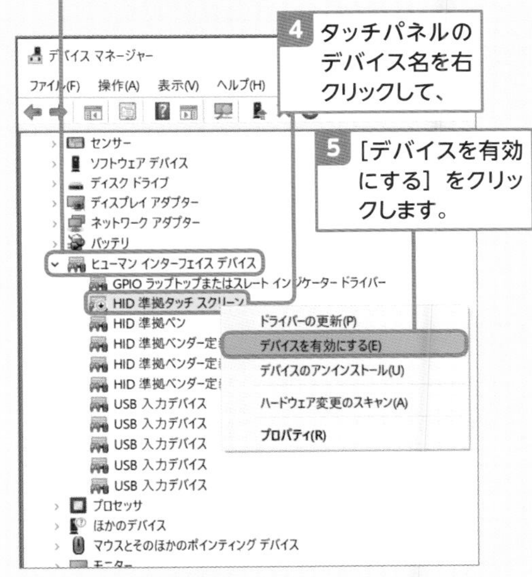

Q014 お役立ち度 ★★★ Windows 10の特徴

タブレットモードって何?

A タブレット端末で操作するのに適したモードです。

タブレットモードは、タブレット端末でWindows 10を使うための画面のことです。タブレットモードに切り替えると、タッチ操作がしやすいように、スタートメニューが全画面で表示されます。また、アプリを起動すると自動的に全画面表示になります。タブレットモードは、右の手順でアクションセンターから切り替えます。

1 [アクションセンター] をクリックし、

2 [タブレットモード]をクリックします。

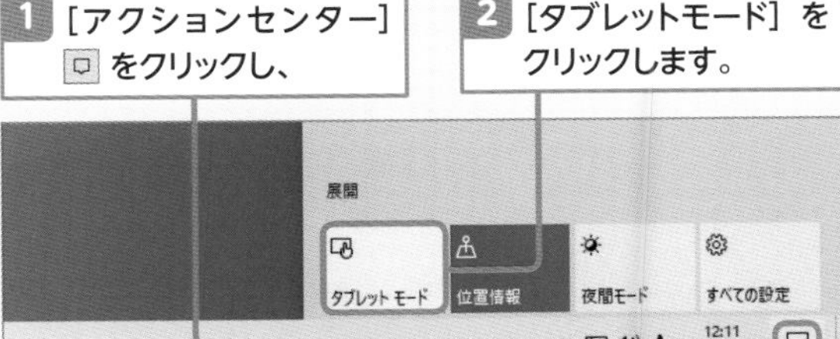

おトクな情報 アクションセンターのボタンを展開/折りたたむ

アクションセンターのボタン(クイックアクション)は、折りたたんだ状態で4つ表示されます。[展開]をクリックすると、すべてのボタンが表示されます。

Windows 10 でパソコンを起動するには?

A パソコンの電源ボタンを押します。

Windows 10を使うには、最初にパソコンの電源ボタンを押します。すると、自動的にWindows 10が起動し、**ロック画面**が表示されます（ロック画面に表示される画像はパソコンによって異なります）。ロック画面をクリックするとパスワードを入力する画面（**サインイン画面**）が表示されるので、パスワードを入力して Enter キーを押します。サインインが終了すると、Windows 10の**デスクトップ画面**が表示されます。
なお、パスワードの設定を行っていない場合は、パソコンの電源ボタンを押すと、すぐにデスクトップ画面が表示されます。

関連 Q016 起動時に入力するパスワード

1 パソコンの電源ボタンを押します。

※上図は一般的な例です

3 サインイン画面が表示されます。

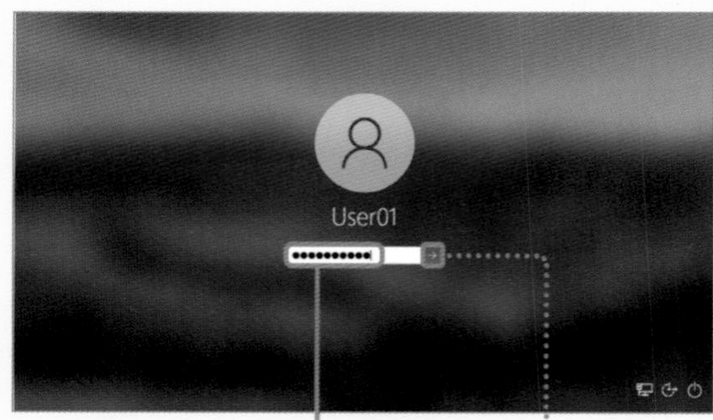

4 パスワードを入力して Enter キーを押すと、

パスワードを入力して、ここをクリックしても同じです。

5 デスクトップ画面が表示されます。

Q016

お役立ち度 ★★★

Windows 10の起動・終了

起動時に求められるパスワードは何を入力するの?

A Windows 10 のセットアップ時に指定したパスワードを入力します。

起動時のサインイン画面では、Windows 10のセットアップ時に指定したパスワードを入力します。パスワードには**ローカルアカウント用のパスワード**と**Microsoftアカウント用のパスワード**の2種類があり、Windows 10のセットアップ時にどちらを使うかを指定します（後から変更できます）。ローカルアカウントでパスワードを設定していない場合は、パスワードを入力せずにサインインしましょう。なお、Microsoftアカウントでサインインする場合は、あらかじめMicrosoftアカウントを取得しておきます。

また、Windows 10のセットアップ時に「**PIN**」という4桁以上の暗証番号を作成している場合は、PINを使ってサインインする画面が表示されます。サインイン画面に表示される［サインインオプション］をクリックして、PINとパスワードの入力を切り替えることもできます。

関連 Q472 PIN の設定
関連 Q490 ローカルアカウントと Microsoft アカウント
関連 Q491 Microsoft アカウントの作成

ローカルアカウントのサインイン画面

Microsoft アカウントのサインイン画面

PIN を使用したサインイン画面

Q017

お役立ち度 ★★★

Windows 10の起動・終了

パスワードを忘れてしまったらどうするの?

A アカウントによって対応が異なります。

パスワードを忘れてしまうと、Windows 10を起動することができません。思いつくパスワードを試してもサインインできないときは、ローカルアカウントとMicrosoftアカウントでそれぞれの対応を行いましょう。

ローカルアカウントの場合

Windows 10 バージョン 1803以降の場合は、パソコンのサインイン画面でパスワードを間違えたときに表示される［パスワードのリセット］をクリックします。ローカルアカウントの設定時に指定したセキュリティの質問に答えて Enter キーを押すと、次の画面で新しいパスワードを指定できます。また、管理者アカウントのパスワードがわかれば、Q499の方法でパスワードを設定し直すことができます。また、Q534の方法で事前に**パスワードリセットディスク**を作成していれば再設定できます。

Microsoftアカウントの場合

パソコンのサインイン画面で［パスワードを忘れた場合］をクリックします。後は、画面の指示に従ってパスワードをリセットします。また、Q500の方法でも変更できます。

Q018 お役立ち度 ★★★ Windows 10の起動・終了

パソコンを再起動するには?

A ［スタート］ボタンから再起動します。

Windows 10を起動し直すことを**再起動**といいます。スタートメニューの中にある［電源］をクリックし、3つのメニューから［再起動］をクリックすると、Windows 10の終了と起動を連続して行います。再起動する前に、作業中のアプリを終了しておきましょう。終了していないアプリは再起動の際に強制的に閉じられます。

関連 Q025 トラブル時の再起動

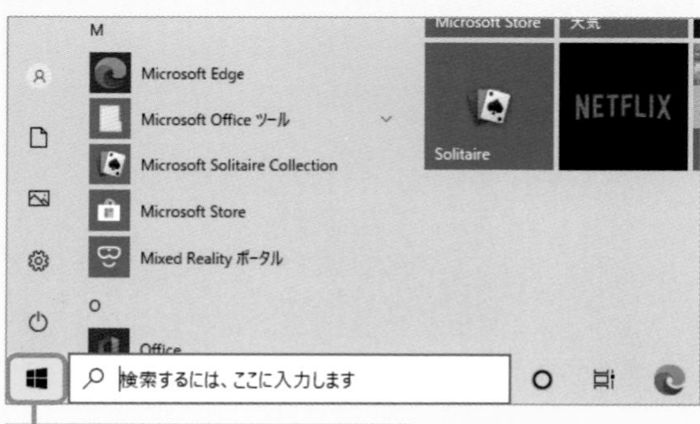

1 ［スタート］ボタンをクリックし、

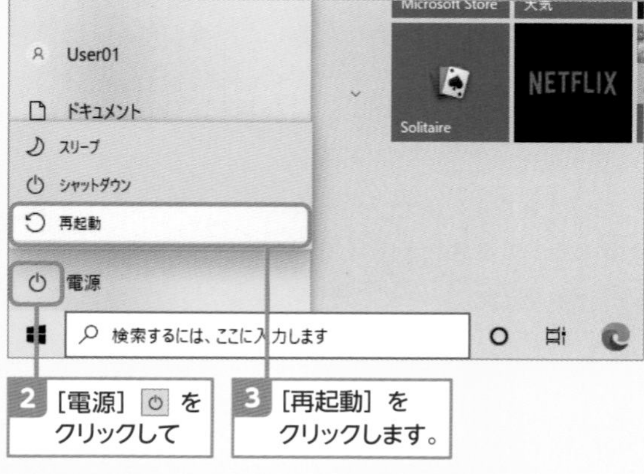

2 ［電源］を クリックして

3 ［再起動］を クリックします。

Q019 お役立ち度 ★★★ Windows 10の起動・終了

パソコンの電源を正しく切る操作を教えて!

A シャットダウンの操作を行います。

パソコンの操作が終わって電源を切るには、作業中のアプリをすべて終了してから**シャットダウン**の操作を行います。なお、デスクトップパソコンでは、パソコンの電源ボタンを押して電源を切ると、自動的にシャットダウンの操作を行う設定になっています。そのため、いきなりパソコンの電源を切っても問題ありません。

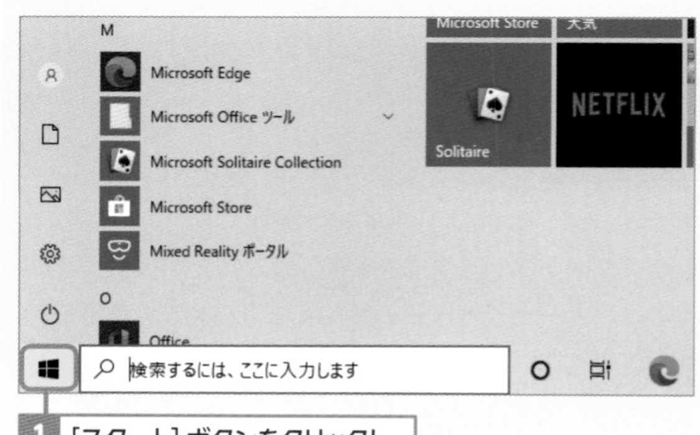

1 ［スタート］ボタンをクリックし、

2 ［電源］を クリックして

3 ［シャットダウン］をクリックします。

Q020

お役立ち度 ★★★

Windows 10の起動・終了

電源を切っていないのに画面が黒くなった!

A スリープ状態を解除します。

Windows 10の使用中に何も操作しない状態で一定時間が経過すると、消費電力を節約するために、省電力モードの**スリープ状態**になって画面が黒くなります。任意のキーを押したり、マウスのボタンを押したり、電源ボタンを押したりすると、スリープ状態が解除されて再び使用できるようになります。なお、スリープ状態になるまでの時間は、下のように「設定」画面で変更できます。

1 [スタート] ボタンをクリックし、[設定] をクリックします。

2 [システム] をクリックします。

3 [電源とスリープ] をクリックし、

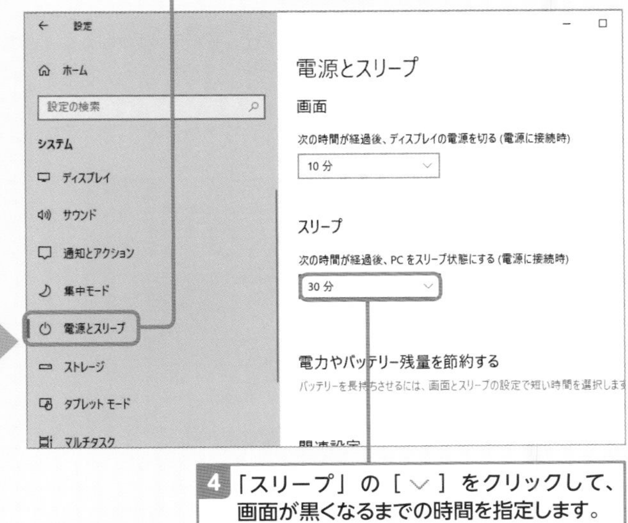

4 「スリープ」の [∨] をクリックして、画面が黒くなるまでの時間を指定します。

Q021

お役立ち度 ★★★

Windows 10の起動・終了

「スリープ」はどんなときに使うの?

A 省電力モードに切り替えるときに使います。

スリープ状態とは、Windowsの状態を保存したまま、パソコンの消費電力を節約する省電力モードのことです。スリープ状態になるとパソコンの使用が中断されますが、スリープ状態を解除すると、すぐに元の状態に戻って作業を再開できます。なお、スリープ状態でも多少の電力は消費されます。何日もパソコンを使用しない場合は、パソコンの電源を切るようにしてください。

Q022

お役立ち度 ★★★

Windows 10の起動・終了

どうしてもパソコンの電源が切れないときは?

A 電源ボタンを長押しします。

なんらかのトラブルでパソコンの操作ができなくなったときは、Q026の操作で応答のないアプリを強制的に終了します。それでもシャットダウンの操作ができない場合は、パソコンの電源ボタンを4 ~ 5秒間長押しすると電源を切ることができる場合があります。ただし、この方法で電源を切った場合は、保存してない作業中のデータが消えてしまうことがあるので注意しましょう。

Q023

お役立ち度 ★★★

Windows 10の起動・終了

席を離れるときにパソコンの画面を一時的に隠すには?

A ロック画面に切り替えます。

会議や外出で席を離れるときは、他の人にパソコンを操作されることがないように**画面をロック**しておくのがお勧めです。パスワードを設定していると、ロックを解除するときにパスワードの入力が求められるので、他の人にパソコンを操作されてしまうのを防げます。

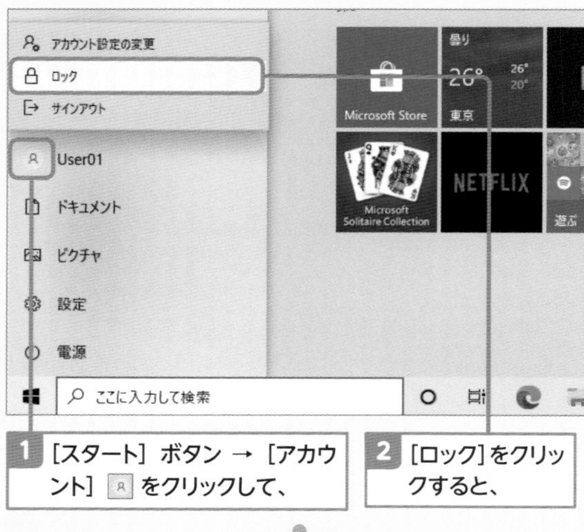

1 [スタート] ボタン → [アカウント] をクリックして、

2 [ロック] をクリックすると、

3 画面がロックされます

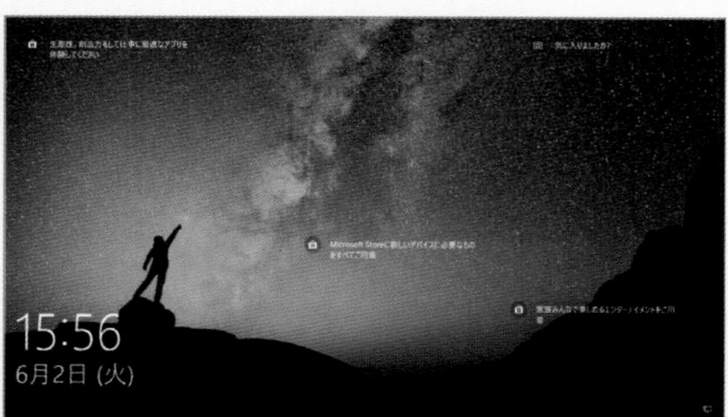

ロックを解除するには、画面をクリックします。パスワードを入力して Enter キーを押すと、ロックが解除されます。

Q024

お役立ち度 ★★★

Windows 10の起動・終了

「サインアウト」はどんなときに使うの?

A 他のアカウントでサインインする場合などに使います。

1台のパソコンを複数のメンバーで使用するときは、自分専用のデスクトップやフォルダーが表示されたほうが使い勝手が向上します。**サインアウト**を行うと、シャットダウンせずに現在Windows 10を利用しているアカウントを終了することができます。続けて、他のアカウントでサインインすると、そのアカウント専用のデスクトップが表示されます。 関連 Q509 アカウントの切り替え

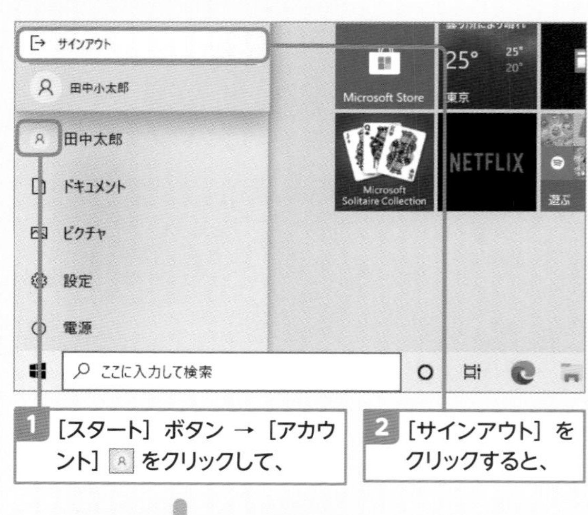

1 [スタート] ボタン → [アカウント] をクリックして、

2 [サインアウト] をクリックすると、

サインアウトしています

3 サインアウト中のメッセージが表示され、

4 サインアウトされます。

Q025

お役立ち度 ★★★

Windows 10の起動・終了

トラブルのときはシャットダウンと再起動のどちらがいいの?

A 再起動をしてみましょう。

シャットダウンと再起動ではWindowsを終了するときの動作に違いがあります。シャットダウンの場合は、そのときのシステムの状態を保存してから終了し、次回に起動するときに保存した情報を読み込むように設定されています。この設定は**高速スタートアップ**というもので、システムを高速に起動することができます。一方、再起動の場合は、いったん完全なシャットダウンをしてからシステムを起動します。システムにトラブルが発生した場合にWindowsを起動し直すときは、システムの状態を引き継がない再起動を試したほうがよいでしょう。

Q026

お役立ち度 ★★★ スゴわざ

Windows 10の起動・終了

アプリが応答しなくなったらどうするの?

A タスクマネージャーを開いて、応答のないアプリを終了させます。

アプリを使用中に、タスクバーに「応答なし」と表示されて、アプリやパソコンの操作が一切できなくなることがあります。この状態のことを**フリーズ**といいます。パソコンがフリーズしたら、いきなり電源ボタンを長押しして電源を切るのでなく、タスクマネージャーを使って、アプリを強制的に終了します。こうすれば、フリーズしたアプリだけを終了できます。ただし、アプリを強制的に終了すると、保存していないデータが消えてしまうので注意が必要です。 関連 Q022 パソコンの強制終了

タイトルバーに「応答なし」と表示され、アプリの操作が一切できなくなっています。

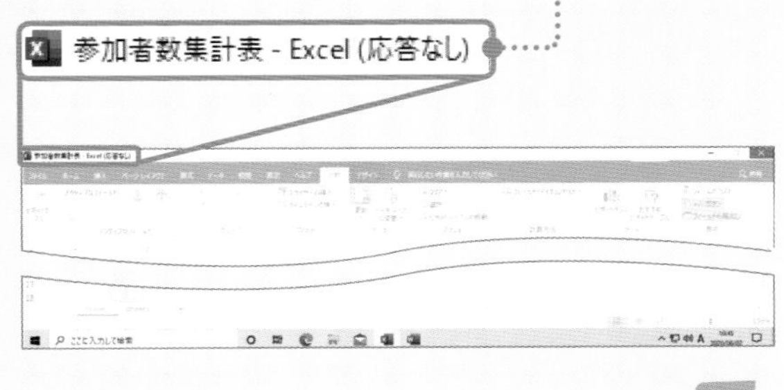
参加者数集計表 - Excel (応答なし)

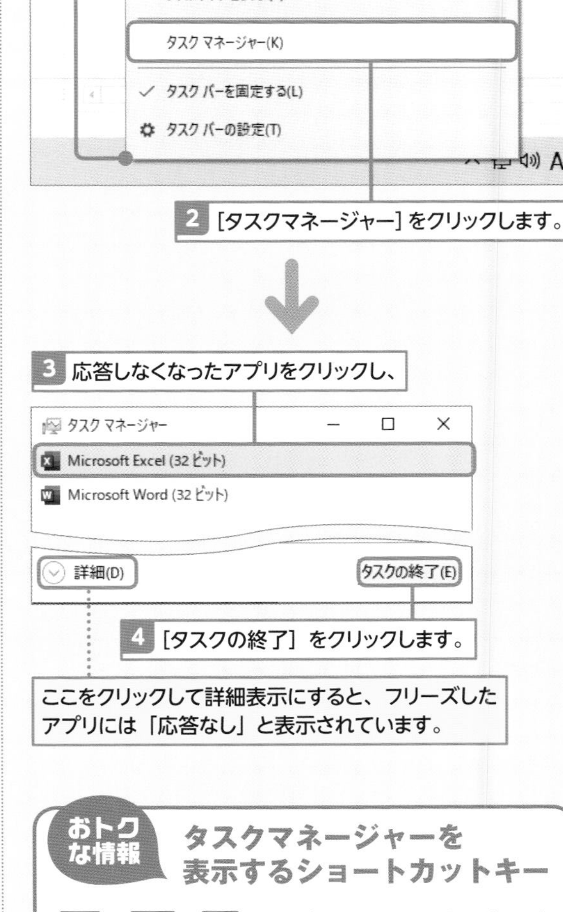
1 タスクバーを右クリックし、
タスク マネージャー(K)
タスク バーを固定する(L)
タスク バーの設定(T)
2 [タスクマネージャー] をクリックします。
3 応答しなくなったアプリをクリックし、
タスク マネージャー
Microsoft Excel (32 ビット)
Microsoft Word (32 ビット)
詳細(D)
タスクの終了(E)
4 [タスクの終了] をクリックします。
ここをクリックして詳細表示にすると、フリーズしたアプリには「応答なし」と表示されています。

おトクな情報 タスクマネージャーを表示するショートカットキー

Ctrl + Shift + Esc キーを押してタスクマネージャーを表示することもできます。

Q027

お役立ち度 ★★★

まずは スタートメニューから

スタートメニューって何?

A [スタート] ボタンをクリックしたときに表示されるメニューです。

Windows 10の［スタート］ボタンをクリックすると、**スタートメニュー**が表示されます。スタートメニューの一番左側には、[電源] [設定] [ドキュメント] [ピクチャ] [アカウント] といったパソコンの基本的な機能が並んでいます。その隣にアプリの一覧が表示されます。右側には、アプリを起動するための**タイル**と呼ばれる四角形が並びます。

スタートメニューの構成は以下のとおりです。

[アカウント]
マウスポインターを合わせると、サインインしているユーザー名が表示されます。クリックするとサインアウトやロックを選ぶメニューが表示されます。

アプリ一覧
パソコンにインストールされているアプリが表示されます。

タイル
アプリを起動するアイコンです。

ライブタイル
アプリの内容が静止画や動画で表示されるタイルです。

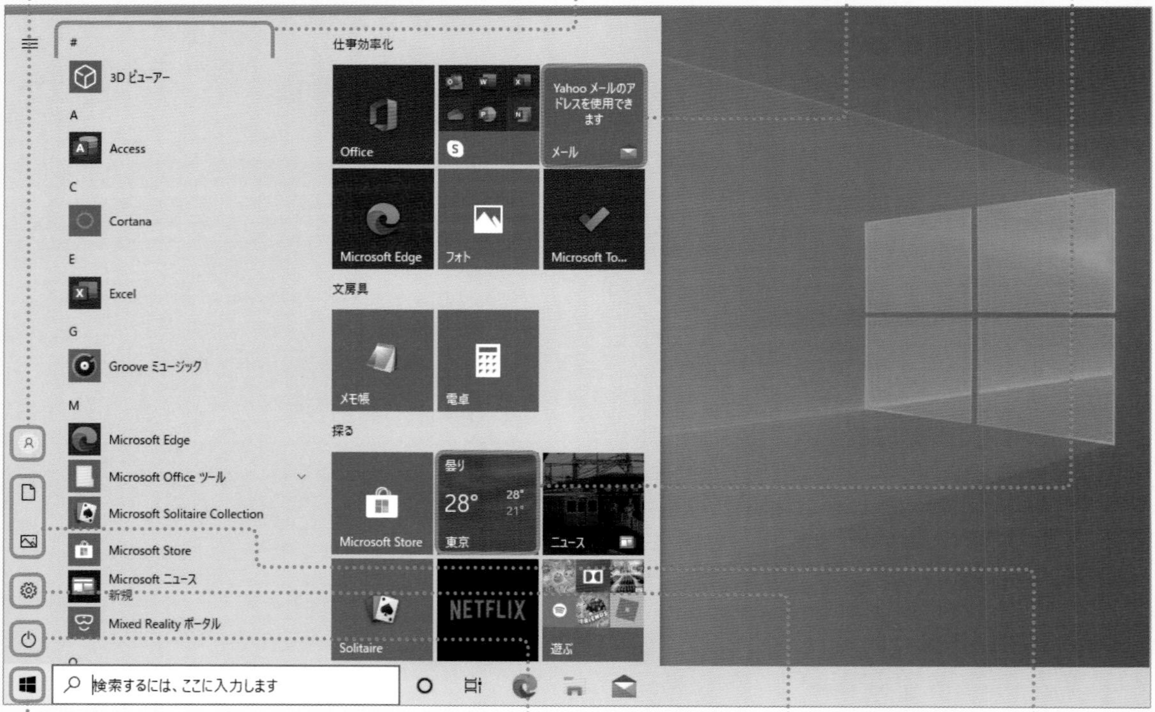

[スタート] ボタン
クリックするとスタートメニューが表示されます。

[電源]
シャットダウンやスリープ、再起動を選ぶメニューが表示されます。

[設定]
「設定」画面が表示されます。

[ドキュメント]
[ピクチャ]
それぞれのフォルダーが開きます。

[スタート] ボタンの上に表示されるアイコンは、お使いのパソコンによって異なる場合があります。表示されるアイコンは、「設定」画面の [個人用設定] → [スタート] → [スタートメニューに表示するフォルダーを選ぶ] をクリックして指定できます。

Q 028 お役立ち度 ★★★ まずは スタートメニューから

スタートメニューを開く／閉じるには?

A [スタート] ボタンをクリックします。

[スタート] ボタンをクリックすると、スタートメニューが表示されます。もう一度 [スタート] ボタンをクリックすると、スタートメニューが閉じられます。スタートメニューはWindows 10の操作の基本です。操作をしっかり覚えましょう。

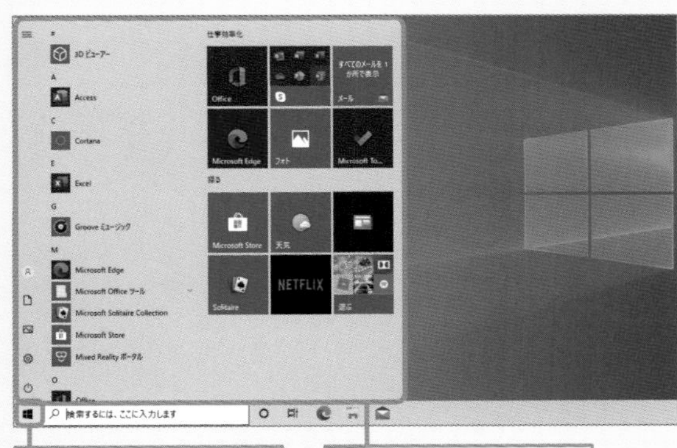

1 [スタート] ボタンをクリックすると、

2 スタートメニューが開きます。

3 もう一度 [スタート] ボタンをクリックするとスタートメニューが閉じます。

おトクな情報 キーボードからスタートメニューを開く

[⊞] キーを押して、スタートメニューの表示と非表示を交互に切り替えることもできます。

Q 029 お役立ち度 ★★★ スゴわざ まずは スタートメニューから

スタートメニューをもっと大きく表示するには?

A 上端や右端をドラッグします。

スタートメニューの上端や右端をドラッグすると、サイズを変更できます。外側にドラッグすると拡大し、内側にドラッグすると縮小します。マウスポインターが両方向の矢印 ⇕ ⇔ に変化したらドラッグしましょう。

1 スタートメニューの上端を上方向にドラッグすると、

2 縦方向に拡大します。

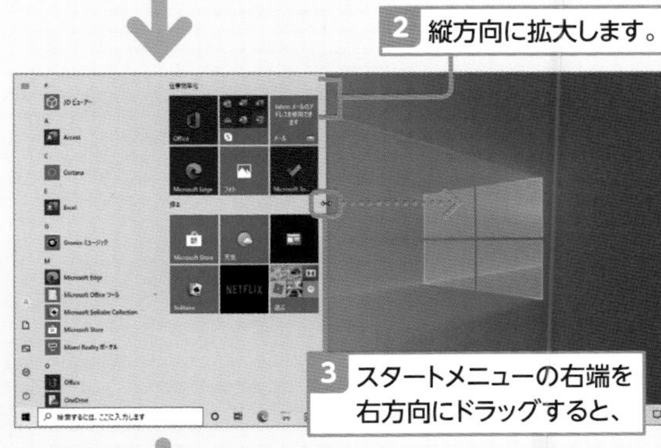

3 スタートメニューの右端を右方向にドラッグすると、

4 横方向に拡大します。

使いはじめ
デスクトップ
ファイル
文字入力
アプリ
インターネット
メール
写真・動画・音楽
周辺機器・スマホ
設定
安全に使う

Q 030 お役立ち度 ★★★ スゴわざ まずは スタートメニューから

スタートメニューを画面いっぱいに広げるには?

A スタートメニューの設定を変更します。

[全画面表示のスタートメニュー]を設定すると、[スタート] ボタンをクリックしたときに表示されるスタートメニューを画面全体に大きく表示できます。

1 [スタート] ボタンをクリックし、[設定]  をクリックします。

2 [個人用設定] をクリックします。

3 [スタート] をクリックし、

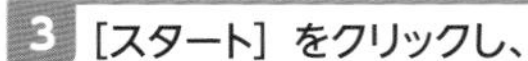

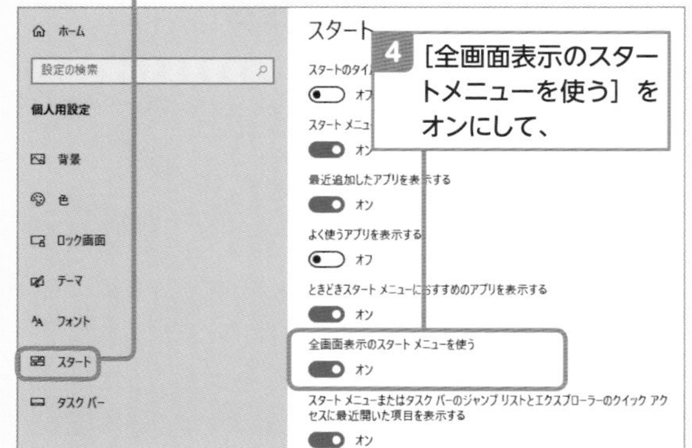

4 [全画面表示のスタートメニューを使う] をオンにして、

5 [閉じる] ボタン × をクリックして「設定」画面を閉じます。

6 [スタート] ボタンをクリックすると、

7 スタートメニューが全画面表示になります。

Q 031 お役立ち度 ★★★ まずは スタートメニューから

スタートメニューからアプリを起動するには?

A 目的のアプリやタイルをクリックします。

パソコンにインストールされているアプリを起動するには、スタートメニューのアプリ一覧から目的のアプリをクリックする方法と、目的のタイルをクリックする方法があります。両方に目的のアプリが表示される場合は、どちらから起動してもかまいません。

1 [スタート] ボタンをクリックし、

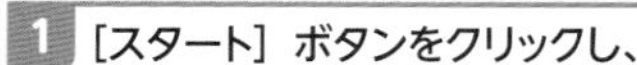

2 起動したいアプリやタイルをクリックすると、

3 アプリ(ここでは「Edge」)が起動します。

Q 032 お役立ち度 ★★★ スゴわざ　まずはスタートメニューから

「よく使うアプリ」の一覧を消したい!

A 「設定」画面で「よく使うアプリ」の表示をオフにします。

スタートメニューのアプリの一覧の上部に「よく使うアプリ」が表示される場合があります。頻繁に使うアプリをすぐに起動できて便利な一方、どんなアプリを使っているかを表示したくないという人もいるでしょう。以下の操作を行うと、「よく使うアプリ」が非表示になります。

「よく使うアプリ」が表示されています。

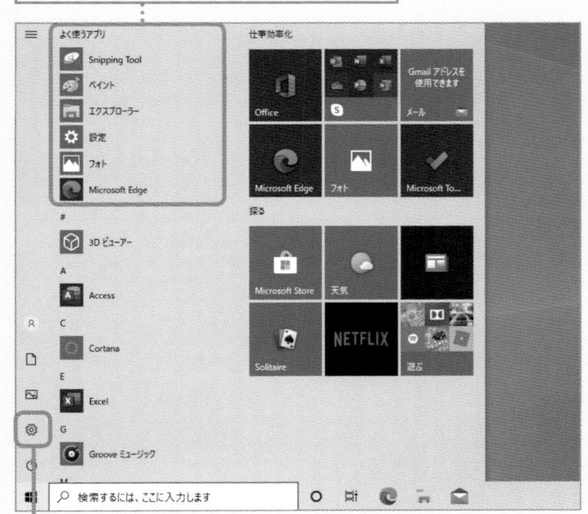

1 [スタート] ボタンをクリックし、[設定] をクリックします。

2 [個人用設定] をクリックします。

3 [スタート] をクリックし、

4 [よく使うアプリを表示する] をオフにして、

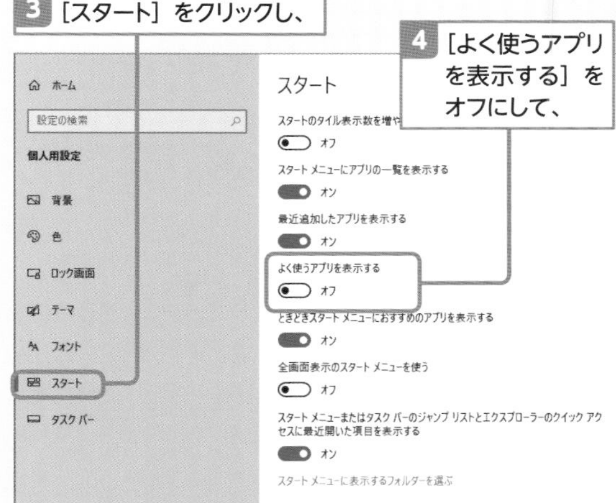

5 [閉じる] ボタン × をクリックして「設定」画面を閉じます。

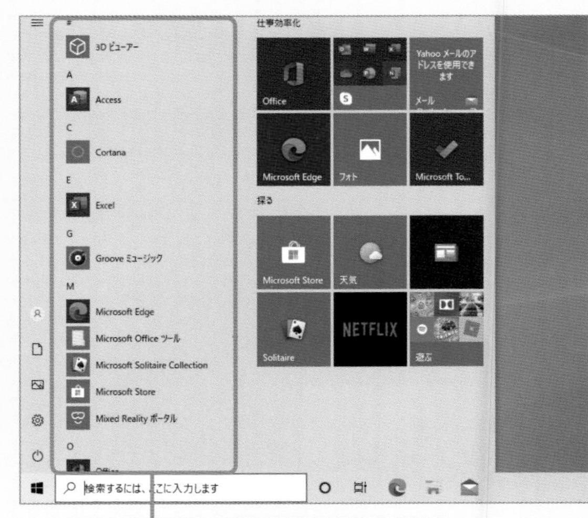

6 スタートメニューの「よく使うアプリ」が非表示になります。

おトクな情報　特定のアプリだけを非表示にする

「よく使うアプリ」の中から特定のアプリだけを非表示にするには、消したいアプリを右クリックして、[その他] → [この一覧に表示しない] をクリックします。

Q033 お役立ち度 ★★★ まずはスタートメニューから

コマンドを入力してアプリを起動するには?

A [ファイル名を指定して実行] 機能を使います。

いくつかの手順を踏んで起動するアプリや、階層深くに用意されている設定画面などは、目的に到達するのに時間がかかります。[ファイル名を指定して実行]を使うと、特定のコマンド（命令）を入力するだけで、アプリやファイルを開くことができます。

たとえば、Windowsのバージョンを確認するには、[設定] → [システム] → [バージョン情報] の順にクリックしますが、[ファイル名を指定して実行] を使えば「**winver**」と入力するだけでOKです。なお、⊞+R キーを押し「ファイル名を指定して実行」画面を表示することもできます。

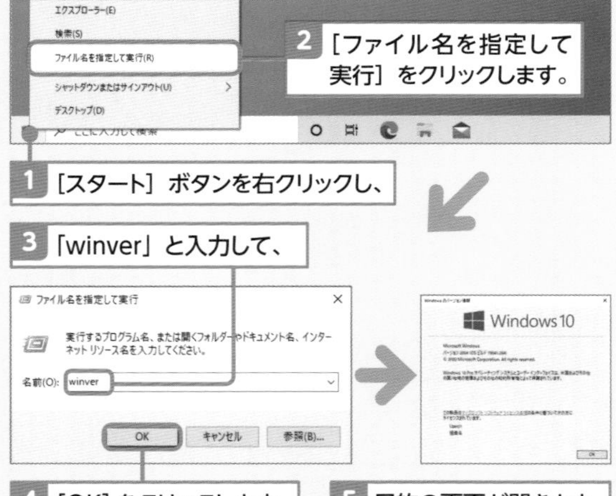

■ [ファイル名を指定して実行] で使える主なコマンド

コマンド	起動するアプリや設定画面
iexplore	Internet Explorer
wordpad	ワードパッド
notepad	メモ帳
mspaint	ペイント
calc	電卓
control	コントロールパネル
cmd	コマンドプロンプト

Q034 お役立ち度 ★★★ まずはスタートメニューから

目的のアプリを頭文字から探すには?

A アプリのインデックスを表示します。

スタートメニューのアプリの一覧は、アルファベット順→日本語のあいうえお順に並んでいます。そのため、下のほうに隠れているアプリを起動するには、毎回アプリの一覧をスクロールする必要があります。もっと素早くアプリを起動するには、アプリの頭文字を表示するインデックス画面を使うとよいでしょう。

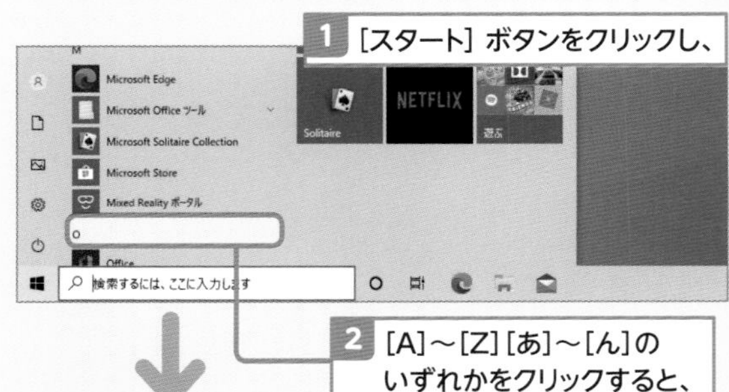

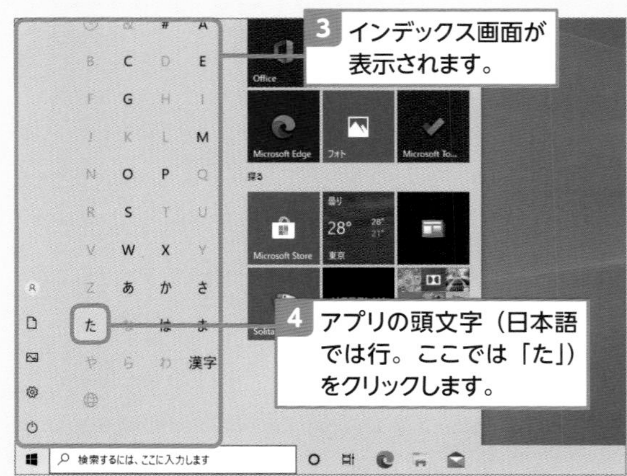

3 インデックス画面が表示されます。
4 アプリの頭文字（日本語では行。ここでは「た」）をクリックします。

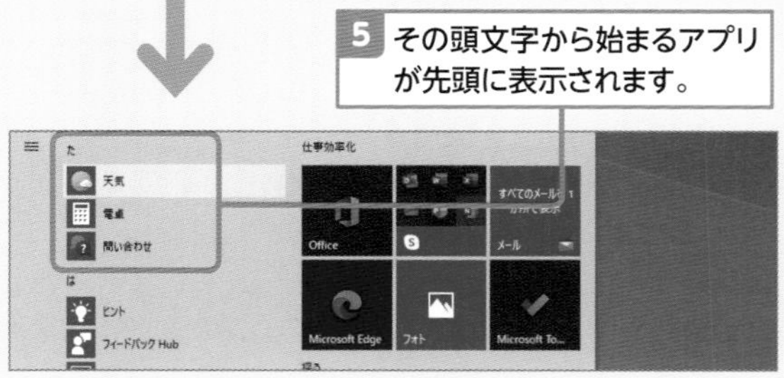

Q035 お役立ち度 ★★★ まずは スタートメニューから

アプリを終了するには?

A [閉じる] ボタンをクリックします。

起動中のアプリを使い終わったら、右上にある [閉じる] ボタンをクリックします。タブレットモードで全画面表示されたアプリには [閉じる] ボタンが表示されません。アプリの画面を上端から下端に向かってスライドすると終了します。

パソコンの操作

1 [閉じる] ボタンをクリックすると、

2 アプリが終了します。

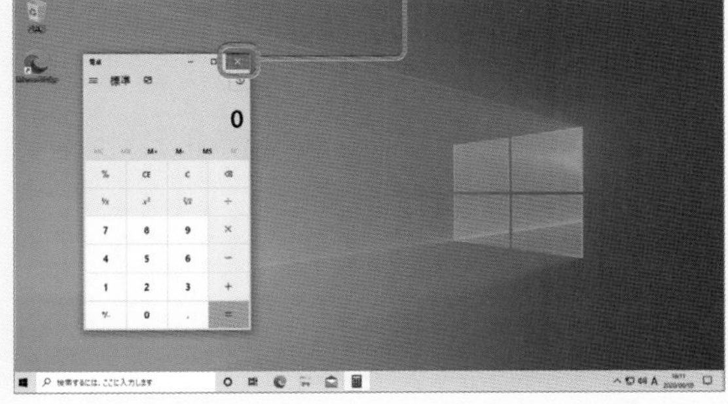

タブレットモードの操作

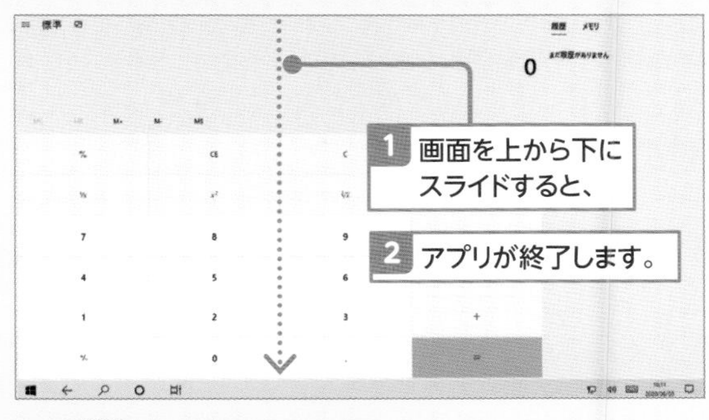

1 画面を上から下にスライドすると、

2 アプリが終了します。

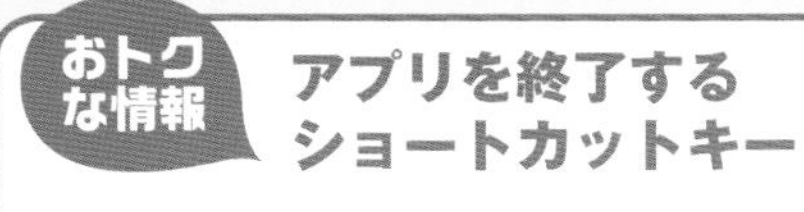

おトクな情報 アプリを終了するショートカットキー

Alt + F4 キーを押してアプリを終了することもできます。

Q036 お役立ち度 ★★★ まずは スタートメニューから

よく使うアプリをタイルに追加するには?

A スタートメニューにピン留めします。

よく使うアプリを毎回アプリの一覧から探して起動するのは面倒です。このようなときは、よく使うアプリをスタートメニューにタイルとして追加すると便利です。それには、追加したいアプリのアイコンを右クリックして [スタートにピン留めする] をクリックします。追加したアプリのタイルはQ041の操作で順番を入れ替えたり、Q037の操作で削除したりできます。

1 スタートメニューでタイルに追加したいアプリを右クリックし、

2 [スタートにピン留めする] をクリックすると、

3 スタートメニューにアプリのタイルが表示されます。

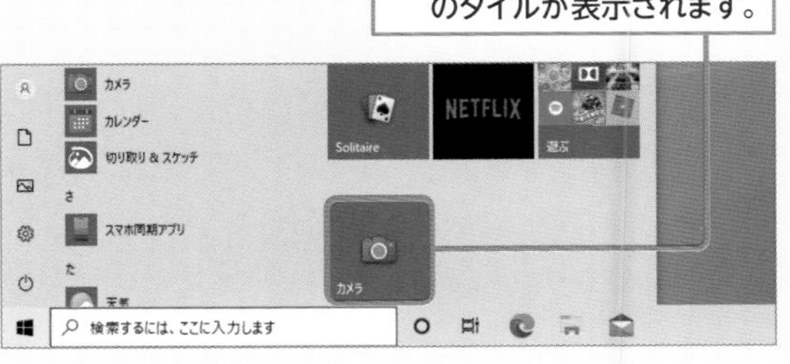

Q 037

お役立ち度 ★★★

まずは スタートメニューから

追加したタイルを削除するには?

A タイルのピン留めを外します。

スタートメニューには最初から表示されているタイルと後から自分で追加したタイルがあります。スタートメニューからタイルを削除するには、削除したいタイルを右クリックして[スタートからピン留めを外す]をクリックします。タイルを削除してもアプリそのものが削除されたわけではないので、必要に応じていつで追加できます。

1 スタートメニューで削除したいタイルを右クリックし、

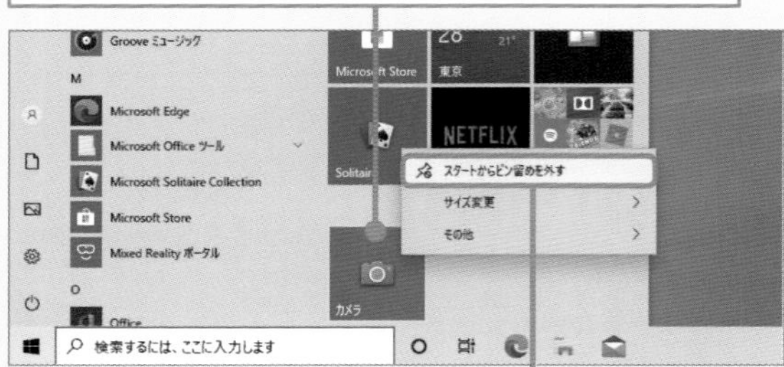

2 [スタートからピン留めを外す] をクリックすると、

3 スタートメニューからタイルが削除されます。

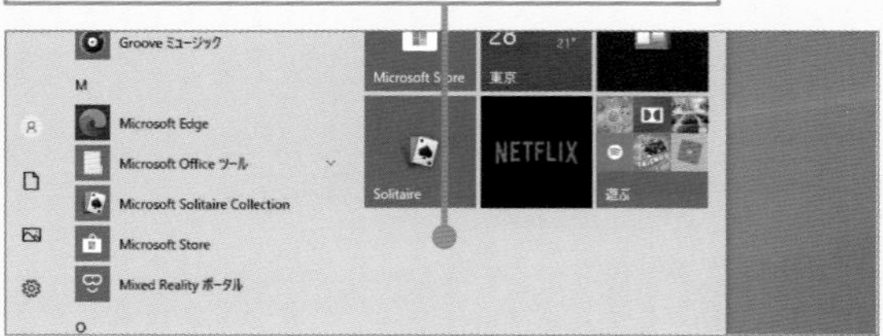

おトクな情報 [アンインストール] ではアプリそのものが削除される

右クリックしたときのメニューの中にある [アンインストール] をクリックすると、アプリそのものが削除されるので気を付けましょう。

Q 038

お役立ち度 ★★★ スゴわざ

まずは スタートメニューから

タイルの大きさを変更するには?

A タイルを右クリックしてサイズを変更します。

スタートメニューのタイルのサイズは後から変更できます。サイズを変更したいタイルを右クリックして [サイズ変更] をクリックすると、[小] [中] [横長] [大] の4つのサイズが選べます。

1 サイズを変更したいタイルを右クリックし、

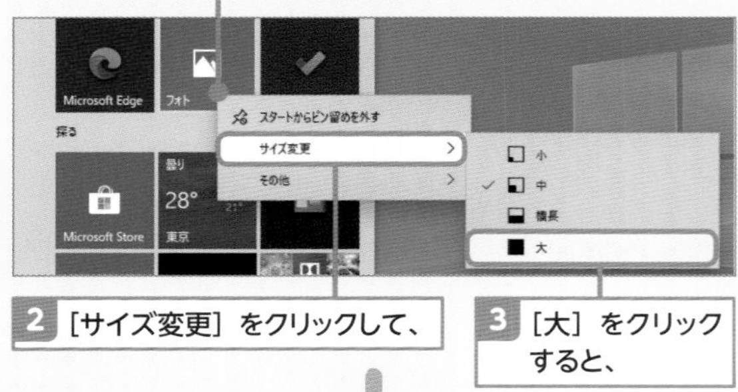

2 [サイズ変更] をクリックして、

3 [大] をクリックすると、

4 タイルのサイズが変わります。

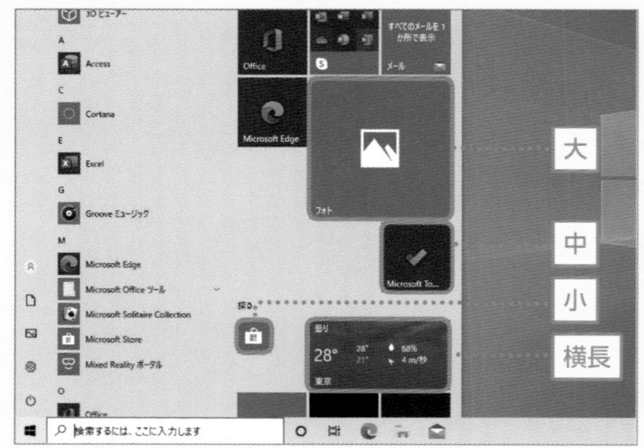

Q039 お役立ち度 ★★★ まずは スタートメニューから

タイルに写真が自動表示されるのはなぜ?

A ライブタイルがオンになっているからです。

Windows 10のスタートメニューのタイルには、写真やさまざまな情報が随時切り替わって表示されるものがあります。このタイルを**ライブタイル**といい、初期設定でライブタイルがオンになっているタイルがいくつかあります。

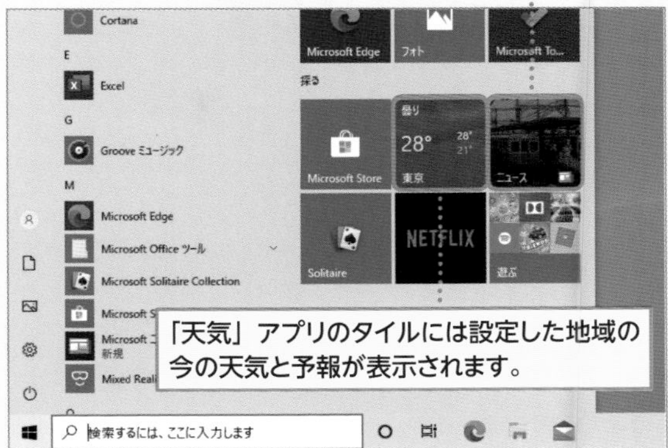

「ニュース」アプリのタイルには、現在のニュースに関する写真が連続して表示されます。
「天気」アプリのタイルには設定した地域の今の天気と予報が表示されます。

Q040 お役立ち度 ★★★ まずは スタートメニューから

タイルに写真が表示されないようにするには?

A ライブタイルをオフに変更します。

Q039のライブタイルが必要ない場合は、ライブタイルをオフにしましょう。それには、ライブタイルをオフにしたいタイルを右クリックし、[その他]→[ライブタイルをオフにする]をクリックします。

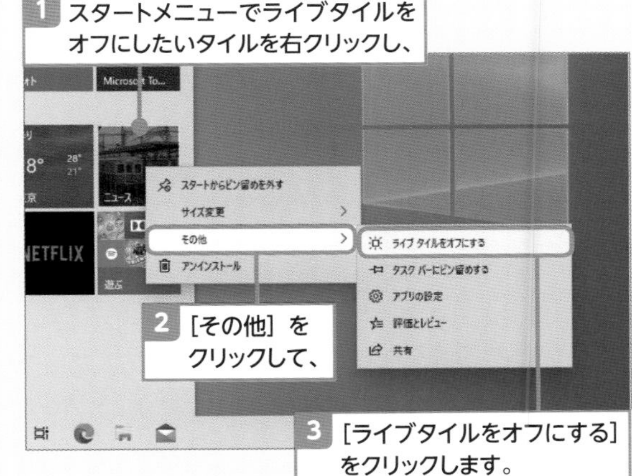

Q041 お役立ち度 ★★★ まずは スタートメニューから

タイルを整理して並べるには?

A タイルをドラッグして並べ替えます。

スタートメニューのタイルの位置は、後からタイルをドラッグして自由に入れ替えることができます。関連するタイルをまとめて並べておくと探しやすくて便利です。

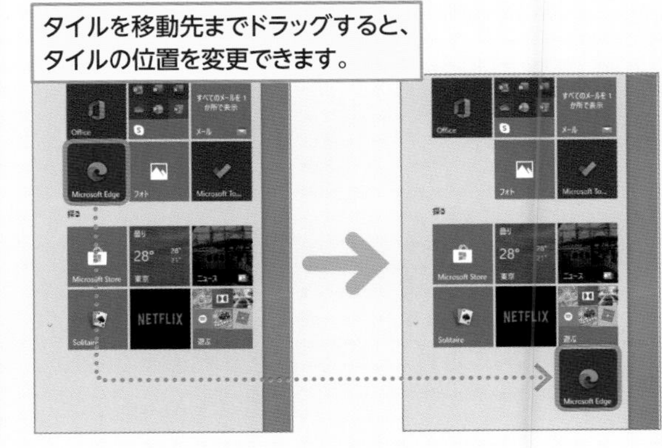

Q 042 お役立ち度 ★★★ スゴわざ まずは スタートメニューから

タイルをグループごとに分類するには?

A グループを作って、グループ名を入力します。

初期設定では、スタートメニューのタイルは「仕事効率化」「探る」などいくつかのグループに分かれています。同じように、後から追加したタイルにグループ名を付けて管理することができます。グループ名を付ける前に、グループ化したいタイルをQ041の操作でまとめておきましょう。なお、1つのグループには、横方向に「中」サイズのタイルを3つ表示できます。

1 タイルを移動してテーマごとにまとめます。

2 上部にマウスポインターを移動すると、

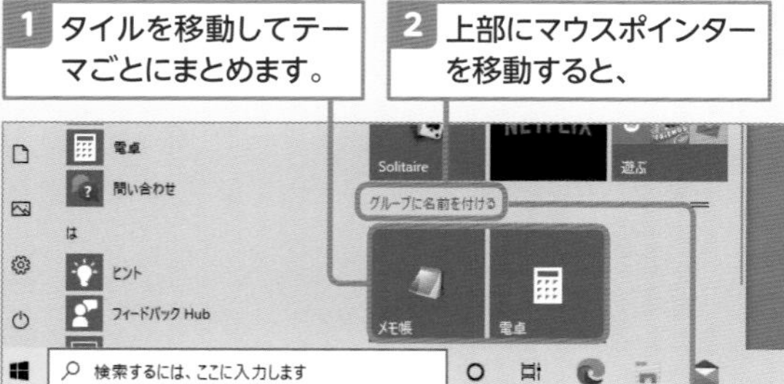

3 [グループに名前を付ける] が表示されるのでクリックします。

4 名前を入力して Enter キーを押すと、

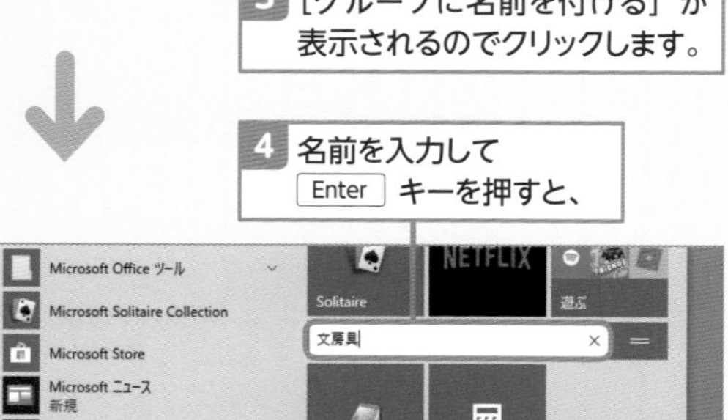

5 グループ名が付きます。

おトクな情報 グループ名の変更

グループ名を変更するには、グループ名にマウスポインターを近付けて右側にある [=] をクリックします。最初からあるグループ名も変更できます。

Q 043 お役立ち度 ★★★ スゴわざ まずは スタートメニューから

タイルのグループの表示位置を整えるには?

A グループ名をドラッグして移動します。

Q042の操作で作成したグループは、グループ名をドラッグして移動できます。グループ名をドラッグすると、そのグループに含まれるタイルも一緒に移動します。よく使うグループを自分がクリックしやすい位置に表示しておくと便利です。

1 グループ名にマウスポインターを合わせて、

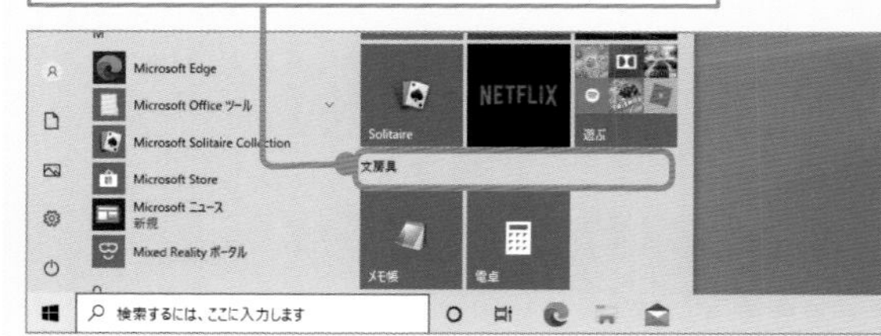

2 移動先までドラッグすると、

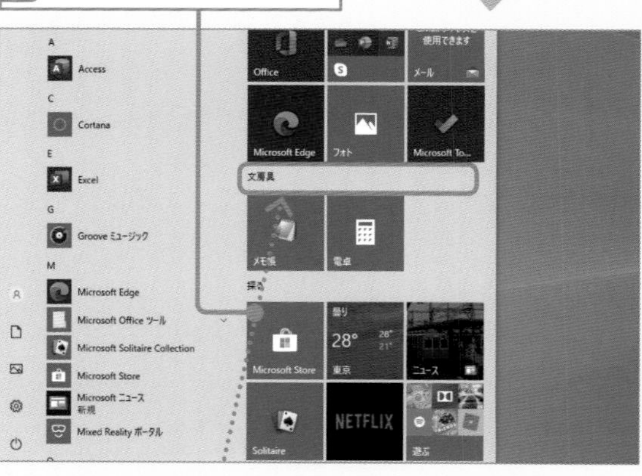

3 グループごと移動できます。

おトクな情報 グループの削除

グループを丸ごと削除するには、グループ名を右クリックして、[スタートからグループのピン留めを外す] をクリックします。

第2章

「デスクトップ」を使いこなそう！

「デスクトップ」はWindows 10の操作の「要」です。デスクトップを自在に使いこなせれば、作業効率がアップするでしょう。本章では、デスクトップ上に配置されている「アイコン」や「スタートボタン」､「タスクバー」を使いこなすワザや困ったときの解決方法を解説します。また、ウィンドウのサイズ変更や切り替えを素早く行う方法や、仮想デスクトップ、タイムラインの利用方法についても解説します。

アイコンの意味

ぜひ習得したい基本ワザを示します。

時短に役立つ活用ワザを示します。

知っておきたい基礎知識を示します。

スゴわざ 目からウロコのすごワザを示します。

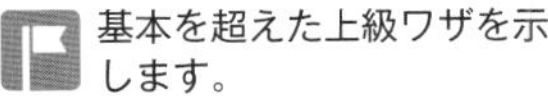

基本を超えた上級ワザを示します。

Q044 お役立ち度 ★★★ デスクトップの使用

デスクトップって何?

A Windows 10 の起動直後に表示される画面のことです。

Windows 10を起動したときに最初に表示される画面を**デスクトップ**といいます。文字どおり「机の上」という意味で、Windows 10の基本となる画面です。机の上にたくさんの書類や道具を広げて作業するように、Windows 10のデスクトップにも書類（ファイル）や道具（アプリ）を開いて操作します。

Windows 10のデスクトップは、Windows 8.1/8で廃止になった**スタートメニュー**が復活し、タスクバーに**検索ボックス**や**タスクビューボタン**などが追加されました。なお、デスクトップに表示するアイコンや背景の画像（壁紙）などは、自分が使いやすいようにカスタマイズできます。 関連 Q465 デスクトップの背景の設定

Windows 10 のデスクトップ画面

壁紙を変え、アプリやフォルダーを配置しています。

デスクトップは自分が使いやすいように改良できます。

Q045 お役立ち度 ★★★ デスクトップの使用

デスクトップのアイコンの大きさを変更するには?

A アイコンの表示の大きさを選択します。

アイコンとは、アプリやファイルなどを示す絵柄付きの画像のことです。最初は、デスクトップに「ごみ箱」と「Edge」のアイコンが表示されていますが、アイコンは後からいくつでも追加できます。アイコンのサイズを変更するには、以下の手順で［大アイコン］［中アイコン］［小アイコン］の中から選びます。

1 デスクトップのどこかを右クリックして、

2 ［表示］にマウスポインターを移動し、

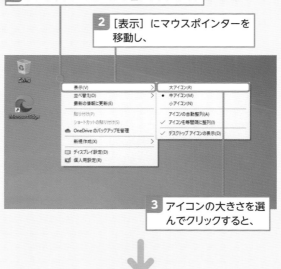

3 アイコンの大きさを選んでクリックすると、

4 アイコンの大きさが変わります。

デスクトップの画面構成を教えて!

A 各部の名称と役割を覚えておきましょう。

デスクトップの構成は以下のとおりです。デスクトップはWindows 10の基本の画面ですので、各部の名称と役割をしっかり覚えておきましょう。忘れてしまったときは、このページに戻って確認してください。

関連 Q051 検索ボックスの使い方
関連 Q065 アプリをタスクバーにピン留めする
関連 Q484 マウスポインターの速度を指定

ごみ箱
不要なファイルやフォルダーを削除すると、ごみ箱に入ります。

マウスポインター
マウスと連動して動く指示棒の役割を果たします。
マウスポインターの形は場所や目的によって変化します。

デスクトップ
この上でアプリやファイルを開いて作業します。

Cortana に話しかける
クリックすると、Cortanaが起動します。

タスクバー
アプリを起動するボタンや作業中のアプリが表示されます。
初期設定では、「タスクビュー」「Edge」「エクスプローラー」「メール」のボタンが表示されています。「Microsoft Store」のボタンが表示されている場合もあります。

検索ボックス
キーワードを入力して、ファイルやアプリを検索します。

通知領域
日本語入力システムや日時、メッセージなどが表示されます。
それぞれのアイコンをクリックすると内容を設定できます。

[スタート] ボタン
クリックすると、スタートメニューを表示できます。

Q047 お役立ち度 ★★★ スゴわざ　デスクトップの使用

デスクトップの文字を大きくするには?

A 文字だけを拡大する方法と画面全体を拡大する方法があります。

スタートメニューの文字やデスクトップの文字が小さくて読みづらいときは、ディスプレイの設定を変更しましょう。メニューやアイコンのサイズはそのままで文字だけを大きくする方法と、画面全体を大きくする方法があります。後者は、メニューもアイコンも文字も大きくなるため、一画面に表示できる情報量が少なくなります。

文字だけを大きくする

1 スタートメニューから［設定］をクリックします。

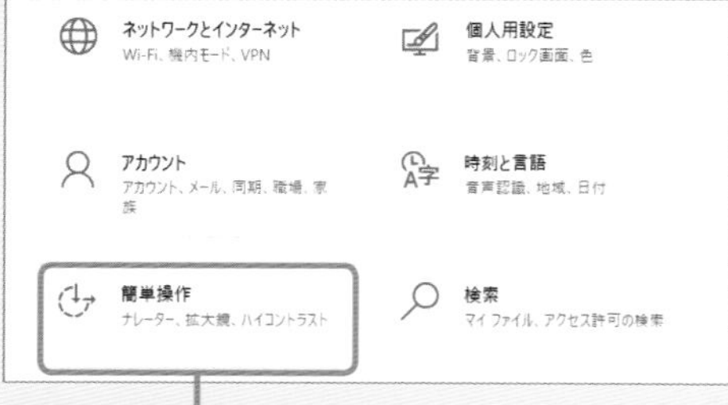

2 ［簡単操作］をクリックします。

3 ［ディスプレイ］をクリックし、

4 「文字を大きくする」のスライダーを右にドラッグして、

5 ［適用］をクリックします。

6 文字が大きくなりました。

表示が変わるまで数秒間、待たされます。

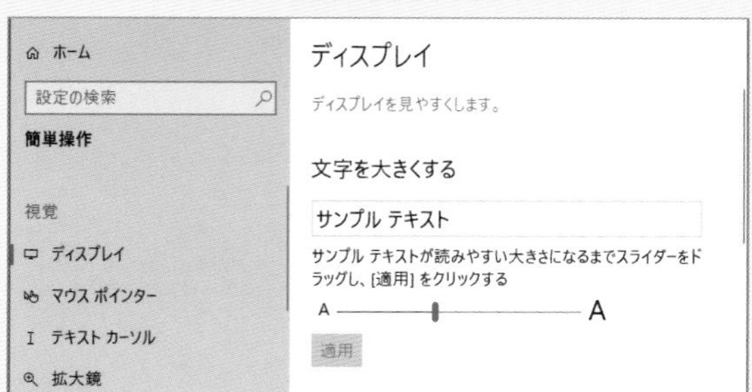

▶スタートメニューの文字も大きくなる

画面全体を大きくする（左の「3」に続けて）

4 「全体を大きくする」の［100%（推奨）］をクリックし、

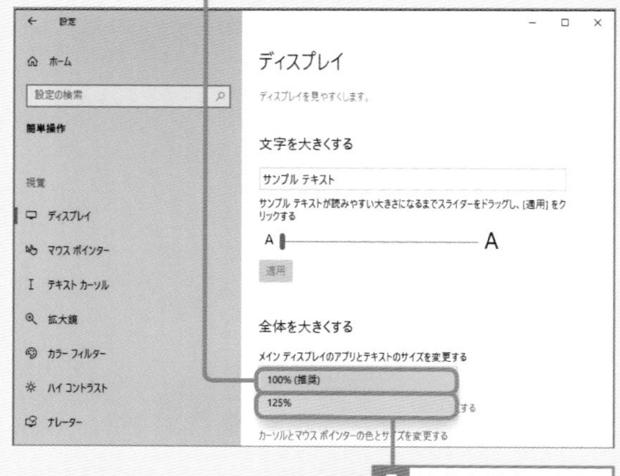

5 倍率を指定します。

おトクな情報　表示される倍率はディスプレイによって異なる

「全体を大きくする」で表示される倍率の一覧は、使用しているディスプレイによって異なります。

デスクトップのアイコンを整列するには?

A [アイコンの自動整列] 機能を使って並べます。

デスクトップのアイコンはドラッグして好きな位置に置くことができますが、デスクトップが乱雑になってしまうこともあります。以下の手順で[アイコンの自動整列]機能を使うと、アイコンが常に等間隔に並んで表示されるようになります。新しくアイコンを追加しても自動的に整列します。アイコンをドラッグして移動したいときは、もう一度 [アイコンの自動整列] 機能を選んで、機能を解除してから操作します。

1 デスクトップのどこかを右クリックして、

2 [表示] にマウスポインターを移動し、

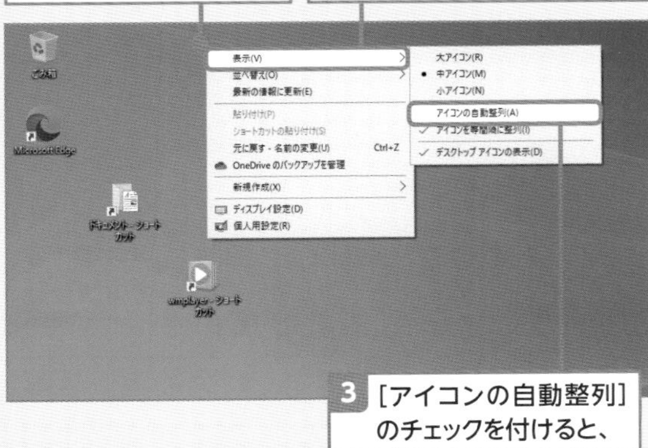

3 [アイコンの自動整列] のチェックを付けると、

4 アイコンが等間隔に整列します。

デスクトップ画面を画像として撮影するには?

A ⊞ + PrtScn キーを押す方法などがあります。

スマートフォンのスクリーンショットのように、パソコンの画面を画像として撮影する主な方法は、以下の4つです。 PrtScn キーや Alt + PrtScn キーで撮影した画像はいったんクリップボードに保存されるので、「ペイント」などの他のアプリに貼り付けて利用します。

ショートカットキー	説明
PrtScn	パソコン画面全体を撮影して、画像をクリップボードに保存します。
Alt + PrtScn	アクティブウィンドウだけを撮影して、画像をクリップボードに保存します。
⊞ + PrtScn	パソコン画面全体を撮影して、画像を「ピクチャ」フォルダー内の「スクリーンショット」フォルダーに保存します。
⊞ + Alt + PrtScn	アクティブウィンドウを撮影して、画像を「ピクチャ」フォルダー内の「スクリーンショット」フォルダーに保存します。

1 ⊞ + PrtScn キーを押します。

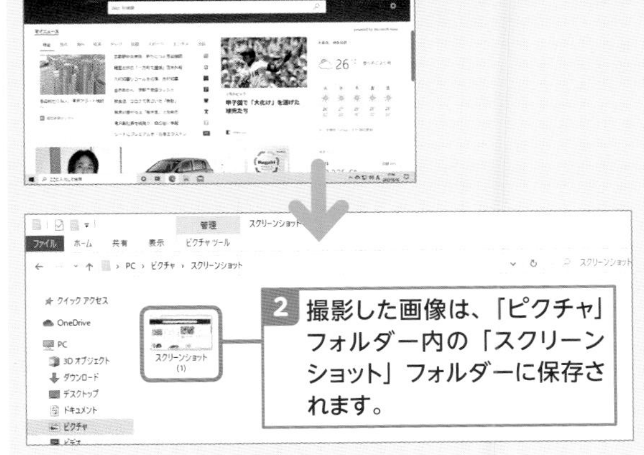

2 撮影した画像は、「ピクチャ」フォルダー内の「スクリーンショット」フォルダーに保存されます。

デスクトップ画面の一部を画像として撮影するには?

A 「画面領域切り取り」機能を使います。

アクションセンターにある[画面領域切り取り]をクリックして［四角形の領域切り取り］を選択すると、デスクトップ画面の一部を四角形で撮影できます。画面を撮影すると画像がクリップボードに保存されて、デスクトップの右下に通知が表示されます。通知をクリックすると「切り取り＆スケッチ」アプリが起動するので、アプリから画面の画像をファイルに保存できます。

1 ［アクションセンター］をクリックし、

2 ［画面領域切り取り］をクリックします。

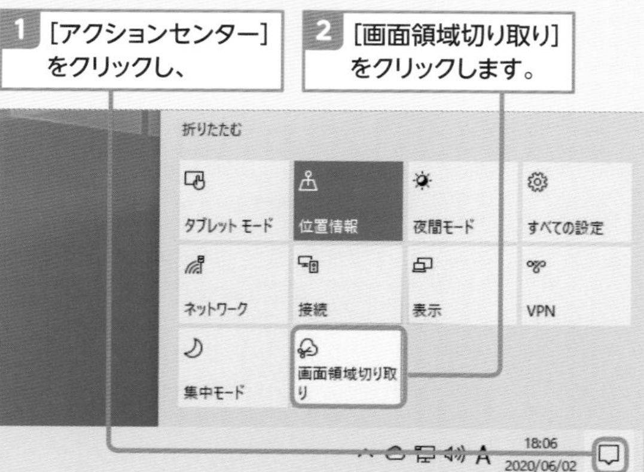

3 ［四角形の領域切り取り］をクリックし、

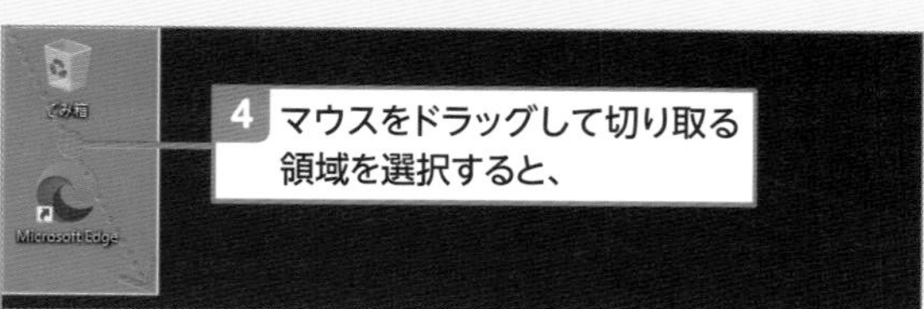

4 マウスをドラッグして切り取る領域を選択すると、

5 画面領域がクリップボードに保存されたことが通知されます。

6 通知をクリックすると、

7 切り取り&スケッチが起動します。

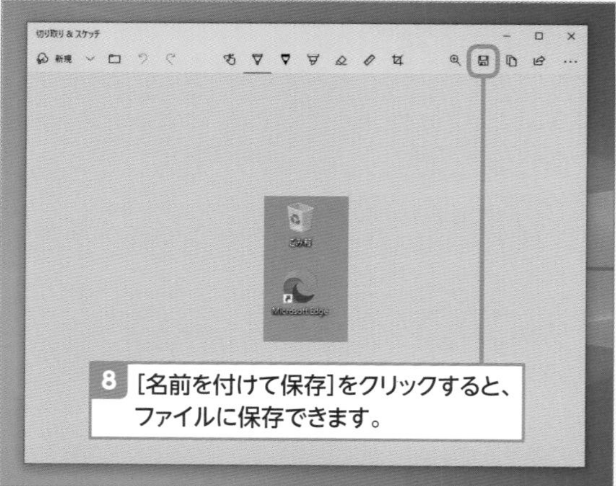

8 ［名前を付けて保存］をクリックすると、ファイルに保存できます。

クリップボードから直接アプリに貼り付けることもできます。

おトクな情報 画面領域切り取りのショートカットキー

⊞ + Shift + S キーを押して、手順 3 の画面を表示することもできます。

おトクな情報 その他の画面切り取り方法

撮影する画面の範囲は、四角形の他に［フリーフォーム領域切り取り］（マウスで描いた形で切り取る）、［ウィンドウの領域切り取り］、［全画面表示の領域切り取り］も選択できます。

デスクトップの使用

デスクトップの検索ボックスでは何が探せるの?

A アプリ、ドキュメントなどが探せるほか、Web 検索もできます。

保存したはずのファイルが見つからなくて困ったときや、スタートメニューに目的のアプリがないときには、**検索ボックス**にキーワードを入力して探しましょう。検索ボックスでは［アプリ］［ドキュメント］［ウェブ］などの範囲を指定して検索できます。それぞれの探し方は下の表のとおりです。

なお、検索ボックスに文字を入力するたびに検索結果が絞り込まれるので、検索結果に目的のものが表示されたら入力を中断してかまいません。

関連 Q202 アプリの検索
関連 Q270 ウェブの検索
関連 Q376 写真の検索
関連 Q452 設定の検索

検索範囲	できること	検索の仕方
アプリ	パソコンにインストール済みのアプリを見つけて起動できます。まだインストールされていないアプリも Microsoft Store で探してインストールできます。	・アプリ名を入力（例：「Excel」など） ・アプリの目的を入力（例:「動画編集」「パズル」など）
ドキュメント	Word や Excel で作成したファイルや、テキストファイルなどを見つけてアプリから開くことができます。	・ファイル名を入力（例:「お知らせ」「docx」など）
ウェブ	インターネットの情報を検索できます。検索結果からブラウザーを開くこともできます。	・検索したい事柄を入力
その他	［フォルダー］：パソコン内のフォルダーを検索できます。 ［音楽］：パソコン内の音楽ファイルを検索できます。 ［写真］：パソコン内やインターネット上の写真（画像）を検索できます。 ［動画］:パソコン内や YouTube などの動画を検索できます。 ［設定］：Windows の設定項目を検索できます。 パソコンの環境によっては、［人］［電子メール］も検索できます。	［フォルダー］：フォルダー名を入力 ［音楽］：音楽ファイル名を入力 ［写真］［動画］：キーワード、イメージを入力 ［設定］：設定したい事柄を入力（例：「デスクトップの背景」「Wi-Fi」）

ドキュメントを探す

1 検索ボックスをクリックし、

2 ［ドキュメント］をクリックします。

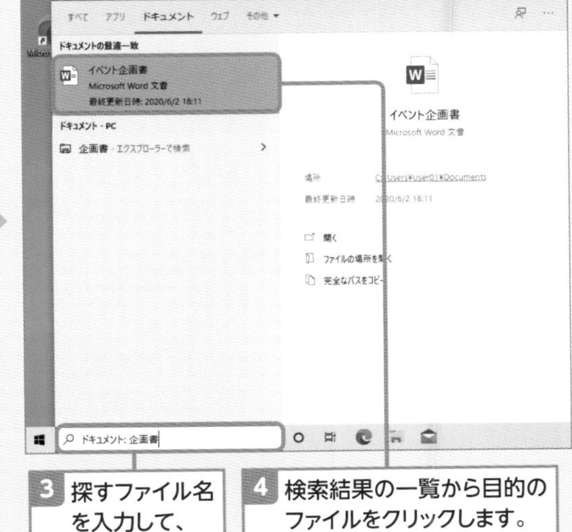

3 探すファイル名を入力して、

4 検索結果の一覧から目的のファイルをクリックします。

Q052 お役立ち度 ★★★ スゴわざ デスクトップの使用

デスクトップに「PC」のアイコンを表示するには?

A ［デスクトップアイコンの設定］を変更します。

Windows 10のデスクトップには、最初は「ごみ箱」と「Edge」のアイコンだけが表示されますが、表示するアイコンは後から追加できます。「PC」や「ネットワーク」など、よく使うアイコンをデスクトップに表示しておくと、瞬時にアクセスできて時短につながります。

1 スタートメニューから［設定］⚙ をクリックして、「設定」画面で［個人用設定］をクリックします。

2 ［テーマ］をクリックし、

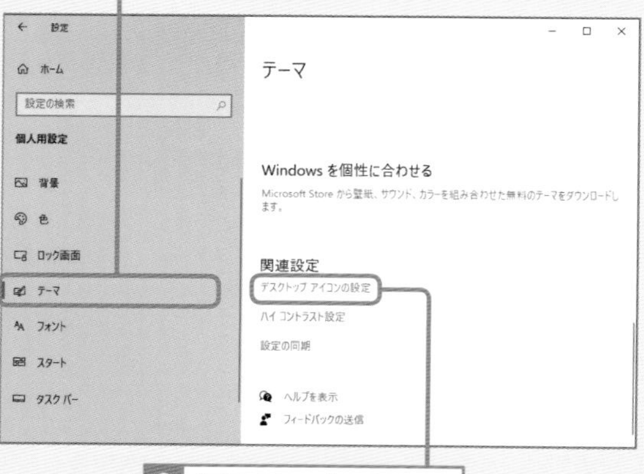

3 ［デスクトップアイコンの設定］をクリックします。

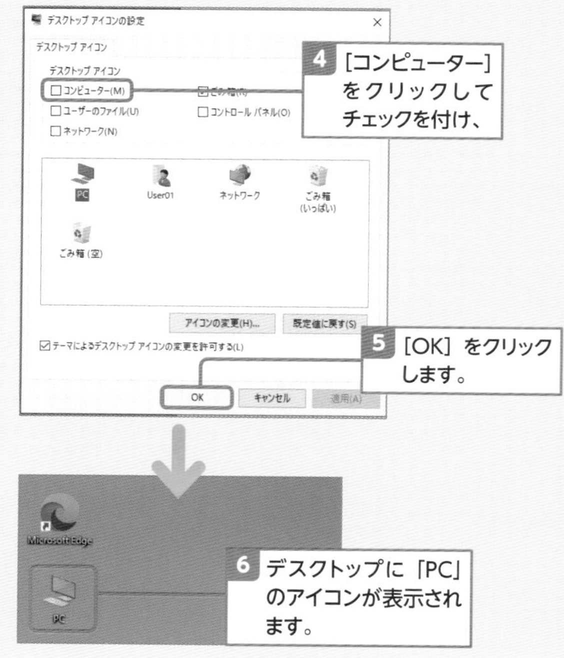

Q053 お役立ち度 ★★★ スゴわざ デスクトップの使用

デスクトップの表示を最新の状態にするには?

A F5 キーを押して更新します。

デスクトップやフォルダー内のファイルを削除したにもかかわらずアイコンが残っていたり、ダウンロードしたはずのファイルが表示されないときは、操作の結果が反映されていない可能性があります。F5 キーを押して最新の状態に更新しましょう。デスクトップやフォルダー内を右クリックして表示されるメニューの［最新の情報に更新］をクリックしても更新できます。

1 デスクトップを右クリックして、

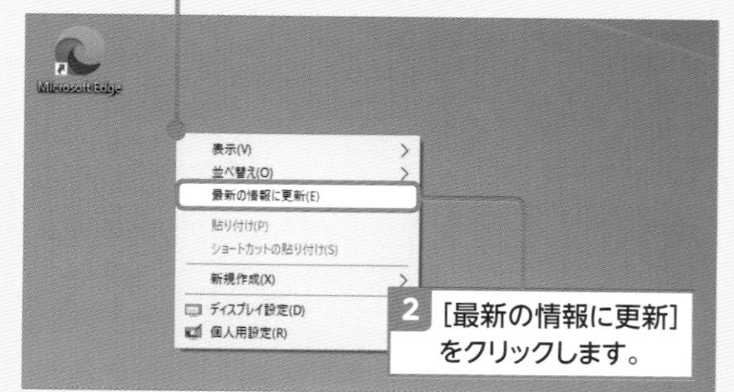

Q054 お役立ち度 ★★★ スゴわざ デスクトップの使用

パソコンに話しかけて操作できるようにするには?

A 「Cortana（コルタナ）」を使う準備をします。

iPhoneのSiriやGoogleの音声検索のように、マイクが内蔵されたパソコンや外付けのマイクが接続されていれば、音声アシスタントの**Cortana（コルタナ）**を使って、音声でパソコンを操作できます。準備ができたら、[O]をクリックして音声操作をスタートします。

1 検索ボックスの横の [O] をクリックします。

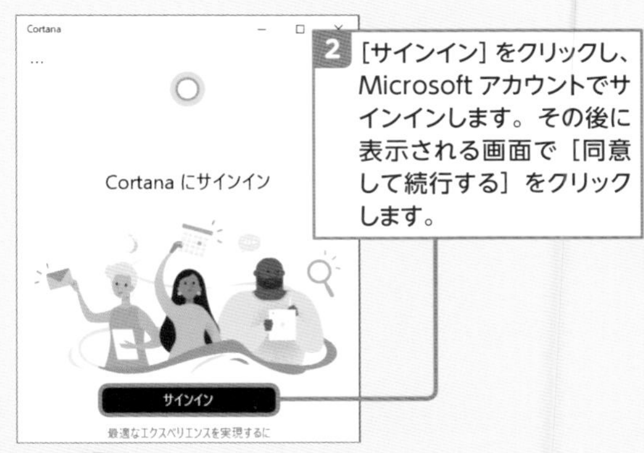

2 ［サインイン］をクリックし、Microsoft アカウントでサインインします。その後に表示される画面で［同意して続行する］をクリックします。

おトクな情報 Cortana の使い方

手順 1 で Cortana を起動した後、「Cortana に質問」欄の右の [🎙] をクリックして話しかけます。たとえば次のように話しかけると、Cortana が回答してくれます。「今日の天気は?」「ソフトバンクの株価は?」「“今日はいい天気です”を英語で」

Q055 お役立ち度 ★★★ スゴわざ デスクトップの使用

コルタナを非表示にするには?

A ［Cortana のボタンを表示する］をオフにします。

Windows 10の目玉として登場した音声アシスタントのコルタナですが、実際には音声で操作する頻度は高くありません。また、思うように操作できないので使わなくなったという人もいるでしょう。コルタナを非表示にすると、タスクバーからコルタナのボタンが消えるため、間違ってクリックする誤操作も防げます。コルタナの機能を削除したわけではないので、いつでもボタンを再表示できます。

1 タスクバーを右クリックし、

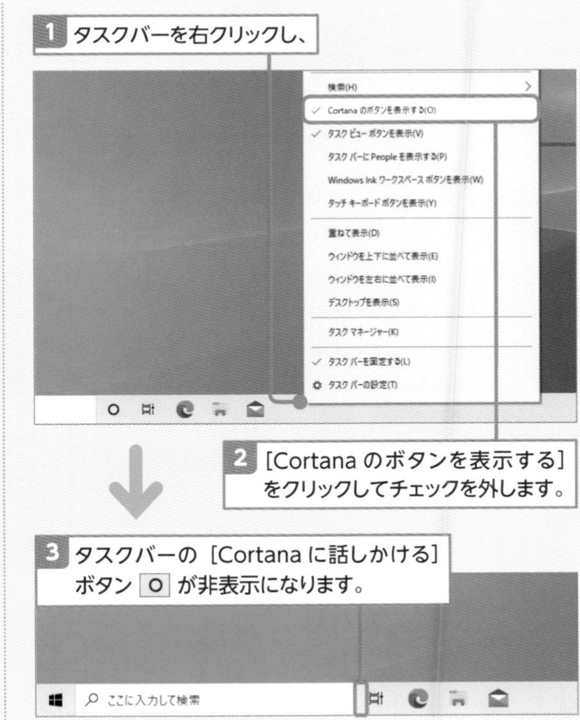

2 ［Cortana のボタンを表示する］をクリックしてチェックを外します。

3 タスクバーの［Cortana に話しかける］ボタン [O] が非表示になります。

Q056 お役立ち度 ★★★ タスクバーを有効活用

タスクバーって何?

A アプリを起動するボタンや作業中のアプリが表示される横長のバーです。

デスクトップの最下段に表示される横長のバーを**タスクバー**といいます。左端の［スタート］ボタンから右端の通知領域までの間に、アプリを起動するボタンや起動中のアプリのボタン、常駐アプリのボタンなどが表示されます。「タスク＝仕事」という意味どおり、タスクバーを見ると、どんなアプリが起動しているのかといった現在の作業状態がひと目でわかります。

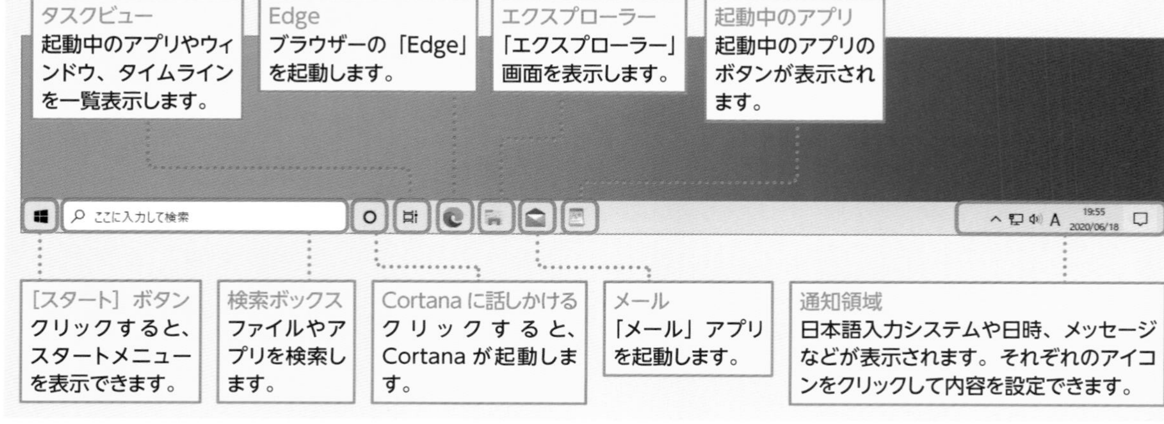
タスクビュー
起動中のアプリやウィンドウ、タイムラインを一覧表示します。
Edge
ブラウザーの「Edge」を起動します。
エクスプローラー
「エクスプローラー」画面を表示します。
起動中のアプリ
起動中のアプリのボタンが表示されます。
ここに入力して検索
19:55
2020/06/18
［スタート］ボタン
クリックすると、スタートメニューを表示できます。
検索ボックス
ファイルやアプリを検索します。
Cortanaに話しかける
クリックすると、Cortanaが起動します。
メール
「メール」アプリを起動します。
通知領域
日本語入力システムや日時、メッセージなどが表示されます。それぞれのアイコンをクリックして内容を設定できます。

Q057 お役立ち度 ★★★ スゴわざ タスクバーを有効活用

タスクバーのボタンを小さくするには?

A ［小さいタスクバーボタンを使う］をオンにします。

タスクバーに一定数以上のボタンを表示すると、一番右端のボタンの右側にページを切り替えるための▼や▲が表示されます。多くのボタンを一度に表示したいときは、タスクバーに表示するボタンのサイズを小さくします。

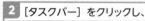

通常のタスクバーのボタン

小さくしたタスクバーのボタン

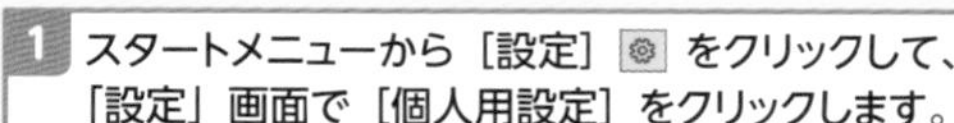
1 スタートメニューから［設定］をクリックして、「設定」画面で［個人用設定］をクリックします。

2 ［タスクバー］をクリックし、

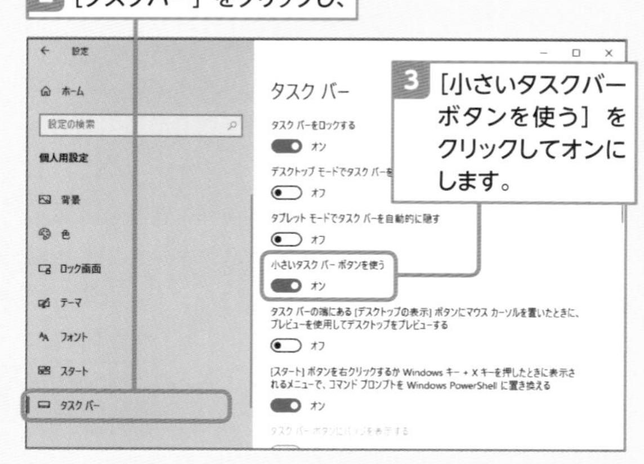
3 ［小さいタスクバーボタンを使う］をクリックしてオンにします。
設定
ホーム
設定の検索
個人用設定
背景
色
ロック画面
テーマ
フォント
スタート
タスク バー
タスク バー
タスク バーをロックする
オン
オフ
タブレット モードでタスク バーを自動的に隠す
小さいタスク バー ボタンを使う

Q 058 お役立ち度 ★★★ タスクバーを有効活用

タスクバーのボタンをショートカットキーで起動するには?

A ⊞ + 数字キーを押します。

タスクバーに表示されているボタンをクリックして目的のアプリを開く方法以外にも、ショートカットキーの操作を覚えておくと、マウスに持ち替えることなく瞬時に起動できます。タスクバーの［タスクビュー］ボタンの右側のアイコンから「1」「2」「3」… と順番に割り当てられており、⊞ キーと該当する数字キーを押すことによって起動できます。このとき、テンキーの数字は使えないので注意しましょう。

おトクな情報　「1」から「0」キーまで使える

Q065 の操作で、よく使うアプリやフォルダーをタスクバーに登録すると、左から順番に最大 10 個までを「1」から「0」までのキーと組み合わせて起動できます。

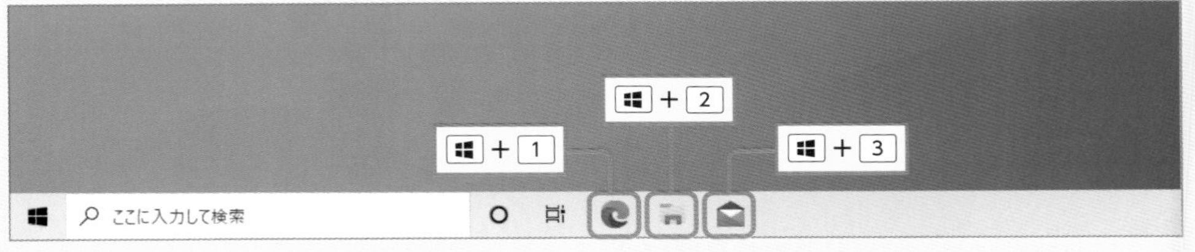

Q 059 お役立ち度 ★★★ タスクバーを有効活用

パソコン内のファイルやフォルダーを一覧表示するには?

A エクスプローラーを表示します。

タスクバーの［エクスプローラー］ボタンをクリックすると、パソコン内のファイルやフォルダーを一覧表示できます。また、USBメモリーやCD-ROMなどをパソコンにセットしたときは、それらの中にあるファイルやフォルダーも表示できます。エクスプローラーを使うと、保存したファイルを探して開くだけでなく、ファイルやフォルダーの移動やコピー、削除なども行えます。

おトクな情報　エクスプローラーを起動するショートカットキー

⊞ + E キーを押してエクスプローラーを起動することもできます。

1 ［エクスプローラー］ボタンをクリックすると、

2 エクスプローラー画面が表示されます。

エクスプローラーの画面構成を教えて!

A 「ナビゲーションウィンドウ」と「メインウィンドウ」に大別されます。

エクスプローラーの画面は、左側の**ナビゲーションウィンドウ**と右側の**メインウィンドウ**に大別されます。ナビゲーションウィンドウには、パソコン内でよく使うフォルダー（クイックアクセス）や接続されている機器などが表示され、いずれかをクリックして選択すると、その中にあるファイルやフォルダーがメインウィンドウに表示されます。また、上部には[ファイル][コンピューター][表示]（選択したフォルダーによっては[ファイル][ホーム][共有][表示]）のタブが用意されています。

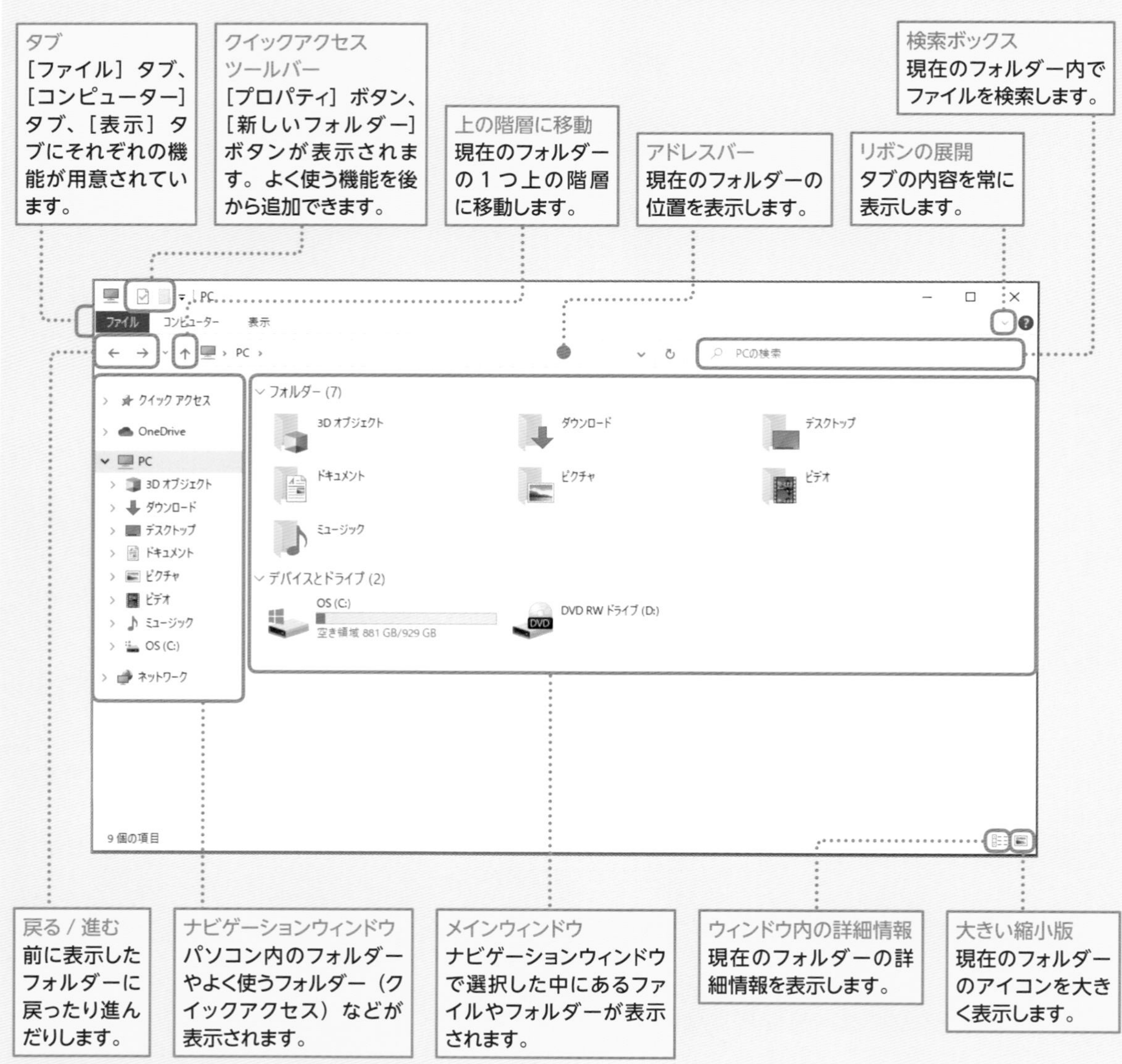

タブ
[ファイル] タブ、[コンピューター] タブ、[表示] タブにそれぞれの機能が用意されています。
クイックアクセスツールバー
[プロパティ] ボタン、[新しいフォルダー] ボタンが表示されます。よく使う機能を後から追加できます。
上の階層に移動
現在のフォルダーの１つ上の階層に移動します。
アドレスバー
現在のフォルダーの位置を表示します。
リボンの展開
タブの内容を常に表示します。
検索ボックス
現在のフォルダー内でファイルを検索します。
PC
ファイル
コンピューター
表示
PCの検索
クイック アクセス
OneDrive
PC
3D オブジェクト
ダウンロード
デスクトップ
ドキュメント
ピクチャ
ビデオ
ミュージック
OS (C:)
ネットワーク
フォルダー (7)
デバイスとドライブ (2)
DVD RW ドライブ (D:)
空き領域 881 GB/929 GB
9 個の項目
戻る / 進む
前に表示したフォルダーに戻ったり進んだりします。
ナビゲーションウィンドウ
パソコン内のフォルダーやよく使うフォルダー（クイックアクセス）などが表示されます。
メインウィンドウ
ナビゲーションウィンドウで選択した中にあるファイルやフォルダーが表示されます。
ウィンドウ内の詳細情報
現在のフォルダーの詳細情報を表示します。
大きい縮小版
現在のフォルダーのアイコンを大きく表示します。

※ナビゲーションウィンドウで選択する項目によって、タブの種類は変わります。

Q061 お役立ち度 ★★★ タスクバーを有効活用

「ドキュメント」フォルダーや「ピクチャ」フォルダーを開くには?

A エクスプローラーのナビゲーションウィンドウで選択します。

ファイルを保存する「ドキュメント」フォルダーや、写真を保存する「ピクチャ」フォルダーは利用する機会の多いフォルダーです。これらのフォルダーを開くには、エクスプローラー画面のナビゲーションウィンドウやスタートメニューの左端で、目的のフォルダーをクリックします。

1 タスクバーの［エクスプローラー］ボタンをクリックします。

2 ［ピクチャ］をクリックすると、

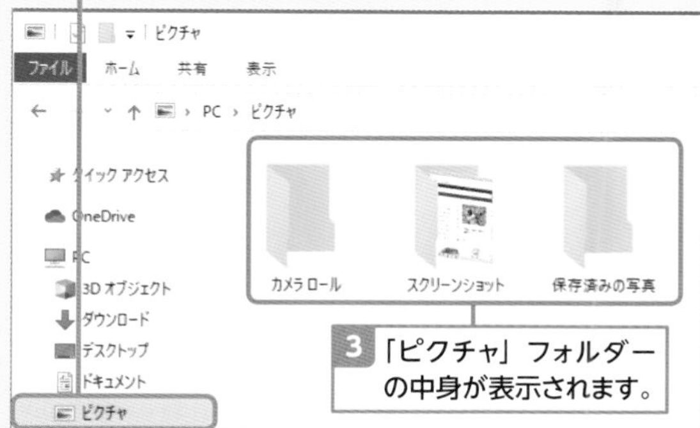

3 「ピクチャ」フォルダーの中身が表示されます。

Q062 お役立ち度 ★★★ タスクバーを有効活用

ウィンドウをタスクバーに隠すには?

A ウィンドウを最小化します。

たくさんのウィンドウが開いていると、デスクトップがごちゃごちゃします。作業に必要ないウィンドウを一時的に見えないようにするには、ウィンドウの［最小化］ボタンをクリックします。すると、ウィンドウ全体がタスクバーに隠れます。ウィンドウを閉じたわけでないので、タスクバーに残っている状態です。

［最大化］

［閉じる］

1 ［最小化］ボタンをクリックすると、ウィンドウがタスクバーに隠れます。

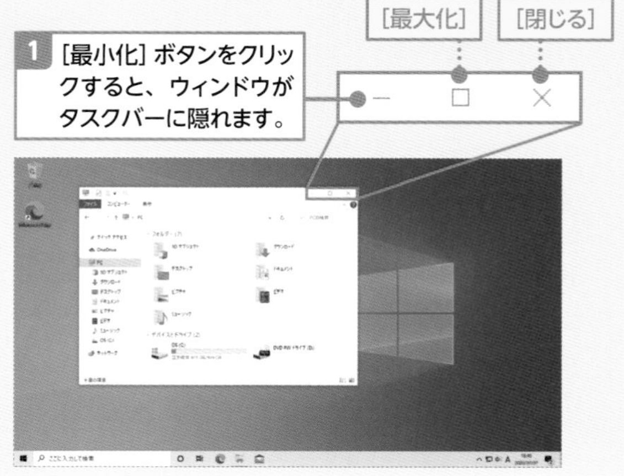

Q063 お役立ち度 ★★★ タスクバーを有効活用

タスクバーに隠したウィンドウを開くには?

A タスクバーのボタンをクリックします。

Q062の操作で最小化したウィンドウをもう一度表示するには、タスクバーにある目的のボタンをクリックします。このとき、マウスポインターをボタンの上に乗せるとウィンドウの内容が縮小表示されるので、間違いがないかどうかを事前に確認できます。

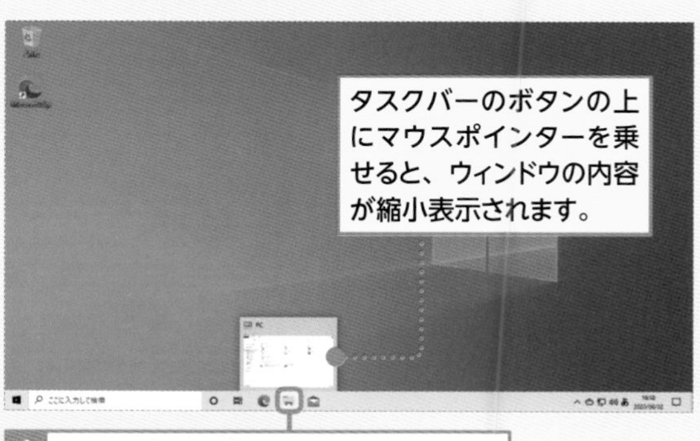

1 タスクバーのボタンをクリックすると、ウィンドウが再表示されます。

Q064 お役立ち度 ★★★ タスクバーを有効活用

複数のウィンドウを重ねて表示するには?

A タスクバーから［重ねて表示］を選択します。

デスクトップに複数のウィンドウが開いていると、隠れているウィンドウを見失うことがあります。以下の手順で［重ねて表示］を実行すると、それぞれのウィンドウのタイトルバーが見えるように少しずつ重なって表示されます。

1 タスクバーの空いているところを右クリックし、

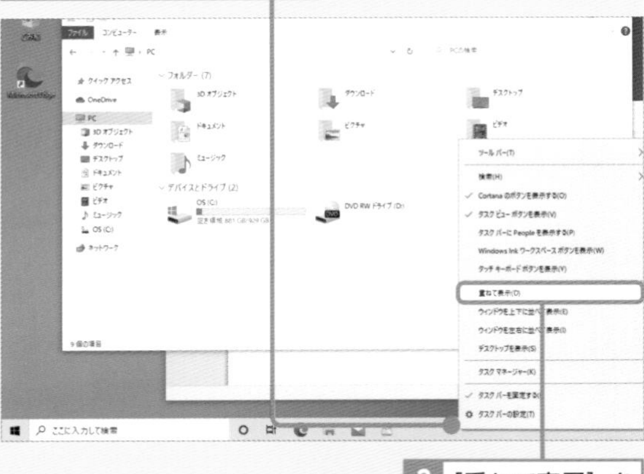

2 ［重ねて表示］をクリックすると、

3 複数のウィンドウが重なって表示されます。

Q065 お役立ち度 ★★★ タスクバーを有効活用

よく使うアプリをタスクバーから起動するには?

A タスクバーにピン留めします。

タスクバーには、「Edge」や「メール」など、いくつかのアプリのボタンが最初から登録されていますが、後からアプリを追加することができます。頻繁に使うアプリをタスクバーに追加すると、ワンクリックで起動できるため、［スタート］ボタンをクリックしてスタートメニューから選ぶ操作を省略できます。

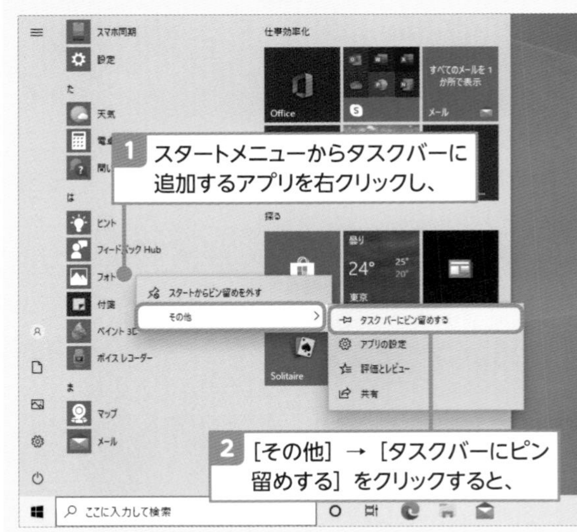

1 スタートメニューからタスクバーに追加するアプリを右クリックし、

2 ［その他］→［タスクバーにピン留めする］をクリックすると、

3 タスクバーにアプリのボタンが追加されます。

おトクな情報 ピン留めしたボタンの削除

タスクバーに追加したアプリのボタンを削除するには、ボタンを右クリックし、表示されるメニューの［タスクバーからピン留めを外す］をクリックします。最初から登録されているボタンを削除することもできます。

Q066 お役立ち度 ★★★ スゴわざ

タスクバーが自動的に隠れるようにするには?

A タスクバーの設定を変更します。

デスクトップを広く使いたいときは、タスクバーが自動的に隠れる設定にしておくと便利です。この設定を行うと、通常はタスクバーが非表示になりますが、画面下部にマウスポインターを移動するとタスクバーが表示されるので、必要なときだけ表示できます。

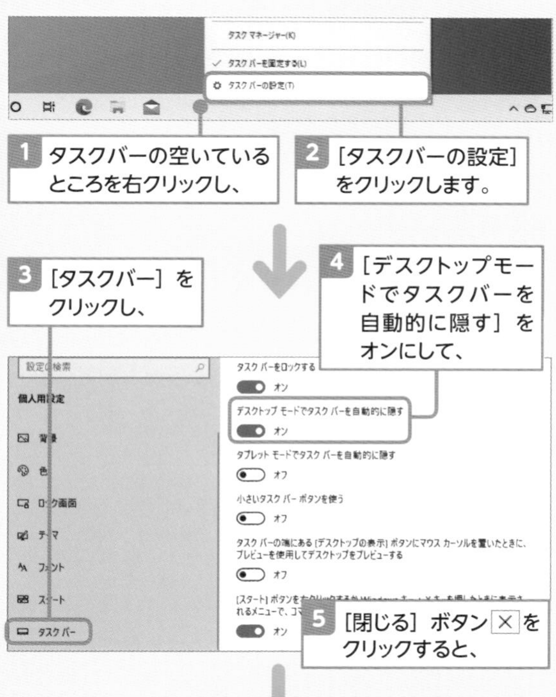

1 タスクバーの空いているところを右クリックし、
2 [タスクバーの設定]をクリックします。
3 [タスクバー]をクリックし、
4 [デスクトップモードでタスクバーを自動的に隠す]をオンにして、
5 [閉じる]ボタン×をクリックすると、

6 タスクバーが自動的に隠れます。

Q067 お役立ち度 ★★★

タスクバーを上や左右に表示するには?

A タスクバーの位置を指定します。

ディスプレイの下部にあるタスクバーが見えにくいときは、タスクバーの位置を画面上部や左右に変更するとよいでしょう。作業環境に合わせてWindows 10の環境を変更すると、ストレスなく操作ができます。

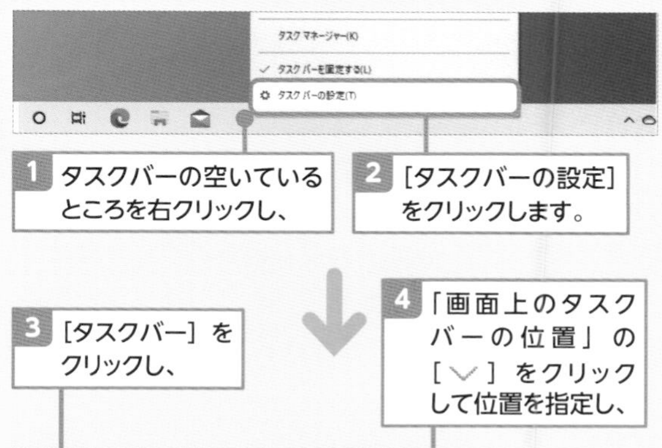

1 タスクバーの空いているところを右クリックし、
2 [タスクバーの設定]をクリックします。
3 [タスクバー]をクリックし、
4 「画面上のタスクバーの位置」の[∨]をクリックして位置を指定し、

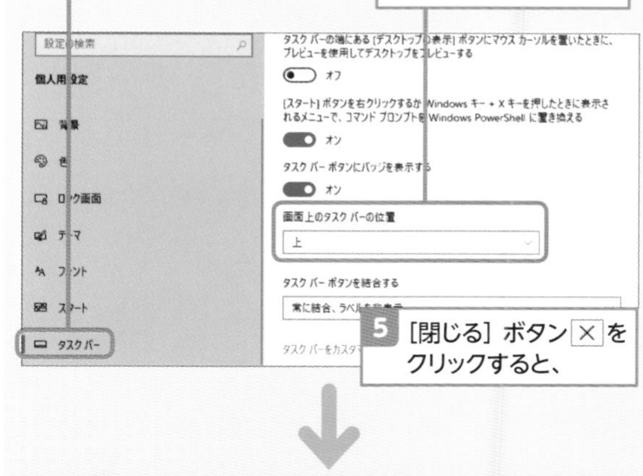

5 [閉じる]ボタン×をクリックすると、

6 タスクバーの表示位置が変わります。

Q068 お役立ち度 ★★★ タスクバーを有効活用

タスクバーからファイルを素早く開くには?

A タスクバーのボタンを右クリックします。

頻繁に使うファイルを素早く開くには、タスクバーのボタンを右クリックすると便利です。たとえば、タスクバーの［Edge］ボタンを右クリックすると、最近見たWebページなどのリストが表示されます。これは**ジャンプリスト**と呼ばれるリストで、開きたい項目をクリックするだけで目的の画面にジャンプします。タスクバーにある起動中のアプリのボタンを右クリックしてもジャンプリストが表示されます。

1 ［Edge］ボタンを右クリックし、

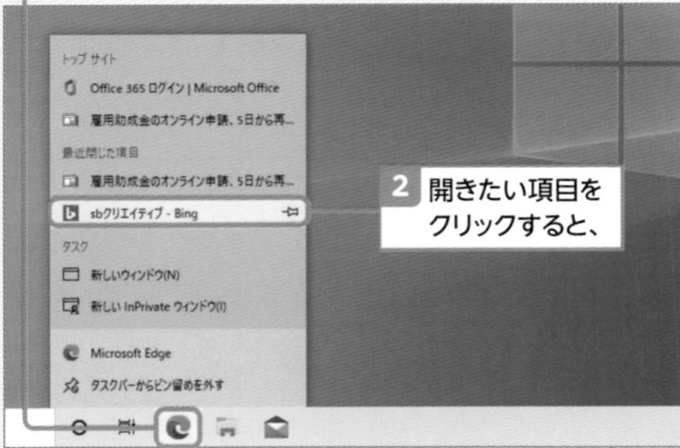

2 開きたい項目をクリックすると、

3 目的の画面が開きます。

Q069 お役立ち度 ★★★ スゴわざ タスクバーを有効活用

ジャンプリストの一覧を消すには?

A まとめて消す方法と個別に消す方法があります。

Q068で解説したジャンプリストに表示される最近使ったファイルを見られたくないときは、以下のいずれかの方法で非表示にすることができます。最近使ったファイルをまとめて非表示にすると、スタートメニューの上側やクイックアクセスに表示される「最近使用したファイル」も連動して非表示になります。

まとめて非表示にする

1 スタートメニューから［設定］をクリックして、「設定」画面で［個人用設定］をクリックします。

2 ［スタート］をクリックし、

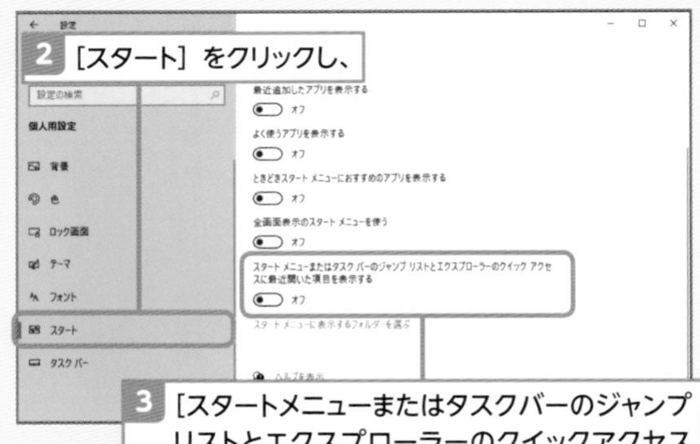

3 ［スタートメニューまたはタスクバーのジャンプリストとエクスプローラーのクイックアクセスに最近開いた項目を表示する］をクリックしてオフにします。

個別に非表示にする

1 タスクバーのボタンを右クリックし、

2 非表示にしたい項目を右クリックして、

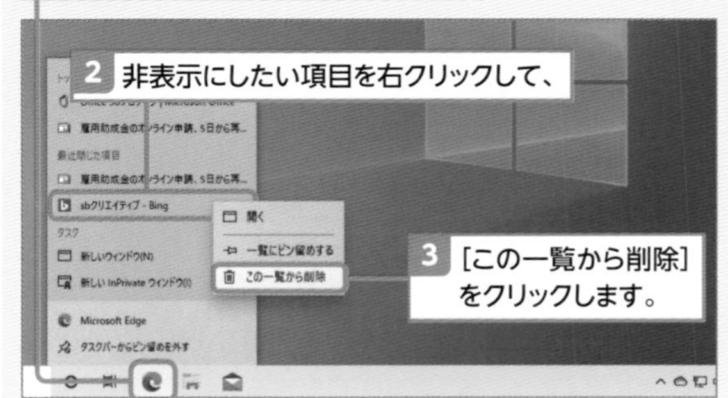

3 ［この一覧から削除］をクリックします。

Q 070 お役立ち度 ★★★ タスクバーを有効活用

2つめのエクスプローラーを開くには?

A Shift ＋［エクスプローラー］ボタンをクリックします。

エクスプローラーのウィンドウが開いている状態で、タスクバーの［エクスプローラー］ボタンをクリックすると、エクスプローラーのウィンドウが最小化されてしまいます。2つめのエクスプローラーを開くには、Shift キーを押しながらタスクバーの［エクスプローラー］ボタンをクリックします。こうすると、いくつでもエクスプローラーのウィンドウを同時に開けます。

1 エクスプローラーのウィンドウを開いておきます。

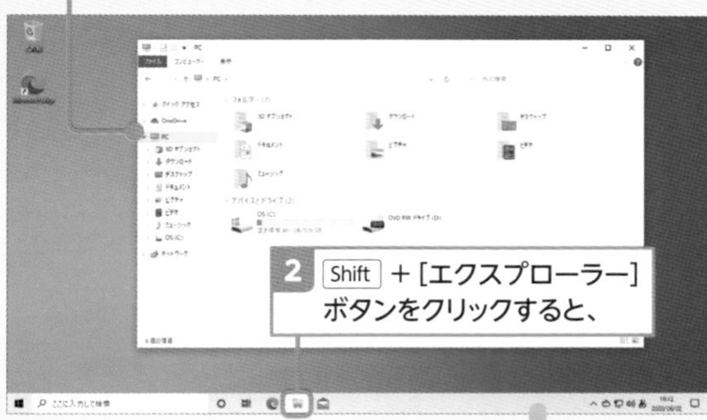

2 Shift ＋［エクスプローラー］ボタンをクリックすると、

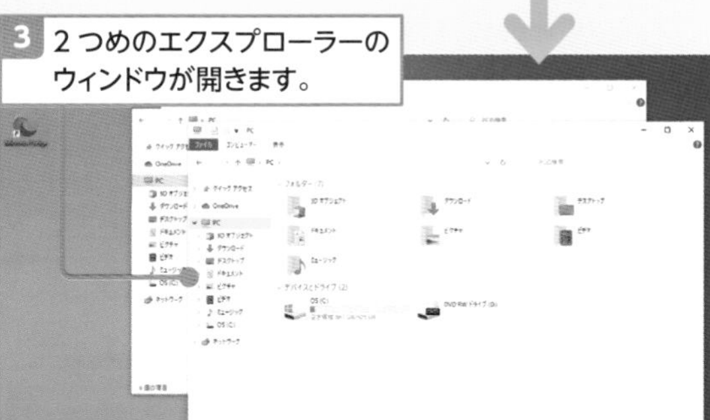

3 2つめのエクスプローラーのウィンドウが開きます。

おトクな情報 右クリックから2つめのエクスプローラーを開く

タスクバーの［エクスプローラー］ボタンを右クリックして表示されるメニューから［エクスプローラー］を選択して2つめのエクスプローラーを開くこともできます。

Q 071 お役立ち度 ★★★ タスクバーを有効活用

通知領域に表示するアイコンを指定するには?

A タスクバーの設定を変更します。

タスクバー右端の通知領域には、バックグラウンド（画面に見えないところ）で起動しているアプリのアイコンが表示されます。日付やIMEの［A］や［あ］、スピーカー、市販のウイルス対策アプリのアイコンなどが表示されますが、隠れているアイコンを表示するには、そのつど ^ ボタンをクリックしなければなりません。よく使うアイコンを常に通知領域に表示するには、「設定」画面でタスクバーに表示するアイコンを指定します。

1 ^ をクリックすると、隠れているアイコンが表示されます。

2 スタートメニューから［設定］をクリックして、「設定」画面で［個人用設定］をクリックします。

3 ［タスクバー］をクリックし、

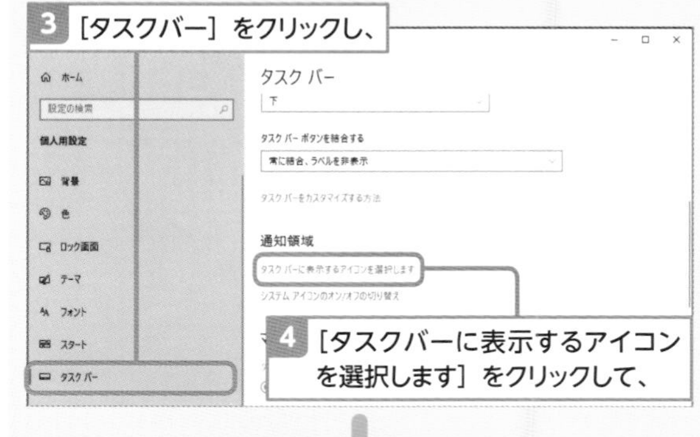

4 ［タスクバーに表示するアイコンを選択します］をクリックして、

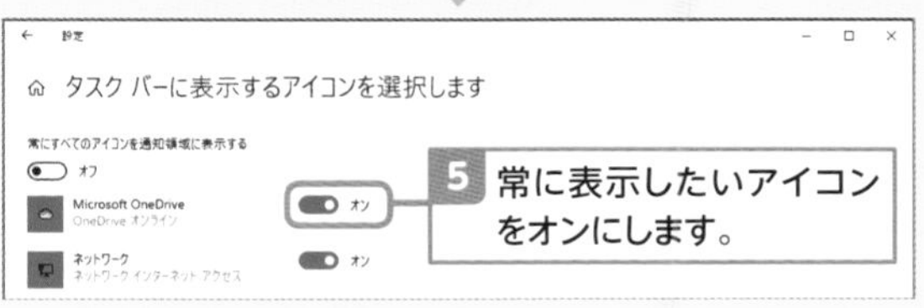

5 常に表示したいアイコンをオンにします。

Q 072 お役立ち度 ★★★ タスクバーを有効活用

ノートパソコンのバッテリーの残量を確認するには?

A 通知領域のバッテリーアイコンをクリックします。

ノートパソコンを外出先で使うときは、バッテリーがどれくらい残っているかが気になるものです。外出前に通知領域で確認し、必要であれば充電しましょう。

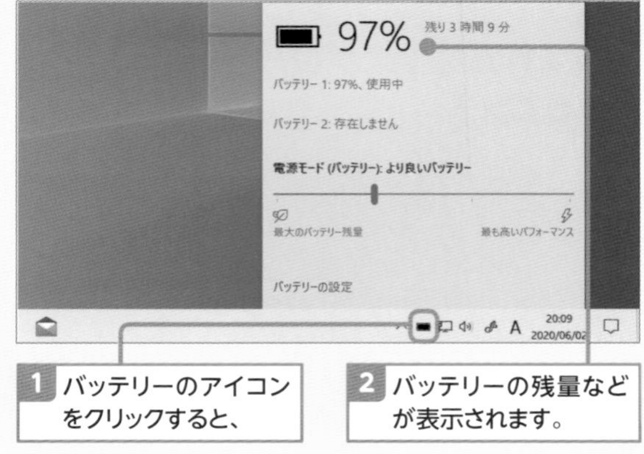

Q 073 お役立ち度 ★★★ タスクバーを有効活用

パソコンから音が聞こえないのはなぜ?

A 通知領域のスピーカーアイコンをクリックして音量を調整します。

Windows 10を使っていると、エラー音や通知音などが鳴ることがあります。また、動画や音楽を再生するときは音が聞こえなくては困ります。パソコンから音が聞こえないときは、通知領域のスピーカーのアイコンをクリックして音量を調整します。ただし、アイコンに「×」が付いている場合は、スピーカーが接続されていない可能性があります。

Q 074 お役立ち度 ★★★ タスクバーを有効活用

画面の右下に通知メッセージが表示されたらどうするの?

A クリックして通知内容を確認します。

Windows 10を使用していると、パソコンからの通知が通知領域の上に表示されることがあります。また、タスクバー右端のアクションセンター 🗨 には新しい通知の件数が表示されます。通知の内容を見るには、それぞれの通知をクリックします。 関連 Q458 通知の表示秒数

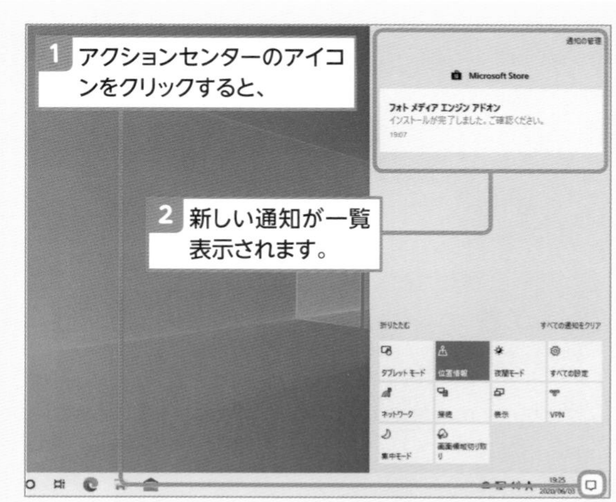

通知メッセージが表示されないようにするには?

A 「集中モード」機能を使います。

作業に集中したいときや画面をプロジェクターに表示しているときには、通知メッセージを表示したくない場合もあります。そのようなときには**集中モード**を設定します。[アラームのみ]に設定すると「アラーム&クロック」アプリで設定したアラームのみ通知されます。

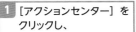

1 [アクションセンター] をクリックし、

2 [集中モード] をクリックすると、

3 [重要な通知のみ] に切り替わります。

4 もう一度クリックすると、[アラームのみ] に切り替わります。

さらにもう一度クリックすると、集中モードがオフに戻ります。

おトクな情報 重要な通知の設定

重要な通知は「設定」画面→「システム」→「集中モード」→「重要な通知の一覧をカスタマイズする」で設定できます。

集中モードの設定し忘れを防止したい!

A 集中モードの「自動規則」を設定します。

会議やプレゼンでパソコンをプロジェクターにつないで発表をしているときなどには、常に通知を最小限にしたいでしょう。そうした場合は**自動規則**を設定して、外部ディスプレイを使用しているときには自動的に集中モードに移行するようにしておきます。

1 スタートメニューから [設定] をクリックして、「設定」画面で [システム] をクリックします。

2 [集中モード] をクリックして、

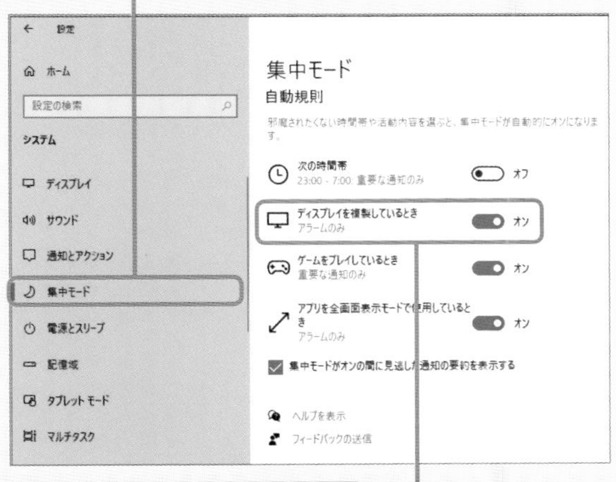

3 [ディスプレイを複製しているとき] をオンにします。

おトクな情報 表示されなかった通知を確認する

集中モードが設定されていて表示されなかった通知は、[アクションセンター] をクリックして後から確認できます。通知があった場合はアクションセンターのアイコンにのように通知件数が表示されます。

Q077

お役立ち度 ★★★

ウィンドウの操作

ウィンドウって何?

A アプリやフォルダーを表示する四角形の領域のことです。

アプリを起動したり、ファイルやフィルダーを開いたりしたときに表示される四角形の領域のことを**ウィンドウ**と呼びます。Windows 10では、いくつものウィンドウをデスクトップに表示しながら作業します。

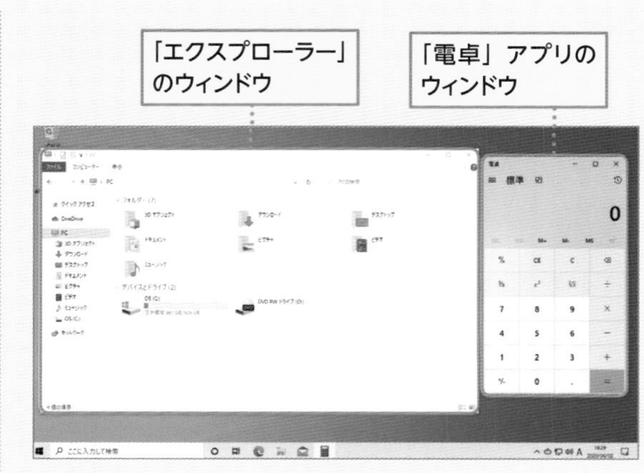

Q078

お役立ち度 ★★★

ウィンドウの操作

ウィンドウの大きさを変更するには?

A ウィンドウの四辺や四隅をドラッグします。

ウィンドウの周りの四辺や四隅にマウスポインターを合わせてドラッグすると、ウィンドウを任意のサイズに変更できます。このとき、マウスポインターが両方向の矢印 ⇕ ⇔ ⤡ に変化するのがポイントです。なお、画面いっぱいに大きく表示されているウィンドウは、そのままではサイズを変更できません。いったん[元に戻す(縮小)]ボタンをクリックしてからサイズを変更します。

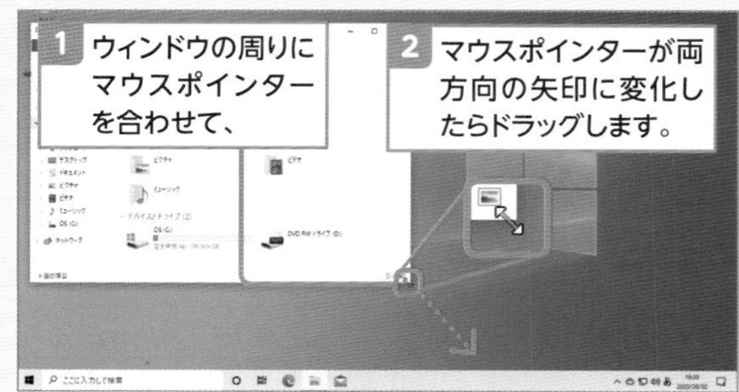

Q079

お役立ち度 ★★★

ウィンドウの操作

ウィンドウを移動するには?

A タイトルバーをドラッグします。

ウィンドウの**タイトルバー**(上部のアプリ名などが書かれた部分)にマウスポインターを合わせてドラッグすると、ウィンドウを好きな位置に移動できます。このとき、デスクトップ画面上端に移動すると、自動的にウィンドウが最大化されます。また、画面の左右の端に移動すると、ウィンドウの縦サイズが画面いっぱいに拡大します。

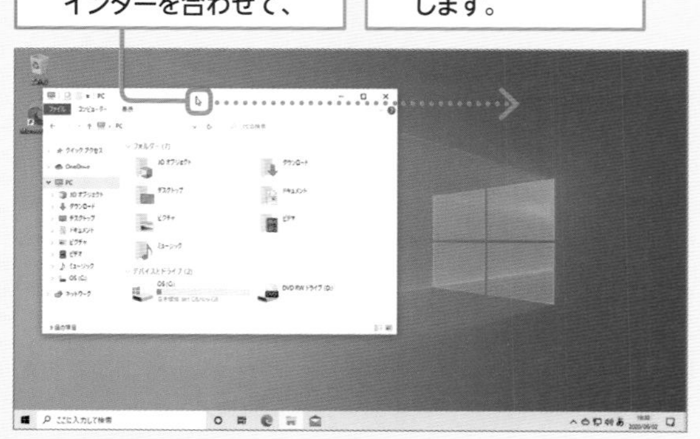

関連 Q086 ウィンドウを画面ぴったり半分に表示

Q 080 お役立ち度 ★★★ ウィンドウの操作

ウィンドウを画面いっぱいに広げるには?

A [最大化] ボタンをクリックします。

特定のアプリをじっくり操作するときや、ウィンドウ内にたくさんの情報を表示したいときは、[最大化] ボタンをクリックして、ウィンドウを画面いっぱいに広げます。最大化する前のサイズに戻すには、[元に戻す(縮小)] ボタン 🗗 をクリックします。

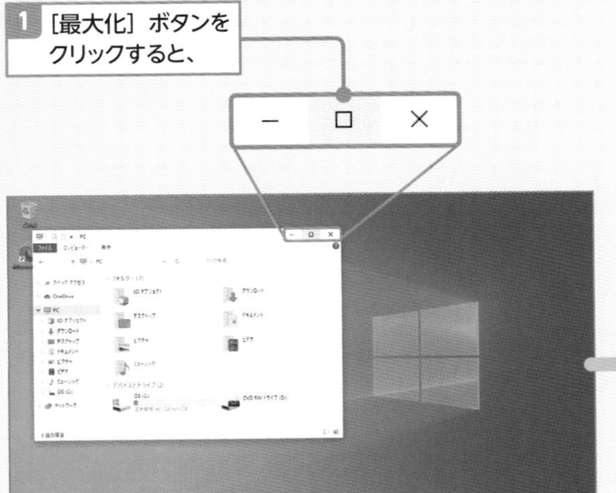

1 [最大化] ボタンをクリックすると、

2 ウィンドウが画面いっぱいに広がります。

おトクな情報 ウィンドウを最大化するその他の方法

タイトルバーをダブルクリックするか、タイトルバーを画面の上端にドラッグしてもウィンドウを最大化できます(スナップ機能)。

Q 081 お役立ち度 ★★★ ウィンドウの操作

ウィンドウの「最大化」や「最小化」をキー操作で実行するには?

A ウィンドウを操作するショートカットキーを使います。

ウィンドウを操作するショートカットキーには、以下のようなものがあります。よく使う操作は覚えておくと便利です

最大化	⊞ + ↑ キー
最大化する前に戻す	⊞ + ↓ キー
縦に拡大	⊞ + Shift + ↑ キー
画面の右半分に表示	⊞ + → キー
画面の左半分に表示	⊞ + ← キー
閉じる	Alt + F4 キー

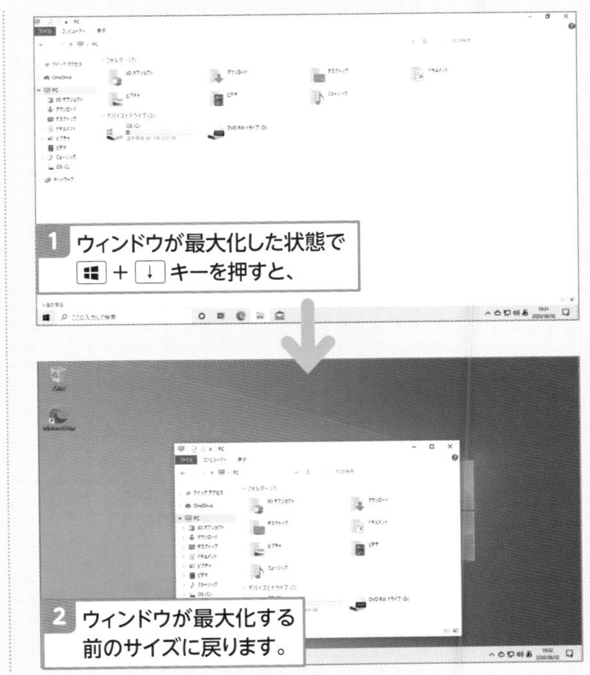

1 ウィンドウが最大化した状態で ⊞ + ↓ キーを押すと、

2 ウィンドウが最大化する前のサイズに戻ります。

Q 082 お役立ち度 ★★★ ウィンドウの操作

ウィンドウを閉じるには?

A [閉じる] ボタンをクリックします。

ウィンドウを完全に閉じるには、[閉じる] ボタンをクリックします。

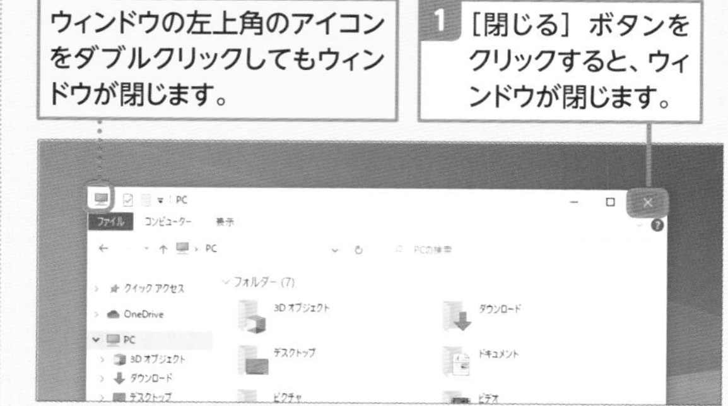

Q 083 お役立ち度 ★★★ ウィンドウの操作

ウィンドウの縦だけを大きく広げるには?

A 上下の境界線をダブルクリックします。

ウィンドウの幅はそのままで、高さだけを画面いっぱいに広げるには、ウィンドウの上辺か下辺の境界線にマウスポインターを移動してダブルクリックします。

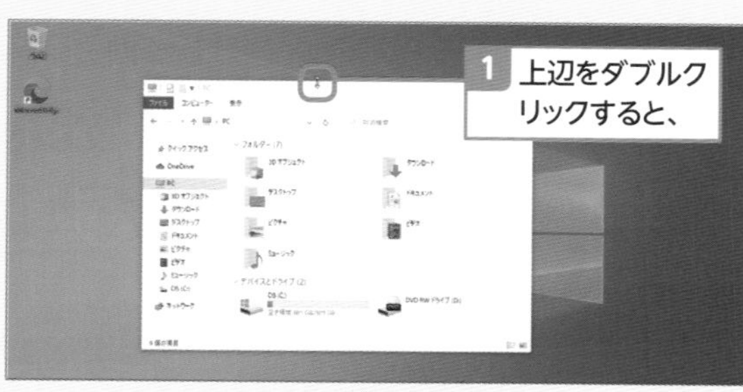

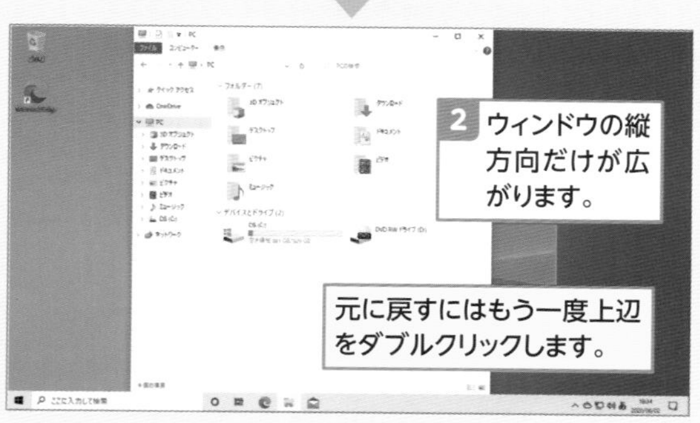

2 ウィンドウの縦方向だけが広がります。
元に戻すにはもう一度上辺をダブルクリックします。

Q 084 お役立ち度 ★★★ ウィンドウの操作

隠れているウィンドウを前に表示するには?

A Alt + Tab キーを押して切り替えます。

複数のウィンドウの中で操作の対象（**アクティブウィンドウ**といいます）を切り替えたい場合、Alt + Tab キーを使うと、現在開いているウィンドウを一覧表示して、目的のウィンドウに切り替えられます。

1 Alt キーを押したままにして Tab キーを押すと、

2 ウィンドウの一覧が表示されます。

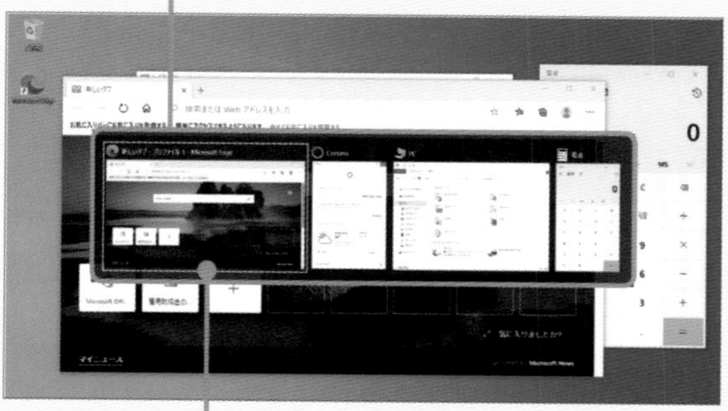

3 Alt キーを押したまま、Tab キーを押すたびに枠が右に移動します。

4 目的のウィンドウに枠が付いたら、キーから手を離します。

Q085 お役立ち度 ★★★ ウィンドウの操作

開いているウィンドウの一覧を表示するには?

A [タスクビュー] ボタンをクリックします。

現在開いているウィンドウを一覧表示するには、タスクバーの[タスクビュー]ボタンをクリックします。タスクビューが表示されたら、目的のウィンドウをクリックするか、← → キーを押して目的のウィンドウを選択して Enter キーを押すと、そのウィンドウに切り替えられます。

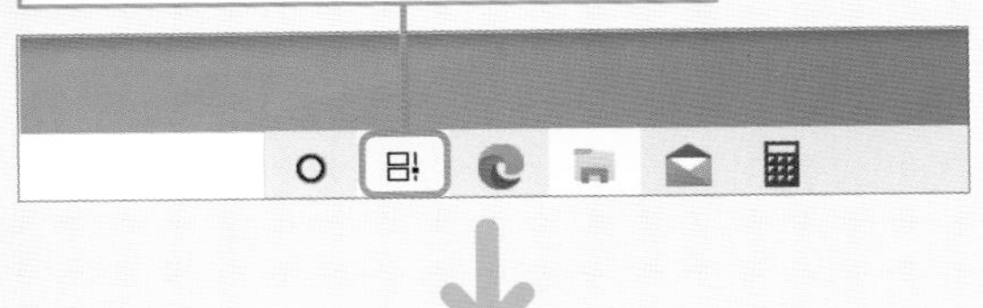
1 [タスクビュー] ボタンをクリックすると、

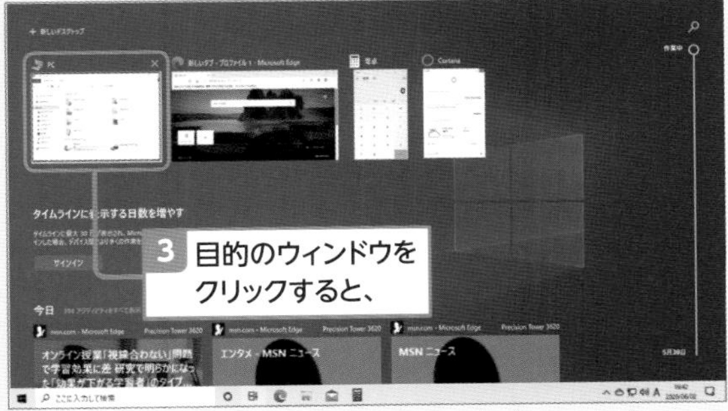
2 開いているウィンドウの一覧が表示されます。
3 目的のウィンドウをクリックすると、

4 アクティブウィンドウが切り替わります。

Q086 お役立ち度 ★★★ スゴわざ ウィンドウの操作

ウィンドウを画面ぴったり半分に表示するには?

A スナップ機能を使います。

複数のウィンドウの内容を見比べながら作業するときは、複数のウィンドウを同時にデスクトップに表示すると便利です。このとき、スナップ機能を使って、タイトルバーを画面の左右の端にドラッグすると、ウィンドウの幅がちょうど半分に自動調整されます。

1 タイトルバーを画面の左端にドラッグすると、

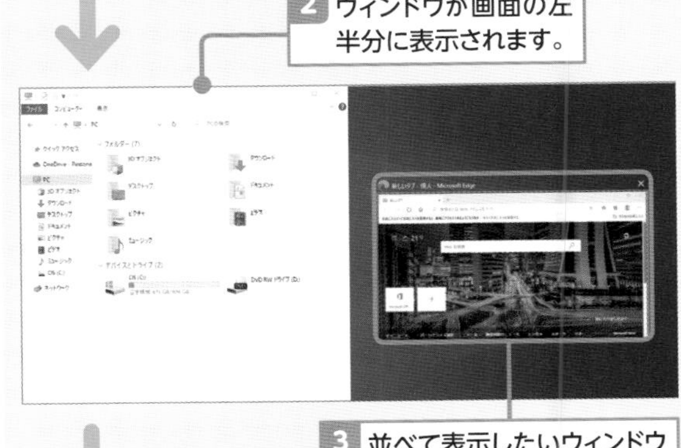
2 ウィンドウが画面の左半分に表示されます。

3 並べて表示したいウィンドウをクリックすると、

4 左右に半分ずつウィンドウを表示できます。

Q 087

お役立ち度 ★★★ スゴわざ

ウィンドウの操作

ウィンドウを画面の四隅に固定表示するには?

A スナップ機能を使います。

画面を4分割して4つのウィンドウを並べて表示するには、スナップ機能を使います。ウィンドウのタイトルバーを画面の隅に向かってドラッグすると、ちょうど画面の4分の1のサイズに自動調整されます。

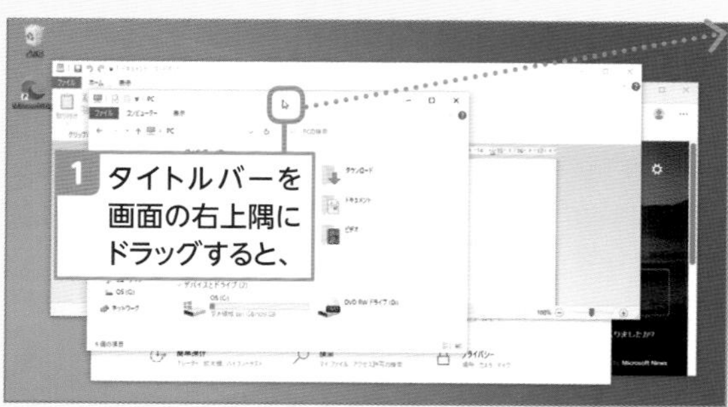

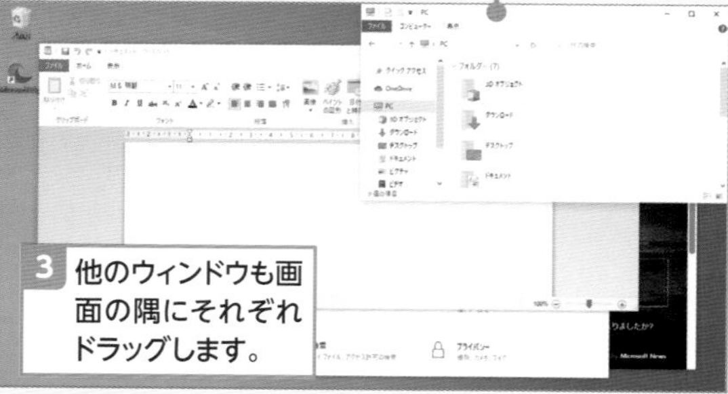

4つめのウィンドウはクリックして選びます。

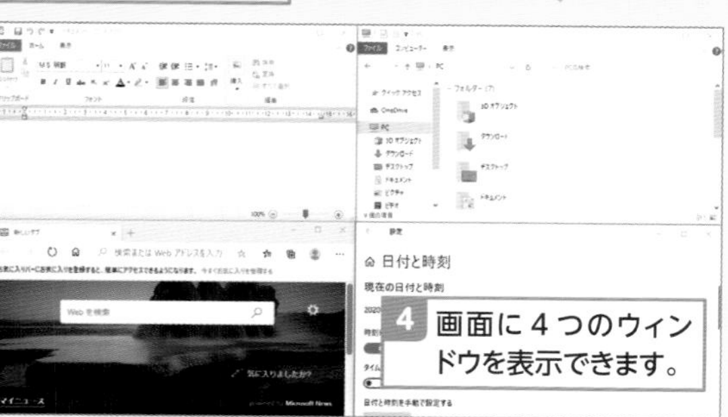

Q 088

ウィンドウの操作

ウィンドウが画面の端に隠れて動かせない!

A キーボードでウィンドウを動かしましょう。

画面の解像度を変更した結果、ウィンドウのタイトルバーが隠れてしまったり、ウィンドウをデスクトップの下端に移動してタイトルバーをマウスでつまみづらくなってしまったりすることがあります。このようなときは、キーボードでウィンドウを移動しましょう。

1 Alt ＋ Tab キーで目的のウィンドウを選択して、

2 Alt ＋ スペース キーを押すと、

3 メニューが表示されます。

4 続けて M キーを押すと、

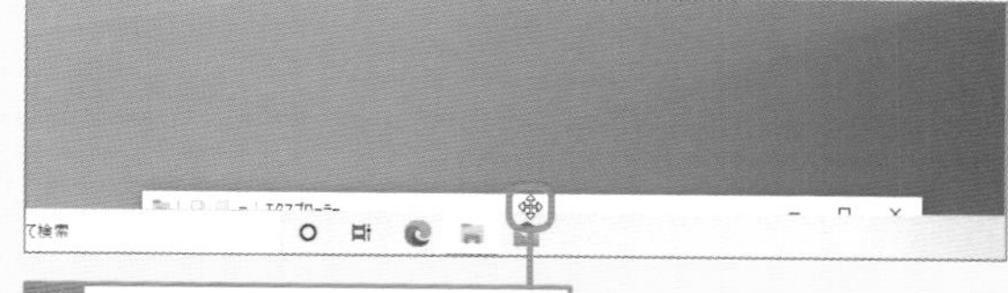

5 十字の矢印が表示されます。

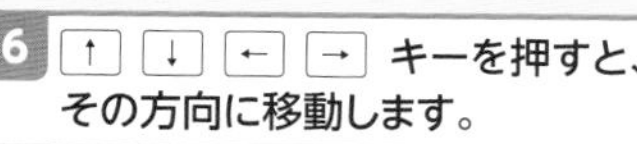

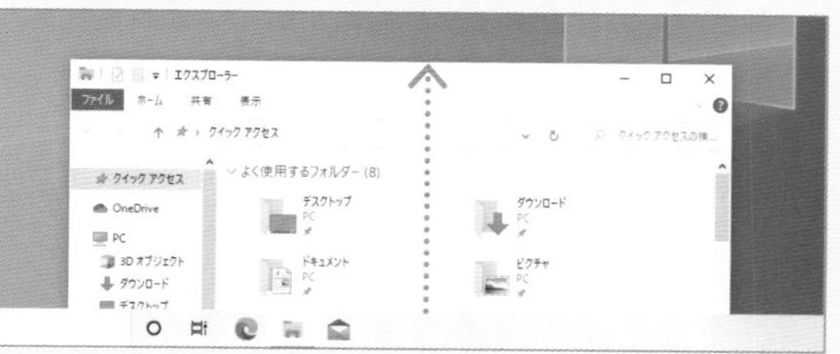

Q089 お役立ち度 ★★★ ウィンドウの操作

瞬時にデスクトップ画面を表示するには?

A ⊞ + D キーを押します。

たくさんのウィンドウが表示されていると、デスクトップが見えなくなります。デスクトップ上のファイルを操作したいときには、ウィンドウを1つずつ最小化するのは時間がかかって面倒です。そんなときは ⊞ + D キーを押すと、瞬時にデスクトップ画面に切り替わります。再度 ⊞ + D キーを押すと、デスクトップ画面に切り替える前の状態に戻ります。

複数のウィンドウが開いています。

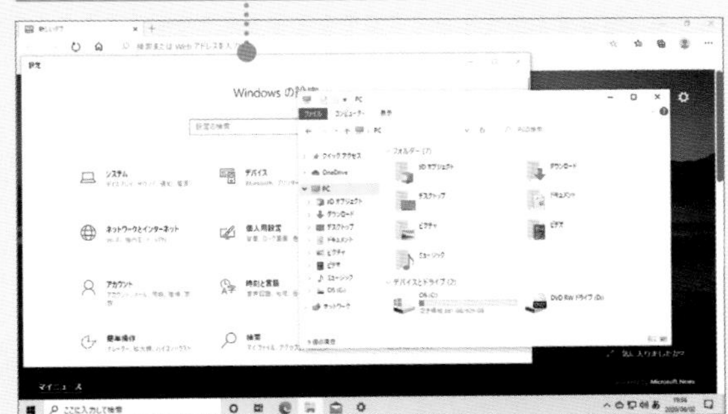

1 ⊞ + D キーを押すと、

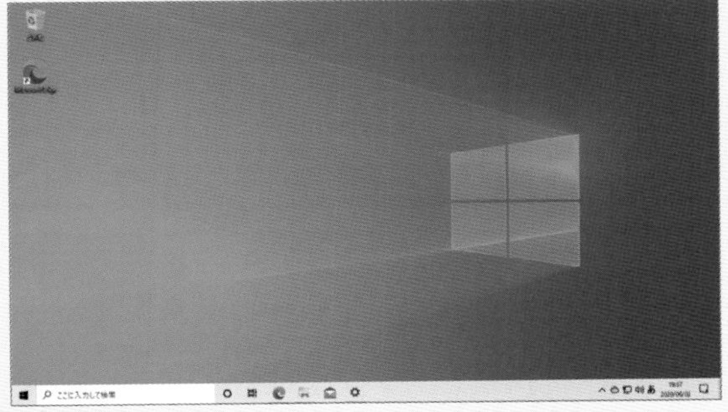

2 デスクトップ画面が表示されます。

再度 ⊞ + D キーを押すと、ウィンドウが開いた画面に戻ります。

Q090 お役立ち度 ★★★ ウィンドウの操作

すべてのウィンドウを一瞬で最小化するには?

A ⊞ + M キーを押します。

たくさんのウィンドウをまとめて最小化するには、⊞ + M キーを押します。すると、すべてのウィンドウがまとめて最小化されてデスクトップ画面が表示されます。Q089の操作と似ていますが、⊞ + M キーで最小化したウィンドウは、再度 ⊞ + M キーを押しても元には戻りません。ウィンドウを1つずつ個別に再表示する必要があります。

Q091 お役立ち度 ★★★ ウィンドウの操作

アクティブウィンドウ以外をまとめて最小化するには?

A ⊞ + Home キーを押します。

アクティブウィンドウとは、現在操作の対象になっているウィンドウのことです。複数のウィンドウが開いている状態で、アクティブウィンドウを残して他のウィンドウをまとめて最小化するには、⊞ + Home キーを押します。

1 ⊞ + Home キーを押すと、アクティブウィンドウ以外のウィンドウが最小化されます。

仮想デスクトップって何?

A 複数のデスクトップ画面を使い分けられる機能です。

仮想デスクトップの機能を使うと、1つのディスプレイで複数のデスクトップ画面を作成できます。たとえば、仕事用とプライベート用のデスクトップを別々に作成し、仕事用のデスクトップには仕事で使うアプリを表示し、プライベート用のデスクトップには音楽を楽しんだりゲームを楽しんだり息抜きで使うアプリを表示するといった使い方ができます。

仕事で使用するデスクトップ画面

プライベートで使用するデスクトップ画面

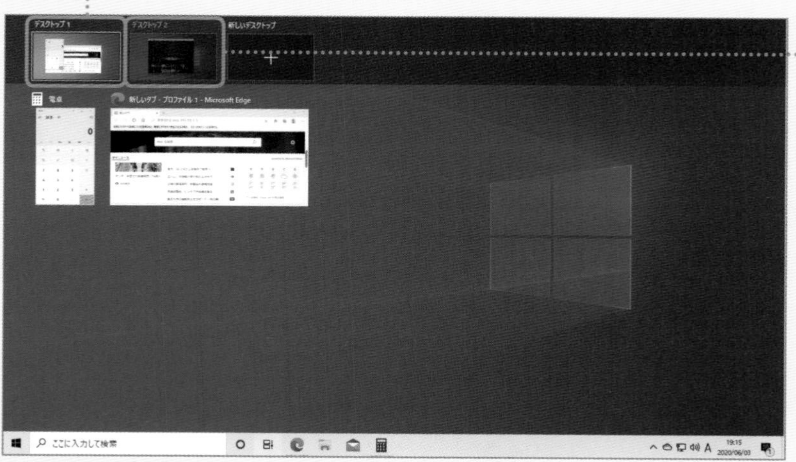

複数のデスクトップ画面を切り替えながら使用できます。

仮想デスクトップでのタスクバーの表示

仮想デスクトップで複数のデスクトップを使用しているときのタスクバーの表示方法は、「設定」画面で指定します。「使用中のデスクトップのみ」は、表示しているデスクトップで開いているウィンドウだけがタスクバーに表示されます。一方、「すべてのデスクトップ」にすると、いずれかのデスクトップで開いているウィンドウがあれば、タスクバーにすべて表示されます。

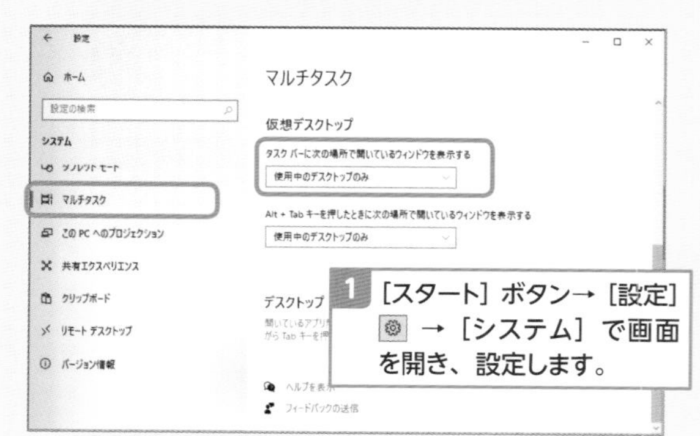

Q093 お役立ち度 ★★★ スゴわざ　仮想デスクトップ

新しいデスクトップを追加するには?

A タスクビューから［新しいデスクトップ］をクリックします。

新しいデスクトップ（仮想デスクトップ）を追加するには、タスクバーからタスクビューを表示し、新しいデスクトップを追加します。新しいデスクトップを3つ以上作成することも可能です。

1 ［タスクビュー］ボタン をクリックし、

2 ［新しいデスクトップ］をクリックすると、

3 デスクトップが追加されます。

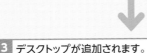

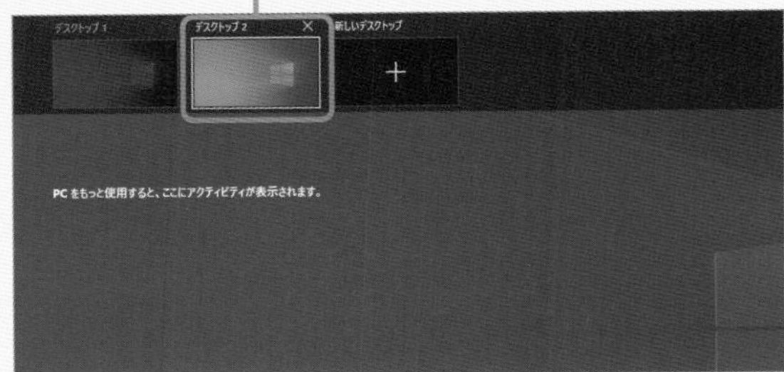

おトクな情報　新しいデスクトップを追加するショートカットキー

Windows + Ctrl + D キーを押して、新しいデスクトップを追加することもできます。

Q094 お役立ち度 ★★★ スゴわざ　仮想デスクトップ

作成したデスクトップに切り替えるには?

A タスクバーから切り替えます。

複数のデスクトップを作成した後で目的のデスクトップに切り替えるには、タスクビューを表示して切り替えたいデスクトップを選択します。なお、仮想デスクトップでは、デスクトップごとにアプリを起動します。そのため、デスクトップを切り替えると、切り替え後のデスクトップで起動中のアプリだけが表示されます。

1 ［タスクビュー］ボタン をクリックし、

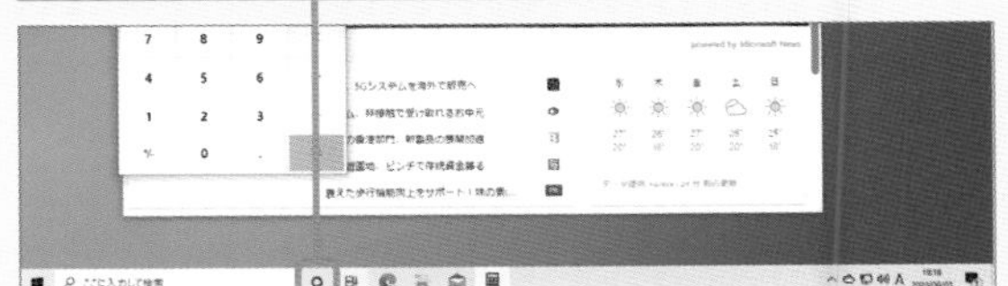

2 表示するデスクトップをクリックすると、

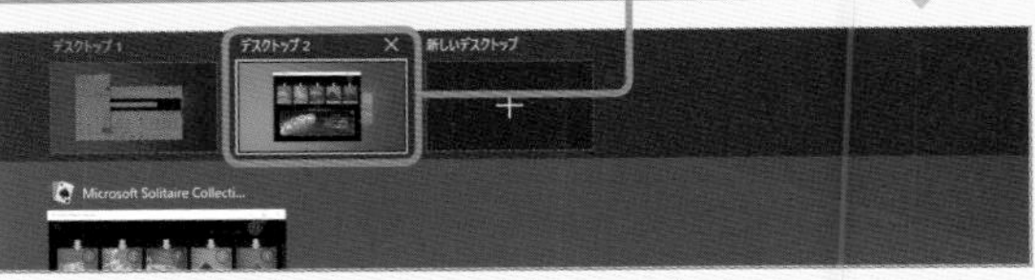

3 デスクトップが切り替わります。

おトクな情報　作成したデスクトップに切り替えるショートカットキー

Windows + Ctrl + ← （または →）キーを押すと、作成済みのデスクトップを順番に切り替えられます。

使いはじめ / デスクトップ / ファイル / 文字入力 / アプリ / インターネット / メール / 写真・音楽・動画 / 周辺機器・スマホ / 設定 / 安全に使う

Q 095 お役立ち度 ★★★ スゴわざ 仮想デスクトップ

デスクトップ間でアプリを移動するには?

A タスクビューでアプリの移動先を指定します。

仮想デスクトップでは、デスクトップごとに個別にアプリを起動します。そのため、別のデスクトップで作業中のアプリの続きを操作したいときは、まず、デスクトップを切り替えてからアプリを起動しなければなりません。別のデスクトップで作業中のアプリを引き継ぐには、以下の手順でアプリだけを移動します。

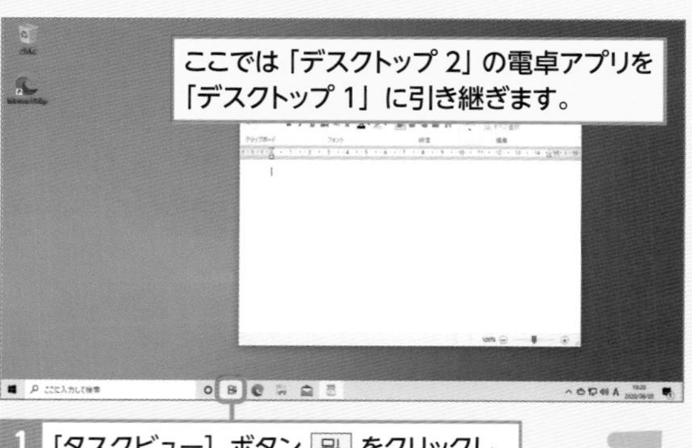
ここでは「デスクトップ 2」の電卓アプリを「デスクトップ 1」に引き継ぎます。
1 [タスクビュー] ボタン をクリックし、

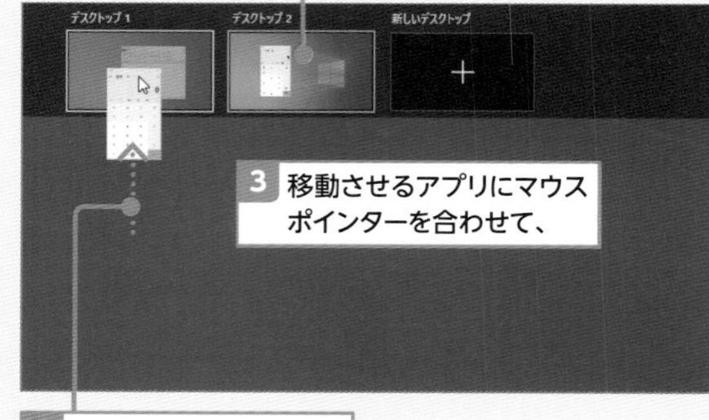
2 移動させるアプリのあるデスクトップにマウスポインターを移動し、
デスクトップ 1
デスクトップ 2
新しいデスクトップ
3 移動させるアプリにマウスポインターを合わせて、

4 移動先のデスクトップにドラッグします。

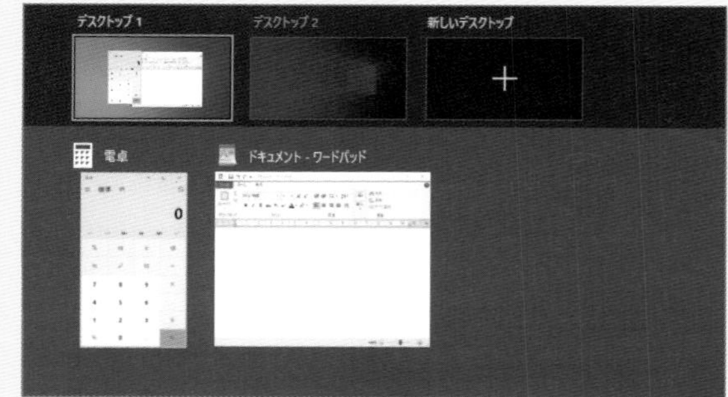
5 アプリのウィンドウが他のデスクトップに移動します。
デスクトップ 1
デスクトップ 2
新しいデスクトップ
電卓
ドキュメント - ワードパッド

Q 096 お役立ち度 ★★★ スゴわざ 仮想デスクトップ

作成したデスクトップを削除するには?

A タスクビューで［閉じる］ボタンをクリックします。

作成したデスクトップを削除するには、タスクビューから削除するデスクトップを選択して［閉じる］ボタンをクリックします。このとき、削除したデスクトップで起動していたアプリやウィンドウは、左隣のデスクトップに自動的に移動します。

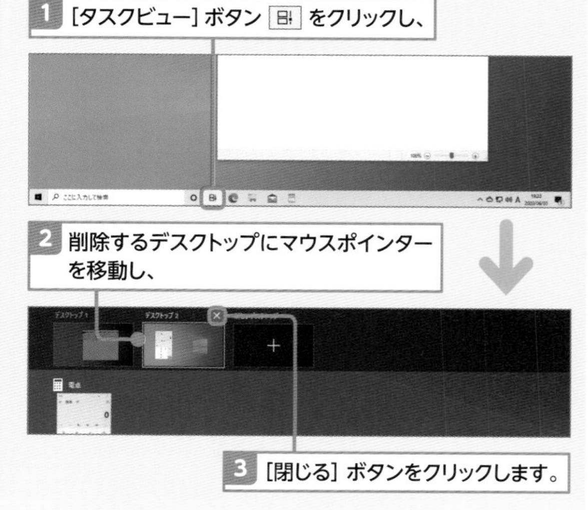
1 [タスクビュー] ボタン をクリックし、
2 削除するデスクトップにマウスポインターを移動し、
3 [閉じる] ボタンをクリックします。

パソコンを使って何をしたかを時系列に確認したい!

A 「タイムライン」機能を使います。

タスクバーにある［タスクビュー］ボタン をクリックすると**タイムライン**が表示されます。タイムラインとは、過去の**アクティビティ**（作業したファイルや閲覧したWebサイトなど）を時系列に表示する履歴機能です。前日の作業を再開したいときや、特定の日に使ったファイルを素早く見つけたいときなどに便利です。また、Microsoftアカウントでサインインすると、複数のパソコンやタブレットなどの間でタイムラインを共有できます。

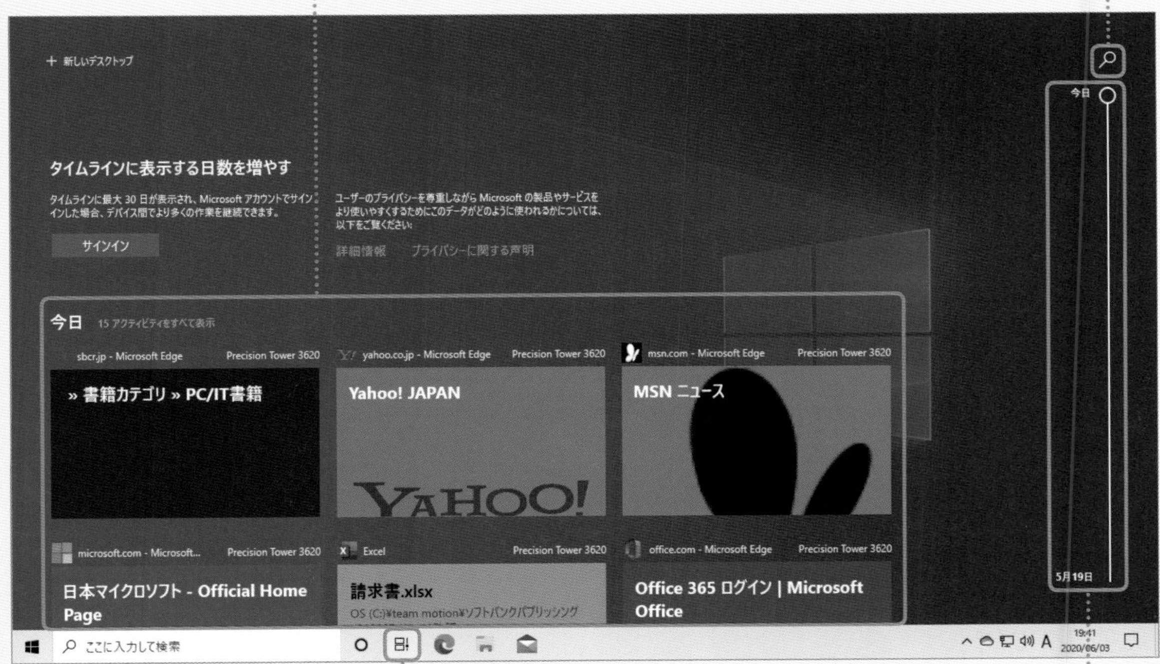

アクティビティ
今までに作業したファイルや表示したWeb ページなどが時系列に表示されます。

アクティビティの検索
キーワードで特定のアクティビティ（Web ページの内容など）を検索できます。

［タスクビュー］ボタン
タイムラインの表示／非表示を切り替えます。

スライダー
下向きにドラッグするとさらに過去にさかのぼってアクティビティを表示できます。

タイムライン機能に表示されるアプリは、タイムラインに対応したアプリのみです。利用したすべてのアプリが表示されるわけではありません。また、ローカルアカウントでサインしたときと Microsoft アカウントでサインインしたときでは、表示されるボタンの名称が異なる場合があります。

Q098 お役立ち度 ★★★ タイムライン

何日か前に行ったアクティビティを再開したい!

A タイムラインの日付をさかのぼってアクティビティをクリックします。

過去のアクティビティを再開したい場合、アプリで表示される最近開いたファイルの一覧から選択する方法やWebブラウザーの履歴を確認する方法もありますが、タイムラインであればすべてのアプリの履歴を一元的に確認できるので便利です。

1 [タスクビュー] ボタン をクリックして、

2 スライダーを下にドラッグして過去の日付をさかのぼり、

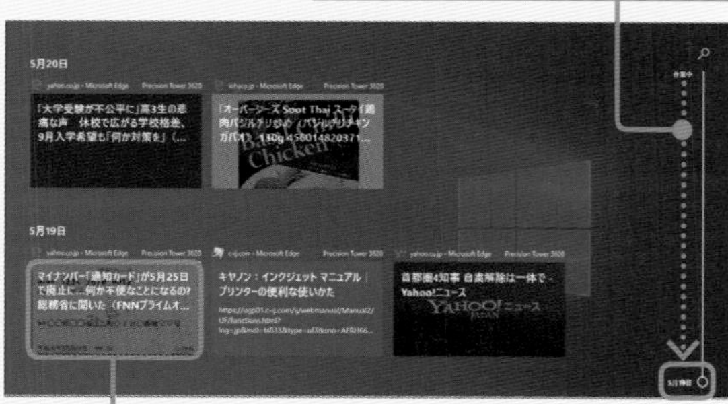

3 再開したいアクティビティをクリックすると、

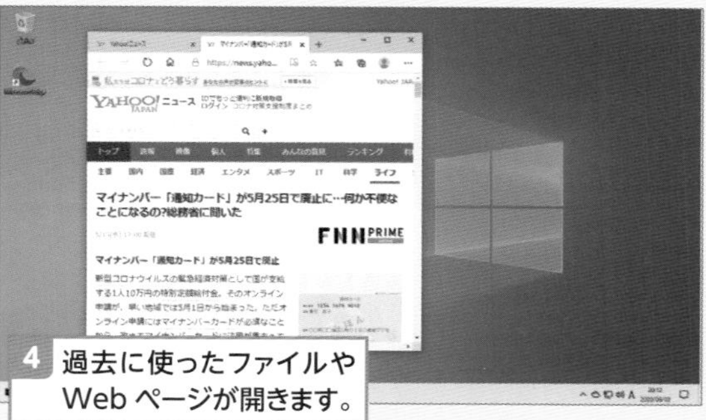

4 過去に使ったファイルやWebページが開きます。

Q099 お役立ち度 ★★★ タイムライン

タイムラインに表示されるアクティビティを増やすには?

A アクティビティの履歴をマイクロソフトに送信する設定を有効にします。

アクティビティの履歴をマイクロソフトに送信する設定にすると、タイムラインに最大で30日間のアクティビティを表示でき、同じMicrosoftアカウントでサインインしている複数のパソコンやタブレットなどの間でタイムラインを共有できます。 関連 Q489 Microsoft アカウント

1 Microsoft アカウントでサインインした状態で、

2 スタートメニューから[設定] をクリックして、「設定」画面で [プライバシー] をクリックします。

3 [アクティビティの履歴] をクリックして、

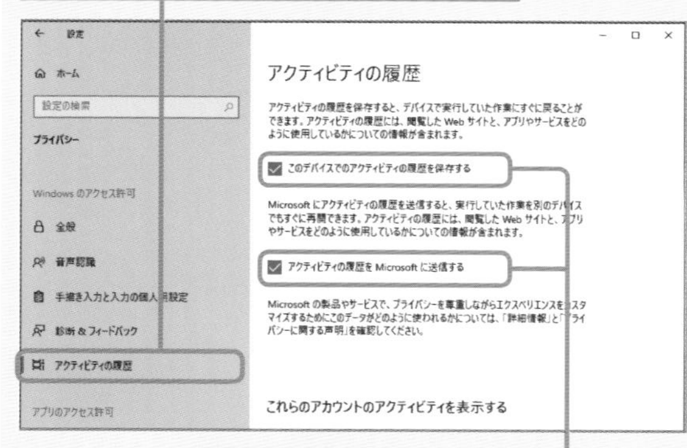

4 2つのチェックボックスをオンにします。

おトクな情報 タイムラインから設定する

タイムラインに表示される日数が少ない状態のときは、タイムラインの上部に「タイムラインに表示する日数を増やす」というメッセージが表示されています。[はい] をクリックして設定を行うこともできます。

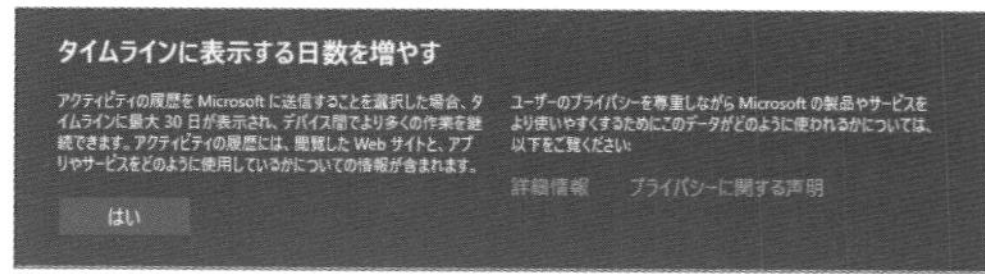

Q 100 お役立ち度 ★★★ タイムライン

表示するアクティビティを絞り込むには?

A アクティビティをキーワードで検索できます。

多くの作業を日々こなしているとタイムラインに表示されるアクティビティが多くなって、目的のアクティビティが探しにくくなる場合があります。そのような場合には、キーワード検索によって関連するアクティビティに絞り込んで表示するとよいでしょう。

1 タイムラインを表示して、

2 アクティビティの検索アイコンをクリックし、

3 キーワードを入力すると、

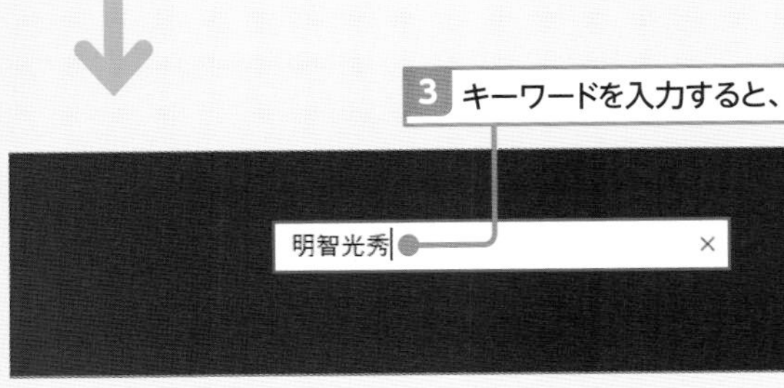

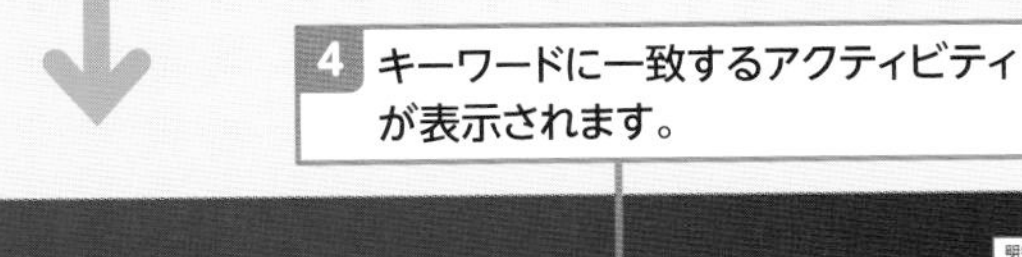

4 キーワードに一致するアクティビティが表示されます。

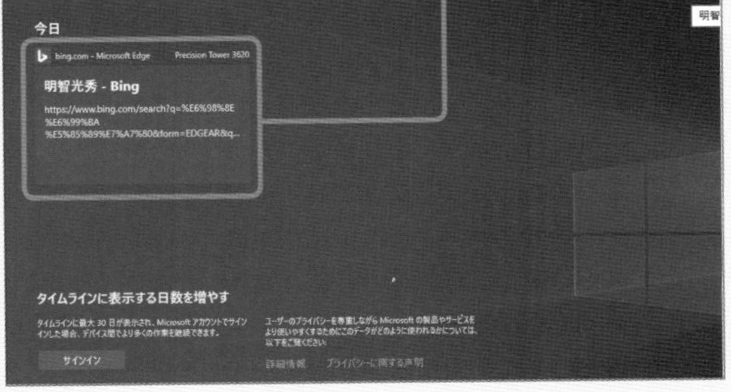

Q 101 お役立ち度 ★★★ タイムライン

アクティビティの履歴を消去するには?

A ［アクティビティの履歴を消去する］を実行します。

アクティビティの履歴を第三者に見られたくないときは、現在表示されているアクティビティの履歴をまとめて消去できます。スタートメニューから［設定］→［プライバシー］→［アクティビティの履歴］の順にクリックし、「アクティビティの履歴を消去する」から履歴のクリアを実行すると、アクティビティの履歴をすべて削除できます。

1 スタートメニューから［設定］ をクリックして、「設定」画面で［プライバシー］をクリックします。

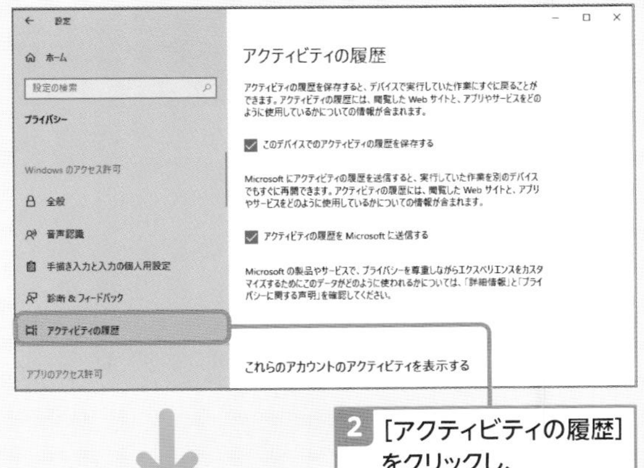

2 ［アクティビティの履歴］をクリックし、

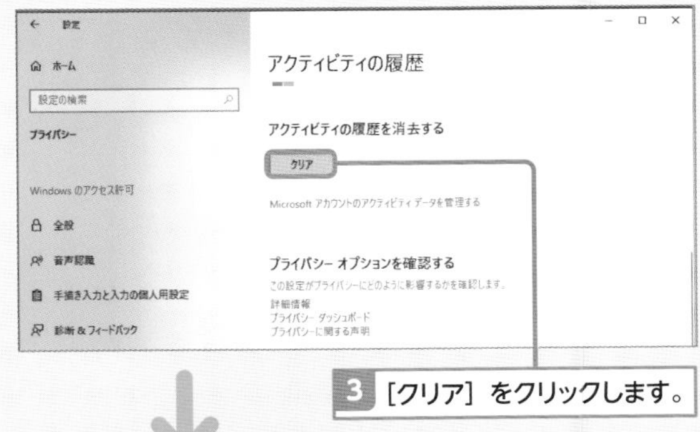

3 ［クリア］をクリックします。

4 ［OK］をクリックします。

アクティビティを削除するには?

A 個別に削除する方法とまとめて削除する方法があります。

アクティビティを右クリックしてメニューで［削除］を選択すると、特定のアクティビティを削除できます。また同じメニューには、まとめて削除するオプションもあり、特定の日や特定の時間帯のアクティビティをまとめて削除することもできます。

アクティビティを個別に削除する

1 アクティビティを右クリックし、

2 ［削除］をクリックすると、アクティビティが削除されます。

特定の日のアクティビティをまとめて削除する

1 アクティビティを右クリックし、

2 ［(日付) からすべてクリア］をクリックして、

3 ［はい］をクリックすると、その日のアクティビティをまとめて削除できます。

特定の時間帯のアクティビティを削除する

1 ［(アクティビティ数) アクティビティをすべて表示］をクリックします。

2 アクティビティを右クリックし、

3 ［(時間) からすべてクリア］をクリックして、

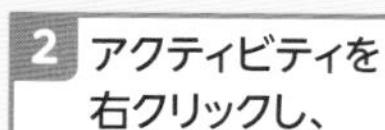

4 ［はい］をクリックすると、その時間帯のアクティビティをまとめて削除できます。

おトクな情報 タイムラインを保存したくないときは

第三者にタイムラインのアクティビティの履歴を見られたくないときは、タイムラインの機能そのものを無効にするとよいでしょう。スタートメニューから［設定］→［プライバシー］→［アクティビティの履歴］をクリックし、［このデバイスでのアクティビティの履歴を保存する］をオフにします。

「ファイル」操作をマスターしよう！

Windows 10で作成したデータは「ファイル」として扱われます。ファイル単体の操作はもちろん、関連するファイルを「フォルダー」にまとめて分類するなどして、上手に管理するワザを習得しましょう。また、Web上にファイルを保存するメリットを正しく理解し、マイクロソフトのOneDrive（ワンドライブ）にファイルをアップロードしたりダウンロードしたりします。

アイコンの意味

- ぜひ習得したい基本ワザを示します。
- 時短に役立つ活用ワザを示します。
- 知っておきたい基礎知識を示します。
- スゴわざ 目からウロコのすごワザを示します。
- 基本を超えた上級ワザを示します。

Q 103

お役立ち度 ★★★　ファイルの基本操作

ファイルって何?

A 写真や文書などのデータのかたまりのことです。

パソコンの中には、デジタルカメラで撮影した写真、ワープロソフトで作成した案内文やはがき、表計算ソフトで作成した住所録や見積書など、いろいろなデータが保存されています。これらのひとつひとつのデータのかたまりのことを**ファイル**と呼び、「住所録のファイル」や「写真のファイル」などと表現します。
アプリを使ってファイルを開いたり保存したりするほか、ファイル単位でコピーや削除、移動などの操作が行えます。どんなアプリで作成したファイルかによって、アイコンの絵柄が違うため、慣れてくると絵柄を見ただけで作成元のアプリがわかります。

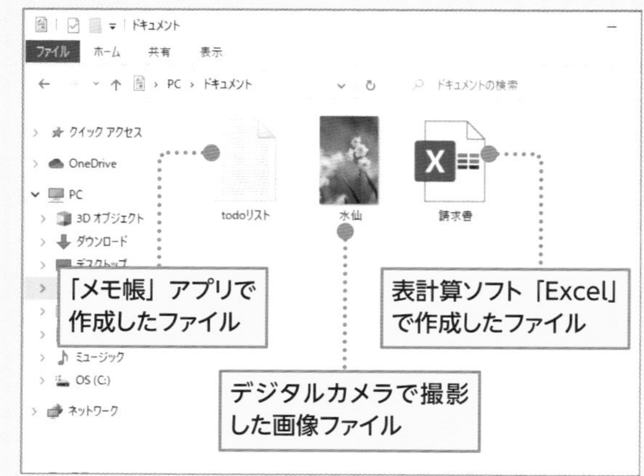

Q 104

お役立ち度 ★★★　ファイルの基本操作

ファイルを保存するには?

A それぞれのアプリで保存の操作を行います。

ファイルをパソコンに**保存**するには、作成元のアプリで保存の操作を行います。たとえば、「メモ帳」アプリで作成したファイルを保存するには、以下の手順で、保存先とファイル名を指定します。また、デジタルカメラとパソコンを接続して、撮影した写真をパソコンに取り込んで画像ファイルとして保存したり、Web上にある写真や音楽などのファイルをダウンロードして保存したりすることもできます。

1 [ファイル] をクリックし、

2 [名前を付けて保存] をクリックします。

3 保存先(ここでは「ドキュメント」フォルダー)をクリックし、

4 ファイル名(ここでは「todoリスト」)を入力して、

5 [保存]をクリックします。

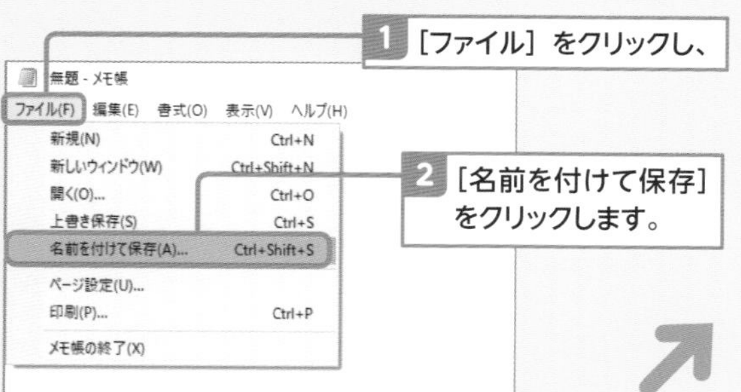

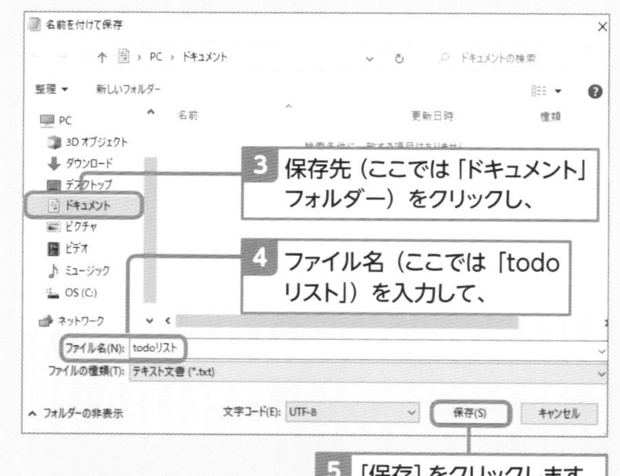

おトクな情報　ファイル名を付けるコツ

ファイル名は最大 255 文字まで付けられますが、長すぎるファイル名は後からファイルを探しにくくて不便です。日付やキーワードを使ってなるべく短く設定しましょう。また、半角のスラッシュ（/）、円記号（¥）、不等号記号（<>）、アスタリスク（*）、疑問符（?）、ダブルクォーテーション（"）、縦棒（|）、コロン（:）をファイル名に使うことはできません。

Q105 お役立ち度 ★★★ ファイルの基本操作

USB メモリーにファイルを保存するには?

A パソコンに USB メモリーをセットして保存先に指定します。

ファイルを保存できるのはパソコンの内蔵ドライブだけではありません。携帯に便利な**USBメモリー**に保存することもできます。それには、最初にUSBメモリーをパソコンにセットし、次に保存の操作を行います。このとき保存先として、セットしたUSBメモリーを表すドライブを指定します。USBメモリーによって、ナビゲーションウィンドウに表示される名前は異なります。

関連 Q430 ファイルを保存する媒体の種類

1 パソコンに USB メモリーをセットして、

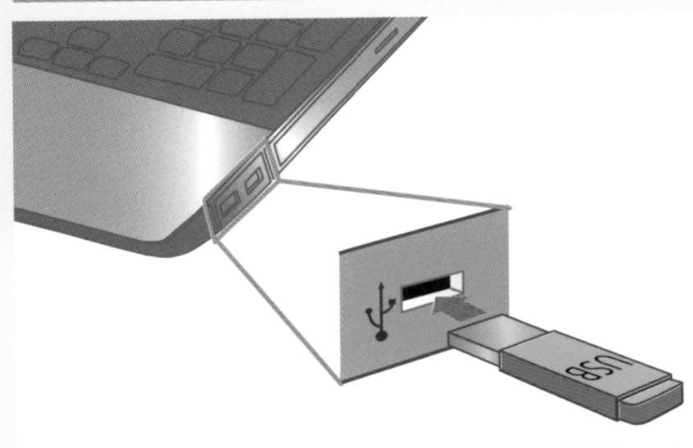

2 保存先に USB ドライブを指定し、

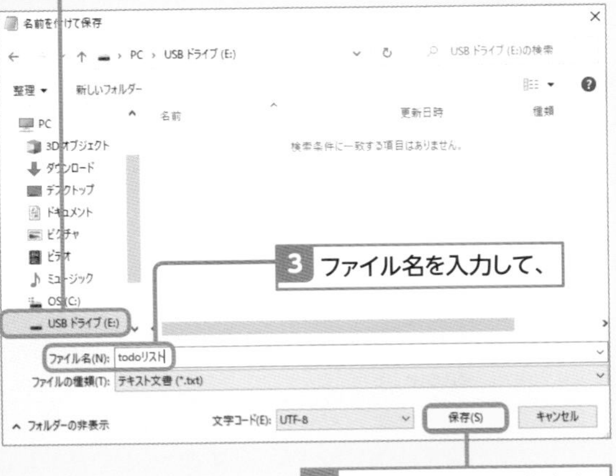

3 ファイル名を入力して、

4 [保存] をクリックします。

Q106 お役立ち度 ★★★ ファイルの基本操作

保存したファイルを開くには?

A それぞれのアプリでファイルを開く操作を行います。

保存したファイルをパソコン上に呼び出すことを「**開く**」といいます。ファイルを開くには、作成元のアプリでファイルを開く操作を行います。たとえば、「メモ帳」アプリで作成したファイルを開くには、以下の手順のようになります。

他にも、エクスプローラーでファイルの保存場所のフォルダーを開き、ファイルのアイコンをダブルクリックする方法もあります。この場合、作成元のアプリの起動とファイルを開く操作を同時に行えます。

1 [ファイル] をクリックし、

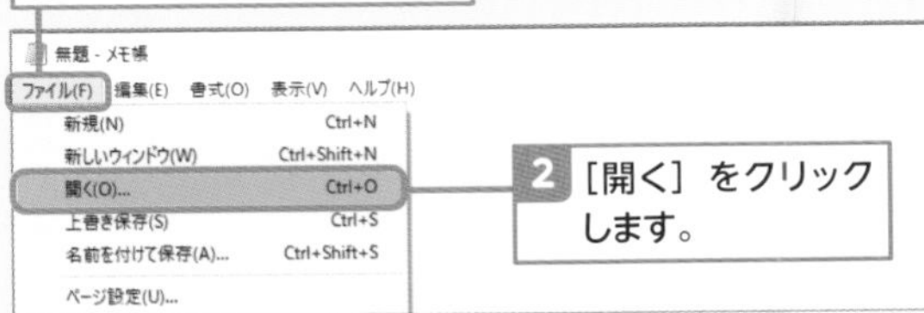

2 [開く] をクリックします。

3 ファイルの保存場所（ここでは「ドキュメント」フォルダー）をクリックし、

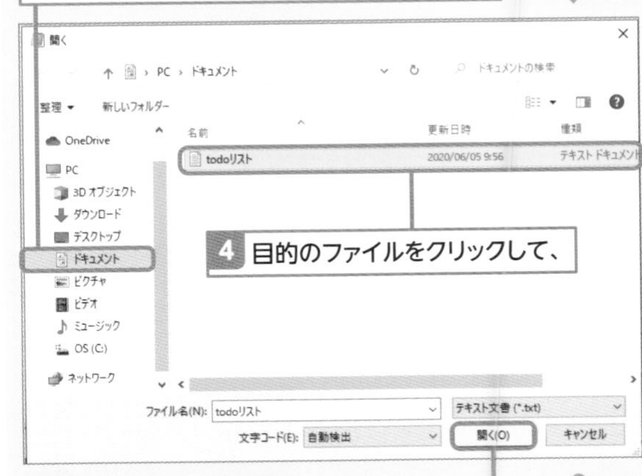

4 目的のファイルをクリックして、

5 [開く] をクリックすると、

6 ファイルが開きます。

ファイルを開けない場合はどうするの?

A ファイルを開くアプリを選択します。

保存場所にあるファイルのアイコンをダブルクリックしてファイルを開こうとしたときに、アプリを選択する画面が表示されてファイルを開けない場合があります。これは、ファイルと作成元のアプリが関連付けられていないことが原因です。このようなときは、アプリを選択する画面でファイルを開くアプリを選択します。

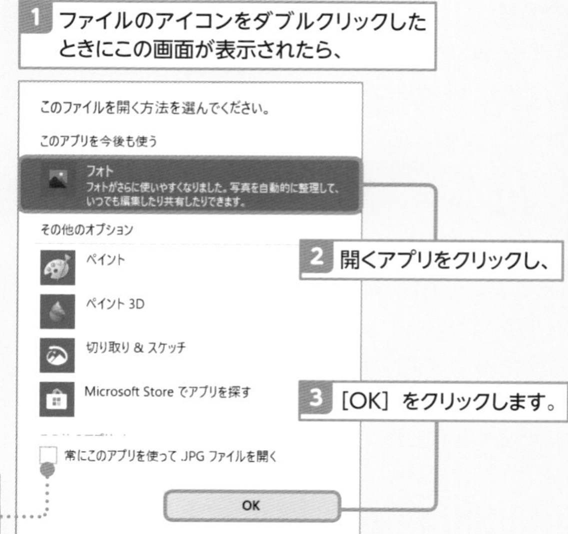

Q 108 お役立ち度 ★★★ ファイルの基本操作

複数のファイルをまとめて開くには?

A 複数ファイルを選択して開きます。

同じ種類の複数のファイルをまとめて開くには、保存場所のフォルダーで複数のファイルを選択してから、右クリックして表示されるメニューの[開く]をクリックします。**連続した複数のファイルを選択する**には、先頭のファイルをクリックした後で Shift キーを押しながら最後のファイルをクリックします。また、**離れた複数のファイルを選択する**には、1つ目のファイルをクリックした後で Ctrl キーを押しながら同時に選択するファイルを次々とクリックします。この操作は、ファイルを開くときだけでなく、ファイルのコピーや移動、削除でも使えるので、ぜひ覚えておきましょう。

連続した複数のファイルを選択する

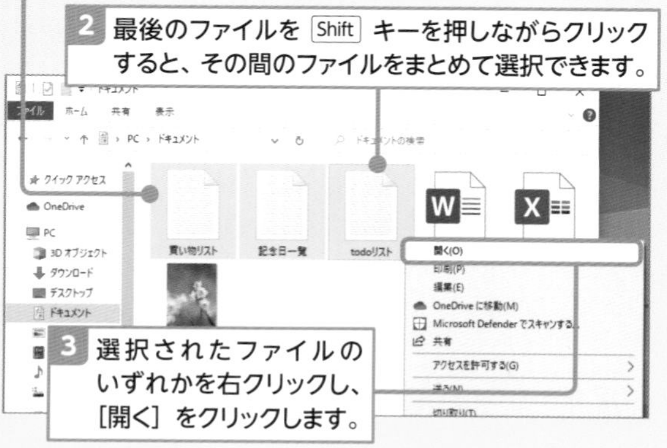

離れた複数のファイルを選択する

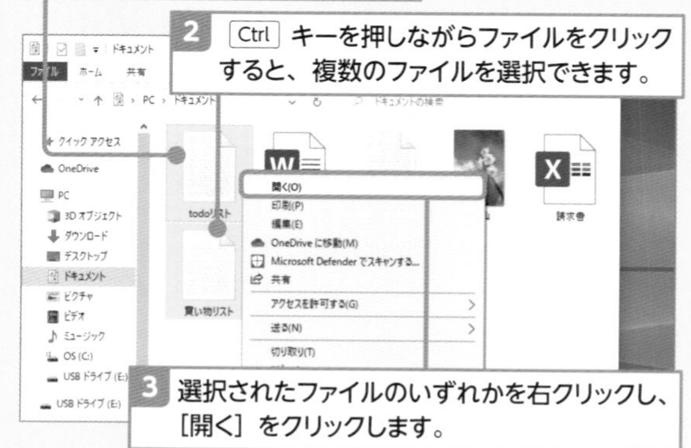

ファイルをもっと素早く開くには?

A デスクトップにショートカットアイコンを作成します。

頻繁に使うファイルをQ106の操作で開くと、アプリを起動してからファイルを開くため時間がかかります。1日に何度も開くファイルであればなおさらです。もっと短時間で目的のファイルを開くには、デスクトップにファイルの**ショートカットアイコン**を作るとよいでしょう。ショートカットアイコンとは、文字どおりファイルを開くための近道となるアイコンです。ショートカットアイコンをダブルクリックすると、アプリの起動とファイルを開く操作を同時に行えます。プロジェクトの進行中に、関連するファイルのショートカットアイコンを作成し、プロジェクトが終わったらショートカットアイコンを削除すると、デスクトップがすっきりします。なお、同じ手順で、アプリのショートカットアイコンを作成することもできます。

右クリックで作成する

1 ショートカットアイコンを作りたいファイルを右クリックし、

2 [送る] にマウスポインターを合わせて、

3 [デスクトップ(ショートカットを作成)] をクリックすると、

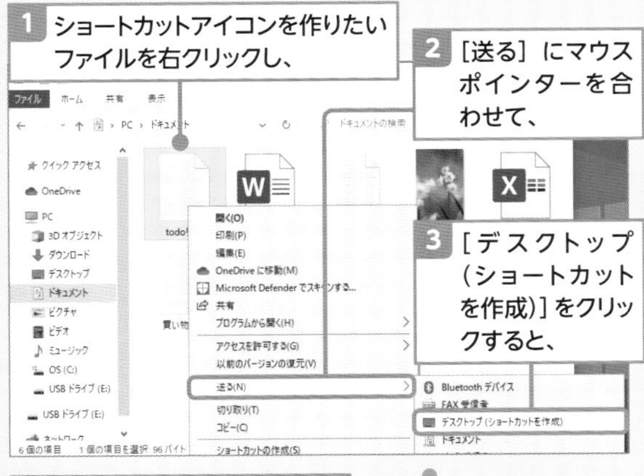

4 デスクトップにショートカットアイコンが作成されます。

5 ダブルクリックすると、

6 ファイルが開きます。

ドラッグで作成する

1 ショートカットアイコンを作りたいファイルを、マウスの右ボタンを押しながらドラッグします。

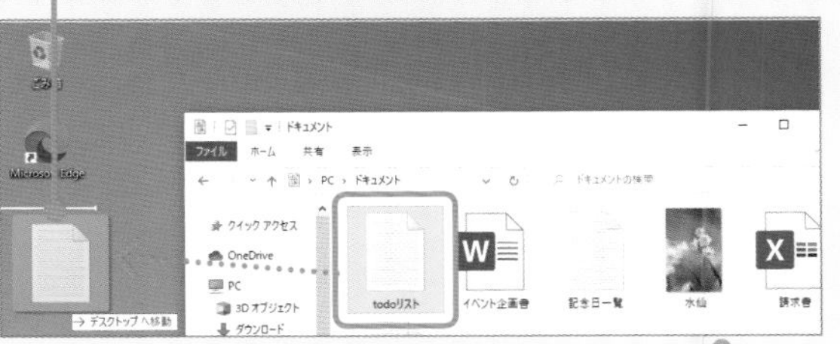

2 右ボタンから指を離すとメニューが表示されるので、[ショートカットをここに作成] をクリックします。

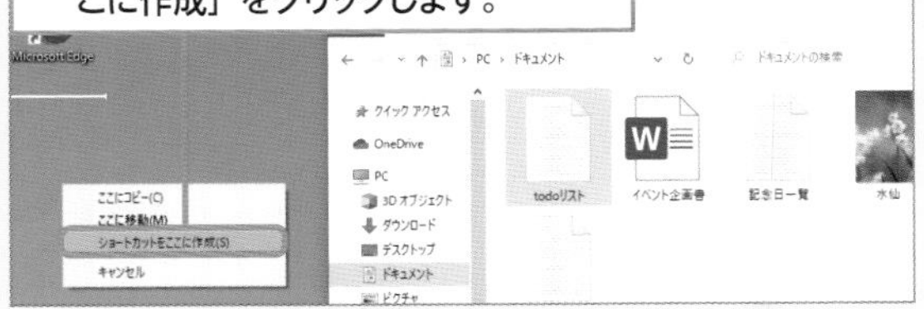

3 デスクトップにショートカットアイコンが作成されます。

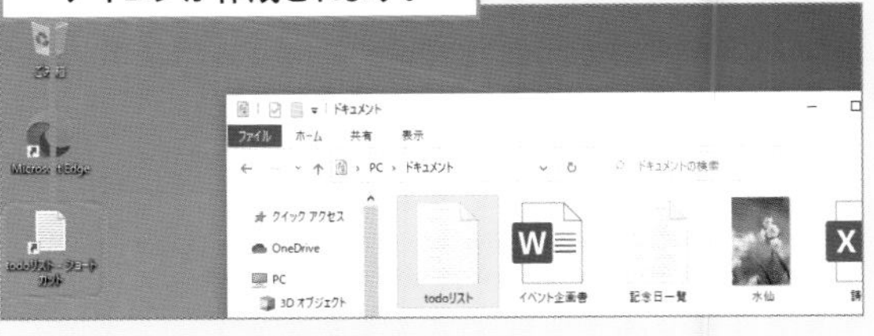

おトクな情報 ショートカットアイコンとファイル本体の関係

ショートカットアイコンの左下には矢印の絵柄 が付きます。これは、ファイル本体ではなく、ファイルまでへの道筋を示していることを表します。そのため、ショートカットアイコンを削除しても、元のファイルそのものがなくなるわけではありません。

ファイルを開くときのアプリを指定するには?

A 「設定」画面で既定のアプリを指定します。

たとえば、写真のファイルをダブルクリックで開くと「フォト」アプリが起動するといったように、パソコンがファイルの種類を識別して、それぞれパソコンで決められたアプリが起動します。写真を開くときは常に「ペイント」アプリを使いたいというように特定のアプリを指定したいときは、どのアプリを使用してファイルを開くかを設定します。

既定のアプリを変更する

1 ［スタート］ボタンをクリックし、［設定］をクリックします。

2 ［アプリ］をクリックします。

3 ［既定のアプリ］をクリックし、

4 設定されているアプリをクリックして、

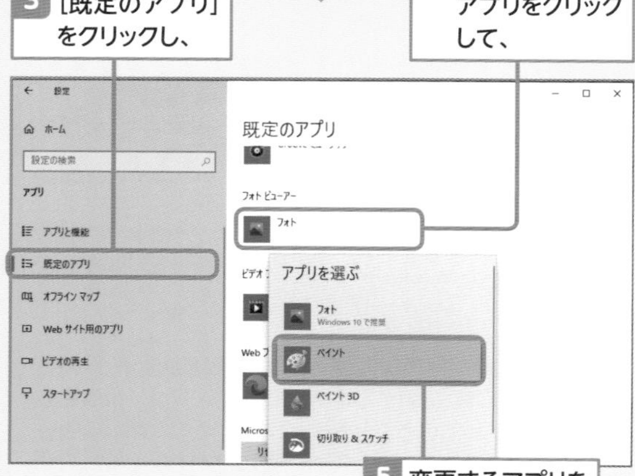

5 変更するアプリをクリックします。

ファイルの種類ごとにアプリを選択する

1 左の手順 3 に続けて、［ファイルの種類ごとに既定のアプリを選ぶ］をクリックします。

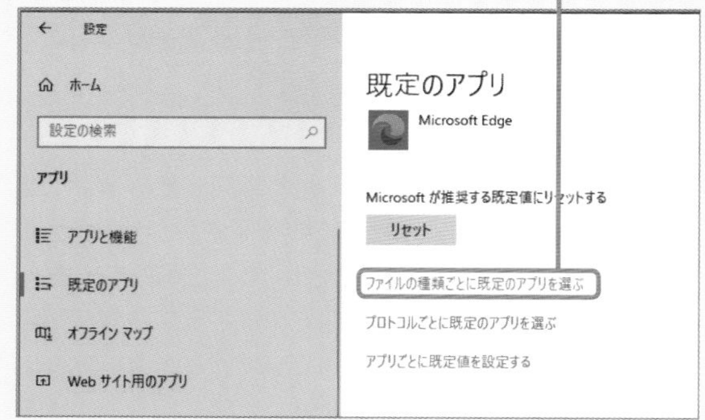

2 ファイルの種類ごとに設定された既定のアプリが表示されるので、アプリをクリックして、

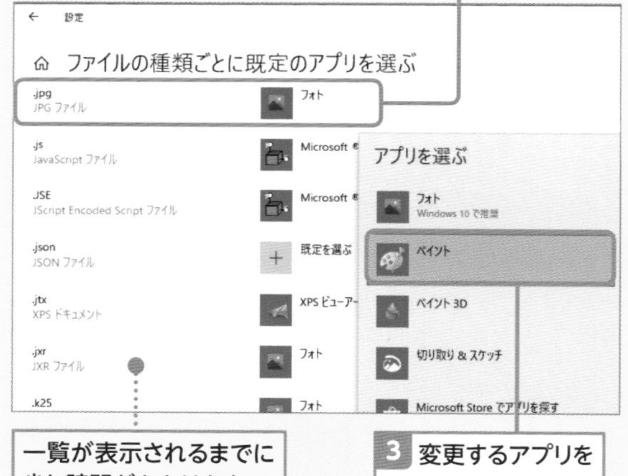

一覧が表示されるまでに少し時間がかかります。

3 変更するアプリをクリックします。

おトクな情報 設定を一発で元に戻す

ファイルを開くときの既定アプリは一発で初期状態に戻すことができます。やり方は、上の手順 1 の画面で「Microsoft が推奨する既定値にリセットする」の［リセット］をクリックします。

Q111 お役立ち度 ★★★ ファイルの基本操作

ファイルの名前を変更するには?

A F2 キーを押して変更後の名前を入力します。

ファイルを保存するときに付けた名前は、名前を変更したいファイルを選択して F2 キーを押すだけで簡単に変更できます。ファイルを右クリックして表示されるメニューの［名前の変更］をクリックする方法もあります。

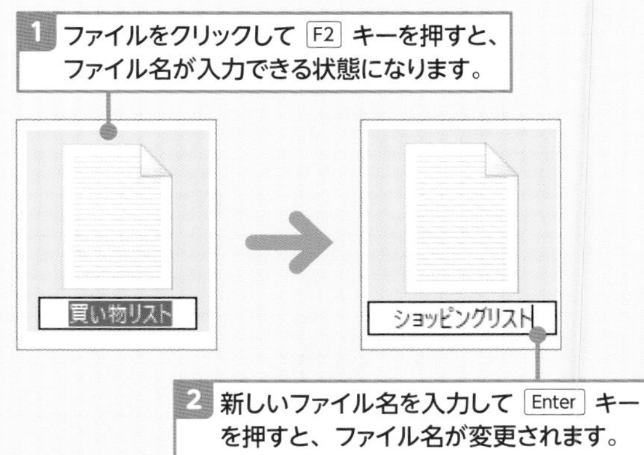

1 ファイルをクリックして F2 キーを押すと、ファイル名が入力できる状態になります。
買い物リスト
ショッピングリスト
2 新しいファイル名を入力して Enter キーを押すと、ファイル名が変更されます。

Q112 お役立ち度 ★★★ ファイルの基本操作

複数のファイルの名前をまとめて変更するには?

A 複数のファイルを選択してから名前を変更します。

複数のファイルの名前をまとめて変更するには、複数のファイルを選択してから F2 キーを押すか、選択したファイルのいずれかを右クリックして表示されるメニューの［名前の変更］をクリックします。

Q113 お役立ち度 ★★★ ファイルの基本操作

ファイルの詳細情報を見るには?

A ファイルを右クリックして［プロパティ］を選びます。

ファイルを保存すると、作成日や作成者、ファイルサイズなどの情報が一緒に保存されます。これらの詳細情報を**プロパティ**といいます。ファイルのプロパティを見るには、ファイルを右クリックして表示されるメニューの［プロパティ］を選ぶか、ファイルを選択して Alt ＋ Enter キーを押します。

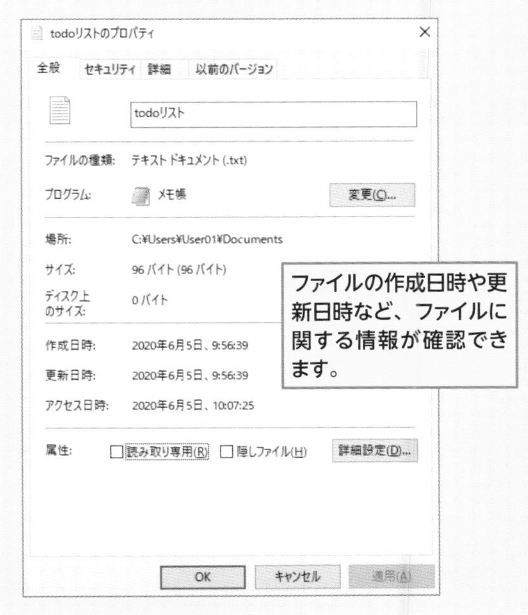

使いはじめ / デスクトップ / ファイル / 文字入力 / アプリ / インターネット / メール / 写真・音楽・動画 / 周辺機器・スマホ / 設定 / 安全に使う

エクスプローラーのファイルの表示方法を変更するには?

A [表示] タブでアイコンの表示方法を変更します。

エクスプローラーに表示されるファイルやフォルダーのアイコンの表示方法は、「一覧」「詳細」「大アイコン」などに後から変更できます。「大アイコン」にすると、写真のサムネイルが表示されて内容がひと目でわかります。

「詳細」表示

1 [表示] タブをクリックし、

2 [詳細] をクリックすると、

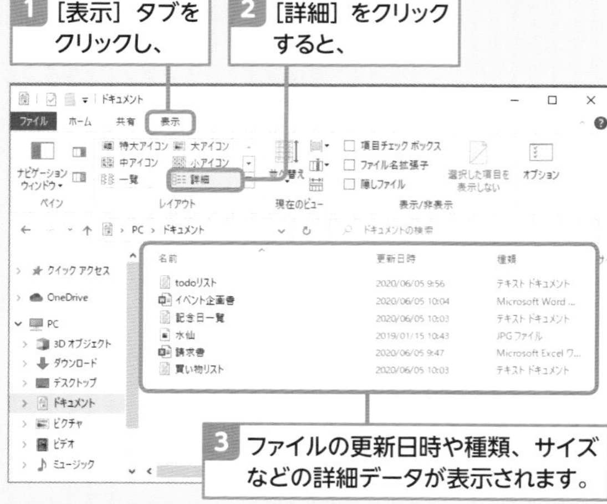

3 ファイルの更新日時や種類、サイズなどの詳細データが表示されます。

「大アイコン」表示

1 [表示] タブをクリックし、

2 [大アイコン] をクリックすると、

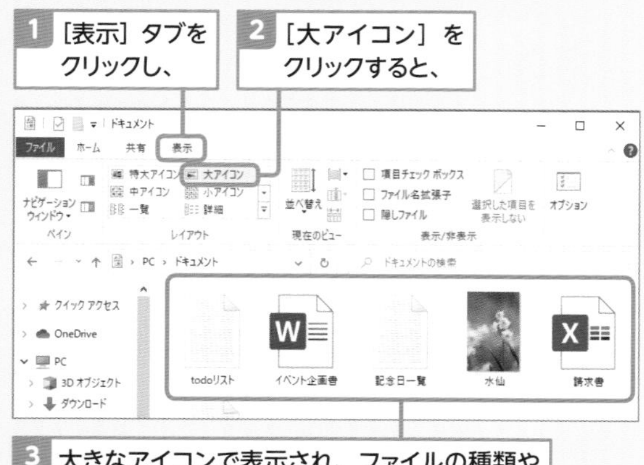

3 大きなアイコンで表示され、ファイルの種類や写真の内容がひと目でわかります。

ファイルの拡張子を表示するには?

A エクスプローラーで [ファイル名拡張子] をオンにします。

拡張子とは、ファイル名の末尾に表示される「.txt」や「.bmp」などの3桁や4桁の英数字のことです。ファイルは、作成元のアプリごとにアイコンの絵柄が違うだけでなく、アプリごとに拡張子も違います。表計算ソフト「Excel」で作成したファイルには「.xlsx」、ワープロソフト「Word」で作成したファイルには「.docx」、デジタルカメラで撮影した写真には「.jpg」の拡張子が付与されて保存されます。そのため、拡張子を勝手に削除したり変更したりするとファイルを開けなくなってしまうので注意しましょう。Windows 10の初期設定では、拡張子が表示されない設定になっていますが、後からエクスプローラーの設定を変更すると表示できます。

1 エクスプローラーを開きます。

2 [表示] タブをクリックし、

3 [ファイル名拡張子] をクリックしてチェックを付けると、

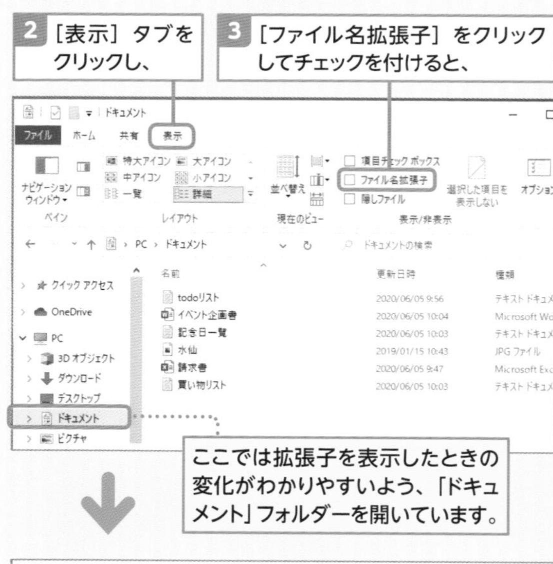

ここでは拡張子を表示したときの変化がわかりやすいよう、「ドキュメント」フォルダーを開いています。

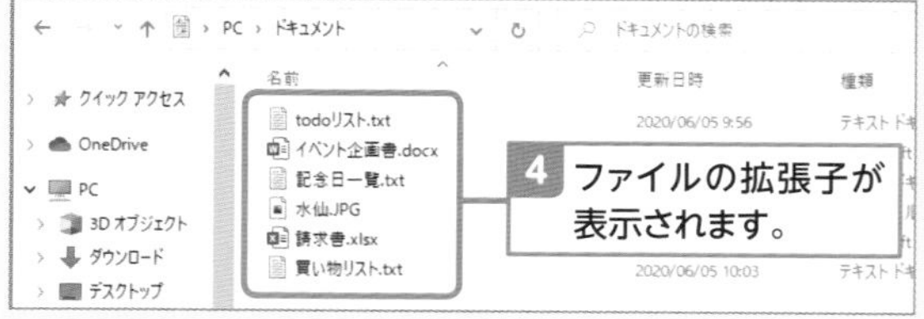

4 ファイルの拡張子が表示されます。

Q116 お役立ち度 ★★★ ファイルの基本操作

フォルダー内のファイルやフォルダーを検索するには?

A エクスプローラーの検索ボックスを使います。

エクスプローラーの右上にある**検索ボックス**にキーワードを入力すると、キーワードに一致するファイルやフォルダーだけを表示することができます。フォルダー名やファイル名（の一部）に一致した場合だけでなく、ファイル内のテキストに一致した場合や、キーワードに一致したフォルダーの中にあるファイルも表示されます。

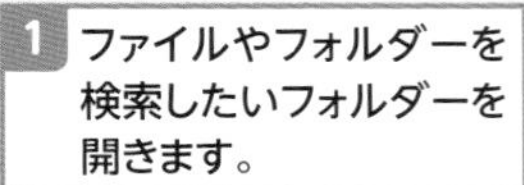

1 ファイルやフォルダーを検索したいフォルダーを開きます。

2 検索ボックスにキーワードを入力すると、

3 キーワードに一致するファイルやフォルダーが表示されます。

キーワードに一致した部分がハイライトされます。

ファイル内のテキストに一致した場合や、一致したフォルダーの中にあるファイルも表示されます。

Q117 お役立ち度 ★★★ ファイルの基本操作

よく使う保存先フォルダーを固定表示するには?

A エクスプローラーの「クイックアクセス」に追加します。

頻繁に使う保存先のフォルダーは、エクスプローラーの**クイックアクセス**に追加すると便利です。クイックアクセスには、頻繁に使うフォルダーと最近使用したファイルが表示されます。クイックアクセスに追加するには、目的のフォルダーが選択されている状態で、［ホーム］タブの［クイックアクセスにピン留めする］をクリックします。また、クイックアクセスに表示した保存先のフォルダーを削除する場合は、エクスプローラーでクイックアクセスに表示されているフォルダーを右クリックして［クイックアクセスからピン留めを外す］をクリックします。クイックアクセスからピン留めを外しても、フォルダーそのものが削除されるわけではありません。

1 クイックアクセスに追加するフォルダーをクリックします。

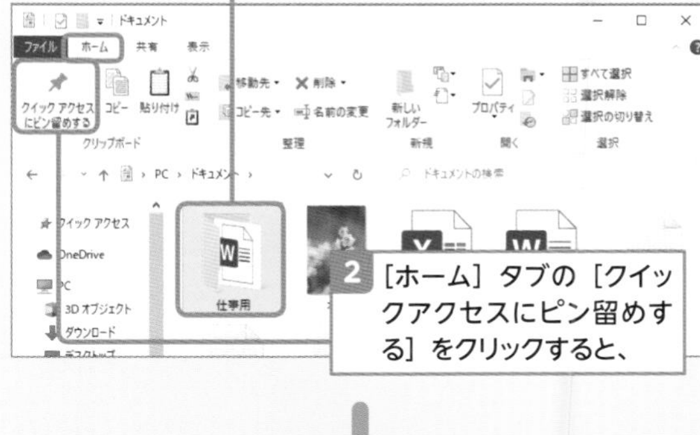

2 ［ホーム］タブの［クイックアクセスにピン留めする］をクリックすると、

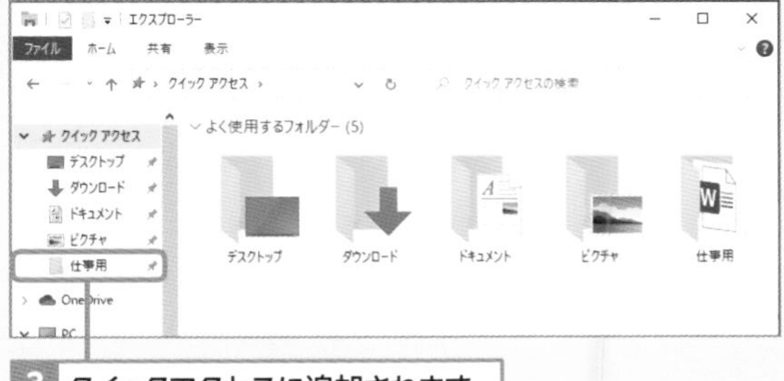

3 クイックアクセスに追加されます。

Q118

お役立ち度 ★★★

ファイルの基本操作

よく使う保存先フォルダーをタスクバーにピン留めするには?

A タスクバーにフォルダーをドラッグします。

Q117の操作でクイックアクセスに追加するほかに、頻繁に使う保存先のフォルダーをタスクバーにドラッグして追加できます。タスクバーは常に表示されているので、複数のウィンドウが開いていてデスクトップが見えないときでもすぐに保存先を開くことができます。

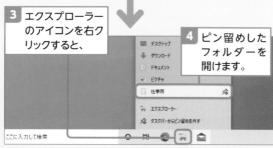

タスクバーにピン留めする

1 よく使うフォルダーをタスクバーに向かってドラッグし、

2 [エクスプローラーにピン留めする] と表示されたら手を離します。

3 エクスプローラーのアイコンを右クリックすると、

4 ピン留めしたフォルダーを開けます。

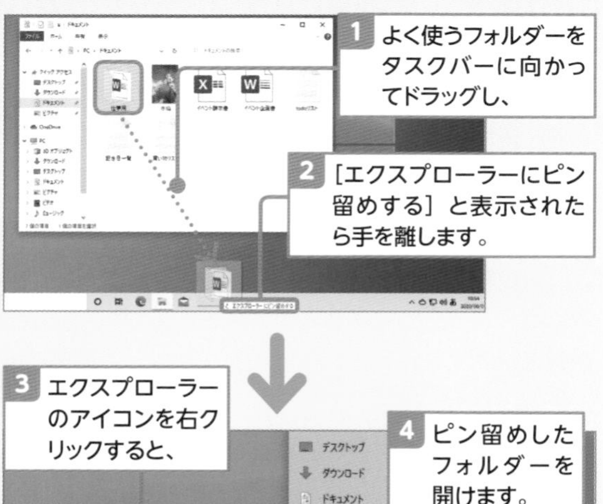

ピン留めを外す

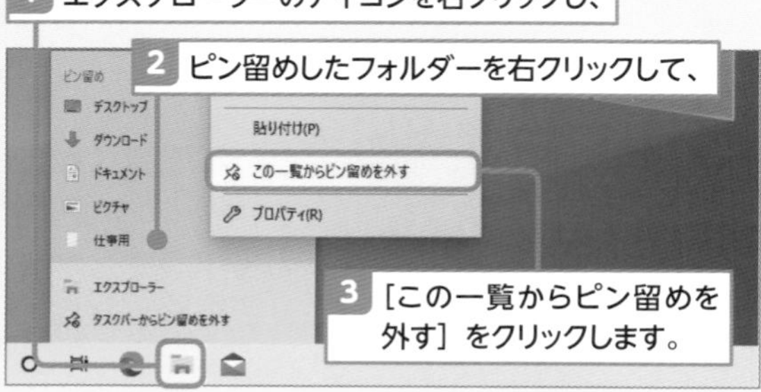

Q119

お役立ち度 ★★★

ファイルの基本操作

よく使う保存先フォルダーをスタートメニューにピン留めするには?

A フォルダーを右クリックしてピン留めします。

スタートメニューを使いやすいようにカスタマイズしている場合は、頻繁に使う保存先のフォルダーをスタートメニューに追加するとよいでしょう。そうすると、スタートメニューを開いたときに、保存先がタイルとして表示されます。Q042の操作でタイルをグループ化すれば、あちこち探す手間がなくなって効率よく操作できます。

をクリックすると、

3 スタートメニューにフォルダーが追加されます。

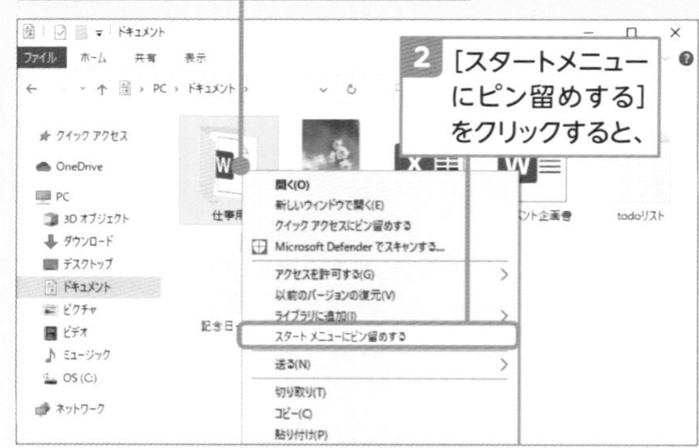

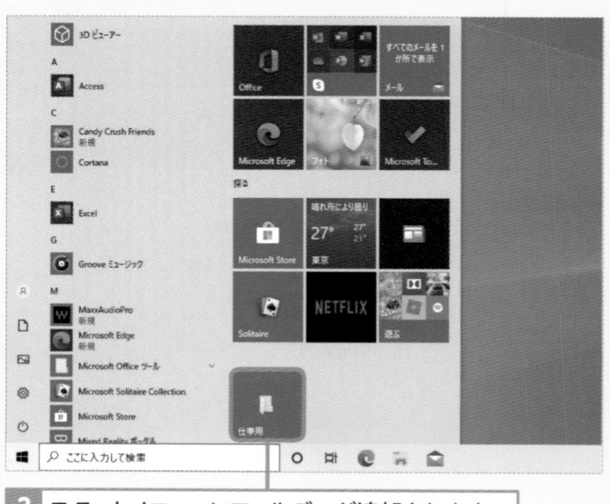

Q 120 お役立ち度 ★★★ スゴわざ ファイルの基本操作

ファイルを開かずに中身を見るには?

A プレビューウィンドウを表示します。

保存したファイルの中身を忘れてしまうと、毎回ファイルを開いて確認しなければなりません。目的のファイルが見つかるまで、ファイルを開いたり閉じたりする操作を繰り返すのは非効率です。このようなときは、ファイルを開かずに中身を確認するワザを使いましょう。保存先のフォルダーに**プレビューウィンドウ**を表示すると、画面の右側にファイルの内容が表示されます。ただし、ファイルの種類によっては、プレビューを表示できない場合もあります。

1 ファイルの保存先のフォルダーを開きます。

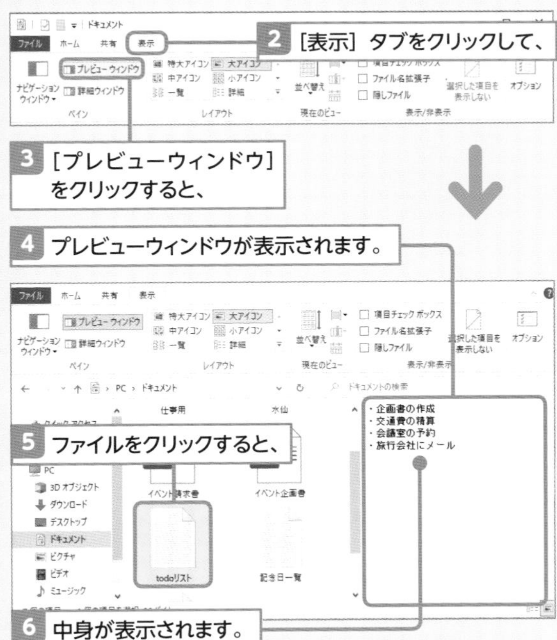

プレビューウィンドウを表示するショートカットキー

Alt + P キーを押して、プレビューウィンドウの表示と非表示を切り替えることもできます。

Q 121 お役立ち度 ★★★ ファイルの基本操作

ファイルの並び順を変更するには?

A [表示] タブの [並べ替え] を指定します。

フォルダー内に表示されるファイルやフォルダーを見やすい順番に並べ替えることができます。[表示] タブの [並べ替え] ボタンをクリックすると、[名前] [更新日時] [種類] [サイズ] [作成日時] [作成者] [分類項目] [タグ] [タイトル] を、それぞれ [昇順] か [降順] で並べ替えるように指定できます。昇順は小さい順で、数字なら「0」から「9」、ひらがななら「あ」から「ん」、英字なら「A」から「Z」の順番となりなす。降順は大きい順で、昇順の逆の順番で並び変わります。

1 ファイルの保存先のフォルダーを開きます。

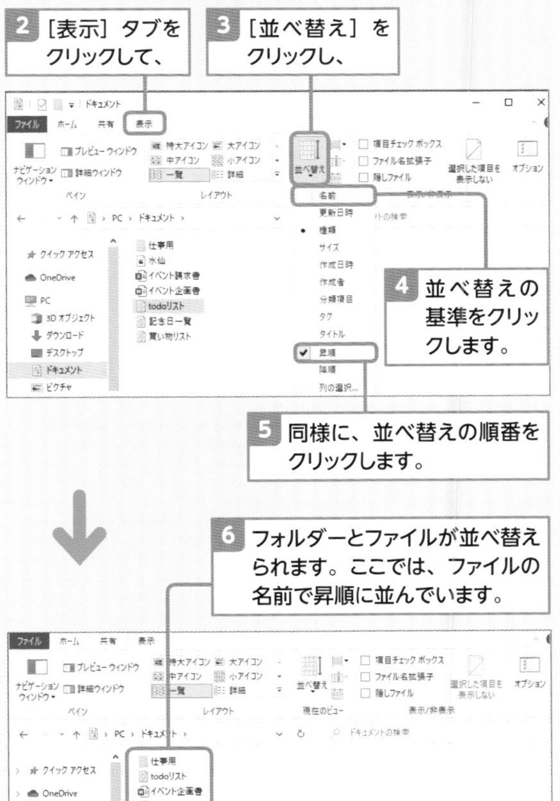

2 [表示] タブをクリックして、
3 [並べ替え] をクリックし、
4 並べ替えの基準をクリックします。
5 同様に、並べ替えの順番をクリックします。
6 フォルダーとファイルが並べ替えられます。ここでは、ファイルの名前で昇順に並んでいます。

使いはじめ
デスクトップ
ファイル
文字入力
アプリ
インターネット
メール
写真・音楽・動画
周辺機器・スマホ
設定
安全に使う

Q 122

お役立ち度 ★★★ ファイルの基本操作

隠しファイルを表示するには?

A [表示]タブの[隠しファイル]をオンにします。

Windows 10を動かすのに必要な重要なファイルを誤って移動したり削除したりすると、Windows 10が正常に動かなくなってしまいます。初期設定では、こういった重要なファイルは見えないように**隠しファイル**に設定されています。しかし、なんらかのトラブル対策で隠しファイルを表示したいときは、隠しファイルが見えるように設定を変更します。設定が終わったら、必ず隠しファイルに戻しておきましょう。

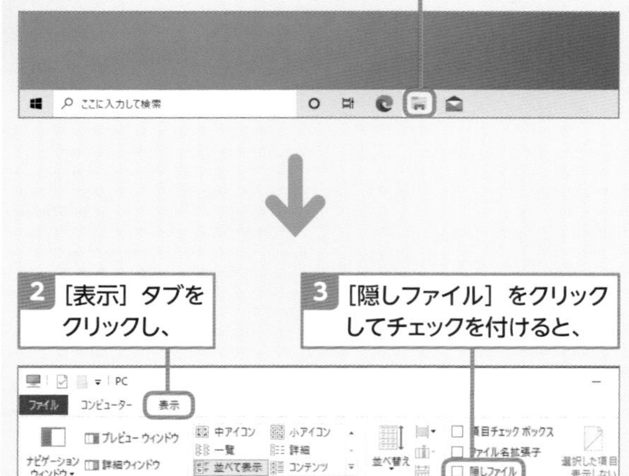
1 [エクスプローラー]ボタンをクリックします。
2 [表示]タブをクリックし、
3 [隠しファイル]をクリックしてチェックを付けると、

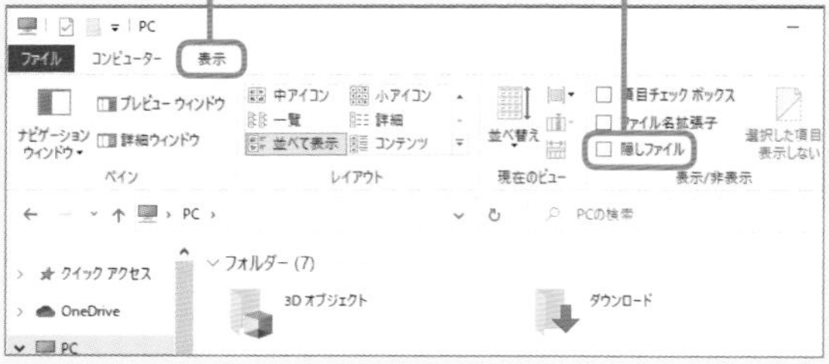

4 隠しファイルのアイコンが薄く表示されます。
Uninstall Information
WindowsApps

ここではローカルディスク(C:)にある「Program Files」フォルダーを開いています。

Q 123

お役立ち度 ★★★ スゴわざ ファイルの基本操作

他人に見られたくないファイルを隠したい!

A ファイルを「隠しファイル」に設定します。

他人に見られたくないファイルやフォルダーを隠しファイルに設定できます。ファイルやフォルダーを右クリックして表示されるメニューから[プロパティ]をクリックし、表示されるプロパティ画面で[隠しファイル]のチェックを付けます。隠しファイルの表示/非表示はQ122の操作で行います。

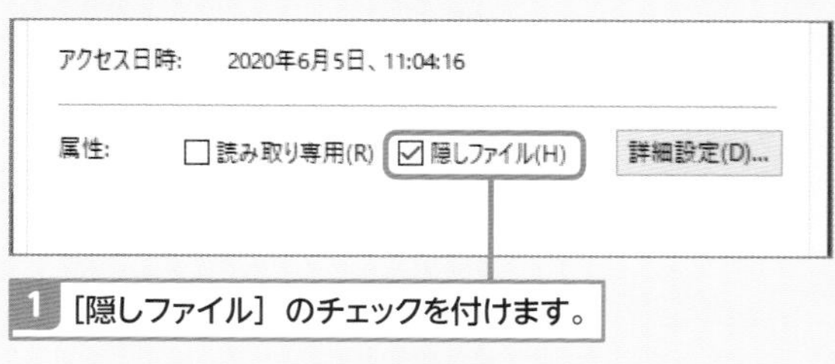
アクセス日時: 2020年6月5日、11:04:16
属性:
読み取り専用(R)
隠しファイル(H)
詳細設定(D)...
1 [隠しファイル]のチェックを付けます。

Q124 お役立ち度 ★★★ ファイル整理術

「ファイル」と「フォルダー」の関係を教えて!

A 書類とバインダーと考えるとわかりやすいでしょう。

パソコンの中の写真や文書のひとつひとつが**ファイル**で、そのファイルを整理して入れる入れ物が**フォルダー**です。ファイルが「書類」、フォルダーが「バインダー」と考えるとわかりやすいでしょう。用途別にバインダーを用意するように、パソコンでも用途別のフォルダーを作り、作成したファイルをそれぞれのフォルダーに入れて管理します。フォルダーは「仕事用」や「趣味用」などのように、好きな名前でいくつでも作成できます。通常、フォルダーのアイコンは黄色のフォルダーの形をしています。

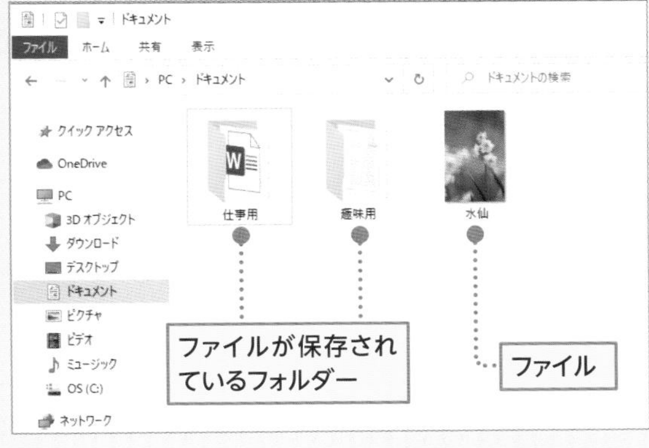

Q125 お役立ち度 ★★ ファイル整理術

フォルダーの場所を確認するには?

A アドレスバーの左端のアイコンをクリックします。

フォルダーがパソコンの中でどの場所にあるのかを確認するには、アドレスバーをクリックします。通常は、「PC▶ドキュメント▶同窓会」といった具合にフォルダーの階層が表示されますが、アドレスバーの左端の黄色いアイコンをクリックすると、「C:¥Users¥User01¥Documents¥同窓会」の表示に切り替わります。このように、フォルダーのある場所までの経路を示すための文字列を**パス**といいます。

1 エクスプローラーを開きます。

2 アドレスバーのアイコンをクリックすると、

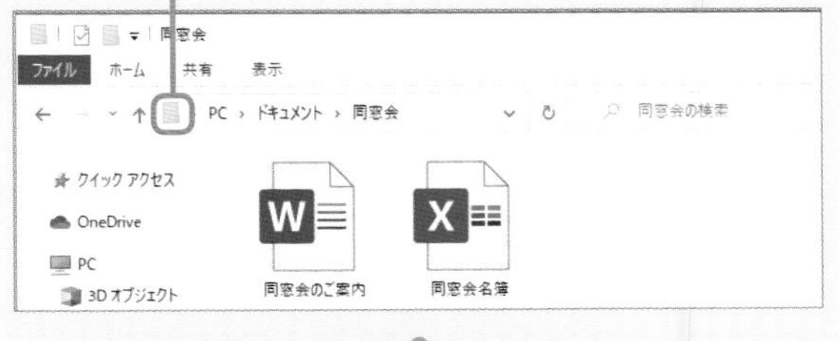

3 フォルダーのパスが表示されます。

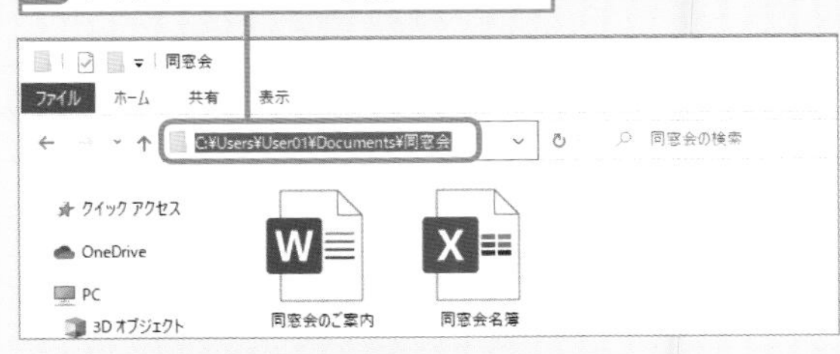

パスで使う記号の意味

「C:¥Users¥User01¥Documents¥同窓会」というパスは、先頭の「C:」がドライブ名で、続けてフォルダー名を半角の「¥」記号で区切って表示しています。

Q126 お役立ち度 ★★★ ファイル整理術

新しいフォルダーを作るには?

A [新しいフォルダー] をクリックします。

関連するファイルをフォルダーにまとめておくと、後で探しやすくなります。新しくフォルダーを作成するには、エクスプローラーでフォルダーを作成したい場所を表示して、クイックアクセスツールバーにある [新しいフォルダー] ボタンをクリックします。なお、フォルダーの中にさらにフォルダーを作ることもできます。

1 エクスプローラーでフォルダーを作成する場所を表示します。

2 [新しいフォルダー] をクリックすると、

3 フォルダーが作成されます。

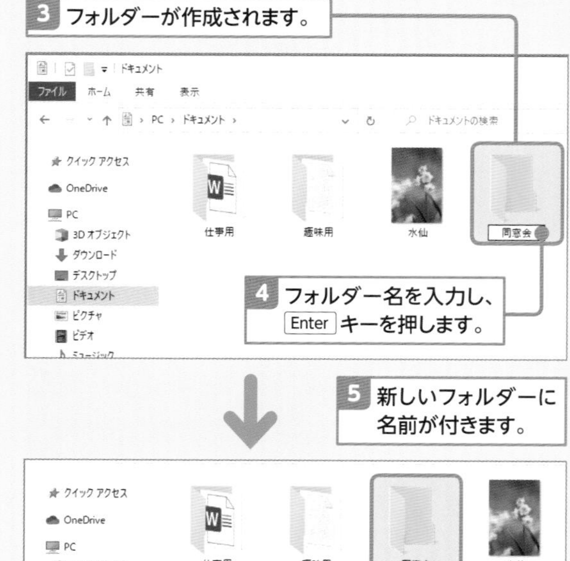

4 フォルダー名を入力し、Enter キーを押します。

5 新しいフォルダーに名前が付きます。

おトクな情報 デスクトップにフォルダーを作成する

デスクトップに新しいフォルダーを作成するには、デスクトップのどこかを右クリックし、[新規作成] → [フォルダー] をクリックします。

Q127 お役立ち度 ★★★ ファイル整理術

後からフォルダー名を変更するには?

A F2 キーを押します。

フォルダー名を後から変更する操作は、ファイル名を変更するときと同じです。フォルダーを選択した状態で F2 キーを押し、フォルダー名が反転表示になったら、変更後の名前を入力します。フォルダーを右クリックしたときに表示されるメニューから[名前の変更]をクリックしてもかまいません。関連 Q111 ファイル名の変更

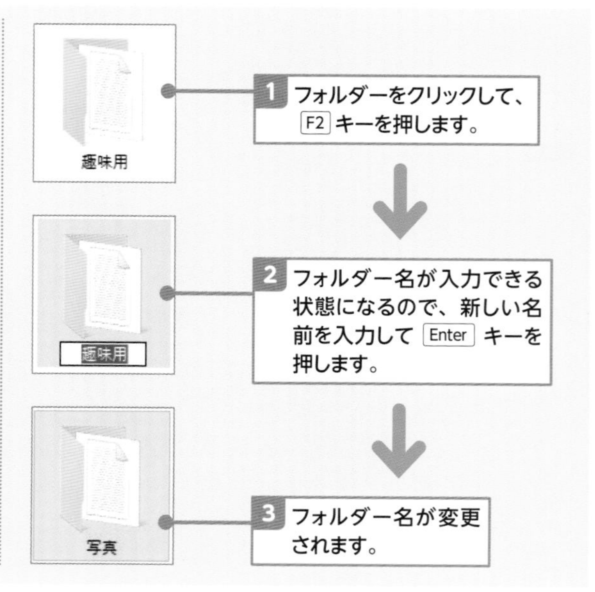

1 フォルダーをクリックして、F2 キーを押します。

2 フォルダー名が入力できる状態になるので、新しい名前を入力して Enter キーを押します。

3 フォルダー名が変更されます。

Q128 お役立ち度 ★★★ ファイル整理術

ファイルを移動／コピーするには?

A 「切り取り」（「コピー」）と「貼り付け」を組み合わせます。

新しく作ったフォルダーにファイルを移動したり、似たような内容のファイルを作るときにファイルをコピーしたりする操作は日常的によく行います。ファイルを移動するときは、以下の手順で元のファイルを切り取ってから移動先に貼り付けます。また、ファイルをコピーするときは、手順2で［コピー］ボタンをクリックします。ショートカットキーを使うときは、Ctrl＋Cキーでコピー、Ctrl＋Xキーで切り取り、Ctrl＋Vキーで貼り付けとなります。ショートカットキーを使うと、右手でマウスを持ったまま、左手だけで移動やコピーを迅速に行えます。

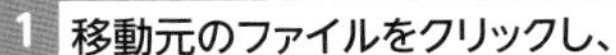

1 移動元のファイルをクリックし、

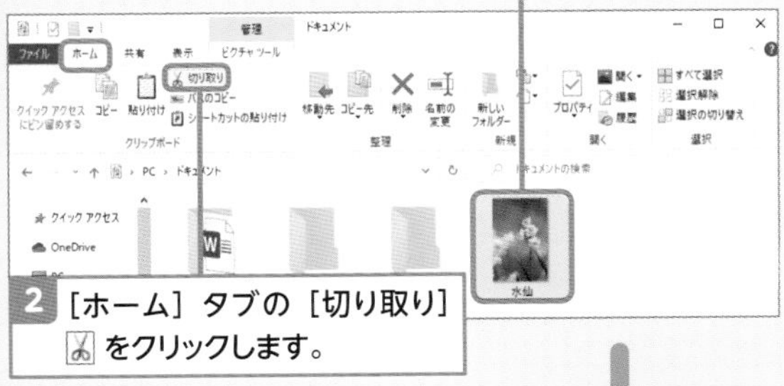

2 ［ホーム］タブの［切り取り］をクリックします。

3 移動先のフォルダーを開いて、

4 ［ホーム］タブの［貼り付け］をクリックすると、

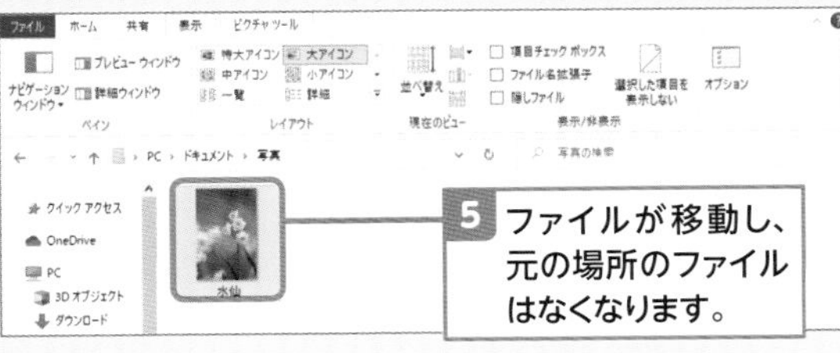

5 ファイルが移動し、元の場所のファイルはなくなります。

Q129 お役立ち度 ★★★ ファイル整理術

ドラッグ操作でファイルを移動／コピーするには?

A ファイルを移動先までドラッグします。

Q128の操作でファイルを移動したりコピーしたりする以外に、ドラッグ操作だけで移動やコピーもできます。それには、元のファイルと移動先（コピー先）が両方表示されている状態で、移動元のファイルを移動先までドラッグします。コピーするときは、コピー元のファイルをCtrlキーを押しながらコピー先までドラッグします。ドラッグ中に、マウスポインターのそばに「〇〇へ移動」「〇〇へコピー」と表示されるので、移動かコピーかを確認できます。なお、ドライブをまたいでファイルをドラッグするとコピーになりますが、Shiftキーを押しながらドラッグすると移動になります。

ファイルを移動する

1 ファイルを移動先にドラッグします。

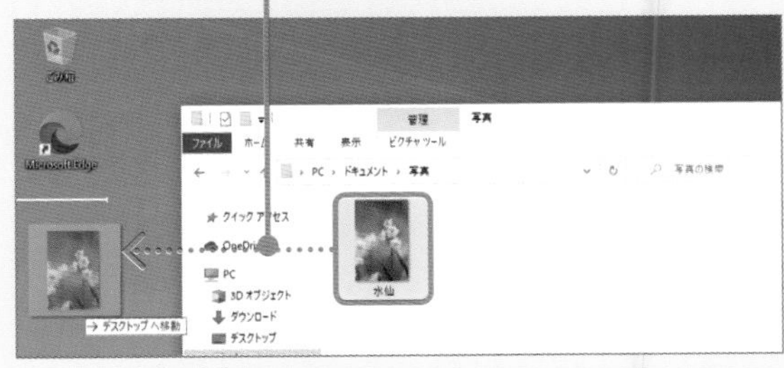

ファイルをコピーする

1 Ctrlキーを押しながらファイルをコピー先にドラッグします。

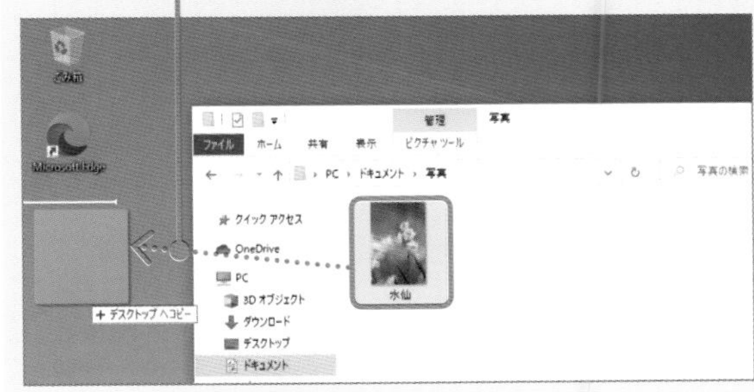

使いはじめ デスクトップ ファイル 文字入力 アプリ インターネット メール 写真・音楽・動画 周辺機器・スマホ 設定 安全に使う

Q130 ファイル整理術

お役立ち度 ★★★

ファイルやフォルダーを削除するには?

A Delete キーを押して削除します。

不要になったファイルやフォルダーは、削除したいファイルやフォルダーをクリックして選択してから Delete キーを押して削除します。フォルダーを削除すると、フォルダー内のファイルも削除されるので注意しましょう。

削除したファイルやフォルダーは「ごみ箱」の中に入ります。

Q131 ファイル整理術

お役立ち度 ★★★

ごみ箱に入れずにファイルを削除するには?

A Shift ＋ Delete キーを押します。

Q130の操作でファイルやフォルダーを削除すると、いったんごみ箱の中に入ります。ごみ箱に入れずに完全に削除したい場合は、削除したいファイルやフォルダーをクリックして選択してから、Shift ＋ Delete キーを押します。この方法で削除すると、元に戻せなくなるので注意しましょう。

Q132 ファイル整理術

お役立ち度 ★★★

ごみ箱に捨てたファイルは二度と使えないの?

A ごみ箱に残っていれば元に戻せます。

ファイルやフォルダーを削除すると、デスクトップの「ごみ箱」に一時的に保管されます。
ごみ箱にファイルが残っていれば、以下の操作で元の保存場所に戻すことができます。

1 ごみ箱のアイコンをダブルクリックすると、

2 ごみ箱の中身が表示されます。

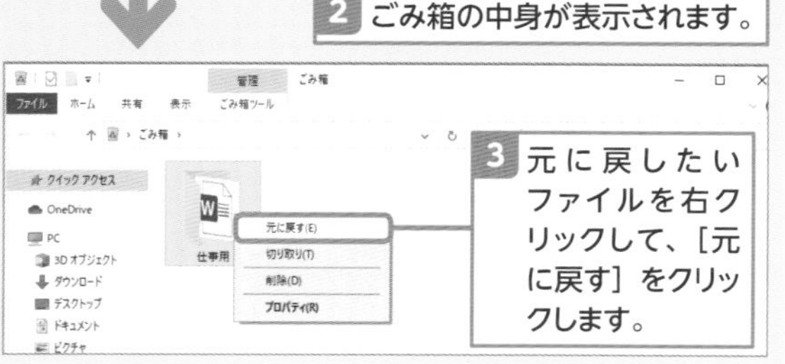

3 元に戻したいファイルを右クリックして、[元に戻す] をクリックします。

Q133 ファイル整理術

お役立ち度 ★★★

ごみ箱に入っているファイルを完全に削除するには?

A [ごみ箱を空にする] をクリックします。

ごみ箱に不要なファイルやフォルダーを入れたままにしておくと、ごみ箱のサイズが大きくなってパソコンのストレージの領域を圧迫します。定期的にごみ箱を空にする習慣を付けましょう。

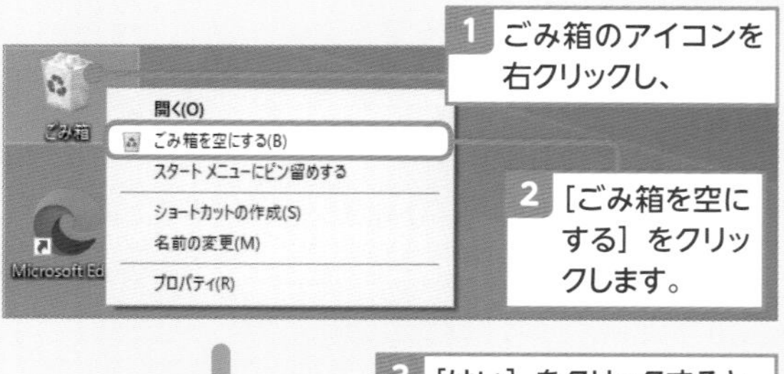

1 ごみ箱のアイコンを右クリックし、

2 [ごみ箱を空にする] をクリックします。

3 [はい] をクリックすると、完全に削除されます。

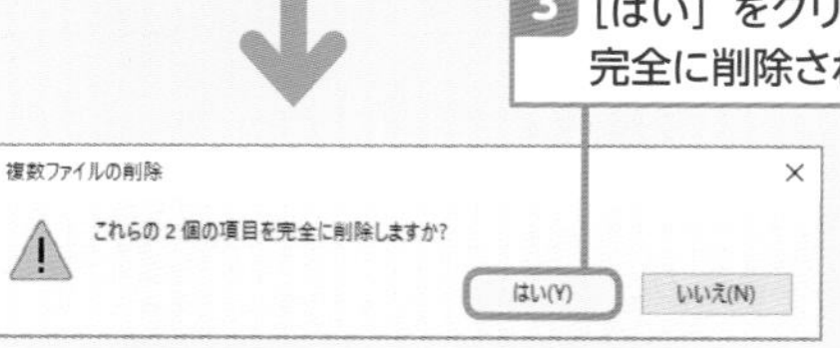

ファイルを圧縮してサイズを小さくするには?

A エクスプローラーの［共有］タブから圧縮します。

ファイルやフォルダーをメールに添付して送るときに、ファイルサイズが大きすぎるとファイルを送ることができなかったり、送受信に時間がかかったりするなど、相手に迷惑をかけてしまいます。このようなときはファイルを**圧縮**してファイルサイズを小さくしましょう。ファイルの圧縮とは、圧縮プログラムを使ってファイルのサイズを小さくすることで、圧縮されたファイルのことを**圧縮ファイル**と呼びます。Windows 10にはファイルをZIP形式で圧縮する機能が備わっており、簡単な操作で圧縮できます。最初に Ctrl キーを押しながら複数のファイルやフォルダーを選択しておくと、まとめて1つに圧縮することもできます。

▶ファイルの圧縮

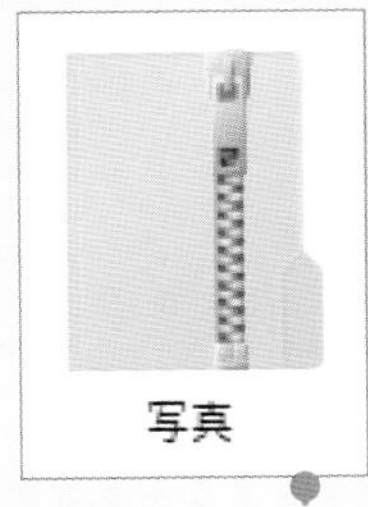

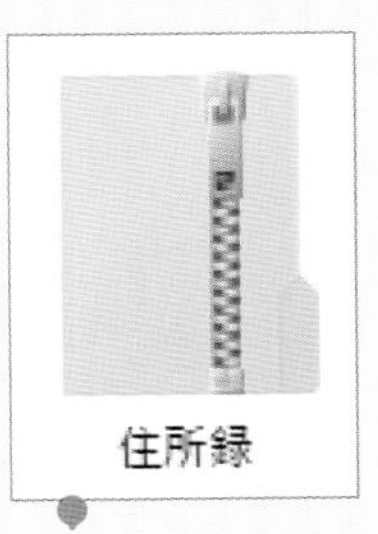

ファイルやフォルダーを圧縮すると、アイコンがファスナーの付いた絵柄に変わります。

エクスプローラーの［共有］タブから圧縮する

1 圧縮するファイルやフォルダーをクリックします。

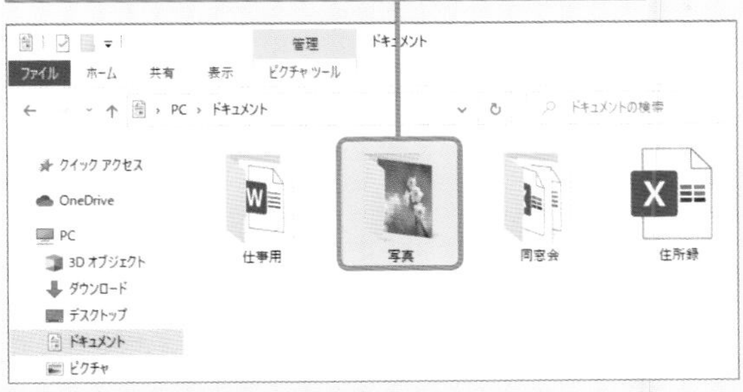

2 ［共有］タブをクリックして、

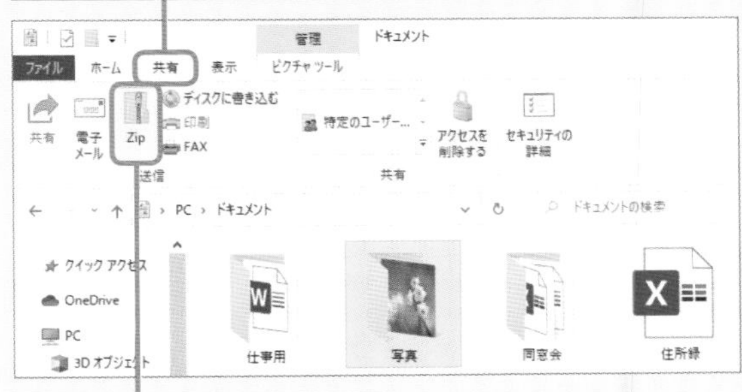

3 ［Zip］をクリックすると、

4 ファイルが圧縮されて、ZIP 形式のファイルが作成されます。

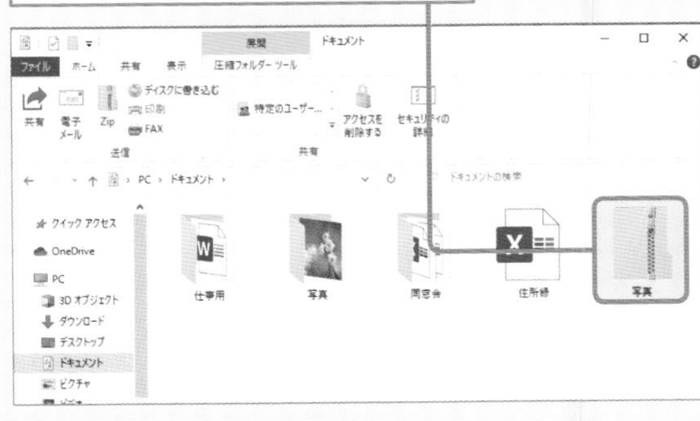

おトクな情報　右クリックメニューから圧縮する

圧縮したいファイルやフォルダーを右クリックし、表示されるメニューの［送る］→［圧縮（zip 形式）フォルダー］をクリックしても、ファイルやフォルダーを圧縮できます。

圧縮ファイルを元のファイルに戻すには?

A 圧縮ファイルを展開します。

圧縮したファイルはそのままでは中身を見ることができません。圧縮ファイルを元に戻して見られようにすることを**解凍**とか**展開**といいます。Q134の操作で圧縮したZIP形式のファイルを元のファイルに戻すには、**展開**の操作を行います。圧縮ファイルを展開して元のファイルが見られたら、圧縮ファイルのほうは削除してかまいません。

1 圧縮ファイルをクリックします。

2 [圧縮フォルダーツール] タブをクリックし、

3 [すべて展開] をクリックします。

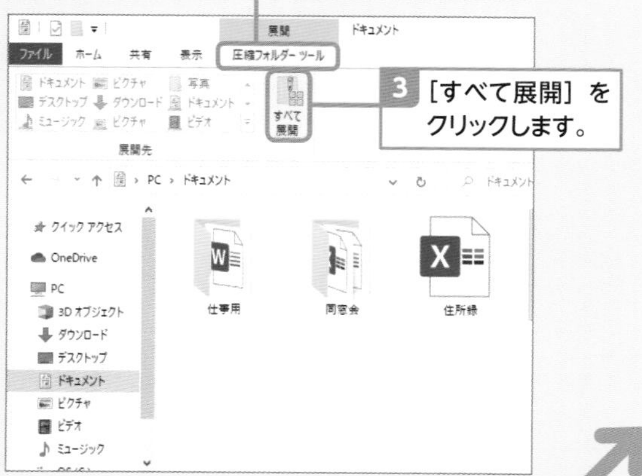

4 [参照] をクリックして展開したい場所を指定し、

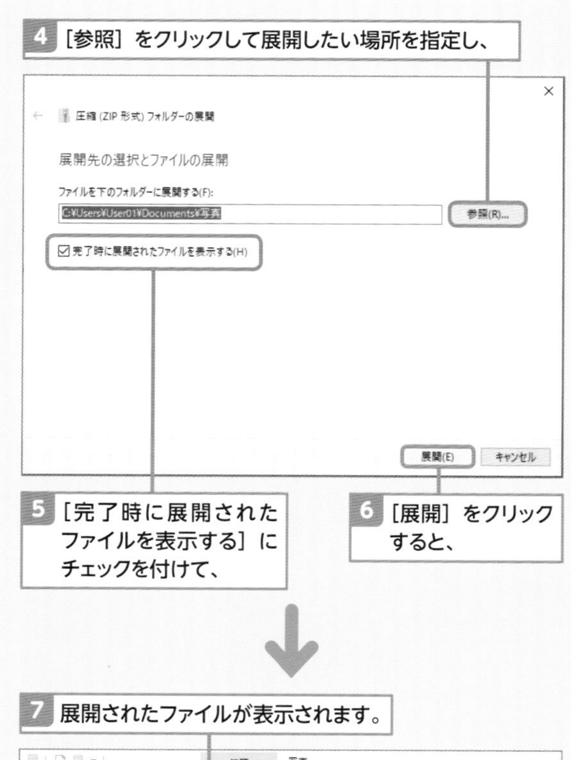

5 [完了時に展開されたファイルを表示する] にチェックを付けて、

6 [展開] をクリックすると、

7 展開されたファイルが表示されます。

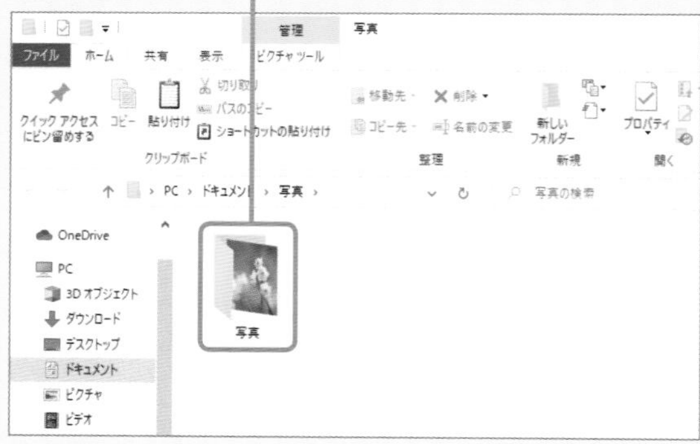

おトクな情報 右クリックメニューから展開する

圧縮ファイルを右クリックし、表示されるメニューの [すべて展開] をクリックして展開することもできます。圧縮ファイルがデスクトップにあるときには、こちらの方法が使えます。

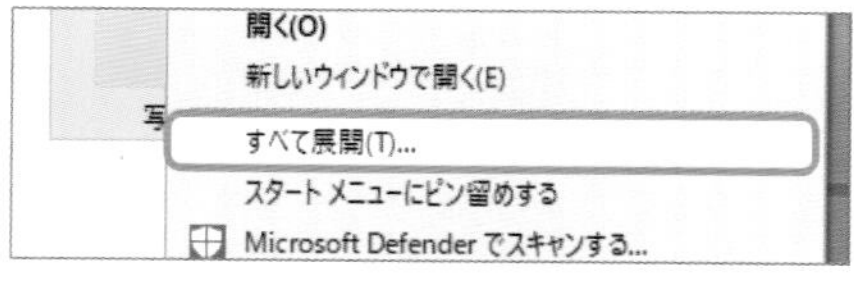

できるだけ簡単にファイルを共有したい!

A Bluetoothに対応したパソコンでは「近距離共有」機能が使えます。

他の人とファイルを共有する方法はいくつかありますが､いずれも多少は手間がかかります｡ファイル共有サービスを利用したりメールに添付したりする場合でも、相手のアカウントやメールアドレスを確認するなどの手順が踏む必要があります。そこで、もし相手のパソコンが近くにいて、互いのパソコンがBluetoothに対応している場合は、**近距離共有**機能を使うと便利です。近距離共有機能では、エクスプローラーからファイルを共有する以外にも、WebブラウザーからURLを共有したりフォトアプリから写真を共有したりできます。

1 ［アクションセンター］をクリックし、

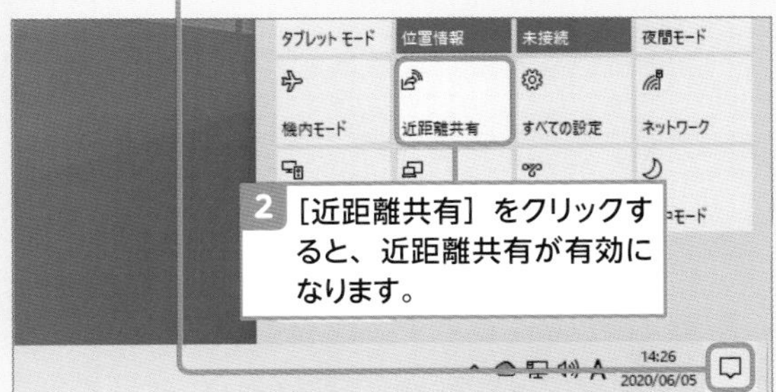

2 ［近距離共有］をクリックすると、近距離共有が有効になります。

おトクな情報 共有する相手の範囲を設定する

近距離共有は便利な機能ですが、近距離共有が有効になっているデバイス同士であれば見ず知らずの相手のデバイスでも共有先の候補として表示されます。通常は共有範囲を自分のデバイス同士（同じMicrosoftアカウントでサインインしているデバイス同士）に限定しておいて、必要なときにだけ不特定多数のデバイスとの共有を有効にしましょう。そのためには、「設定」画面の［システム］→［共有エクスペリエンス］をクリックして、近距離共有の「次の場所からコンテンツを共有または受信できます」で［自分のデバイスのみ］を選択します。一方、［近くにいるすべてのユーザー］を選択した場合は、他のユーザーとも共有ができます。

共有元

1 共有したいファイルを右クリックし、

2 ［共有］をクリックすると、

3 近くで近距離共有を有効にしているデバイスが表示されます。

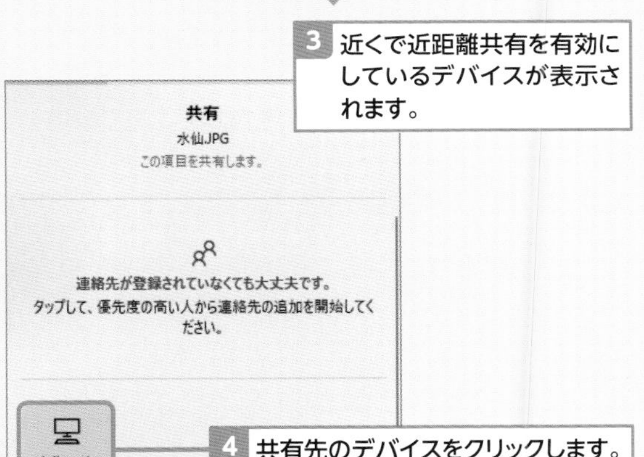

4 共有先のデバイスをクリックします。

受信先

1 近くのデバイスから共有先に指定されると、通知が表示されます。

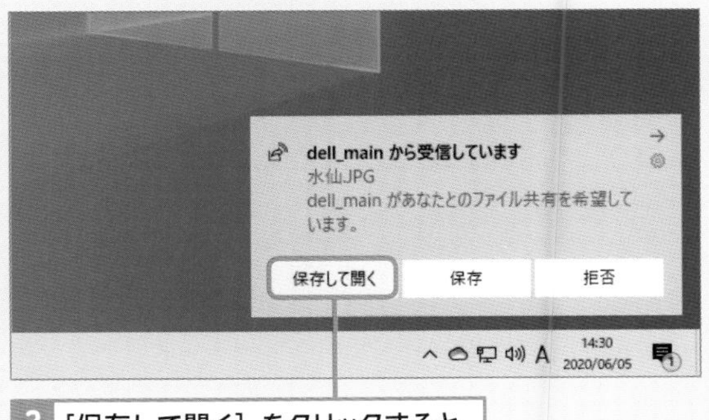

2 ［保存して開く］をクリックすると、ファイルが「ダウンロード」フォルダーに保存されてから開きます。

OneDrive って何?

マイクロソフトが提供している Web 上の保存場所の名前です。

OneDrive（ワンドライブ）とは、マイクロソフトが提供しているWeb上にあるファイルの保存場所の名前です。Microsoftアカウントを取得すると無料で5GBのOneDriveを利用できます。OneDriveにファイルを保存しておくと、ファイルをUSBメモリーなどに入れて持ち歩く必要はありません。また、インターネットに接続できる環境があれば、外出先でタブレット端末やスマートフォンなどからOneDriveに接続して、ファイルを閲覧したり編集したりできます。

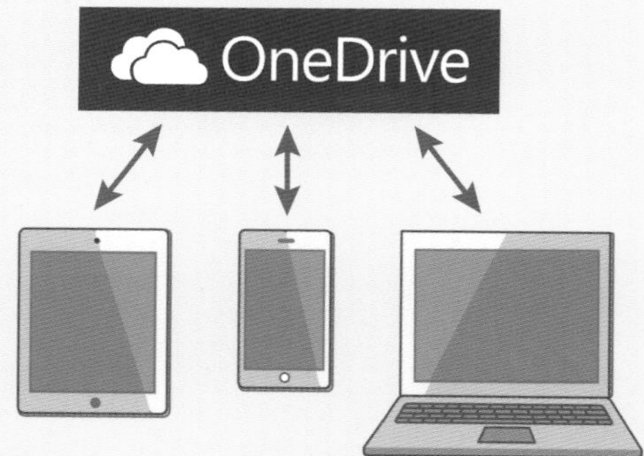

OneDrive は Web にあるファイルの保存場所です。インターネットを介して利用できます。

OneDrive の利用方法

OneDriveを使うには、ブラウザーでOneDriveのWebページを開いて操作する方法と、Windows 10のエクスプローラーの「OneDrive」フォルダーから操作する方法などがあります。いずれもOneDriveを使うには、にMicrosoftアカウントでサインインする必要があります。関連 Q140 OneDrive にサインイン

■ OneDrive の Web ページ

https://onedrive.live.com/about/ja-jp/

OneDrive の Web ページ

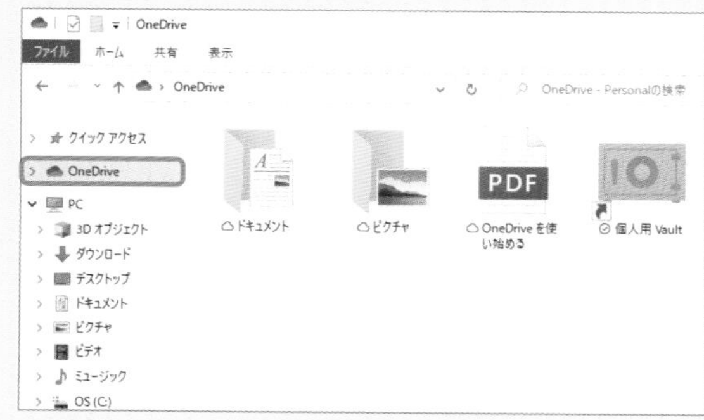

エクスプローラーの「OneDrive」フォルダー

エクスプローラーから OneDrive を使う準備

エクスプローラーのOneDriveフォルダーを使うには、OneDriveフォルダーをクリックしたときに最初に表示される画面でMicrosoftアカウントを使ってサインインし、パソコンとOneDriveを同期する操作が必要です。

Q138 お役立ち度 ★★★ OneDriveの利用

OneDrive の容量を追加するには?

A 容量を購入して追加できます。

Microsoftアカウントを取得すると、無料でOneDriveの5GBの容量を利用できます。また、Microsoft 365(旧称Office 365)を利用している場合は1TBの容量を利用できます。OneDriveの容量が足りなくなっても心配いりません。有料のプランを契約して容量を増やすことができます。

1 ブラウザーで OneDrive の Web ページを表示して、

2 [設定] をクリックし、

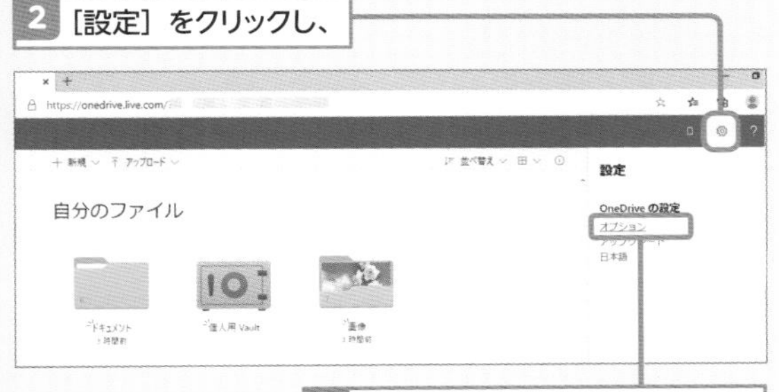

3 [オプション] をクリックします。

4 [プランとアップグレード] をクリックし、

5 利用するプランをクリックします。

6 購入画面が開くので、クレジットカードなどの情報を入力して購入します。

Q139 お役立ち度 ★★★ スゴわざ OneDriveの利用

ファイルを使うときだけ OneDrive からダウンロードするようにしたい!

A 「ファイルオンデマンド」を有効にします。

OneDriveの設定で**ファイルオンデマンド**を有効にすると、ファイルを開くまでダウンロードしないようにすることができるので、パソコンのストレージ容量を節約できます。ファイルがパソコンにダウンロードされているかどうかはアイコンの左下のマークでわかります。

1 通知領域のOneDriveのボタン をクリックし、[その他] → [設定] をクリックします。

2 [設定] タブをクリックし、

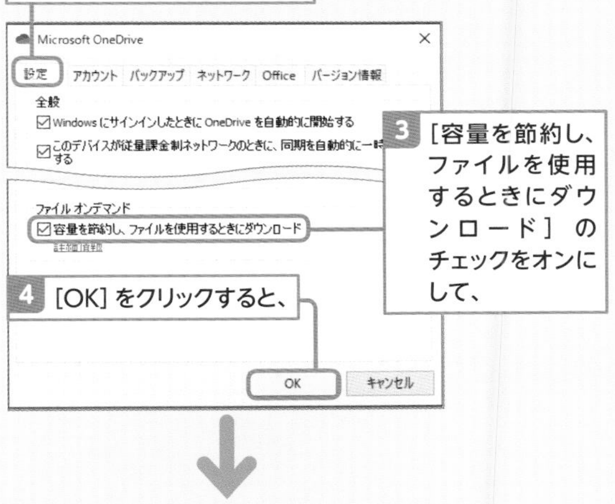

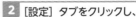

3 [容量を節約し、ファイルを使用するときにダウンロード] のチェックをオンにして、

4 [OK] をクリックすると、

5 「ファイルオンデマンド」が有効になります。

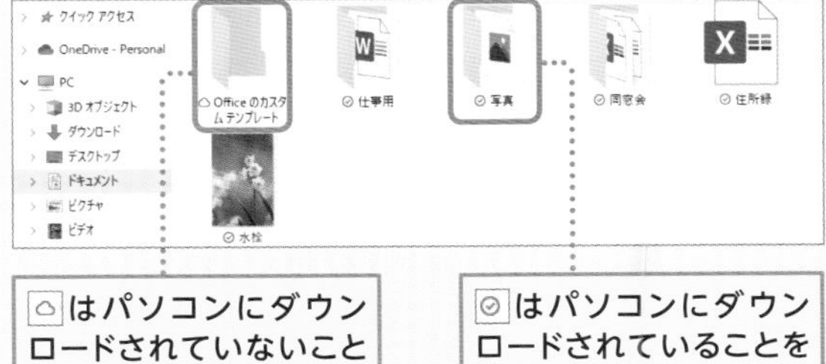

はパソコンにダウンロードされていないことを示します。

はパソコンにダウンロードされていることを示します。

パソコンにダウンロードしたファイルを右クリックして [空き容量を増やす] をクリックすると、ファイルが OneDrive にだけ保存されている状態 に戻ります。

Q 140 お役立ち度 ★★★ OneDriveの利用

OneDrive にサインインするには?

A OneDrive の Web ページからサインインします。

OneDriveを使うには、ブラウザーでOneDriveのWebページを開いて、Microsoftアカウントでサインインします。また、エクスプローラー画面の左側の[OneDrive]をクリックして表示される「OneDriveを設定」画面を使ってサインインすることもできます。

関連 Q489 Microsoft アカウント

■ OneDrive の Web ページ

https://onedrive.live.com/about/ja-jp/

1 ブラウザーで OneDrive の Web ページを表示して、

2 [サインイン] をクリックします。

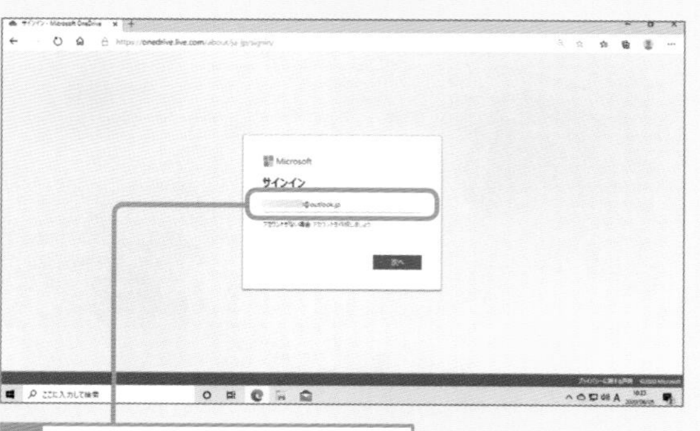

3 Microsoft アカウントの情報を入力してサインインします。

Q 141 お役立ち度 ★★★ OneDriveの利用

OneDrive の「ドキュメント」フォルダーはエクスプローラーのと同じ?

A 同期が設定されていると同じ内容が表示されます。

OneDriveの画面には最初からいくつかのフォルダーがあり、「ドキュメント」フォルダーもそのひとつです。一方、エクスプローラー画面で[PC]をクリックすると、「ドキュメント」フォルダーが表示されます。OneDriveの「ドキュメント」フォルダーがWeb上にファイルを保存するときに使うフォルダーなのに対し、[PC]の「ドキュメント」フォルダーはパソコンで作成したファイルを保存するためのフォルダーです。ただし、同期の設定がされていると、2つの「ドキュメント」フォルダーの内容は常に同じ状態に保たれます。同様に、PCの「ピクチャ」フォルダーとOneDriveの「画像」フォルダー、PCのデスクトップとOneDriveの「デスクトップ」フォルダーの内容も同じ状態に保たれます。同期を解除する操作は、Q153、Q154を参照してください。

[PC] の「ドキュメント」フォルダー

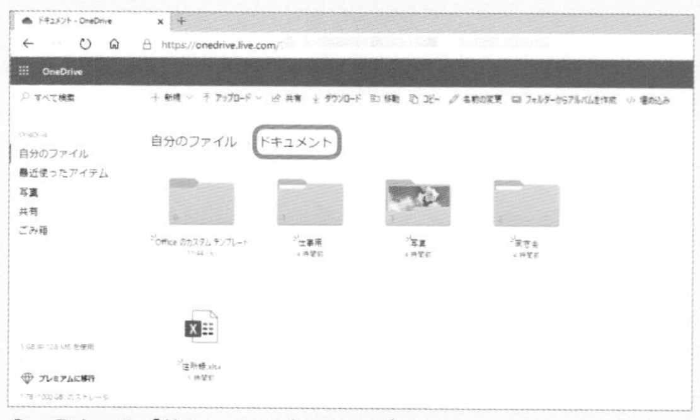

OneDrive の「ドキュメント」フォルダー

Q142 お役立ち度 ★★★ OneDriveの利用

OneDrive にファイルをアップロードするには?

A ブラウザーやエクスプローラーでアップロードします。

ファイルをWeb上に保存することを**アップロード**、反対にWeb上のファイルをパソコンに保存することを**ダウンロード**といいます。OneDriveにファイルをアップロードする方法はいくつかありますが、ブラウザーでOneDriveのWebページを使用する方法や、Windows 10のエクスプローラーを使う方法が一般的です。

関連 Q140 OneDrive にサインイン

ブラウザーでアップロードする

1 ブラウザーで OneDrive の Web ページを表示して、

2 [アップロード] をクリックして、

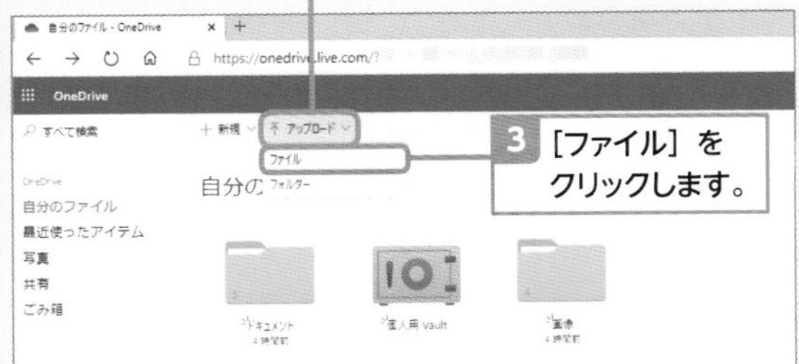

3 [ファイル] をクリックします。

4 アップロードするファイルを選択し、

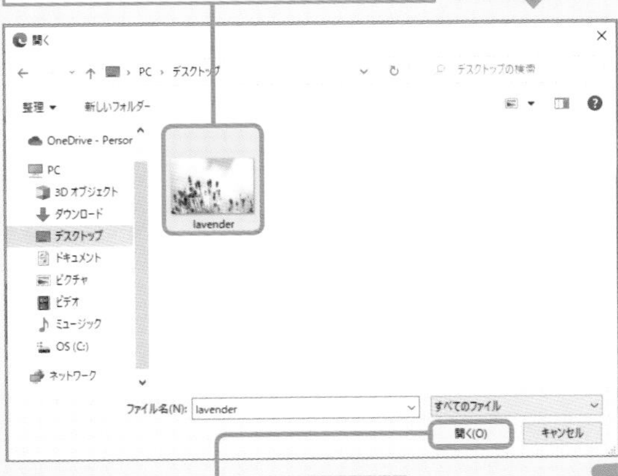

5 [開く] ボタンをクリックすると、

6 ファイルがアップロードされます。

エクスプローラーでアップロードする

1 アップロードするファイルを表示します。

2 エクスプローラーを開き、[OneDrive] をクリックします。

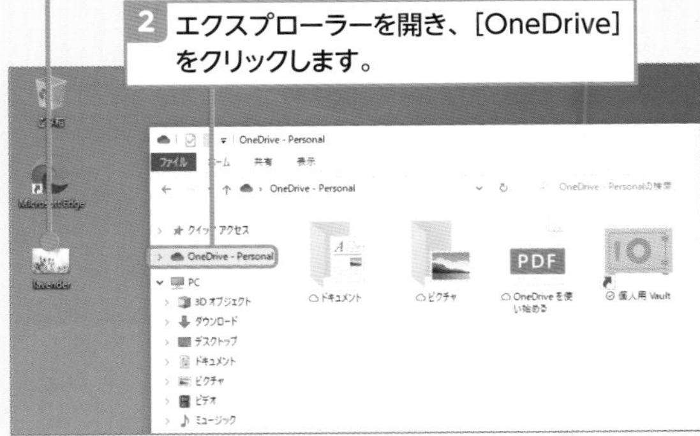

3 アップロードするファイルを Ctrl キーを押しながらドラッグすると、ファイルがアップロードされます。

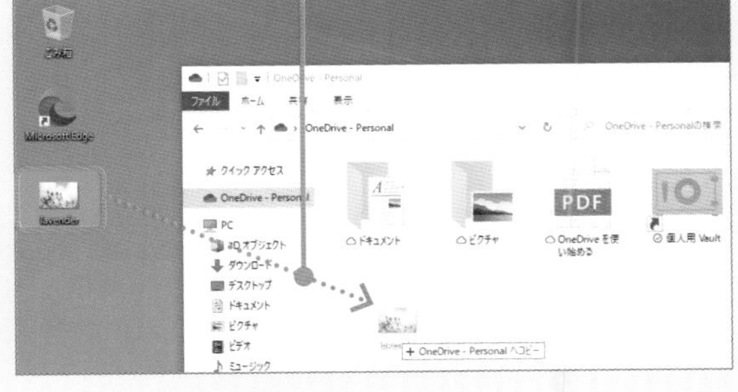

Q143 お役立ち度 ★★★ OneDriveの利用

OneDrive に新しくフォルダーを作るには?

A ブラウザーやエクスプローラーでフォルダーを作ります。

OneDriveには、「ドキュメント」フォルダーや「画像」フォルダーなど、最初から用意されているフォルダーがいくつかありますが、後から自由に追加できます。パソコン内のファイルをフォルダーに分けて操作するのと同じように、OneDriveにもフォルダーを作成してファイルを上手に整理しましょう。エクスプローラーに新しくフォルダーを作る操作は、Q126を参照してください。

Webページでフォルダーを作る

1 ブラウザーで OneDrive の Web ページを表示して、

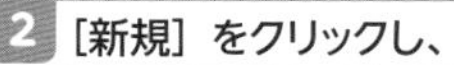
2 [新規] をクリックし、

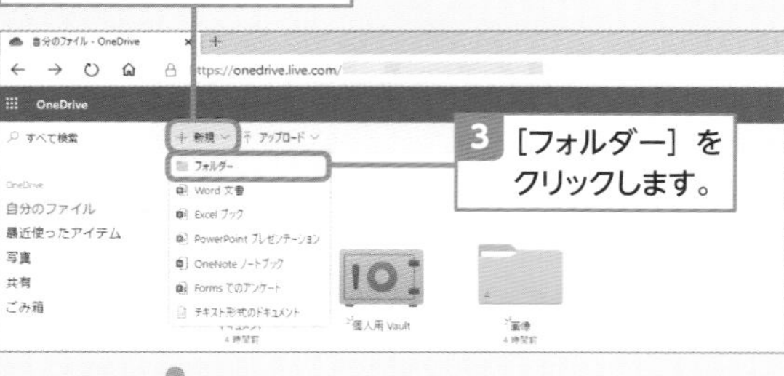
3 [フォルダー] をクリックします。

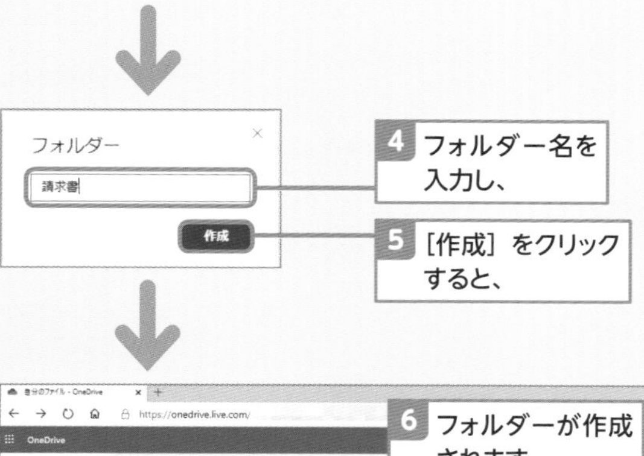
フォルダー
請求書
作成
4 フォルダー名を入力し、
5 [作成] をクリックすると、

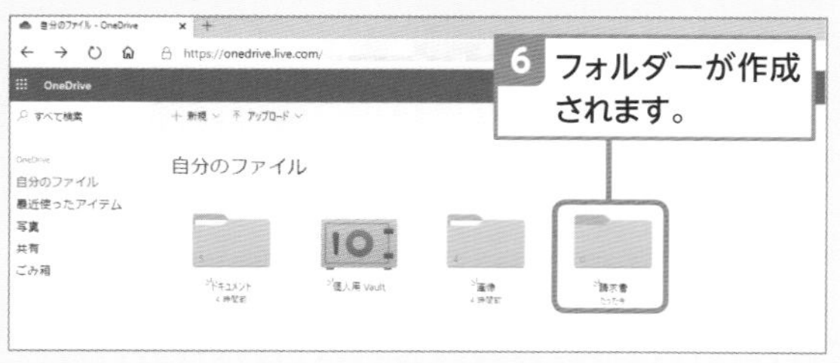
6 フォルダーが作成されます。
自分のファイル

Q144 お役立ち度 ★★★ OneDriveの利用

OneDrive に保存したファイルを開くには?

A ブラウザーやエクスプローラーで見たいファイルを開きます。

OneDriveに保存したファイルを開くには、ブラウザーやWindows 10のエクスプローラーでOneDriveにアクセスし、開きたいファイルを指定します。外出先でタブレット端末やスマートフォンを使って開くこともできます。

ブラウザーでファイルを開く

1 ブラウザーで OneDrive の Web ページを表示して、

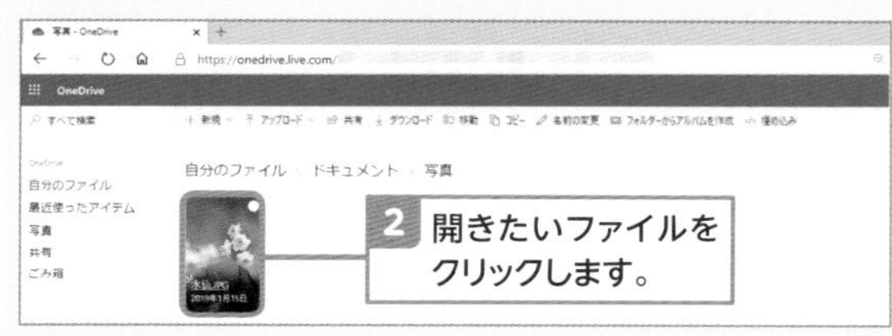
2 開きたいファイルをクリックします。

3 ファイルがブラウザーで表示されます。

閉じるにはここをクリックします。

エクスプローラーでファイルを開く

1 エクスプローラーを開き、[OneDrive] をクリックします。

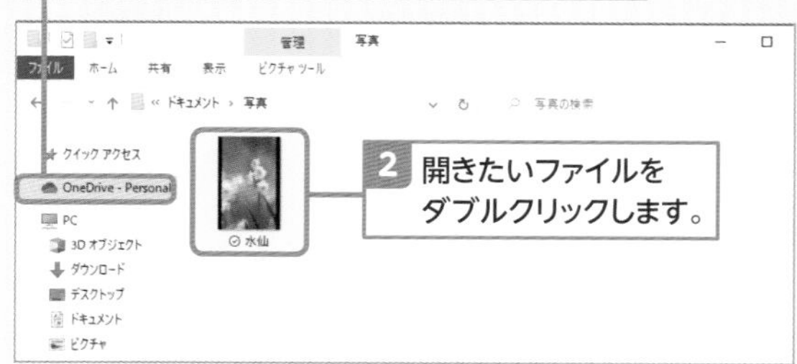
2 開きたいファイルをダブルクリックします。

OneDrive に保存したファイルを編集するには?

A Office ファイルなら直接編集できます。

OneDriveに保存したWordやExcelなどのOfficeファイルは、Web用のWordやWeb用のExcelを使ってブラウザーで直接文字の修正や追加などを行えます。Web用のWordやWeb用のExcelは、ブラウザーで使える無料のOfficeアプリです。修正した内容は自動的に保存されるため、手動で保存の操作を行う必要はありません。ただし、ブラウザーで編集できる内容には制限があり、Officeのすべての機能を利用できるわけではありません。パソコンにOfficeアプリがインストールされている場合は、パソコンのWordやExcelでOneDriveのファイルを開いて編集するとよいでしょう。

1 ブラウザーでOneDriveのWebページを表示して、

2 編集するファイル（ここではExcelブック）をクリックすると、

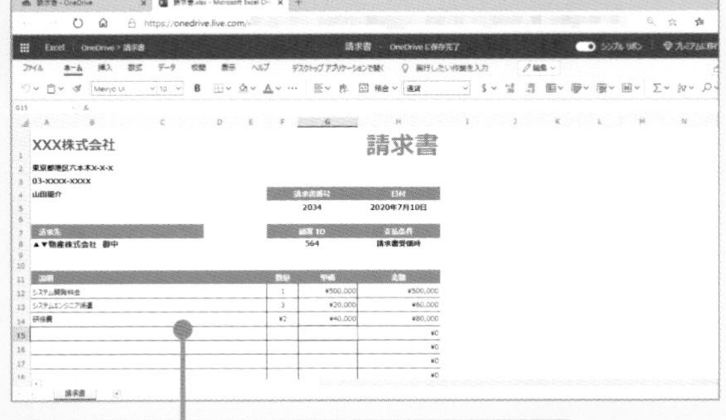

3 Web用のExcelが起動し、Excelブックを編集できます。

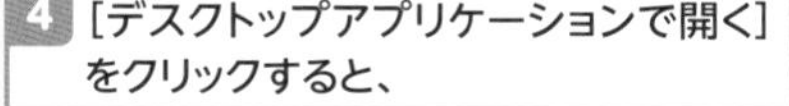

4 ［デスクトップアプリケーションで開く］をクリックすると、

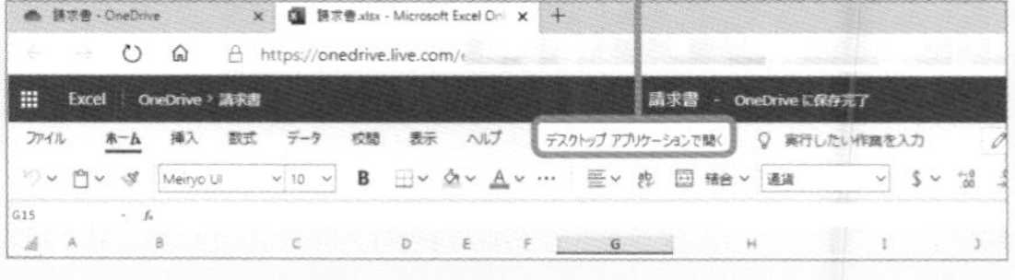

5 アプリで開くかどうかを確認するダイアログが表示されるので、

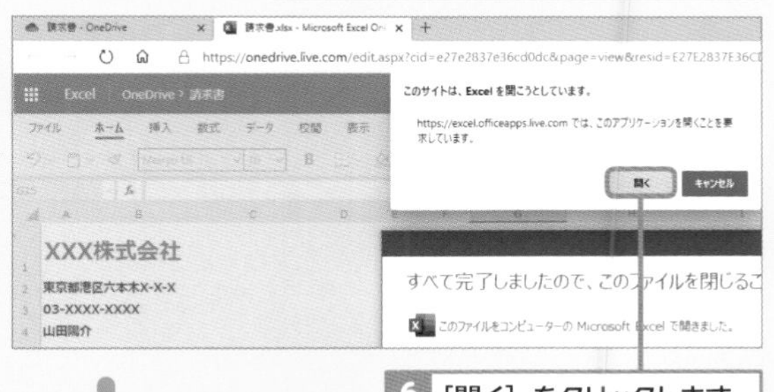

6 ［開く］をクリックします。

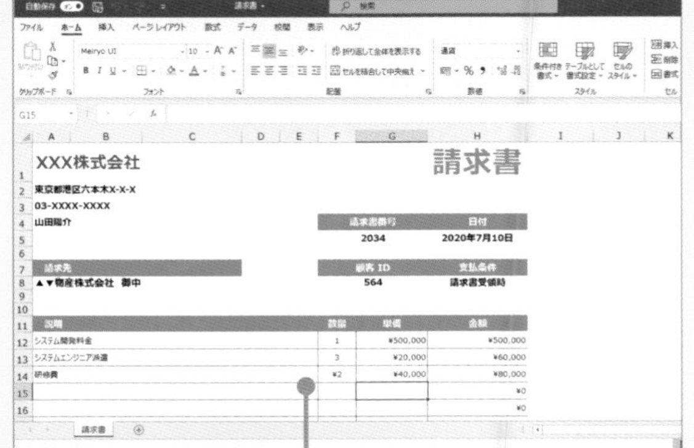

7 Excelが起動して、Excelブックが表示されます。

Q 146 お役立ち度 ★★★ OneDriveの利用

OneDrive からファイルをダウンロードするには?

A ブラウザーやエクスプローラーでダウンロードします。

OneDriveを使うと、メールに添付できないような大きなファイルサイズのデータを受け渡しすることができます。OneDriveに保存されたファイルをパソコンに取り込むことを**ダウンロード**といいます。

ブラウザーでダウンロードする

1 ブラウザーで OneDrive の Web ページを表示して、

2 ダウンロードするファイルの［○］をクリックし、

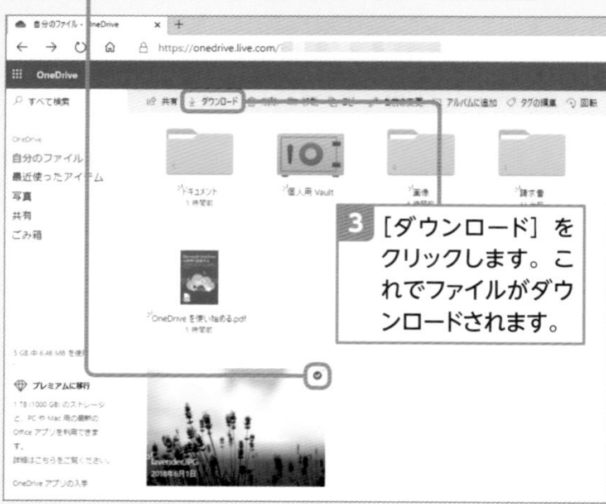

3 ［ダウンロード］をクリックします。これでファイルがダウンロードされます。

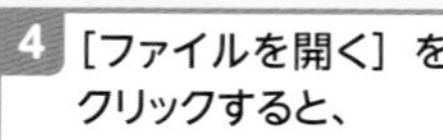

4 ［ファイルを開く］をクリックすると、

5 ファイルが開きます。

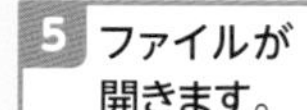

ファイルは、［PC］の「ダウンロード」フォルダーに保存されます。

エクスプローラーでダウンロードする

1 エクスプローラーを開き、［OneDrive］をクリックします。

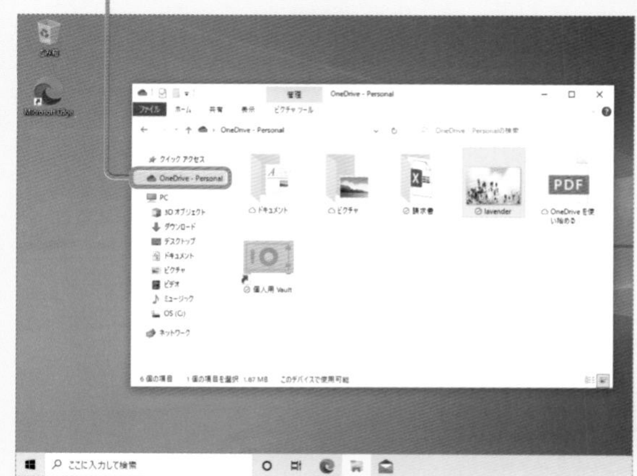

2 ダウンロードするファイルを Ctrl キーを押しながらドラッグすると、ファイルがダウンロードされます。

Q147 お役立ち度 ★★★ OneDriveの利用

OneDrive のファイルを削除するには?

A Delete キーで削除します。

OneDriveには容量があります。不要になったファイルは、ブラウザーやエクスプローラーでファイルを選択し、Delete キーを押して削除するとよいでしょう。

ブラウザーの場合は、右上の［○］をクリックして選択し、Delete キーを押します。

Q148 お役立ち度 ★★★ OneDriveの利用

OneDrive からサインアウトするには?

A OneDrive の Web ページからサインアウトします。

サインインした状態を解除して利用できなくすることを**サインアウト**といいます。複数人でパソコンを共用しているときなど、Microsoftアカウントとパスワードを知っている人だけがOneDriveの内容を見られるようにしたいことがあります。そんなときは、OneDriveの利用が終わったら、以下の操作でOneDriveからサインアウトします。

1 ブラウザーで OneDrive の Web ページを表示して、

2 自分のアカウントのアイコンをクリックし、

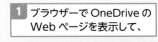

3 ［サインアウト］をクリックします。

Q149 お役立ち度 ★★★ スゴわざ OneDriveの利用

OneDrive のファイルを友人と共有したい!

A メールやリンクで友人に知らせます。

ファイルをOneDriveに保存すると、複数のメンバーで同じファイルを表示したり編集したりできます。これを**ファイルの共有**といいます。たとえば、企画書のファイルをOneDriveに保存してプロジェクトメンバーで共有すれば、それぞれが気づいた箇所を修正して企画書をブラッシュアップできます。修正するたびにメールにファイルを添付して送信する必要がないので、作業時間も短縮できます。OneDriveに保存したファイルを共有するには、共有したい相手にメールを送る方法（Q150）や、ファイルにアクセスするためのリンク情報を知らせる方法があります。また、共有する際に、ファイルの編集を相手に許可するか、見るだけにするかなどを指定できます。

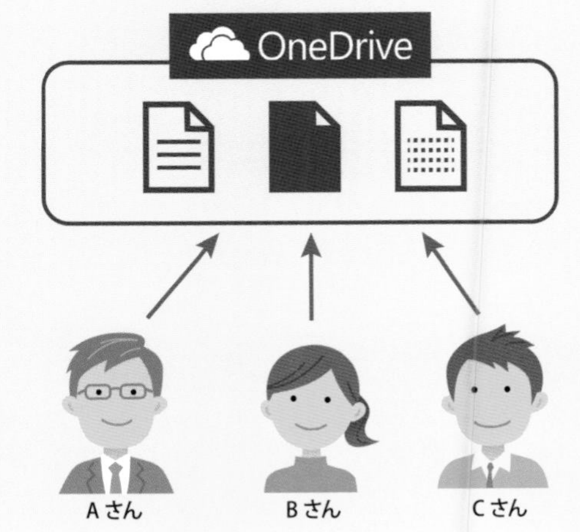

Q150 お役立ち度 ★★★ スゴわざ OneDriveの利用

ファイルの共有を友人にメールで知らせるには?

A OneDrive の［共有］を使います。

OneDriveに保存したファイルを共有するには、ブラウザーで以下のように操作します。これで、共有先の相手にはファイルを共有したことを伝えるメールが届きます（Q151）。なお、エクスプローラーでOneDrive上のファイルを右クリックして［共有］をクリックしても、以下の手順3と同じ画面が表示されます。

1 共有するファイルの［○］をクリックし、

2 ［共有］をクリックします。

リンクを知っていれば誰でも編集できます
ここをクリックすると、共有相手にファイルの編集を許可するか指定する画面が開きます。

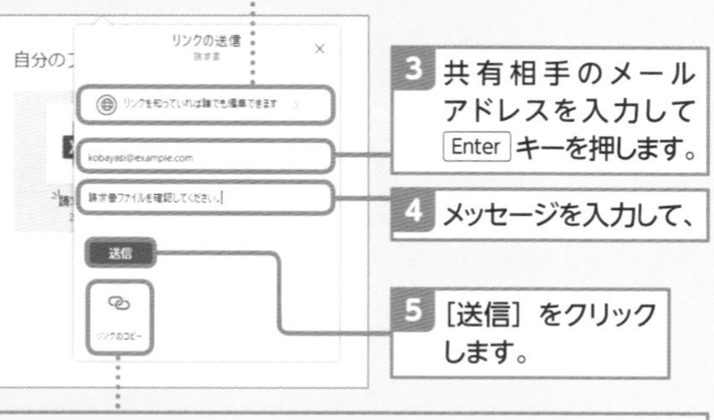

3 共有相手のメールアドレスを入力して Enter キーを押します。

4 メッセージを入力して、

5 ［送信］をクリックします。

リンクのコピー
ここをクリックすると、共有ファイルへのリンクがクリップボードにコピーされます。後はメールやSNSに貼り付けて相手に送ることができます。

Q151 お役立ち度 ★★★ スゴわざ OneDriveの利用

共有されたファイルを見るには?

A 友人から届いたリンクをクリックします。

ファイルの共有を知らせるメールが届いたときは、メールに記載されているリンク先をクリックします。これでリンク先のファイルが表示されます。共有されたファイルを編集したいときは、Microsoftアカウントでサインインする必要があります。

1 メールソフトでファイルの共有を知らせるメールを表示します。

2 メール本文にあるリンクをクリックすると、

3 共有ファイルが表示されます。

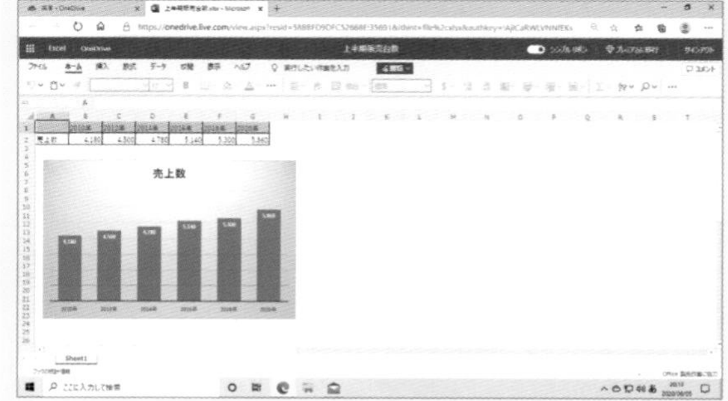

OneDrive の「個人用 Vault」って何?

A セキュリティを高めたフォルダーです。

OneDriveには最初から「**個人用Vault**」フォルダーが表示されています。Vault（ボルト）とは「金庫」という意味で、金庫のように守られたセキュリティの高いフォルダーという意味です。「個人用Vault」フォルダーを利用するには、本人確認を行ってロックを解除する必要があります。そのため、万が一OneDriveの内容が流出したとしても、個人用Vault内のファイルを守ることができるのです。

<特徴>

- ロックの解除には2段階認証が必要
- 20分間操作がない場合、自動的にロックされる
- Microsoft 365を購入していない場合は3ファイルまで

1 ブラウザーで OneDrive の Web ページを表示して、

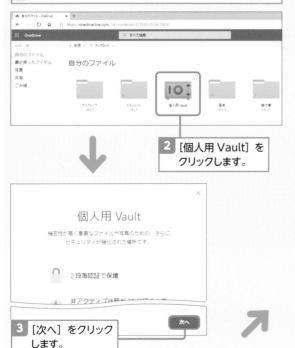

2 [個人用 Vault] をクリックします。

3 [次へ] をクリックします。

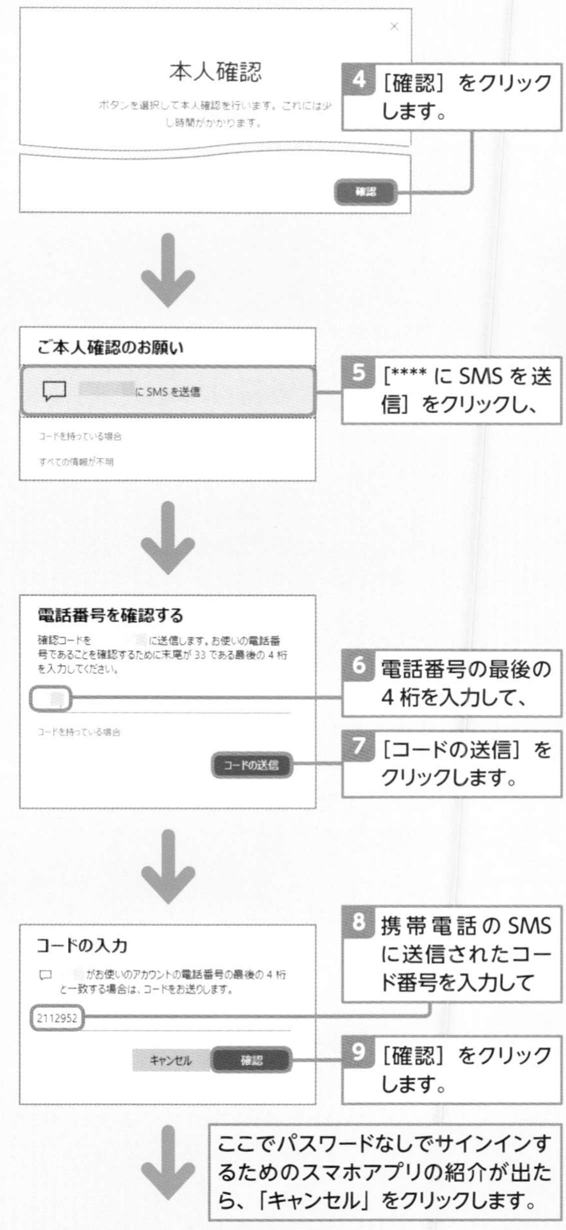

4 [確認] をクリックします。

5 [**** に SMS を送信] をクリックし、

6 電話番号の最後の 4 桁を入力して、

7 [コードの送信] をクリックします。

8 携帯電話の SMS に送信されたコード番号を入力して

9 [確認] をクリックします。

ここでパスワードなしでサインインするためのスマホアプリの紹介が出たら、「キャンセル」をクリックします。

10 しばらくすると、「個人用 Vault」フォルダーが開きます。

Q 153 お役立ち度 ★★★ スゴわざ　OneDriveの利用

OneDrive が自動的に同期されないようにするには?

A OneDrive の設定画面で指定します。

Q137の操作でエクスプローラーのOneDriveを使う準備をすると、常に自分のパソコンの「OneDrive」フォルダーと実際のOneDriveのファイルの内容が同じ状態を保持できます。ただし、必要なときだけ同期したいときは、右の手順で自動的に同期されないように設定します。手動で同期するには、スタートメニューから[OneDrive] をクリックしてOneDriveを起動します。なお、パソコンとOneDriveで常に同じファイルを保持するのではなく、ファイルを使うときだけOneDriveからダウンロードしたいときは、Q139を参照してください。

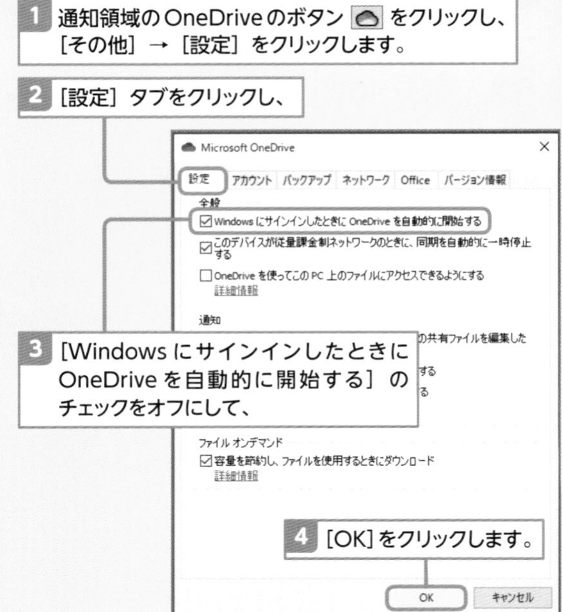

Q 154 お役立ち度 ★★★ スゴわざ　OneDriveの利用

フォルダーごとに OneDrive との同期を解除するには?

A OneDrive の設定画面でバックアップを停止するフォルダーを指定します。

Q153の操作でOneDriveとの同期を解除すると、「デスクトップ」「ドキュメント」「写真」(エクスプローラーの「ピクチャ」) の各フォルダーの同期がまとめて解除されます。フォルダーごとに同期を解除する／しないを設定するには、以下のように設定します。

1 通知領域のOneDriveのボタン をクリックし、[その他] → [設定] をクリックします。

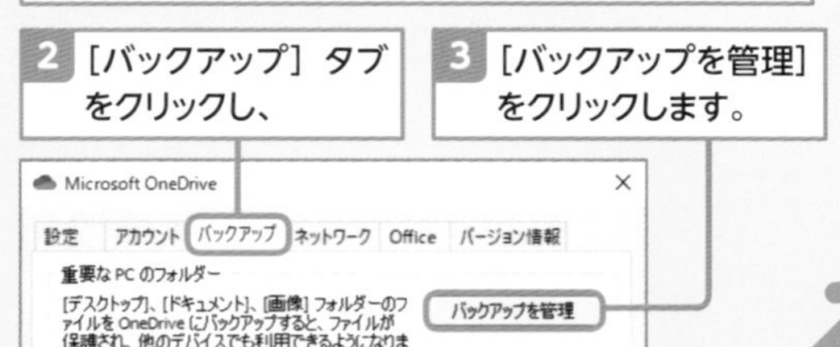

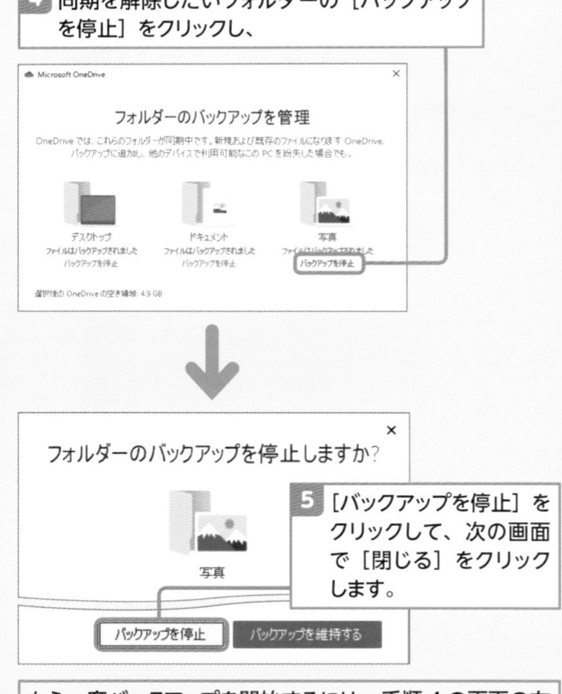

もう一度バックアップを開始するには、手順 4 の画面の右下に表示される [バックアップの開始] をクリックします。

効率よく文字を「入力」しよう！

パソコンがどれだけ進化しても、パソコンで目的の作業を行うためには、キー入力が欠かせません。キー操作に困っていないと感じていても、Windowsに付属する「IME」の機能をフルに活用すれば、今よりももっとキー入力をスピードアップできます。また、タッチキーボードやスクリーンキーボードなど、画面をタッチして文字を入力するときに知っていると便利なワザも解説します。

アイコンの意味

ぜひ習得したい基本ワザを示します。

時短に役立つ活用ワザを示します。

知っておきたい基礎知識を示します。

スゴわざ 目からウロコのすごワザを示します。

基本を超えた上級ワザを示します。

キーボードのキーについて教えて!

A キーの並び方とキーの読み方を覚えましょう。

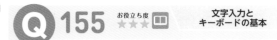

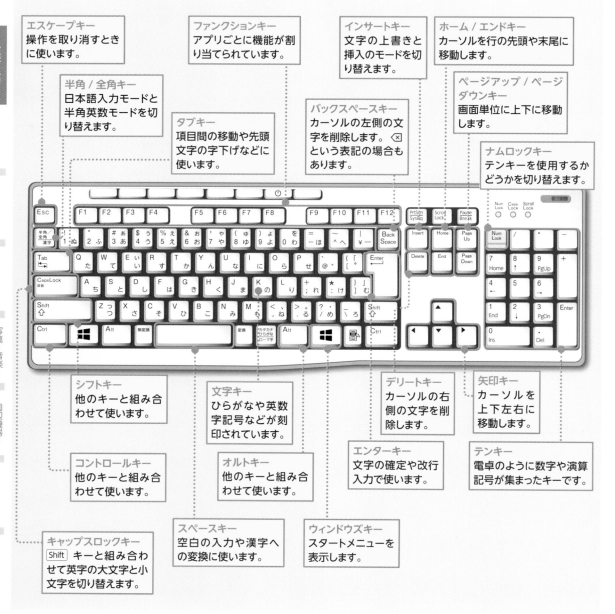

キーボードは、パソコンで文字を入力したり機能を実行したりするときに使います。キーボードのキーを押すと、表面に刻印されている文字を入力することができます。また、複数のキーを組み合わせてさまざまな機能を実行することもできます。ここでは、代表的なキーボードの配列とよく使うキーの読み方を覚えましょう。なお、キーボードの配列やキーの表記は、キーボードによって多少異なります。

エスケープキー
操作を取り消すときに使います。

ファンクションキー
アプリごとに機能が割り当てられています。

インサートキー
文字の上書きと挿入のモードを切り替えます。

ホーム / エンドキー
カーソルを行の先頭や末尾に移動します。

半角 / 全角キー
日本語入力モードと半角英数モードを切り替えます。

ページアップ / ページダウンキー
画面単位に上下に移動します。

タブキー
項目間の移動や先頭文字の字下げなどに使います。

バックスペースキー
カーソルの左側の文字を削除します。⌫という表記の場合もあります。

ナムロックキー
テンキーを使用するかどうかを切り替えます。

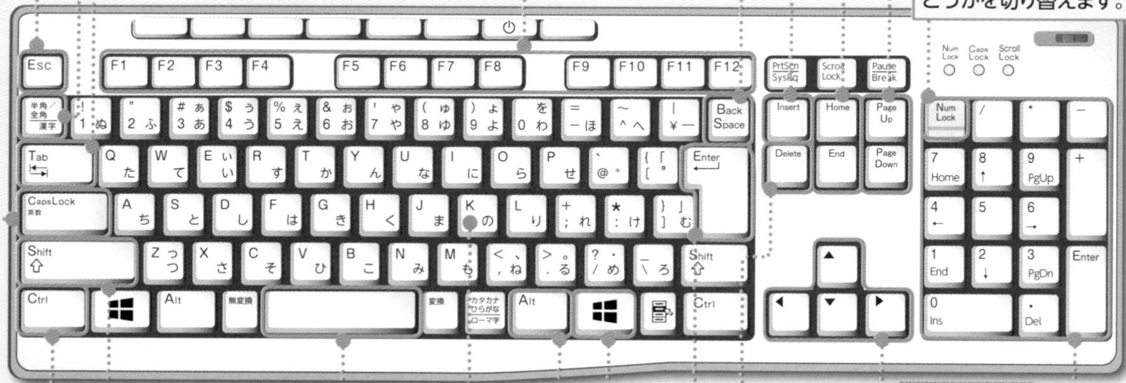

シフトキー
他のキーと組み合わせて使います。

文字キー
ひらがなや英数字記号などが刻印されています。

デリートキー
カーソルの右側の文字を削除します。

矢印キー
カーソルを上下左右に移動します。

コントロールキー
他のキーと組み合わせて使います。

オルトキー
他のキーと組み合わせて使います。

エンターキー
文字の確定や改行入力で使います。

テンキー
電卓のように数字や演算記号が集まったキーです。

キャップスロックキー
Shift キーと組み合わせて英字の大文字と小文字を切り替えます。

スペースキー
空白の入力や漢字への変換に使います。

ウィンドウズキー
スタートメニューを表示します。

Q156

お役立ち度 ★★★

文字入力とキーボードの基本

色付きの文字や絵柄が書かれたキーはどうやって使うの?

A FN キーと組み合わせて使います。

ノートパソコンや横幅の狭いキーボードでは、ファンクションキーなどに色付きの文字や絵柄が刻印されている場合があります。これは、1つのキーに複数の機能を割り当てているためです。色付きの文字や絵柄の機能を使うには、FN キーを押しながら該当するキーを押しましょう。

なお、下の写真のキーボードは FN キーの代わりにつまみをスライドして切り替えるタイプです。

スイッチタイプ

1 「Fn」と書かれたキーを押しながら、

2 青い絵柄の刻印されたキーを押します。この場合は音量調整が行えます。

Q157

お役立ち度 ★★★

文字入力とキーボードの基本

文書を作成するアプリにはどんなものがあるの?

A メモ帳、ワードパッド、Word などがあります。

簡単な覚え書き程度であれば、Windows 10に付属している「メモ帳」アプリがよいでしょう。文字のサイズを変えたり色を付けたりすることはできませんが、手際よく文書を作成できます。「メモ帳」アプリは、スタートメニューで［Windowsアクセサリ］→［メモ帳］とクリックして起動できます。

少し凝った文書を作成したいときは、Windows 10に付属している「ワードパッド」アプリ（Q158）が便利です。さらに、表や図形が入った本格的な文書や何ページにもわたる文書を作成するときは、Officeアプリのひとつであるワープロソフトの「Word（ワード）」が適しています。

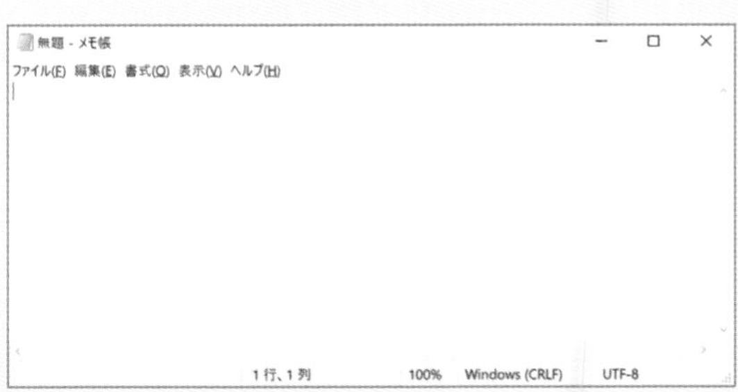

「メモ帳」アプリ

「ワードパッド」アプリ

Q158 お役立ち度 ★★★ 文字入力とキーボードの基本

ワードパッドの画面構成を教えて!

A リボンやクイックアクセスツールバーなどの名称を覚えましょう。

「ワードパッド」アプリは、Windows 10に最初から付属している文書作成用のアプリです。入力した文字のサイズや色、フォント、配置などの基本的な編集機能が用意されています。文字入力の練習に使うのもよいでしょう。ワードパッドの各部の名称と役割は下図のとおりです。他のアプリと共通な部分も多いので、**リボン**や**クイックアクセスツールバー**などの名称を覚えておくとよいでしょう。なお、「ワードパッド」アプリは、スタートメニューで［Windowsアクセサリ］→［ワードパッド］とクリックして起動できます。検索ボックスから「ワードパッド」と検索して起動することもできます。

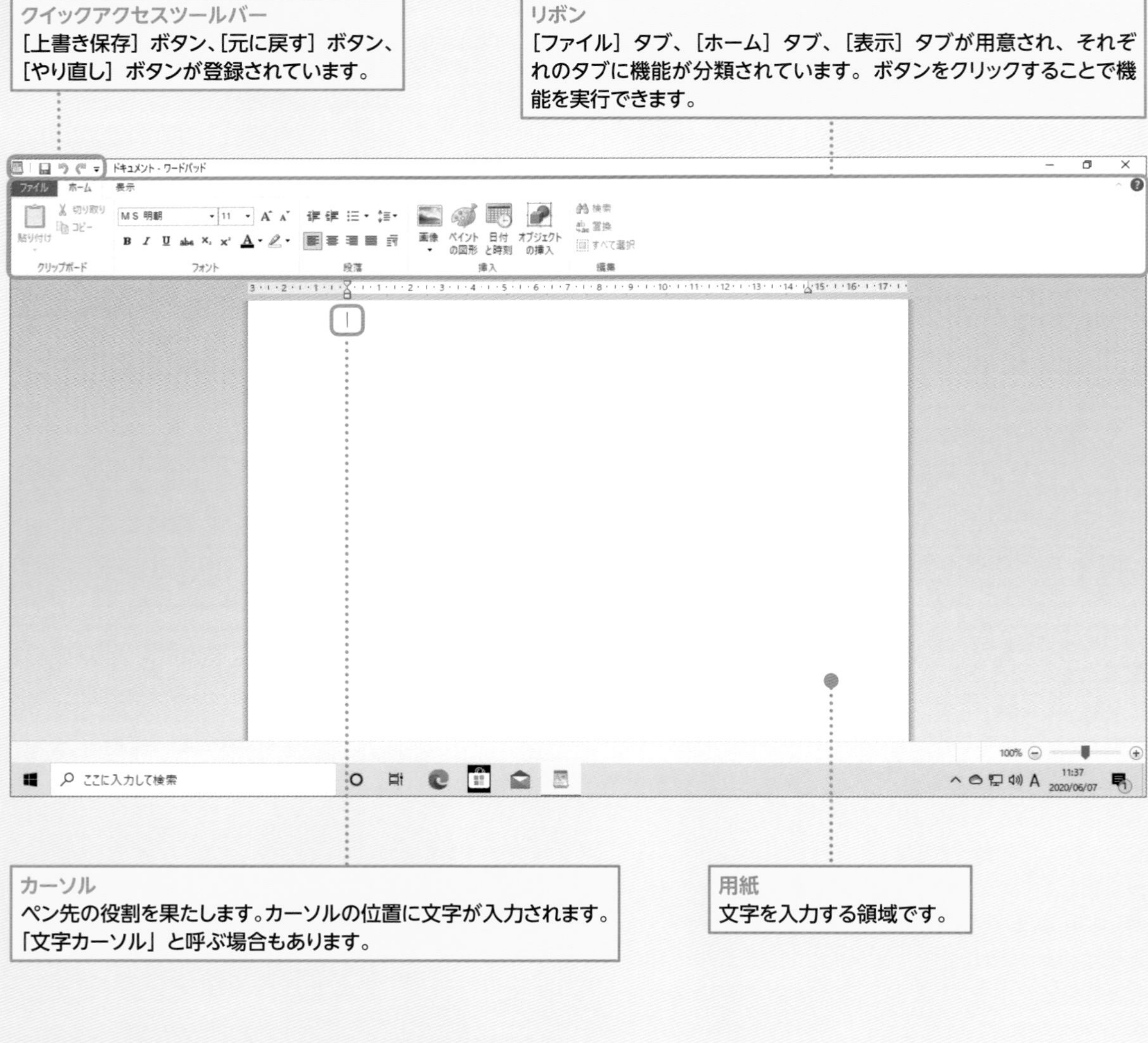
クイックアクセスツールバー
［上書き保存］ボタン、［元に戻す］ボタン、［やり直し］ボタンが登録されています。
リボン
［ファイル］タブ、［ホーム］タブ、［表示］タブが用意され、それぞれのタブに機能が分類されています。ボタンをクリックすることで機能を実行できます。
ドキュメント - ワードパッド
ファイル
ホーム
表示
カーソル
ペン先の役割を果たします。カーソルの位置に文字が入力されます。「文字カーソル」と呼ぶ場合もあります。
用紙
文字を入力する領域です。

Q159 お役立ち度 ★★★ 文字入力とキーボードの基本

入力できる文字の種類にはどんなものがあるの?

A 漢字、ひらがな、カタカナ、英字、数字、記号などです。

キーボードのキーには英字、数字、ひらがな、記号が刻印されていますが、入力できる文字の種類はこれだけではありません。ひらがなを漢字やカタカナに変換したり、英字の大文字と小文字を区別して入力したりできます。また、キーボードにない「〒」や「★」などの記号を入力することもできます。

キーの打ち分け

1つのキーには最大4つの文字が刻印されています。それぞれの打ち分け方を覚えましょう。なお、キーの表面のかな文字を見て入力する方法は「かな入力」のときに使います。関連 Q161 かな入力とローマ字入力の切り替え

半角英数モードで Shift キーを押しながら押すと「#」が入力されます。

日本語入力モード（かな入力）で Shift キーを押しながら押すと「ぁ」が入力されます。

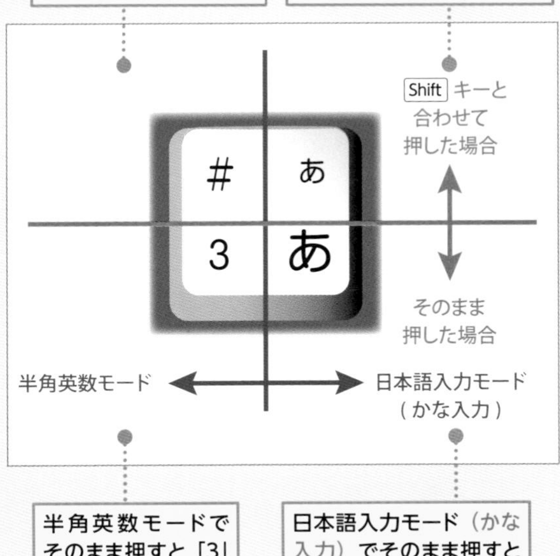

半角英数モードでそのまま押すと「3」が入力されます。

日本語入力モード（かな入力）でそのまま押すと「あ」が入力されます。

Q160 お役立ち度 ★★★ 文字入力とキーボードの基本

日本語が入力できるようにするには?

A キーボードの 半角/全角 キーを押します。

パソコンの電源を入れたばかりのときは、半角の英数記号が入力できる**半角英数モード**です。ひらがなや漢字、カタカナなどの全角文字を入力するときは、キーボードの 半角/全角 キーを押して**日本語入力モード**に切り替えます。 半角/全角 キーを押すごとに半角英数モードと日本語入力モードが交互に切り替わります。

通知領域に［A］と表示されているのが半角英数モードです。

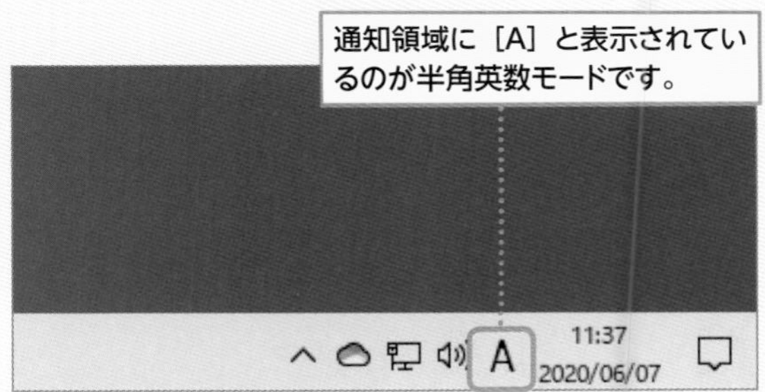

1 半角/全角 キーを押すと、

2 ［A］が［あ］に変わり、日本語入力モードになります。

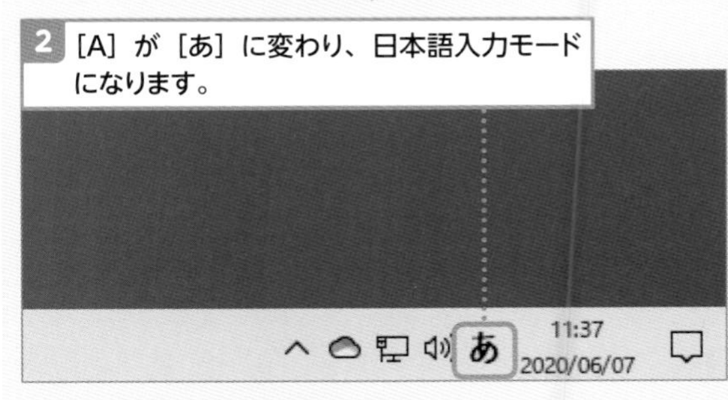

おトクな情報 マウスクリックで日本語入力モードに切り替える

通知領域の［A］を右クリックして表示されるメニューから［ひらがな］をクリックしても日本語入力モードに切り替わります。

Q 161

お役立ち度 ★★★

文字入力とキーボードの基本

かな入力とローマ字入力を切り替えるには?

A 通知領域のボタンを右クリックします。

キーの表面のかな文字を見ながら入力するのが**かな入力**、日本語をローマ字読みで入力するのを**ローマ字入力**といいます。たとえば、ローマ字入力で「はな」と表示するには H A N A とキーを押します。かな入力とローマ字入力は右の手順で切り替えます。なお、最近ではローマ字入力が一般的です。

おトクな情報 ローマ字入力に切り替える

ローマ字入力に切り替えるには、手順３で［無効］をクリックします。

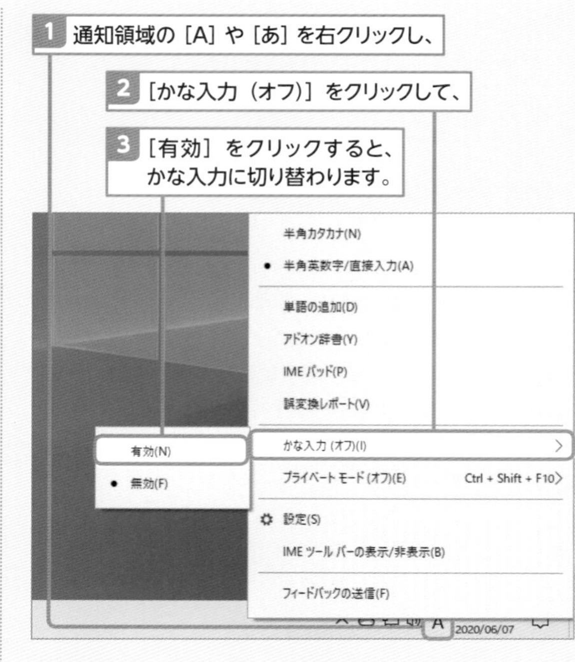

Q 162

お役立ち度 ★★★ スゴわざ

文字入力とキーボードの基本

IME ツールバーを表示するには?

A 通知領域のボタンを右クリックします。

IMEツールバーとは、Windowsで日本語入力を行うときの補助的な役割を持つバーのことです。IMEツールバーを表示しておくと、クリックひとつで日本語入力の設定などが行えます。ただし、Windows 10の初期設定ではIMEツールバーが表示されません。右の手順で操作すると、画面右下にIMEツールバーが表示されます。IMEツールバーには、日本語入力の状態を切り替える［あ］や［A］のボタンの他に、**IMEパッド**や**辞書ツール**を起動するボタン、かな入力/ローマ字入力を切り替えるボタン、IMEの設定ボタンが表示されます。

関連 Q183 IME パッド　関連 Q184 辞書ツール

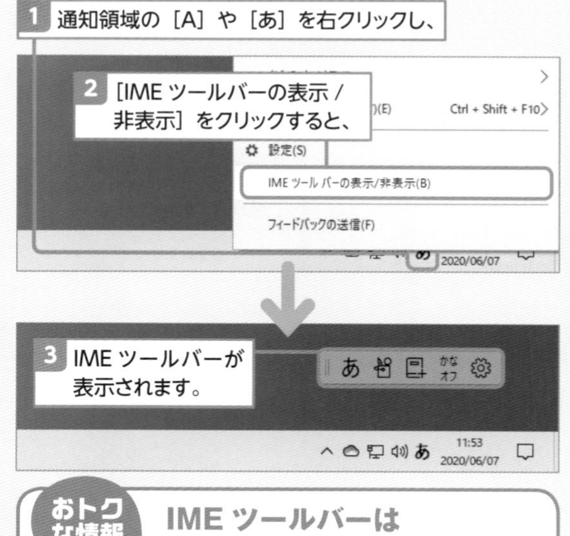

おトクな情報 IME ツールバーは好きな場所に移動できる

IME ツールバーの左端をドラッグして、好きな位置に移動することができます。

文字を入力するときに表示される候補は何?

A 過去に入力した文字が予測候補として表示されます。

キーボードから文字を入力するたびに、過去に入力した文字やよく使われる文字が候補として一覧表示されます。過去に入力した文字から判断し、次にこの文字を入力するのではないかと予測して候補を表示するため、**予測入力**と呼ばれています。候補の中に使いたい文字があったときは、最後まで文字を入力する必要はありません。↑ ↓ キーで候補の中から目的の文字を選択して Enter キーを押すだけで文字を表示できます。

1 「にほん」と入力すると、

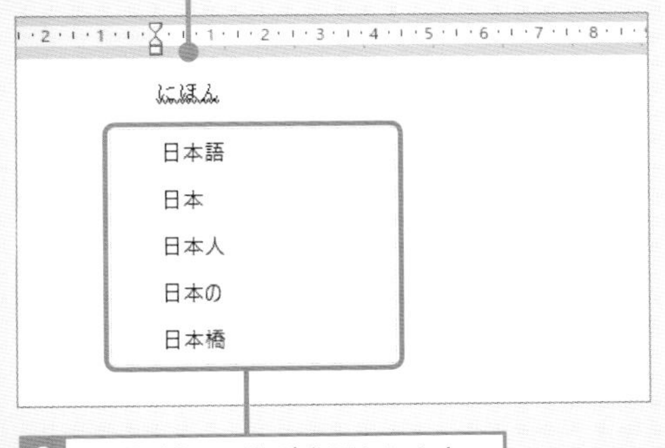

2 予測候補の一覧が表示されます。

3 ↓ キーを押して目的の文字を選択して、

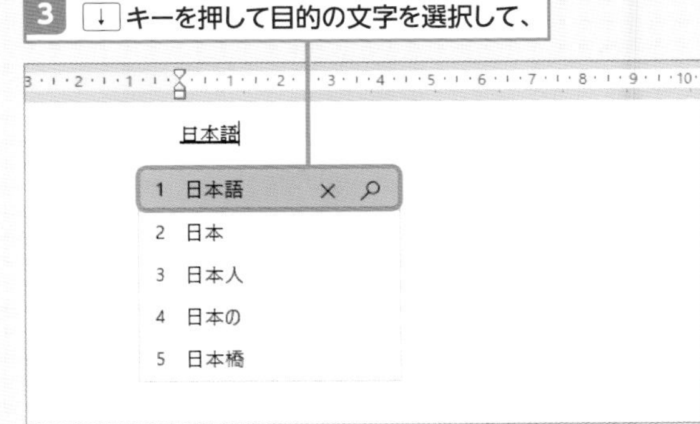

4 Enter キーを押すと、

5 文字が入力されます。

おトクな情報 過去に入力した文字を非表示にする

過去に入力した文字を予測候補に表示したくないときは、通知領域の［A］や［あ］を右クリックし、表示されるメニューの［設定］をクリックします。「Microsoft IME」画面で［全般］をクリックし、［予測入力］の［入力履歴を使用する］をオフにします。

予測入力候補を無効にするには?

A 「Microsoft IME」画面で設定します。

Q163で解説した予測入力機能を使いたくないときは、通知領域の［A］や［あ］を右クリックし、表示されるメニューの［設定］をクリックします。「Microsoft IME」画面で［全般］→［予測入力］を［オフ］にします。

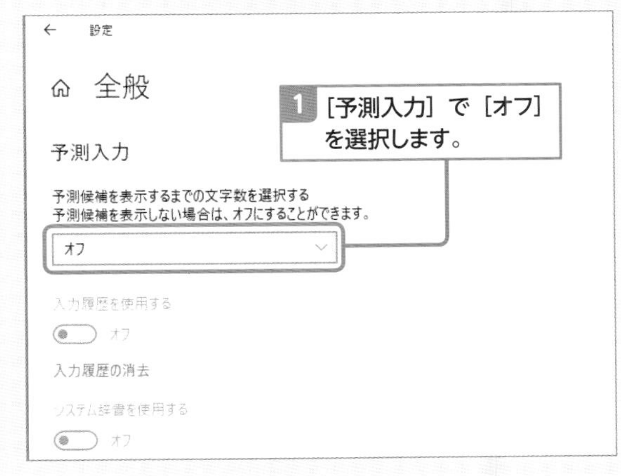

1 ［予測入力］で［オフ］を選択します。

Q165 お役立ち度 ★★★ 日本語・英語・記号の入力

英字を入力するには?

A 半角英数モードで入力します。

英文を入力するときや英字を続けて入力するときは、半角英数モードで入力すると便利です。そのままキーを押すと英字の小文字が入力され、Shift キーを押しながらキーを押すと一時的に英字の大文字が入力されます。常に大文字を入力したいときは、Shift + Caps Lock キーを押して大文字の状態を固定します。元に戻すにはもう一度 Shift + Caps Lock キーを押します。

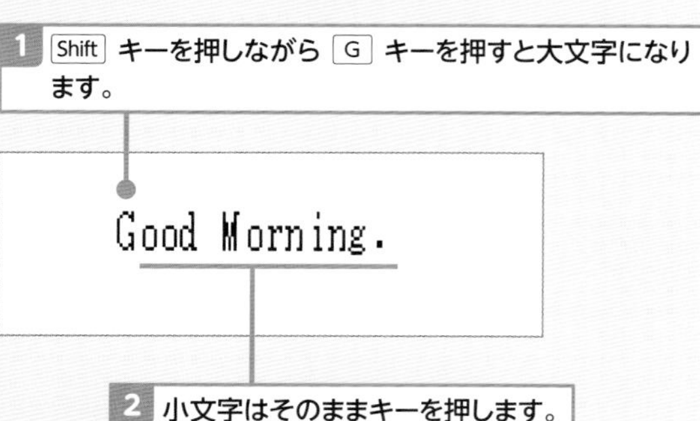

Q166 お役立ち度 ★★★

ひらがなを入力するには?

A 日本語入力モードに切り替えます。

ひらがなを入力するには、半角/全角 キーを押して日本語入力モードに切り替えます。通知領域に［あ］と表示されていることを確認してキーを押すと、ひらがなが入力されます。最後に Enter キーを押して文字を確定します。

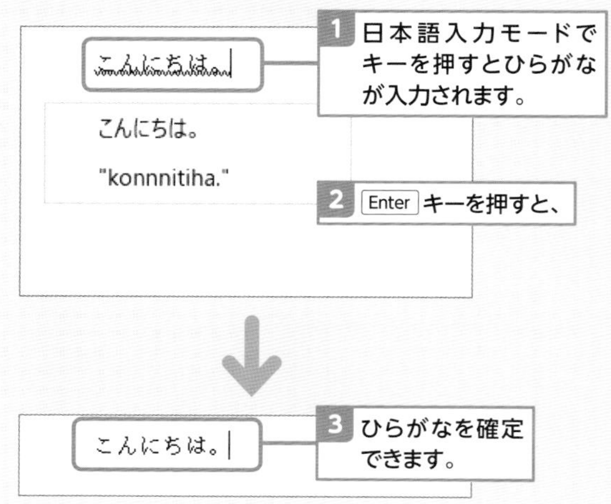

こんにちは。
1 日本語入力モードでキーを押すとひらがなが入力されます。
こんにちは。
"konnitiha."
2 Enter キーを押すと、
こんにちは。
3 ひらがなを確定できます。

Q167 お役立ち度 ★★★ 日本語・英語・記号の入力

カタカナを入力するには?

A ひらがなを入力してから変換します。

「パソコン」や「ラグビー」のように一般的なカタカナ語を入力するには、最初にひらがなで文字を入力してから スペース キーを押して変換します。1度目の変換でカタカナが表示されなかったら、再び スペース キーを押して変換候補の一覧からカタカナを選びます。
また、固有名詞などを一発で確実にカタカナに変換したいときは、ひらがなを入力してから F7 キーを押すと強制的に全角のカタカナに変換できます。

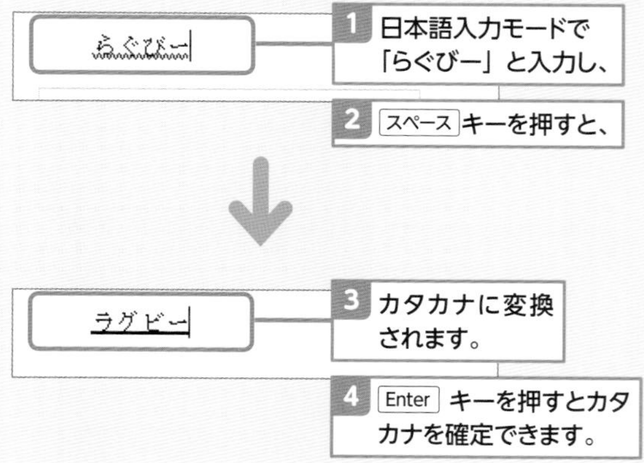

Q168 お役立ち度 ★★★ 日本語・英語・記号の入力

漢字に変換するには?

A ひらがなで「読み」を入力してから変換します。

漢字を入力するには、最初に漢字の正しい「読み」をひらがなで入力します。次に スペース キーを押して変換します。1度目の変換で目的の漢字が表示されなかったときは、再び スペース キーを押して変換候補の一覧を表示します。 ↑ ↓ キーで目的の文字を選択して Enter キーを押すと、漢字を確定できます。

1 「らくご」と入力し、

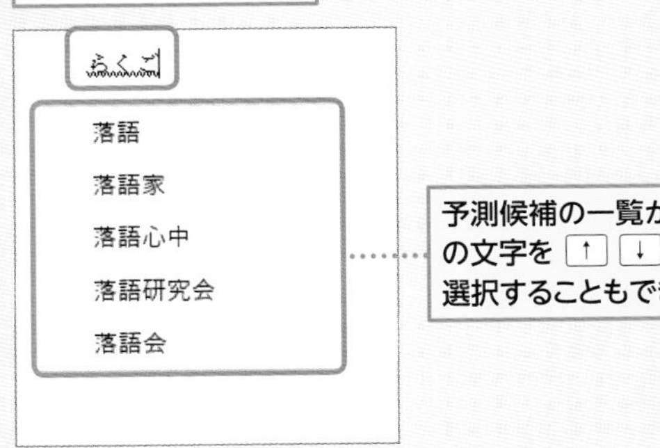

予測候補の一覧から目的の文字を ↑ ↓ キーで選択することもできます。

2 スペース キーを2回押すと、

3 変換候補が表示されます。

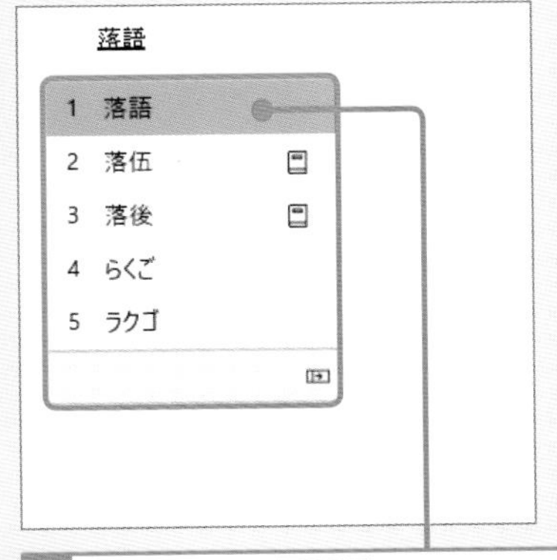

4 目的の文字を ↑ ↓ キーで選択して Enter キーを押すと、漢字を確定できます。

Q169 お役立ち度 ★★★ 日本語・英語・記号の入力

変換する文節を移動するには?

A → や ← キーを押します。

文節とは、言葉の意味の通る最小の単位のことです。たとえば「今日は講演に行った」という文章は「今日は」「講演に」「行った」の3つの文節に分かれます。「講演に」が「公園に」などの別の漢字に変換されたときは、→ キーを押して右側の文節に移動してから変換し直します。未確定の状態で ← → キーを押すと、文節間を自由に移動できます。

「今日は講演に行った」と入力するつもりが、違う漢字に変換されました。

今日は公園に行った

変換の対象となっている文節には下線が付いています。

1 → キーを押すと、

今日は公園に行った

2 下線が右側の文節に移動し、「公園に」が変換できるようになります。

3 スペース キーを押すと、

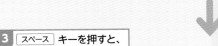

4 変換候補が表示されます。

Q170 お役立ち度 ★★★ 日本語・英語・記号の入力

変換する文節の区切りを変更するには?

A Shift ＋ → や ← キーを押して区切りを変更します。

長い「読み」を入力して変換すると、意図しない位置で文節が区切られることがあります。たとえば「きょうはいしゃ」の読みで変換すると、「今日歯医者」または「今日は医者」と変換される場合があります。これは、最初の文節を「きょう」で区切るか「きょうは」で区切るかの違いです。意図した位置とは違う位置で区切られたときは、手動で区切り位置を変更します。現在の区切り位置より長くしたければ Shift ＋ → キー、現在の区切り位置より短くしたければ Shift ＋ ← キーを押します。キーを押すごとに1文字分ずつ区切り位置が伸縮します。

「今日は医者」と入力するつもりが、「今日」「歯医者」という文節の区切りになっています。

今日歯医者

1 「今日」に下線が付いた状態で、Shift キーを押しながら → キーを 1 回押すと、

2 文節が 1 文字増えて「きょうは」に変更されます。

きょうはいしゃ

3 スペース キーを押すと、

今日は医者

4 意図した文節で変換されます。

Q171 お役立ち度 ★★★ 日本語・英語・記号の入力

キーボードにない記号を入力するには?

A 記号の「読み」を入力して変換します。

漢字と同じように、**記号**にも「読み」があり、その読みを入力して変換できます。代表的な記号の読みは下の表のとおりです。読みを忘れてしまったときは、「きごう」と入力して変換してもよいでしょう。

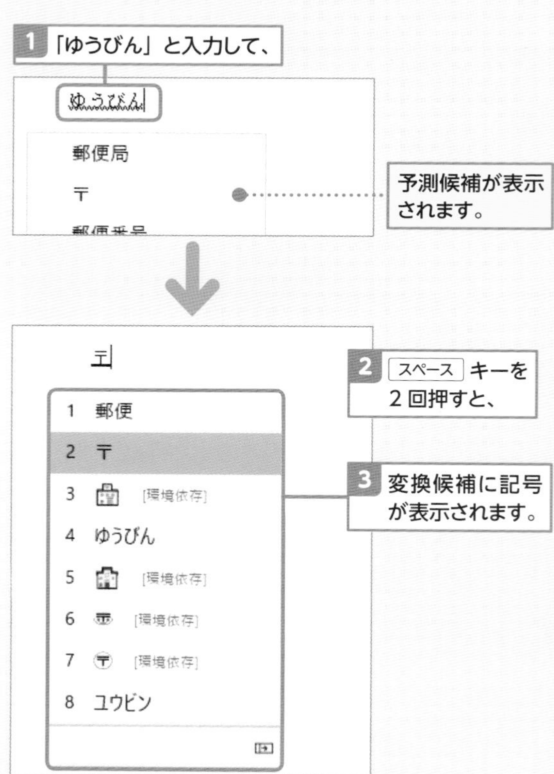

■主な記号の読み

読み	記号
ほし	★☆☆彡☆ミ
やじるし	←→↑↓⇒⇔
ばつ	×
から	～
こめ	※
おんせん	♨

読み	記号
でんわ	℡☎☏
かぶしき	㈱㈱㍿
おんぷ	♪♫♬
かっこ	[]『』≪≫
どう	々 〃

Q 172

お役立ち度 ★★★

日本語・英語・記号の入力

文字を削除するには?

A Delete キーや BackSpace キーを押します。

カーソルの左側の文字を削除するには BackSpace キー、カーソルの右側の文字を削除するには Delete キーを押します。キーを押すごとに1文字ずつ削除され、前後の文字が詰まります。なお、複数の文字をまとめて削除するには、文字をドラッグして選択してから、Delete キーか BackSpace キーを押します。この場合はどちらのキーを押しても同じ結果になります。

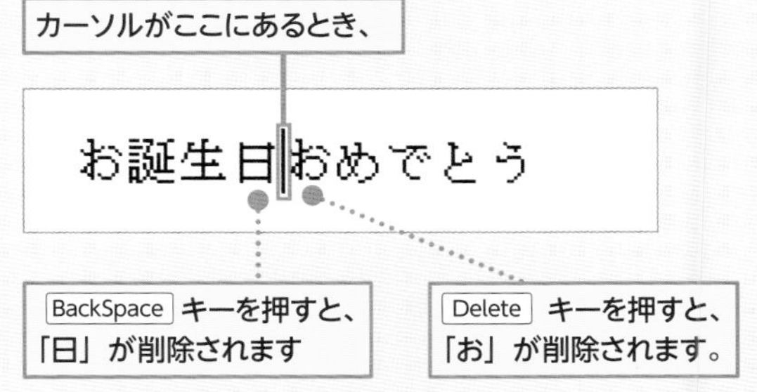

カーソルがここにあるとき、
お誕生日おめでとう
BackSpace キーを押すと、「日」が削除されます
Delete キーを押すと、「お」が削除されます。

Q 173

お役立ち度 ★★★

日本語・英語・記号の入力

上書きモードと挿入モードを切り替えるには?

A Insert キーを押します。

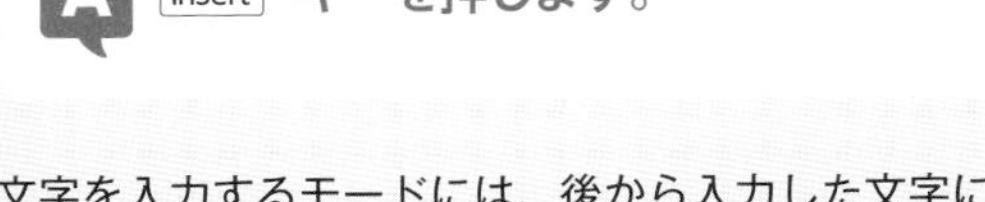

文字を入力するモードには、後から入力した文字に上書きされて以前の文字が消える**上書きモード**と、カーソル位置に文字が割り込んで挿入される**挿入モード**があります。Insert キー（INS キー）を押すと、上書きモードと挿入モードを交互に切り替えることができます。

挿入モードの場合

1 文字を挿入したい位置をクリックしてカーソルを移動し、

六本木交差点

2 文字を入力すると、

六本木二丁目交差点

3 カーソルの位置に文字が割り込みます。

Q 174

お役立ち度 ★★★

日本語・英語・記号の入力

カタカナ語を英単語に変換するには?

A ひらがなで「読み」を入力して変換します。

英単語の正確なスペルがわからないときに、わざわざ辞書で調べるのは面倒です。Windows 10では、カタカナ語を入力して英単語に変換できます。

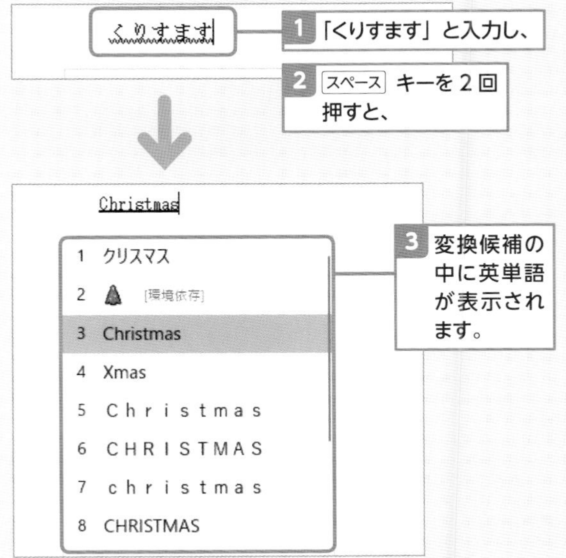

Q175 お役立ち度 ★★★ 日本語・英語・記号の入力

変換済みの文字を他の文字に変換し直すには?

A 変換 キーを押します。

文字を入力すると最初は下線付きの**未確定文字**として表示され、目的の種類の文字に変換してから Enter キーを押して**確定文字**にします。確定文字は下線が取れて、用紙に書き込まれた状態です。
文字を確定してから間違いに気づいたとき、わざわざ最初から入力し直す必要はありません。変換ミスした文字のそばにカーソルを移動して 変換 キーを押すと、確定文字を再び変換できます。

Q176 お役立ち度 ★★★ 日本語・英語・記号の入力

日本語入力モードのまま全角英字を入力するには?

A F9 キーで全角の英字に変換します。

日本語の文章の中に英字が交ざるときに、いちいち日本語入力モードと半角英数モードを切り替えるのは面倒です。日本語入力モードのままで全角英字に変換するには F9 キーを押します F9 キーを押すごとに、すべて全角小文字→すべて全角大文字→先頭だけ大文字の順番で変換されます。

1 日本語入力モードで B O O K とキーを押すと「ぼおk」と表示されます。

ぼおk

2 F9 キーを押すと、

ｂｏｏｋ

3 全角で小文字の「book」に変換されます。

Q177 お役立ち度 ★★★ 日本語・英語・記号の入力

日本語入力モードのまま半角英字を入力するには?

A F10 キーで半角の英字に変換します。

Q176の操作で F9 キーを押すと、全角の英字に変換されますが、半角の英字に変換したいときは F10 キーを押します。 F10 キーを押すごとに、すべて半角小文字→すべて半角大文字→先頭だけ大文字の順番で変換されます。

1 日本語入力モードで B O O K とキーを押すと「ぼおk」と表示されます。

ぼおk

2 F10 キーを押すと、

book

3 半角で小文字の「book」に変換されます。

Q178 お役立ち度 ★★★ スゴわざ　日本語・英語・記号の入力

郵便番号から住所を入力するには?

A 日本語入力モードでハイフン付きの郵便番号を入力します。

住所録や名簿を作成するときは、なるべく効率よく住所を入力したいものです。**郵便番号変換**の機能を使うと、7桁の郵便番号から都道府県名＋市区町村名までを自動表示できるので、住所入力がスピードアップします。

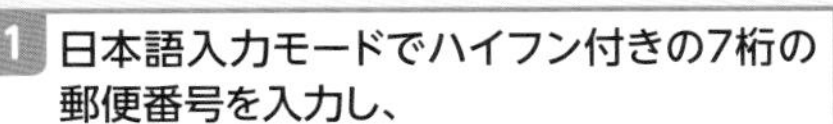

1 日本語入力モードでハイフン付きの7桁の郵便番号を入力し、

106-0032
"106-0032"

2 スペース キーを2回押すと、

東京都港区六本木
1 １０６－００３２
2 東京都港区六本木
3 106-0032

3 変換候補の中に住所が表示されます。

4 住所を選択して Enter キーを押すと、確定できます。

東京都港区六本木

おトクな情報　郵便番号がわからないときは

住所から郵便番号に変換することはできません。郵便番号がわからない場合は、日本郵便のWebページで検索してから利用しましょう。

Q179 お役立ち度 ★★★　日本語・英語・記号の入力

顔文字を入力するには?

A 「かお」や「かおもじ」の読みを入力して変換します。

!(^^)!や(*_*;など、感情を表す**顔文字**を入力するには、「かおもじ」や「かお」の読みを入力してから変換します。また、「いたい」「あせ」「おじぎ」「しくしく」「にこにこ」「びっくり」「わーい」などの読みで変換することもできます。顔文字はプライベートなコミュニケーションツールとして使うのは楽しいですが、ビジネスで使うのはやめましょう。

1 「かおもじ」と入力して、

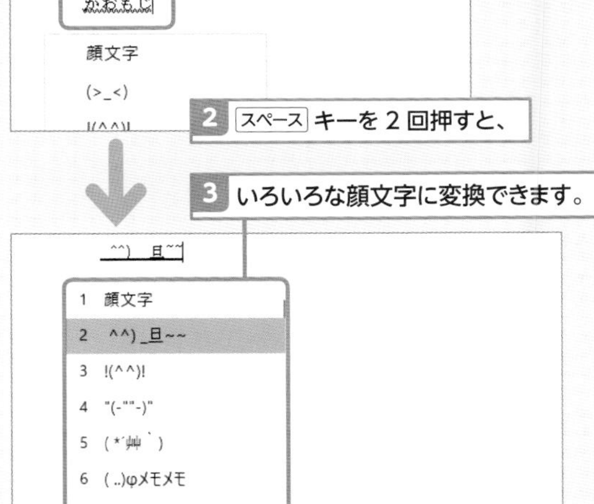

2 スペース キーを2回押すと、

3 いろいろな顔文字に変換できます。

4 ここで Tab キーを押すと、

5 変換候補を一度にたくさん表示できます。

Q 180

お役立ち度 ★★★

日本語・英語・記号の入力

丸数字を入力するには?

A 日本語入力モードで数字を入力して変換します。

①②などの**丸数字**は日本語入力モードの変換機能を使うと、①～㊿まで入力することができます。

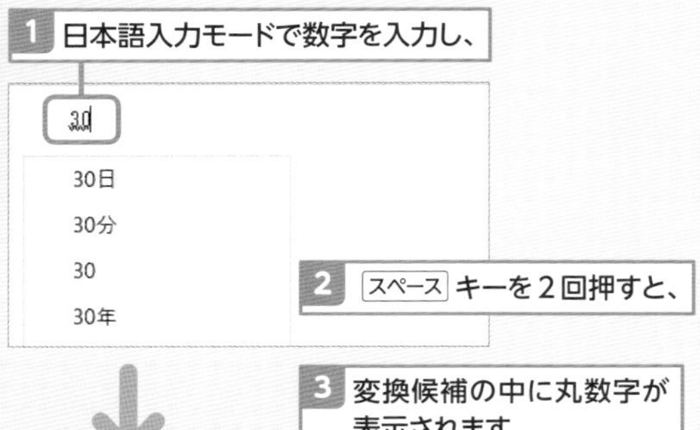

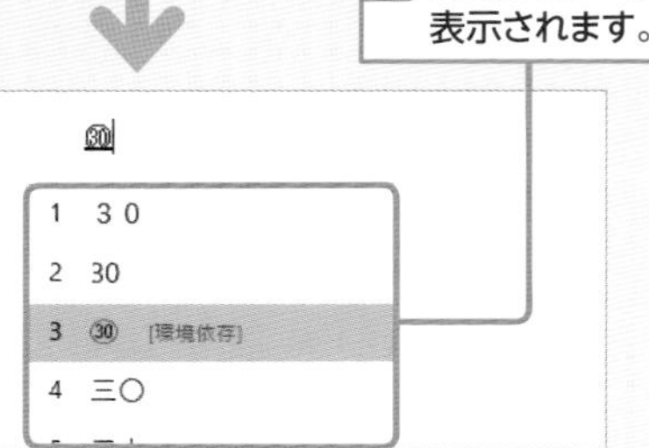

Q 181

お役立ち度 ★★★

日本語・英語・記号の入力

ファンクションキーで変換できる文字の種類を教えて!

A F6 ～ F10 キーに変換操作が登録されています。

文字の変換は スペース キーを押すのが基本ですが、ファンクションキーにも変換操作が割り当てられています。以下の操作を覚えておくと、スペース キーでうまく変換できないときにも困りません。

ファンクションキー	変換操作
F6 キー	全角ひらがなに変換
F7 キー	全角カタカナに変換
F8 キー	半角カタカナに変換
F9 キー	全角英数字に変換
F10 キー	半角英数字に変換

おトクな情報　全角文字と半角文字

全角文字とは、文字の縦と横のサイズが同じ文字のことです。一方半角文字は、文字の横のサイズが全角の半分の文字のことです。ただし、文字の形（フォント）によっては当てはまらない場合もあります。

Q 182

お役立ち度 ★★★

日本語・英語・記号の入力

小文字を入力したのに大文字が入力されるのはなぜ?

A Caps Lock がオンになっている可能性があります。

Shift キーを押しながら Caps Lock キーを押すとCaps Lockがオンになり、常に大文字の英字が入力されます。小文字を入力するには、もう一度 Shift キーを押しながら Caps Lock キーを押してCaps Lockを解除します。

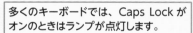

多くのキーボードでは、Caps Lock がオンのときはランプが点灯します。
1 Shift キーと Caps Lock キーを同時に押すと、Caps Lock のオンとオフが切り替わります。

読み方のわからない文字を入力するには?

A 部首や総画数から探しましょう。

資料を見ながら文字を入力するときに、読めない漢字があると「読み」から変換できません。「読み」がわからない漢字は、**IMEパッド**を使って部首や総画数から探すことができます。目的の漢字にマウスポインターを合わせると「読み」が表示されます。

部首で探す

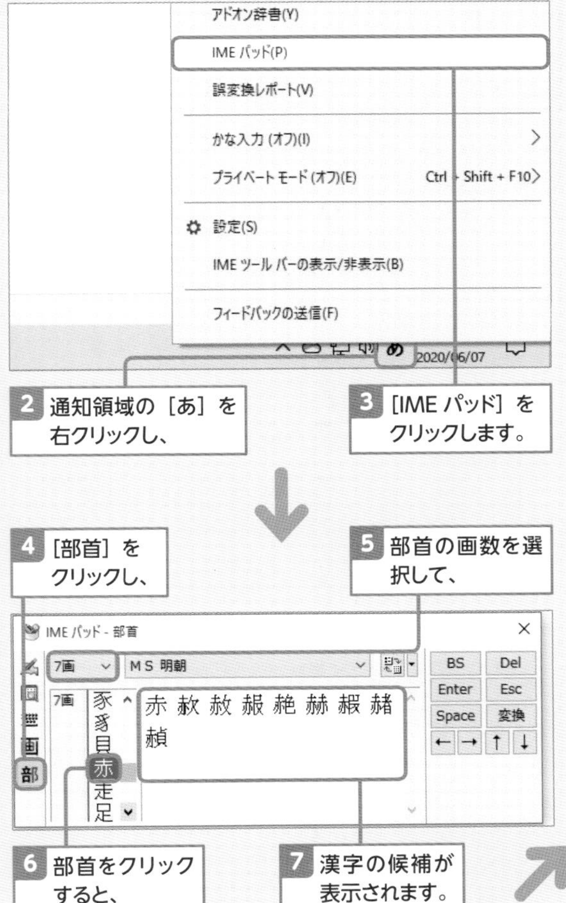
1 文字を入力したい場所にカーソルを置いて、
アドオン辞書(Y)
IME パッド(P)
誤変換レポート(V)
かな入力 (オフ)(I)
プライベート モード (オフ)(E) Ctrl + Shift + F10
設定(S)
IME ツール バーの表示/非表示(B)
フィードバックの送信(F)
2020/06/07
2 通知領域の［あ］を右クリックし、
3 ［IME パッド］をクリックします。
4 ［部首］をクリックし、
5 部首の画数を選択して、
IME パッド - 部首
7画
MS 明朝
6 部首をクリックすると、
7 漢字の候補が表示されます。

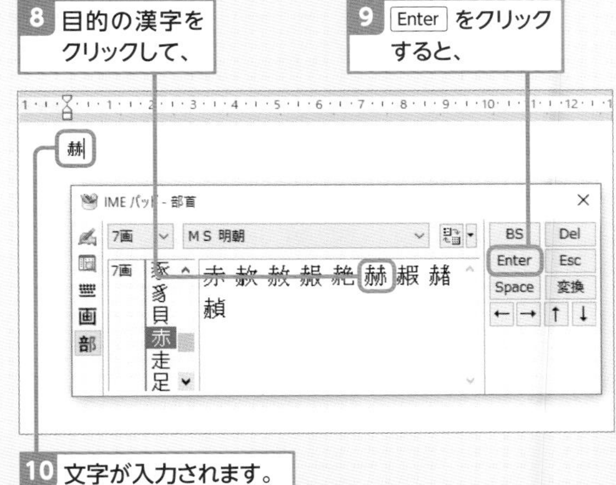
8 目的の漢字をクリックして、
9 Enter をクリックすると、
IME パッド - 部首
10 文字が入力されます。

総画数で探す（左の「3」に続けて）

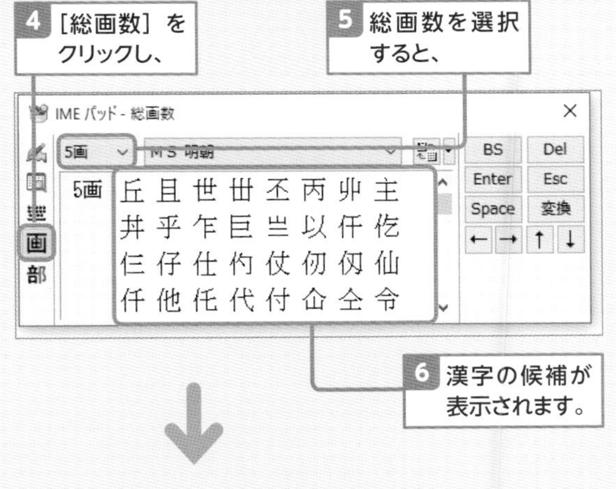
4 ［総画数］をクリックし、
5 総画数を選択すると、
IME パッド - 総画数
5画
6 漢字の候補が表示されます。

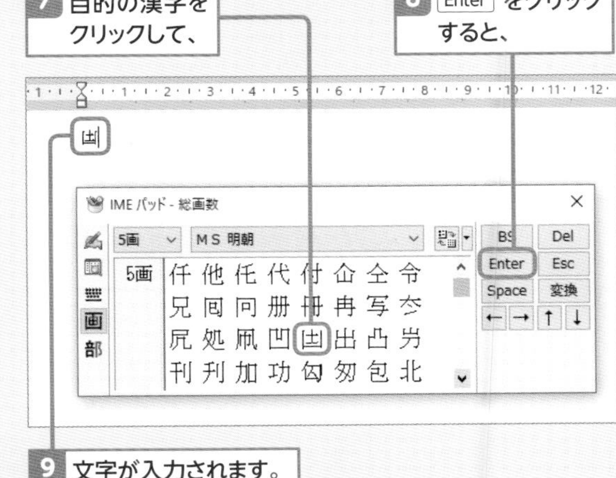
7 目的の漢字をクリックして、
8 Enter をクリックすると、
IME パッド - 総画数
9 文字が入力されます。

Q184 単語を登録して簡単に入力するには?

お役立ち度 ★★★

文字入力の便利技

A 「単語の登録」機能を使ってよく使う単語を登録します。

「よろしくお願いいたします。」などのあいさつ文や会社名、名前など、頻繁に使う単語を**単語登録**しておくと、素早くミスなく入力できます。好きな「読み」を付けて登録できますが、なるべく短い読みを簡潔に付けるのがポイントです。

単語を登録する

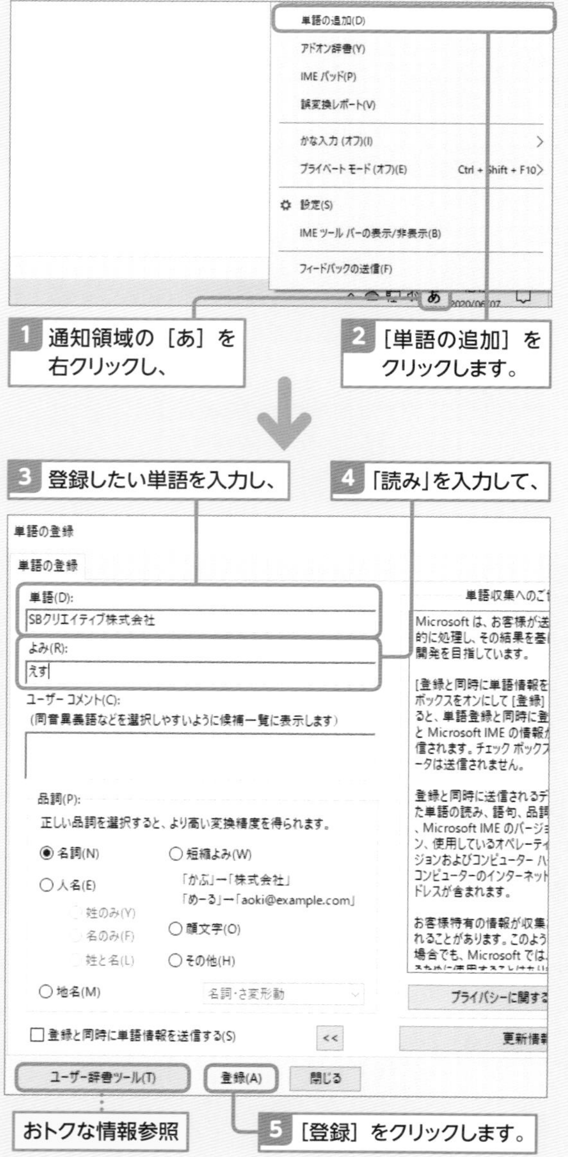

登録した単語を利用する

1 登録した単語の「読み」を入力して、

SBクリエイティブ株式会社

えす

2 スペース キーを押すと、

SBクリエイティブ株式会社

3 登録した単語に変換されます。

おトクな情報 単語登録した単語を確認する

「単語の登録」画面の左下にある［ユーザー辞書ツール］をクリックすると、パソコンに単語登録した単語の一覧が表示されます。登録した単語をダブルクリックして内容を修正したり、上側の［削除］ボタンをクリックして単語を削除したりすることができます。

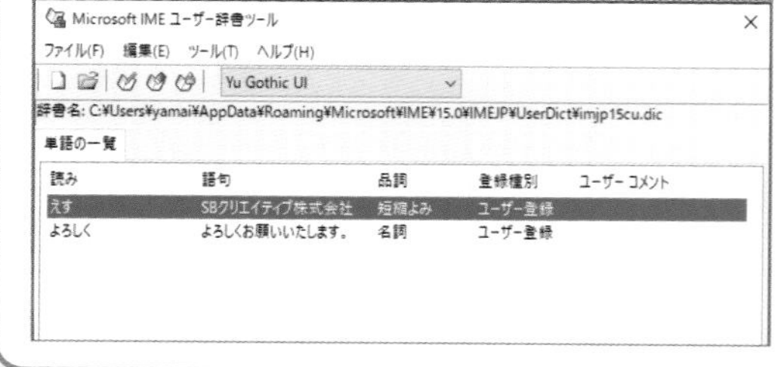

Q185 お役立ち度 ★★★ スゴわざ　文字入力の便利技

単語登録したものを他のパソコンでも使いたい!

A 「ユーザー辞書ツール」画面で出力してから利用します。

Q184の操作で単語登録した内容を他のパソコンでも使うことができます。それには、[一覧の出力] 機能を使って、単語登録したデータをUSBメモリーなどにエクスポートします。その後で、他のパソコンにUSBメモリーをセットして、データを読み込みます。あるいは、パソコンに出力したファイルをメールに添付して他のパソコンに送ってもよいでしょう。

登録した単語をエクスポートする

1 通知領域の [A] や [あ] を右クリックし、

2 [単語の追加] をクリックして、

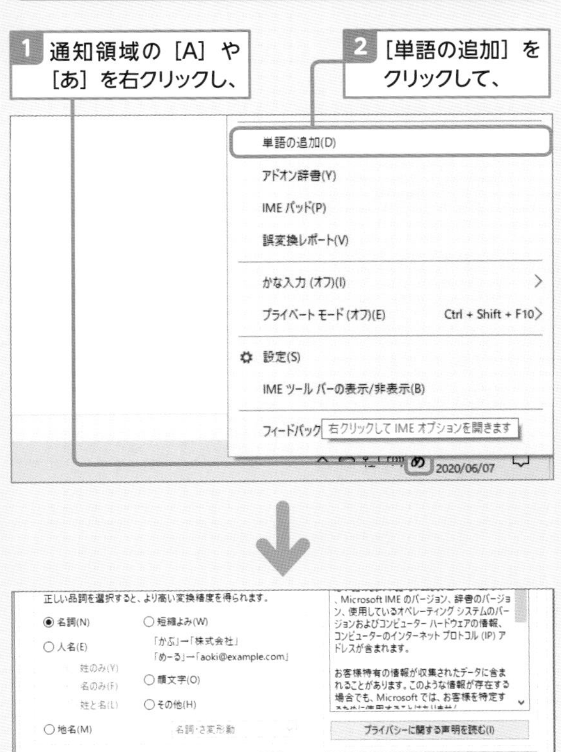

3 [ユーザー辞書ツール] をクリックします。

4 [ツール] をクリックし、

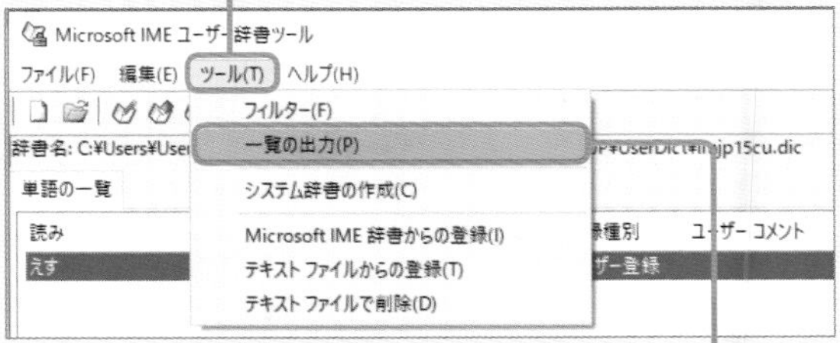

5 [一覧の出力] をクリックします。

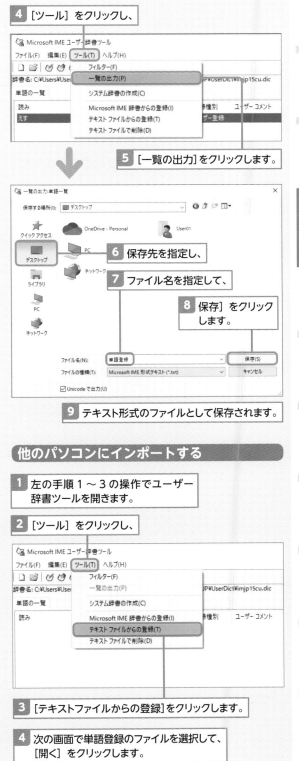

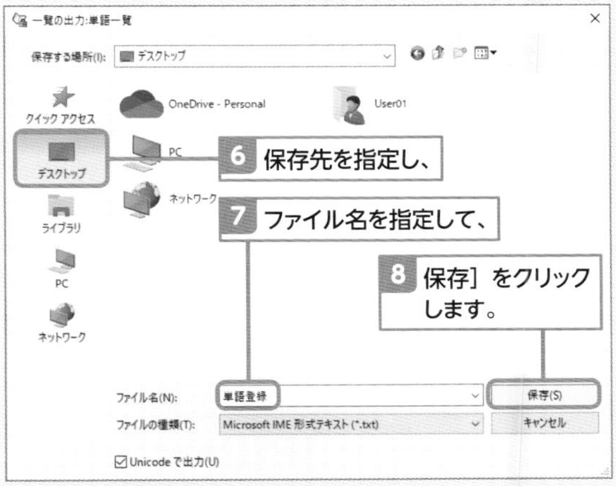

6 保存先を指定し、

7 ファイル名を指定して、

8 [保存] をクリックします。

9 テキスト形式のファイルとして保存されます。

他のパソコンにインポートする

1 左の手順 1 ～ 3 の操作でユーザー辞書ツールを開きます。

2 [ツール] をクリックし、

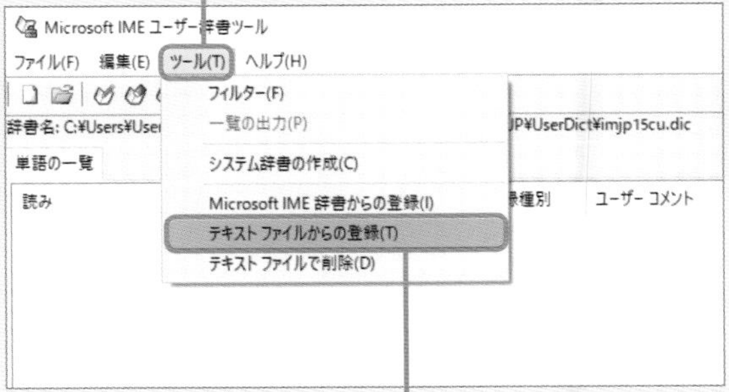

3 [テキストファイルからの登録] をクリックします。

4 次の画面で単語登録のファイルを選択して、[開く] をクリックします。

Q 186 お役立ち度 ★★★ 文字入力の便利技

変換候補を他の人に見られたくない!

A ［プライベートモード］を有効にします。

IMEの**プライベートモード**を有効にすると、その間に入力・変換した履歴は、プライベートモードを無効にすると削除されます。普段はプライベートモードを有効にしておいて、プレゼンテーションで他人に画面を見せるときに無効にするなどの使い方ができます。以下の手順でプライベートモードを有効にすると、[A] や [あ] のアイコンに南京錠のマークが付きます。

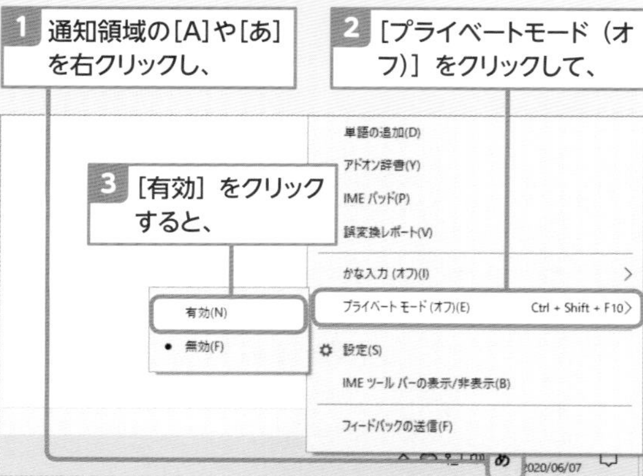

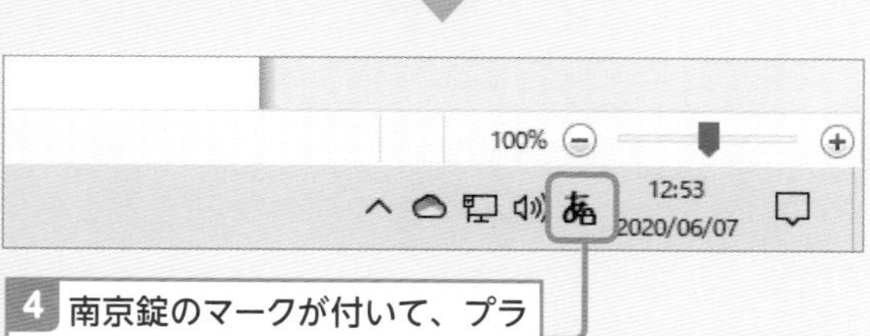

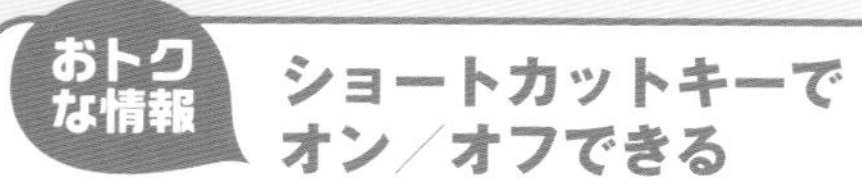

おトクな情報 ショートカットキーでオン／オフできる

Ctrl + Shift + F10 キーを押して、プライベートモードのオンとオフを切り替えることができます。

Q 187 お役立ち度 ★★★ スゴわざ 文字入力の便利技

半角/全角 キー以外で日本語入力モードにするには?

A 「キーとタッチのカスタマイズ」画面で設定します。

通常は、半角/全角 キーを押して、日本語入力モードと半角英数モードを切り替えますが、半角/全角 キー以外を使うこともできます。以下の手順で「キーとタッチのカスタマイズ」画面を開くと、無変換 キー、変換 キー、Ctrl + スペース キー、Shift + スペース キーのいずれかに機能を割り当てることができます。どれもキーボードの手前にあるキーなので、文字入力の際に大きく指を動かす必要がなくなります。

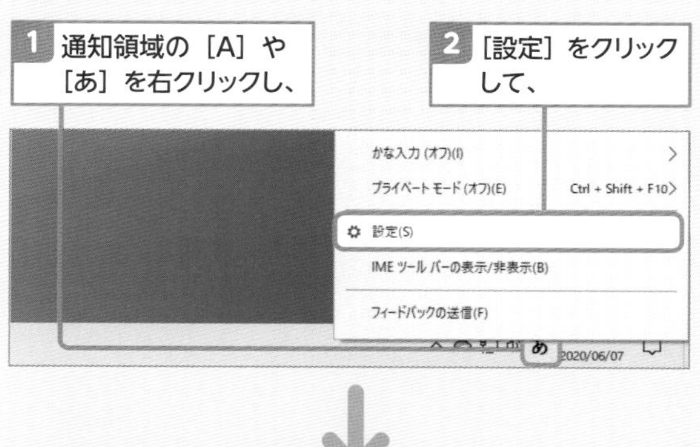

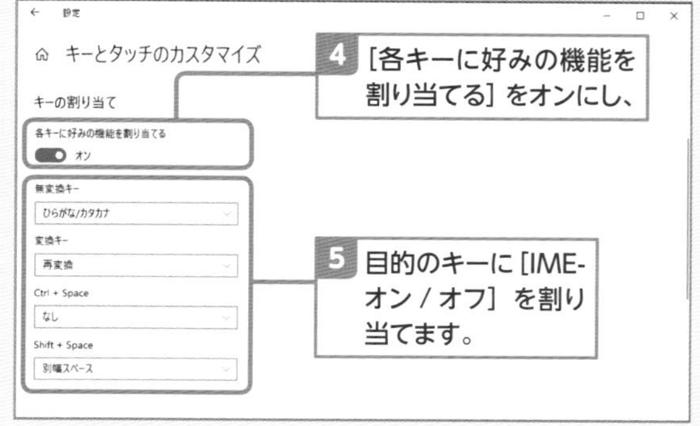

Q 188 お役立ち度 ★★★ スゴわざ 文字入力の便利技

クリック操作で文字を入力するには?

A スクリーンキーボードを使います。

スクリーンキーボードを使うと、キーボードを使わずに文字を入力できます。スクリーンキーボードは画面に表示されるキーボードで、クリックすると文字を入力したり変換したりできます。キーボードが故障して使えないときなどに重宝します。なお、スクリーンキーボードを表示した状態でもキーボードから文字を入力できます。

1 スタートメニューから［Windows 簡単操作］→［スクリーンキーボード］をクリックすると、

2 スクリーンキーボードが表示されます。

3 キーをクリックすると普通のキーボードのように文字を入力できます。

Q 189 お役立ち度 ★★★ 文字入力の便利技

タッチパネルで文字を入力するには?

A タッチキーボードを使います。

タッチパネル対応のパソコンでは、**タッチキーボード**を使って画面をタッチしながら文字を入力できます。なお、Windows 10をタブレットモードで使用している場合は、文字を入力するときに自動的にタッチキーボードが表示されます。

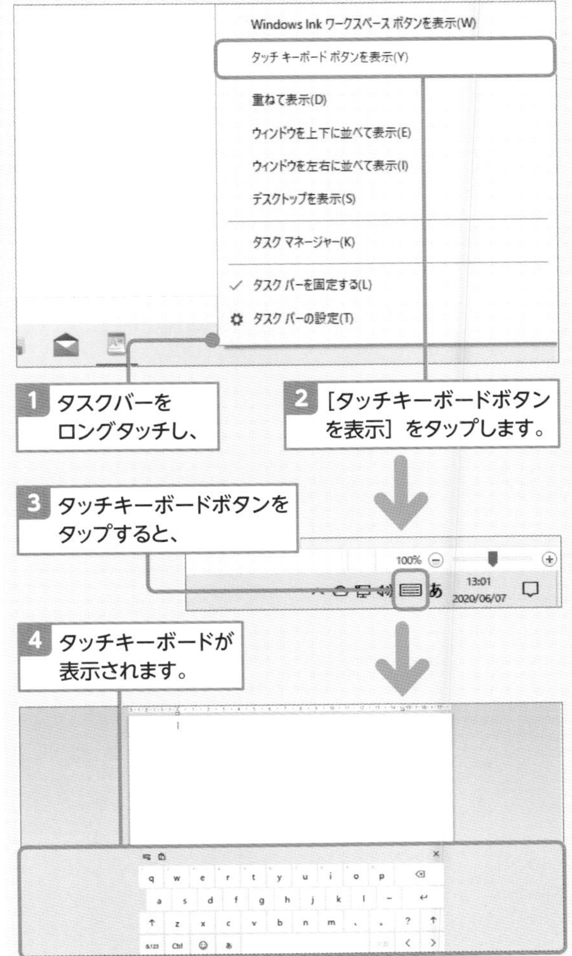

タスクバーに「タッチキーボード」ボタンが表示されていない場合

1 タスクバーをロングタッチし、

2 ［タッチキーボードボタンを表示］をタップします。

3 タッチキーボードボタンをタップすると、

4 タッチキーボードが表示されます。

Q 190

お役立ち度 ★★★

文字入力の便利技

タッチキーボードで半角英数入力と日本語入力を切り替えるには？

A スペースキーの左のキーを押します。

タッチキーボードで半角英数モードと日本語入力モードを切り替えるには、スペース キーの左のキーをタップします。キーに「A」と表示されている場合は半角英数字を入力でき、「あ」と表示されているときは日本語を入力できます。

「A」と表示されているときは半角英数字を入力できます。

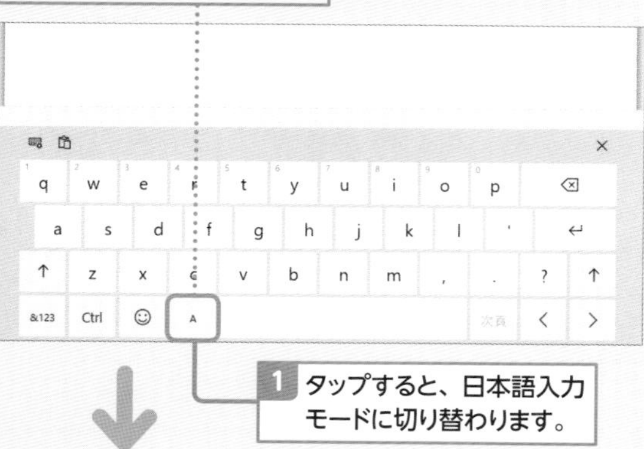

1 タップすると、日本語入力モードに切り替わります。

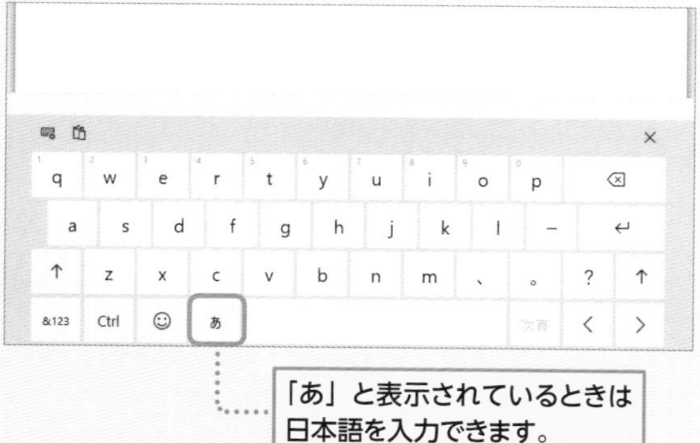

「あ」と表示されているときは日本語を入力できます。

もう一度タップすると、半角英数モードに戻ります。

Q 191

お役立ち度 ★★★ スゴわざ

文字入力の便利技

タッチキーボードで絵文字を入力するには？

A 絵文字のキーをタップします。

タッチキーボードで**絵文字**を入力するには、☺ のキーをタップします。続いて、絵文字の種類を選択し、入力する絵文字をタップします。元のキーボードに戻るには、あいう（[あいう] のキー）をタップします。

アプリには Word を使用しています。

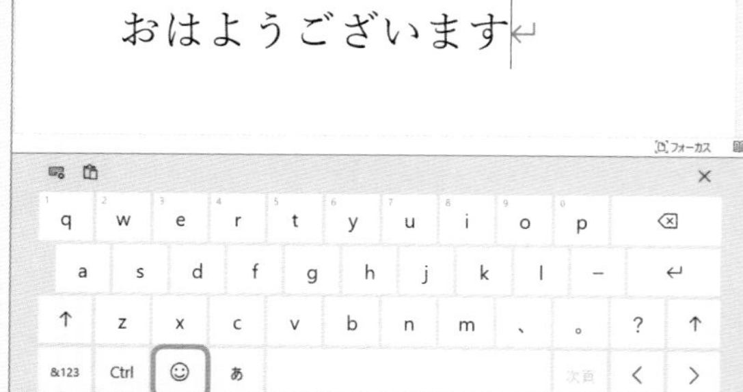

1 顔の絵のキーをタップします。

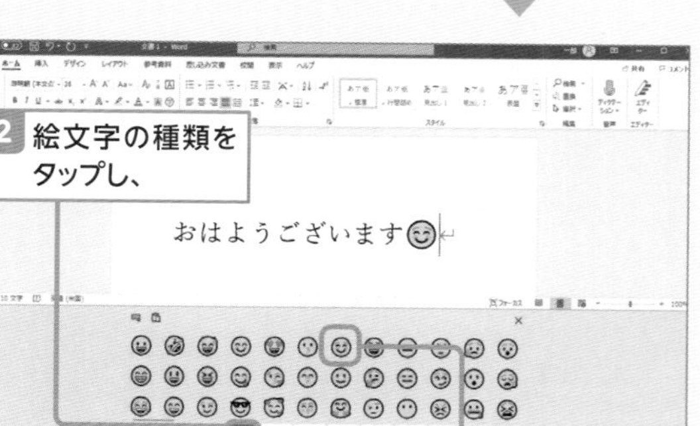

2 絵文字の種類をタップし、

3 絵文字をタップします。

おトクな情報 絵文字が表示できないアプリもある

メモ帳やワードパッドなど、アプリによっては絵文字が表示できなかったり、簡易的な記号のように表示される場合があります。

Q192 お役立ち度 ★★★ スゴわざ

タッチキーボードでテンキーを使うには?

A 入力する文字の種類を切り替えます。

タッチキーボードで数字を連続して入力するときは、数字のキーがまとめて表示される**テンキー**の画面に切り替えて入力すると便利です。

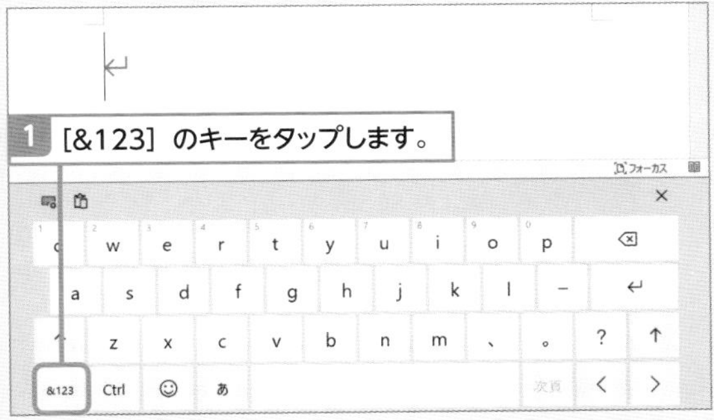

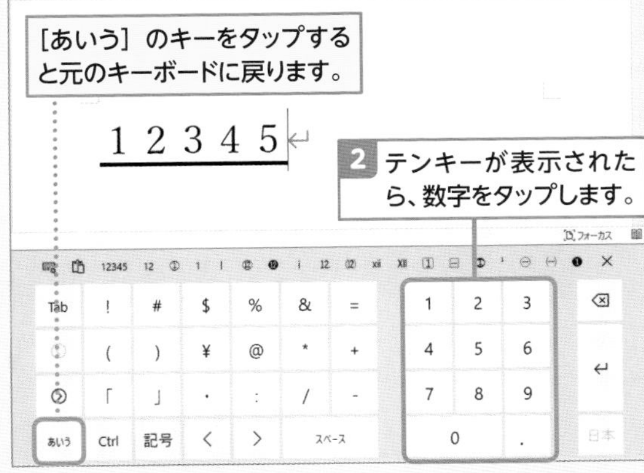

[あいう] のキーをタップすると元のキーボードに戻ります。
2 テンキーが表示されたら、数字をタップします。

おトクな情報 テンキーを表示したときのタッチキーボード

テンキーの左側には、記号を入力するキーが表示されます。一番左にある ⓪ や ⦿ をタップすると記号が切り替わります。

Q193 お役立ち度 ★★★ スゴわざ

タッチキーボードでフリック入力するには?

A キーボードの種類を切り替えます。

携帯電話やスマートフォンの操作で**フリック入力**に慣れている場合は、タッチキーボードでもフリック入力できるように切り替えましょう。キーボードの種類を選択するだけで、フリック入力できるようになります。

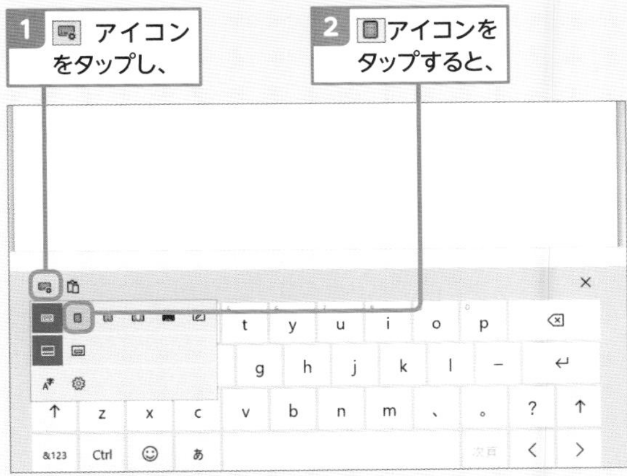

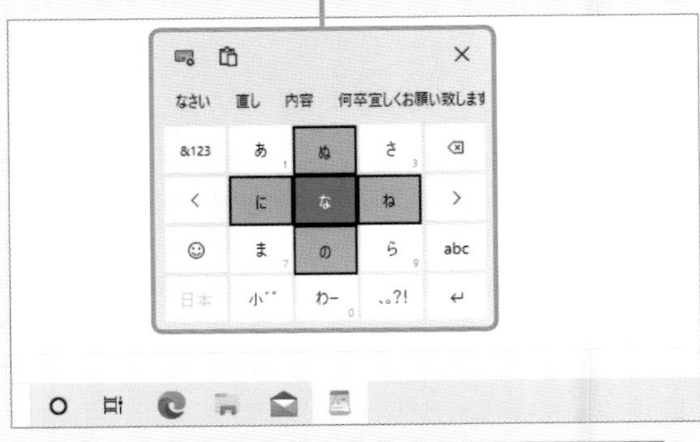

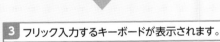

キーをタップしたりキーを指で払うような操作をすると、文字カーソルの位置に文字が入力されます。

Q194 文字をコピー／移動するには?

お役立ち度 ★★★ 文字入力の便利技

A 「コピー」と「貼り付け」でコピー、「切り取り」と「貼り付け」で移動できます。

文字をコピーするには、元になる文字をコピーしてからコピー先に貼り付けます。また、文字を移動するには、元になる文字を切り取ってから移動先に貼り付けます。コピーした文字や切り取った文字は**クリップボード**というパソコンの保存場所に一時的に入るので、コピー先や移動先に保存しておいた情報を貼り付けます。多くのアプリでは、[ホーム] タブに [コピー] [切り取り] [貼り付け] の各ボタンが用意されています。

文字をコピーする

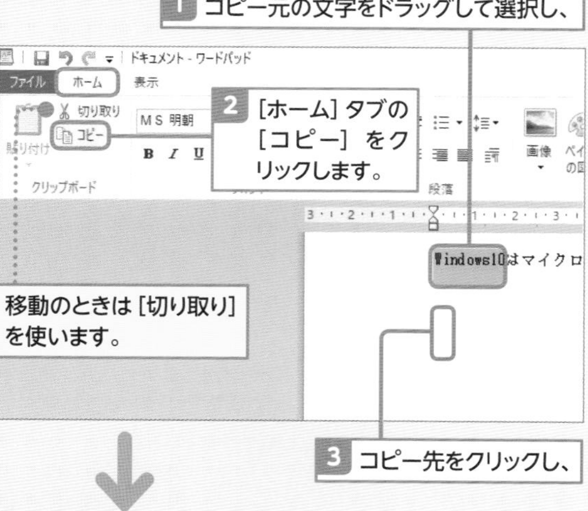
1 コピー元の文字をドラッグして選択し、
2 [ホーム] タブの [コピー] をクリックします。
移動のときは [切り取り] を使います。
3 コピー先をクリックし、

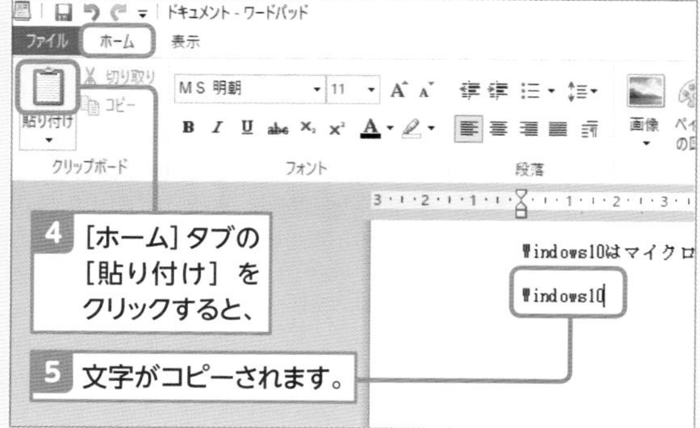
4 [ホーム] タブの [貼り付け] をクリックすると、
5 文字がコピーされます。

Q195 キー操作で文字をコピー／移動するには?

お役立ち度 ★★★ 文字入力の便利技

A Ctrl + C 、Ctrl + X 、Ctrl + V キーを使います。

コピーや移動は頻繁に行う操作なので、Ctrl + C キーでコピー、Ctrl + X キーで切り取り、Ctrl + V キーで貼り付けのショートカットキーを使う方法を覚えておくと素早く操作できます。文字を入力しているときはキーボードに両手が乗っているので、ショートカットキーを使えばわざわざマウスに持ち替える必要がありません。

文字を移動する

1 移動元の文字をドラッグして選択し、
2 Ctrl + X キーを押すと、文字が切り取られます。

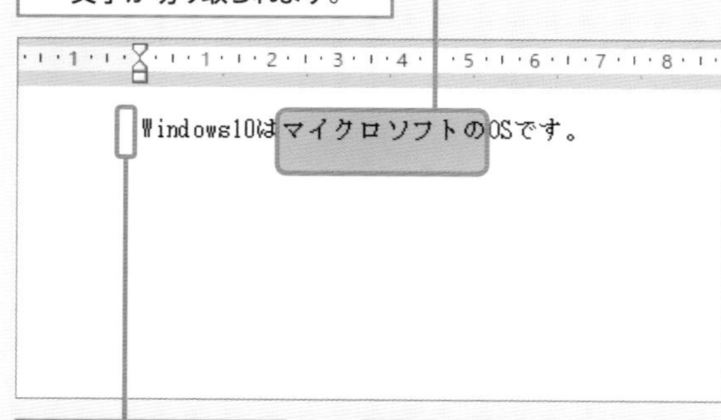
Windows10はマイクロソフトのOSです。
3 文字の移動先をクリックし、
文字をコピーするときは、Ctrl + C キーを使います。
4 Ctrl + V キーを押すと、

5 切り取った文字が貼り付けられます。

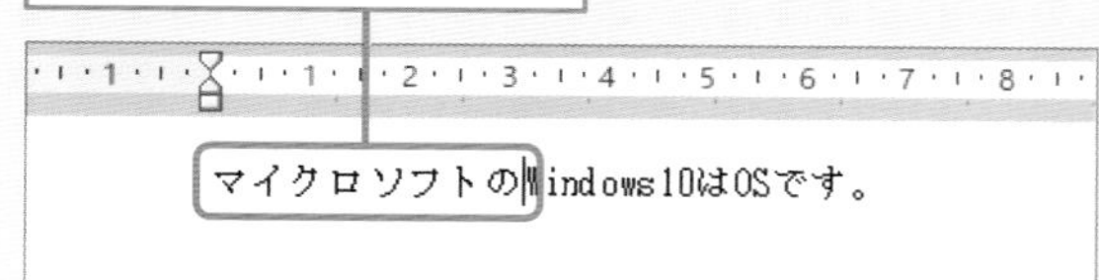
マイクロソフトのWindows10はOSです。

Q196 お役立ち度 ★★★ 文字入力の便利技

タッチキーボードで文字をコピー／移動するには?

A Ctrl をタップしてコピーや移動を選択します。

タッチキーボードで文字をコピーしたり移動したりするには、文字を選択した後に Ctrl をタップします。すると、「X（切り取り）」「C（コピー）」「V（貼り付け）」の文字がキーの表面に表示されます。

文字をコピーする

1 文字の先頭をタップして、文字の上をスライドして選択します。

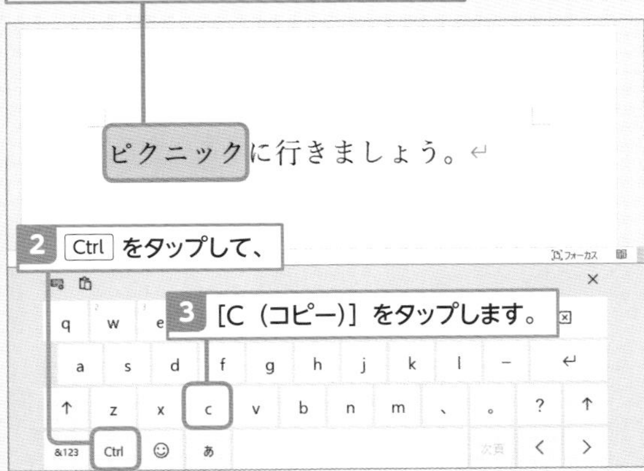

ピクニックに行きましょう。

2 Ctrl をタップして、

3 [C（コピー）] をタップします。

4 コピー先をタップし、

5 Ctrl をタップして、

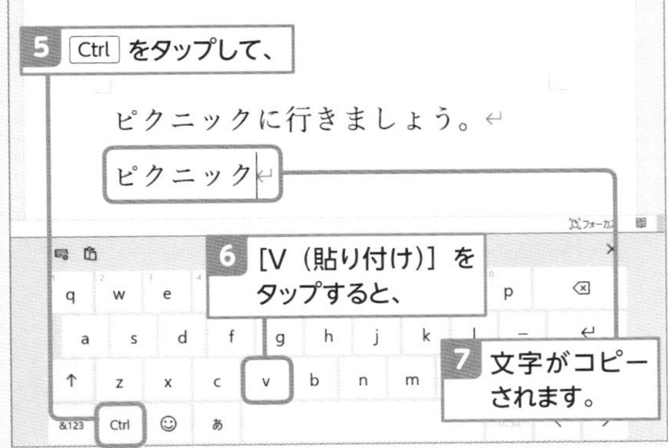

ピクニックに行きましょう。
ピクニック

6 [V（貼り付け）] をタップすると、

7 文字がコピーされます。

Q197 お役立ち度 ★★★ スゴわざ 文字入力の便利技

クリップボードは1回ごとに上書きされてしまうの?

A 「クリップボードの履歴」を保存することもできます。

通常のクリップボードはコピー／切り取りのたびに内容が更新され、最後にコピーした内容しか貼り付けることができません。ただし、「設定」画面で**クリップボードの履歴**をオンにすると、以前にコピーした内容を選択して貼り付けられます。頻繁に入力するテキストがある場合や、貼り付けたい内容が複数ある場合には便利です。

1 スタートメニューから［設定］⚙ をクリックし、「設定」画面で［システム］をクリックします。

2 ［クリップボード］をクリックし、

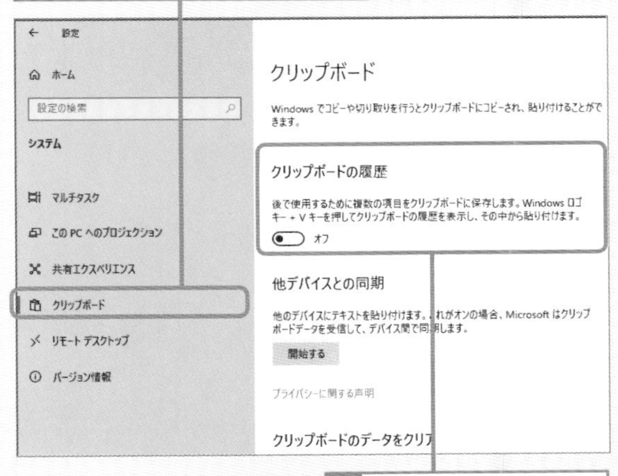

3 ［クリップボードの履歴］をオンにします。

おトクな情報 クリップボードの履歴を共有する

クリップボードの履歴は同じ Microsoft アカウントでサインインしているデバイス同士で共有することもできます。その場合は、クリップボードの設定画面で［他デバイスとの同期］の［開始する］をクリックします。共有の設定を有効にするには、本人確認のためにメールや SMS でセキュリティコードを受信して入力する必要があります。

Q198 お役立ち度 ★★★ スゴわざ 文字入力の便利技

「クリップボードの履歴」で文字を貼り付けるには?

A ⊞ + V キーを押します。

クリップボードの履歴には、Ctrl + C キーでコピーした内容や、Ctrl + X キーで切り取った内容が保存されます。履歴の一覧を表示するには ⊞ + V キーを押します。一覧の中から履歴を選んでクリックすると、その内容が貼り付けられます。

1 ⊞ + V キーを押すと、

2 クリップボードの履歴が表示されます。

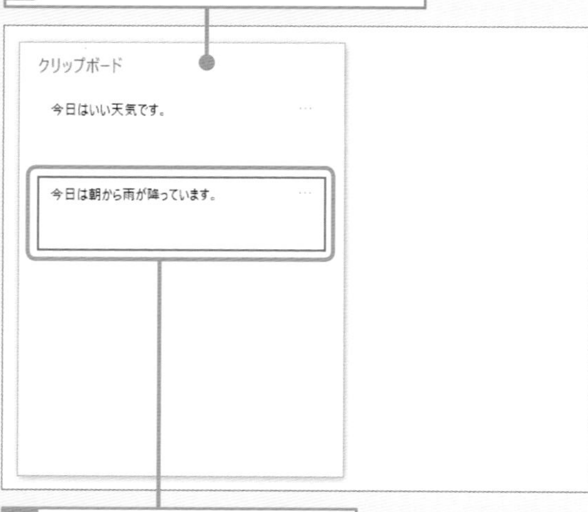

3 履歴から選んでクリックすると、

今日は朝から雨が降っています。

4 クリップボードの内容が貼り付けられます。

おトクな情報 タッチキーボードで履歴を表示する

タッチキーボードの場合は、キーボードの左上のアイコン 📋 をクリックすると、クリップボードの履歴が表示されます。

Q199 お役立ち度 ★★★ スゴわざ 文字入力の便利技

「クリップボードの履歴」を使いやすくするには?

A 履歴を削除したりピン留めしたりしましょう。

クリップボードの履歴は、一括で削除したり一覧の中から不要なものを個別に削除したりして必要なものだけを残しておけます。また、「ピン留め」した履歴はクリアしたりパソコンを再起動した後でも利用できます。

クリップボードの履歴を削除する

[…] をクリックして表示されるメニューの [すべてクリア] をクリックすると、クリップボードの履歴がすべて削除されます。

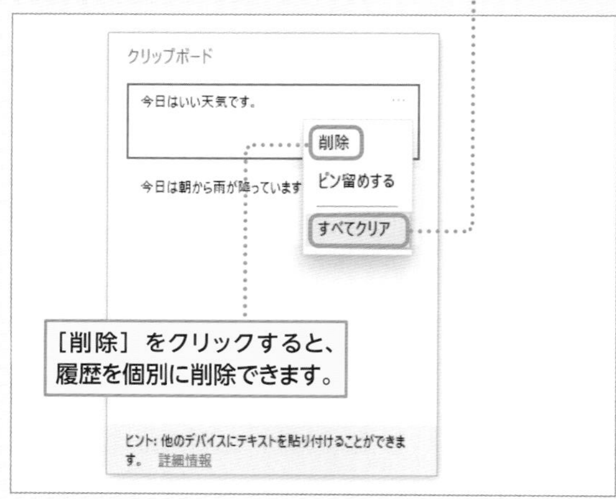

[削除] をクリックすると、履歴を個別に削除できます。

クリップボードの履歴をピン留めする

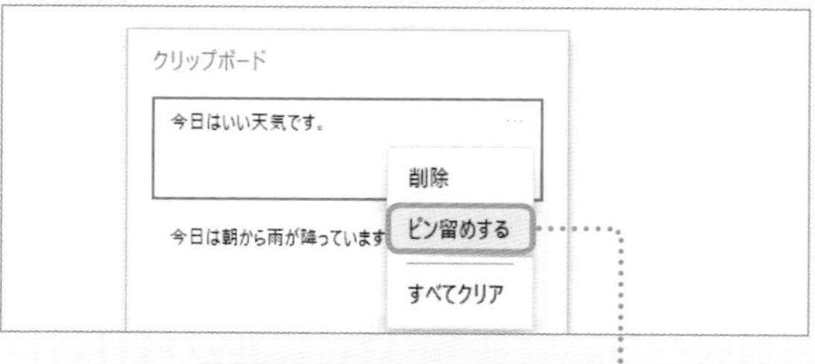

[ピン留めする] をクリックすると、パソコンを再起動した場合や [すべてクリア] を実行した場合でも、履歴が削除されません。

第5章

いろんな「アプリ」を楽しもう！

Windows 10には最初からたくさんの「アプリ」がインストールされています。中には、Windows 10に入っていることを知らず、宝の持ち腐れになっているものがあるかもしれません。この章では、「天気」「地図」「電卓」など、Windows 10にインストール済みアプリの便利な使い方を解説します。また、「Microsoft Store」アプリからゲームをダウンロードして、昔から人気のあるトランプゲームや麻雀ゲームを楽しみます。

アイコンの意味

- ぜひ習得したい基本ワザを示します。
- 時短に役立つ活用ワザを示します。
- 知っておきたい基礎知識を示します。
- スゴわざ 目からウロコのすごワザを示します。
- 基本を超えた上級ワザを示します。

Q200 お役立ち度 ★★★

最初から入っているアプリにはどんなものがあるの?

A 下の表のようなものがあります。

Windows 10には、「天気」「フォト」「カレンダー」など、最初からたくさんのアプリが入っており、無料で利用できます。アプリによってはMicrosoftアカウントが必要なものやインターネットに接続していないと使えないもの、アプリの中で課金が必要なものもあります。また、パソコンによってはメーカー独自のアプリがインストールされている場合もあります。代表的なアプリは以下のとおりです。

アイコン	アプリ名	内容
	3D ビューアー	3D 画像を表示します。
	Microsoft Edge	Web ページを表示するブラウザーです。
	カレンダー	予定の管理を行います。
	メール	電子メールを送受信できます。
	カメラ	パソコンに接続したカメラを使って写真を撮影します。
	天気	天気予報を表示します。
	映画＆テレビ	映画などをレンタル・購入できます。
	Microsoft Solitaire Collection	5 種類のトランプゲームが含まれています。
	フォト	写真を取り込んだり編集したりできます。
	付箋	デスクトップにメモを貼り付けて使います。

アイコン	アプリ名	内容
	Microsoft Store	アプリをダウンロードします。
	マップ	地図を表示します。
	電卓	計算用のアプリです。
	ビデオエディター	「フォト」アプリの機能のひとつで、写真や動画をつないで動画を作ります。
	スマホ同期	スマホの写真や SMS をパソコンから利用できます。
	Skype	ビデオ通話や音声通話などが行えます。
	Groove ミュージック	パソコンに保存されている音楽を再生します。
	アラーム＆クロック	アラーム、クロック、タイマー、ストップウォッチの 4 つの機能があります。
	ペイント 3D	3D の立体的な絵を描けます。
	ボイスレコーダー	マイクを使って、音声を録音します。

本書では 2020 年 8 月 7 日時点の情報をもとに、インストールされているアプリの一例を示しています。お使いのパソコンによっては、本章で解説するアプリがインストールされていなかったり、スタートメニューに登録されていない可能性があります。その場合は、アプリを Microsoft Store からダウンロードできます。なお、アプリの名称が変更されることもありますので、アイコンの見た目も参考にしてください。

アプリは後から追加できるの?

A 「Microsoft Store」アプリから追加できます。

Windows 10に後からアプリを追加するには、「**Microsoft Store**」アプリから目的のアプリをインストールします。アプリには無料のものから有料のものまであるので、しっかり確認してから操作しましょう。また、Microsoft Storeのものだけでなく従来のWindows同様、パッケージで購入したアプリをインストールすることも可能です。

1 Microsoft アカウントでサインインした状態で、

2 スタートメニューから[Microsoft Store]をクリックします。

3 追加したいアプリを探してクリックすると、

4 アプリの説明画面が表示されます。

5 [入手]をクリックすると、

6 ダウンロードが始まります。

7 ダウンロード終了後、追加したアプリの名前がスタートメニューに表示されます。

目的のアプリを探すには?

A デスクトップの検索ボックスにアプリ名を入力します。

インストール済みのアプリがスタートメニューで見つけられないときは、**検索ボックス**を使ってアプリを探しましょう。検索ボックスにアプリの名前を入力すると、検索結果の一覧から目的のアプリが起動できます。
まだインストールされていないアプリも検索できます。その場合は検索結果をクリックしてMicrosoft Storeに移動してからインストールします。
なお、アプリの名前がわからないときには、Q203のように「Microsoft Store」アプリのカテゴリから探す方法が便利です。

インストール済みのアプリを探す

1 検索ボックスをクリックして［アプリ］をクリックします。

2 アプリ名を入力し、

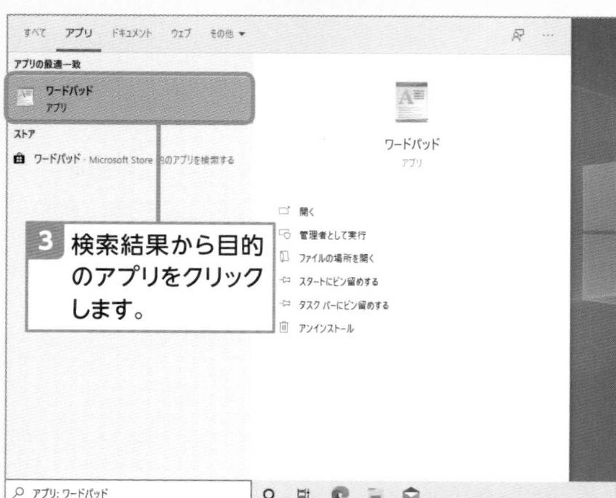

3 検索結果から目的のアプリをクリックします。

インストールされていないアプリを探す

1 検索ボックスをクリックして、［アプリ］をクリックします。

2 検索ボックスにアプリの名前を入力し、

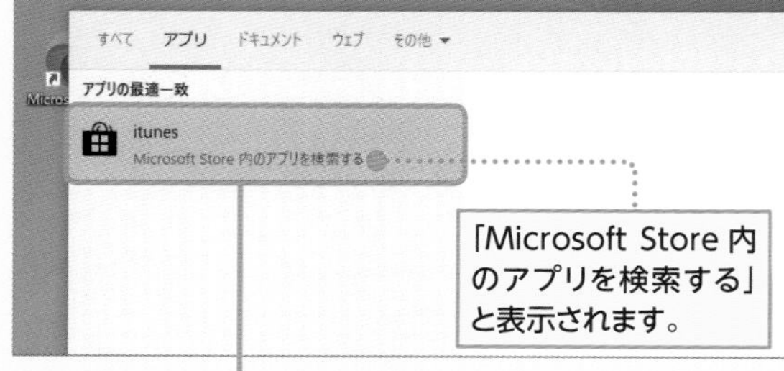

「Microsoft Store 内のアプリを検索する」と表示されます。

3 検索結果をクリックすると、

4 Microsoft Store アプリが起動します。

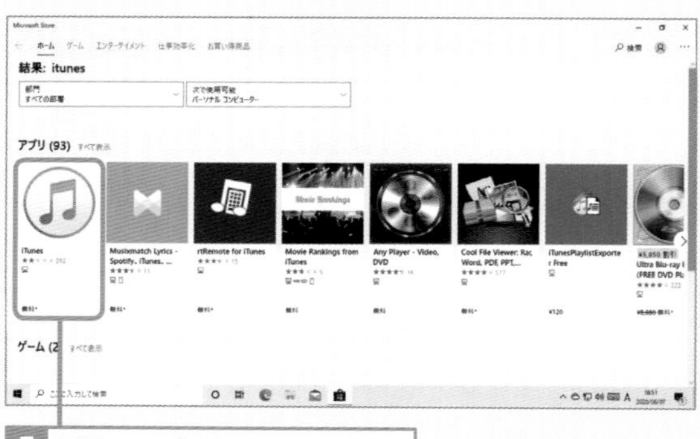

5 目的のアプリをクリックします。

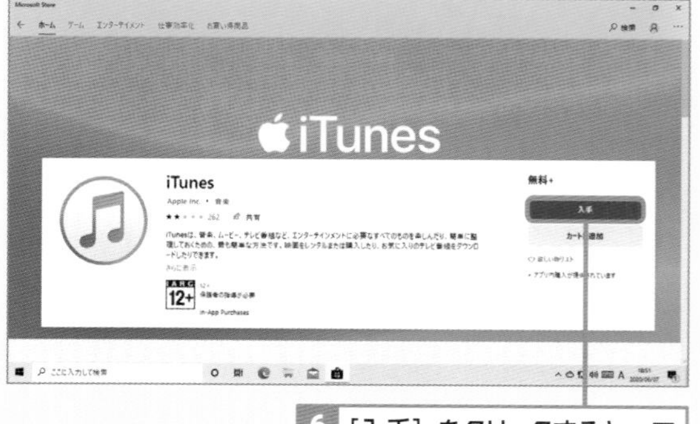

6 ［入手］をクリックすると、アプリがインストールされます。

Q203 お役立ち度 ★★★ アプリの基本

「Microsoft Store」アプリで目的のアプリを探すには?

A 検索ボックスにキーワードを入力して探します。

「Microsoft Store」アプリで目的のアプリを探す方法は2つです。1つは、画面上部に表示される「ホーム」「ゲーム」「エンターテイメント」などのカテゴリから探す方法です。もう1つは、検索ボックスにキーワードを入力して探す方法です。

カテゴリから探す

1 カテゴリをクリックして、アプリを探します。

キーワードで探す

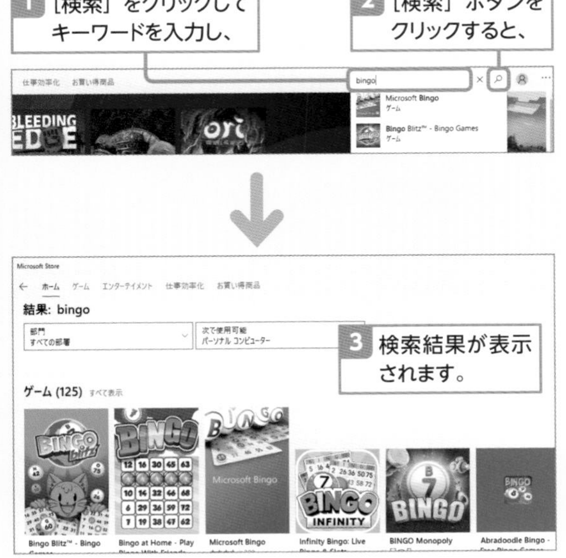
1 [検索] をクリックしてキーワードを入力し、
2 [検索] ボタンをクリックすると、
3 検索結果が表示されます。

Q204 お役立ち度 ★★★ アプリの基本

有料のアプリの代金はどうやって支払うの?

A プリペイドカードやクレジットカードなどを使用できます。

「Microsoft Store」アプリから有料のアプリを購入するには、家電量販店などで販売されているWindowsストアプリペイドカード(もしくはMicrosoftプリペイドカード)を購入して料金をチャージする方法と、クレジットカードを使用する方法があります。クレジットカードを使う場合は、事前に支払い方法を登録しておきます。

1 Microsoft アカウントでサインインした状態で、
2 Microsoft Store アプリを起動し、ここをクリックして、
3 [お支払い方法] をクリックします。

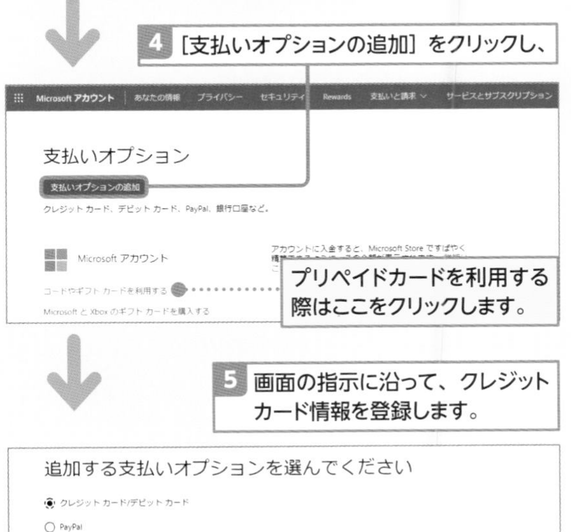
4 [支払いオプションの追加] をクリックし、
支払いオプション
プリペイドカードを利用する際はここをクリックします。
5 画面の指示に沿って、クレジットカード情報を登録します。
追加する支払いオプションを選んでください

Q205 お役立ち度 ★★★ アプリの基本

追加したアプリを削除するには?

A スタートメニューからアンインストールします。

「Microsoft Store」アプリで追加したアプリを削除するには、スタートメニューで削除したいアプリを右クリックして［アンインストール］を実行します。なお、Edgeなど削除できないアプリもあります。

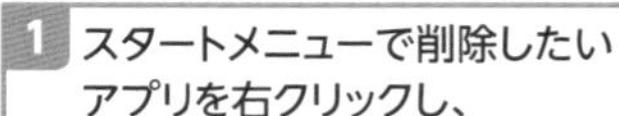

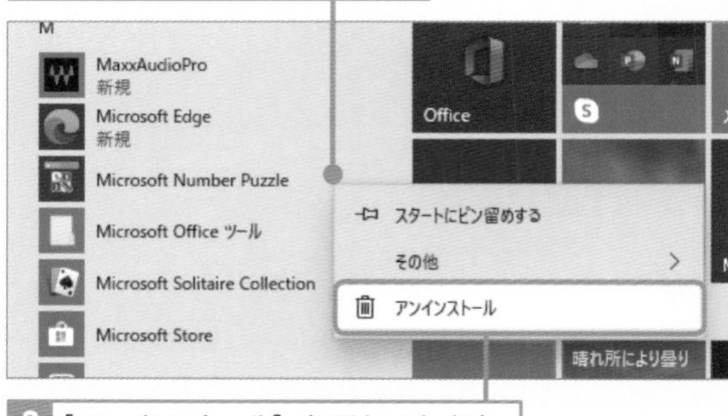

Q206 お役立ち度 ★★★ アプリの基本

アプリを最新の状態にするには?

A 自動的に更新されます。

「Microsoft Store」アプリから追加したアプリに新しい機能が追加されたり、なんらかのトラブルを回避するような修正プログラムが追加されたりすると、自動的に更新プログラムがダウンロードされます。自動更新がオンになっているかどうかは以下の手順で確認できます。

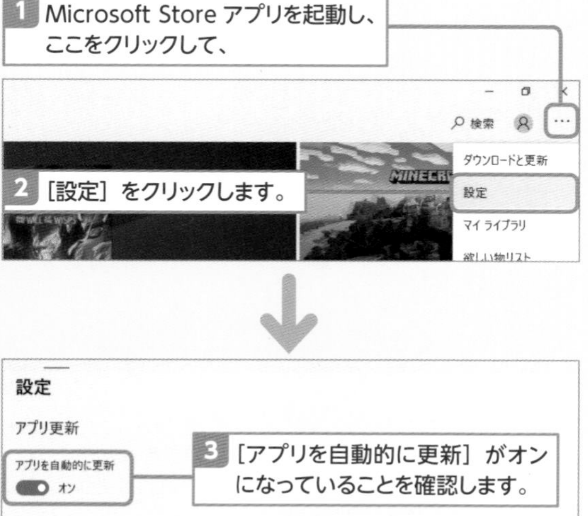

Q207 お役立ち度 ★★★ アプリの基本

追加したアプリの一覧を見たい!

A 「マイライブラリ」に表示されます。

追加したアプリの一覧を確認するには、以下の手順で「マイライブラリ」画面を開きます。

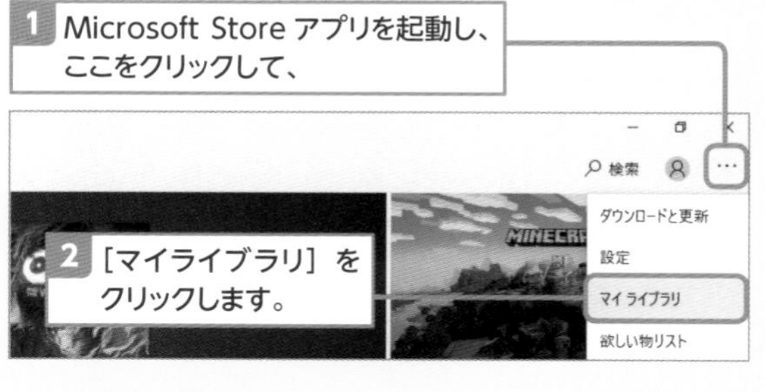

デスクトップアプリとストアアプリは何が違うの?

A デスクトップアプリはパソコンだけで使います。

Windows 10で利用できるアプリには、デスクトップアプリとストアアプリの2種類があります。

デスクトップアプリ

デスクトップアプリは従来の「ソフト」に該当するもので、パソコンで利用します。パッケージソフトとして購入したり、開発元からダウンロードしたりして入手できます。有料や無料のデスクトップアプリがたくさんありますが、一般的にストアアプリよりも高性能であることが多いです。

ストアアプリ

ストアアプリは、Windows 8から登場したアプリで、パソコン、スマホ、タブレット端末などで利用できます。ストアアプリは、Q201で解説したように「Microsoft Store」アプリからダウンロードして利用します。有料や無料のストアアプリが公開されており、ボタンをクリックするだけで簡単にインストールできます。

「Microsoft Store」アプリからダウンロードできるのがストアアプリ

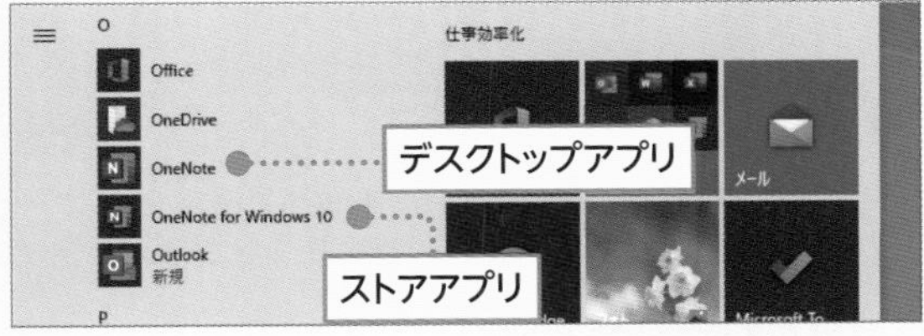

同じアプリでも、デスクトップアプリ版とストアアプリ版があります。

インストールされているデスクトップアプリを確認するには?

A コントロールパネルの「プログラムと機能」で確認できます。

パソコンにインストールされているデスクトップアプリは、「コントロールパネル」の「プログラムと機能」で確認できます。デスクトップアプリをインストールした日付を確認したり、不要なデスクトップアプリをアンインストールしたりすることもできます。

1 Q450の操作で「コントロールパネル」を表示します。

2 [プログラム]をクリックし、

3 [プログラムと機能]をクリックすると、

4 デスクトップアプリの一覧が表示されます。

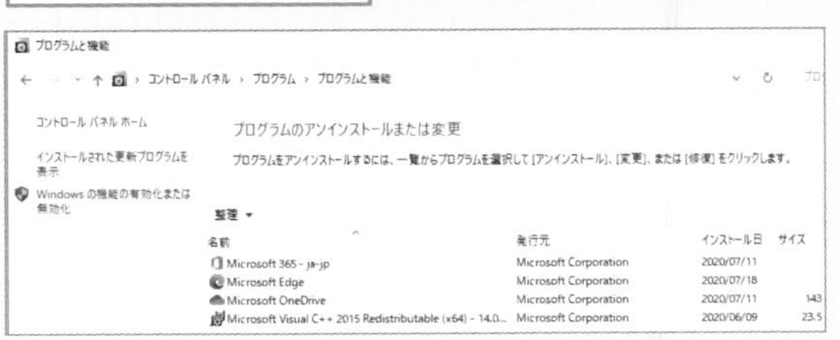

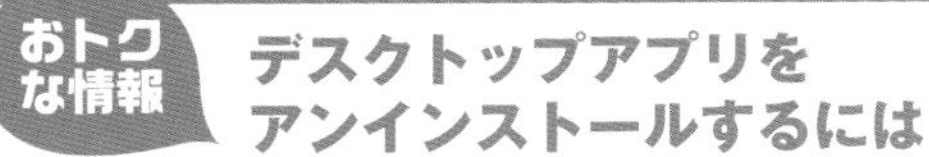

おトクな情報 デスクトップアプリをアンインストールするには

削除したいアプリをクリックし、[アンインストール]をクリックすると、指定したアプリをパソコンからアンインストールできます。

Q210 お役立ち度 ★★★ 身の回りの情報整理アプリ

メモを残すにはどんな方法があるの?

A 付箋や OneNote アプリなどを使用します。

覚書程度のちょっとしたメモを残すには、「**付箋**」機能を使うと便利です。紙の付箋紙を貼るようにデスクトップに付箋を追加したり、はがしたりして手軽に利用できます。また、外出先でもメモを確認したいときは、「**OneNote for Windows 10**」アプリを使うとよいでしょう。メモがOneDriveに保存されるため、外出先からでも閲覧できます。さらに、「**Windows Inkワークスペース**」の「**Whiteboard**」機能を使うと、ペンやマウスドラッグで手書きをして、手軽にメモを残すことができます。

関連 Q211 付箋アプリ
関連 Q213 OneNote アプリ
関連 Q214 Windows Ink ワークスペース

「付箋」アプリを使う

「付箋」アプリを使うと、付箋を使って簡単にメモを残せます。

「OneNote for Windows 10」アプリを使う

OneNote アプリを使うと、OneDrive に保存されたノートを外出先からも閲覧できます。

Windows Ink ワークスペースを使う

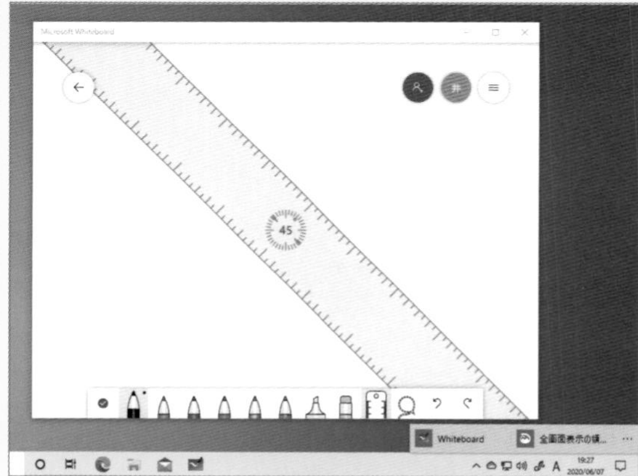

Windows Ink ワークスペースを使うと、「Whiteboard」「切り取り&スケッチ」の機能が使えます。

おトクな情報 OneNote のデスクトップアプリ版

「OneNote for Windows 10」アプリのデスクトップアプリ版の「OneNote」もあります。デスクトップアプリ版はストアアプリの「OneNote for Windows 10」よりも機能が充実しています。

付箋のメモを残すには?

A 「付箋」アプリを使用します。

「**付箋**」アプリを起動すると、デスクトップ画面に付箋を貼るようにメモを残すことができます。付箋のメモの色を変更して、内容によって色分けして整理するとよいでしょう。

1 スタートメニューから［付箋］をクリックします。

初回起動時には付箋を Microsoft アカウントで同期するかどうかを選択します。

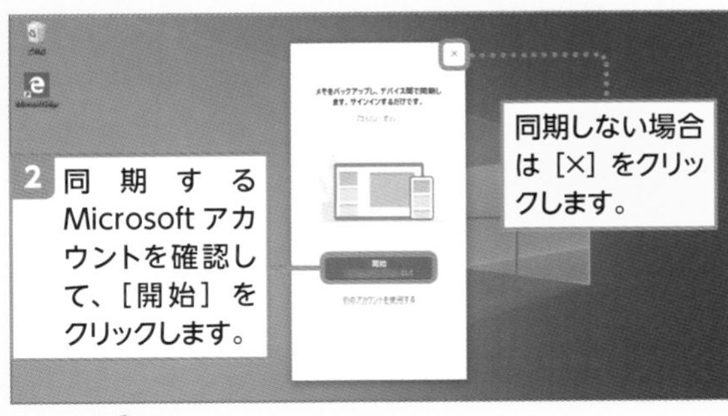

3 付箋が表示されたら、メモを入力します。

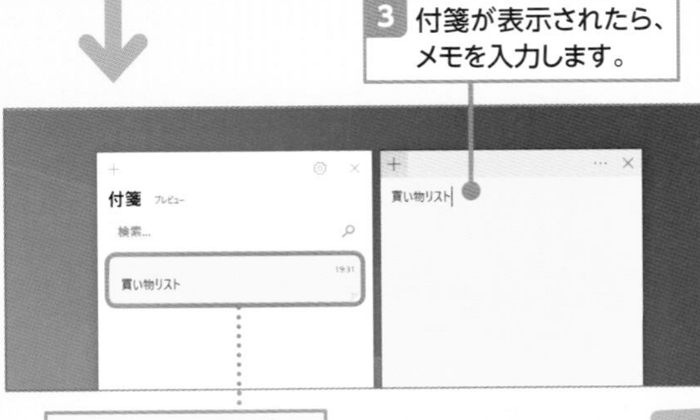

入力したメモは付箋の一覧に表示されます。

4 ［+］ボタンをクリックすると、

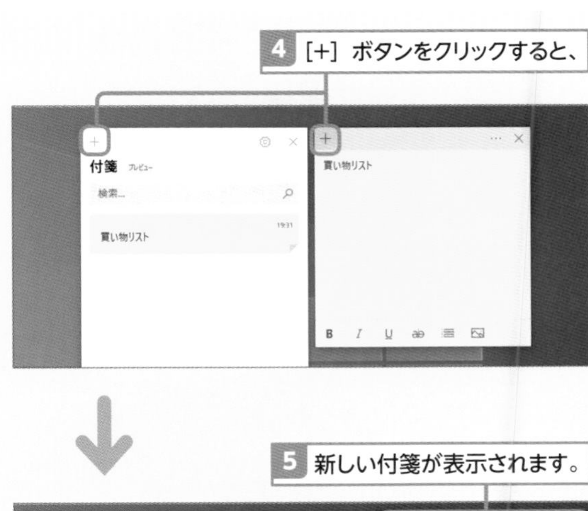

5 新しい付箋が表示されます。

6 ［…］ボタンをクリックし、

7 付箋の色をクリックすると、

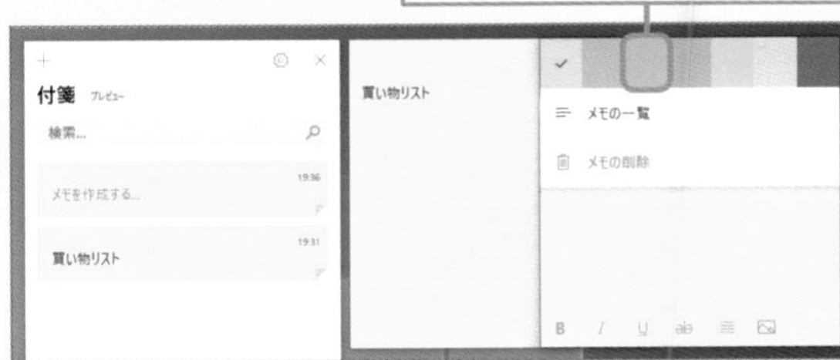

付箋の上部をドラッグすると移動できます。

8 付箋の色が変わります。

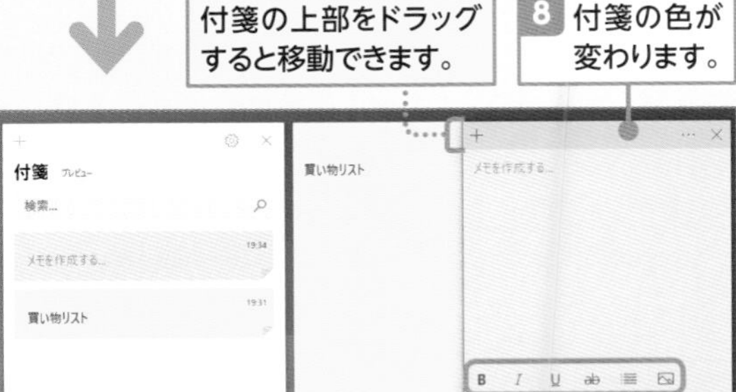

太字、斜体、下線、取り消し線と、行頭文字（・）で装飾できます。

付箋は削除しないかぎり、パソコンを終了しても保持され、再度起動すると表示されます。

Q 212

お役立ち度 ★★★ スゴわざ

身の回りの情報整理アプリ

付箋のメモの一覧はどうやって使うの?

A メモの削除や再表示など、メモ全体を管理できます。

作成した付箋のメモは「**メモの一覧**」で、まとめて表示することができます。「メモの一覧」で対象となるメモを選んで削除したり、再表示したりできます。

メモの一覧を表示する

1 「メモの一覧」が表示されていない場合は、[…](メニュー)をクリックし、

2 [メモの一覧] をクリックします。

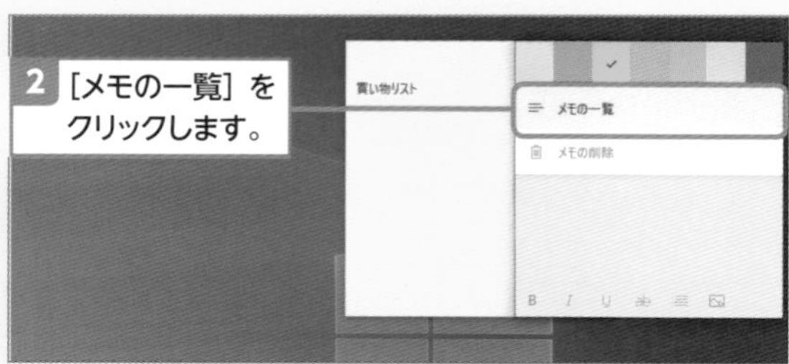

3 「メモの一覧」が表示されます。

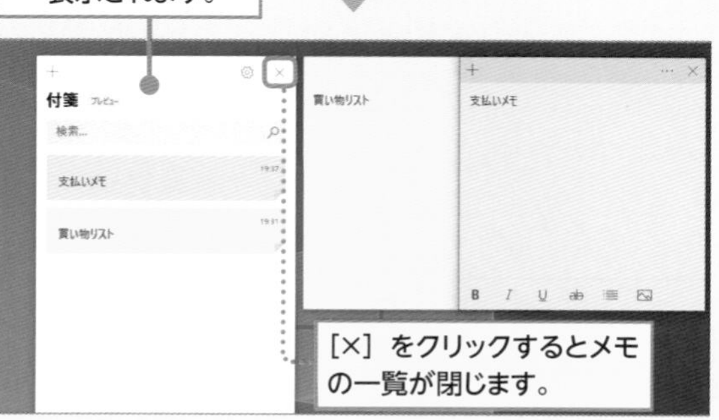

[×] をクリックするとメモの一覧が閉じます。

メモを削除する

1 メモの一覧で […] をクリックし、

削除せずに閉じる場合は[×]をクリックします。

2 [メモの削除] をクリックします。

閉じたメモを再度表示する

1 閉じているメモをダブルクリックすると、

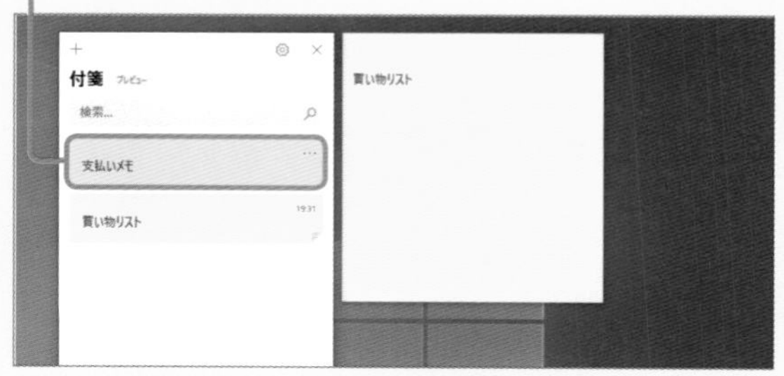

2 メモが表示されます。

OneNote アプリでメモを整理するには?

A OneNote のノートブックを使います。

「OneNote for Windows 10」や「OneNote」アプリを使うと、「ノートブック」と呼ばれる画面に自由にメモを入力できます。文字だけでなく、デザインのアイデアや地図などをドラッグして描いたり、写真などの画像を貼り付けたりしておくこともできます。ノートブックの内容はWeb上の保存場所であるOneDriveに自動的に保存されるので、外出先でスマートフォンなどからも閲覧できます。OneDriveについてはQ137～Q154を参照してください。なお、スタートメニューに「OneNote for Windows 10」が表示されない場合は、Q201の操作で「Microsoft Store」から「OneNote for Windows 10」アプリをダウンロードします。

OneNote for Windows 10 アプリの起動

1 スタートメニューから［OneNote for Windows 10］をクリックします。

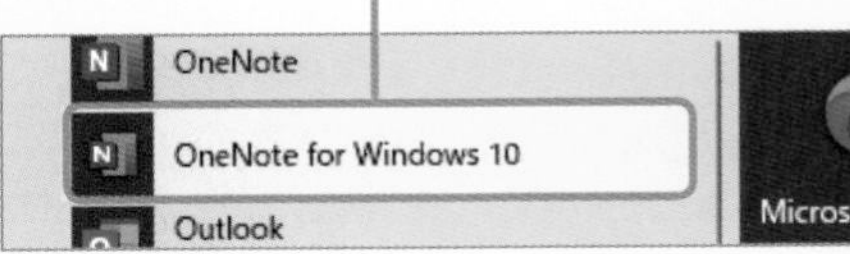

2 サインイン画面が表示されたら、Microsoft アカウントでサインインします。

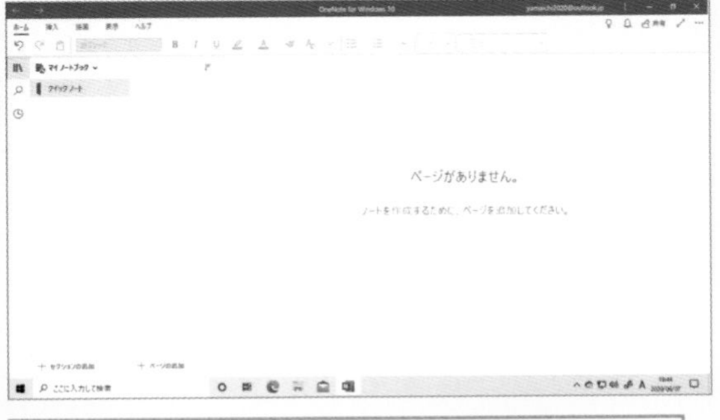

3 OneNote for Windows 10 アプリが起動します。

メモを書く

1 ページ上部をクリックすると見出しを入力できます。

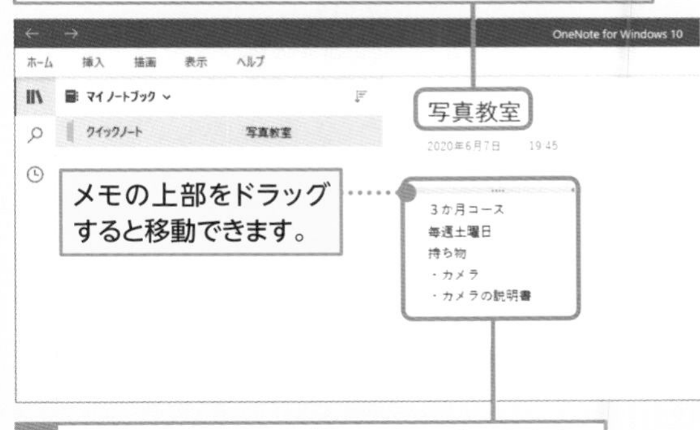

2 ページ内をクリックするとメモを入力できます。

3［描画］タブをクリックし、

4 ペンの種類をクリックして、

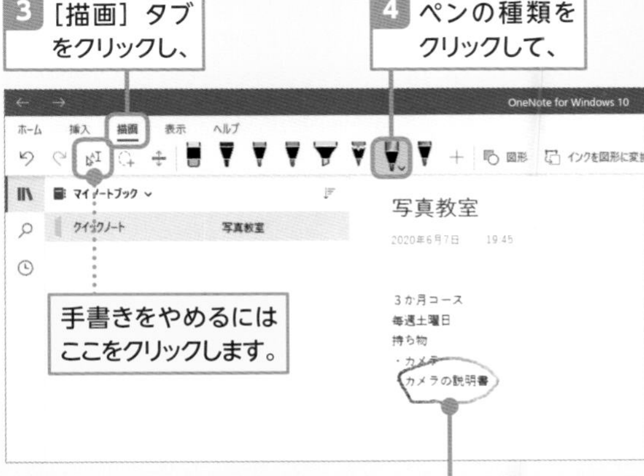

5 ドラッグすると手書きメモを追加できます。

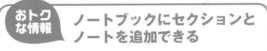

タッチパネル対応のパソコンでは、手順 5 の前に［+］（ペンの追加）の右にある［マウスまたはタッチで描画］をクリックします。

入力した内容は自動的に保存されます。

おトクな情報 ノートブックにセクションとノートを追加できる

OneNote では、Microsoft アカウントごとに 1 つの「ノートブック」が用意されます。画面左下の［+セクションの追加］［+ページの追加］をクリックすると、ノートブックの中に複数のセクションを作成し、セクションごとに複数のページが作成できます。

Q214 お役立ち度 ★★★ スゴわざ 身の回りの情報整理アプリ

手書きメモやスケッチを簡単に始めたい！

A 「Windows Ink ワークスペース」を使用します。

「**Windows Inkワークスペース**」には「Whiteboard」「切り取り＆スケッチ」の機能が用意されており、思いついたときにすぐにメモを残せます。タッチ操作やデジタルペンに対応したパソコンでは、指先でなぞってメモを残せます。もちろん、マウスで文字や絵を描くこともできます。いったん［Windows Inkワークスペース］ボタンを表示すると、常にタスクバーから利用できるようになります。

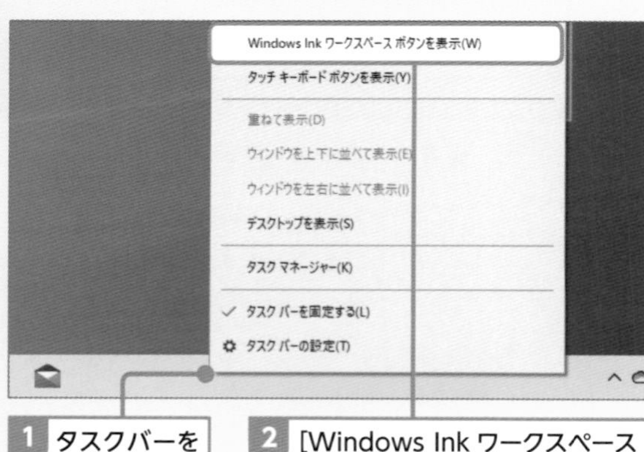

1 タスクバーを右クリックし、

2 ［Windows Ink ワークスペースボタンを表示］をクリックします。

3 通知領域の［Windows Ink ワークスペース］ボタンをクリックすると、

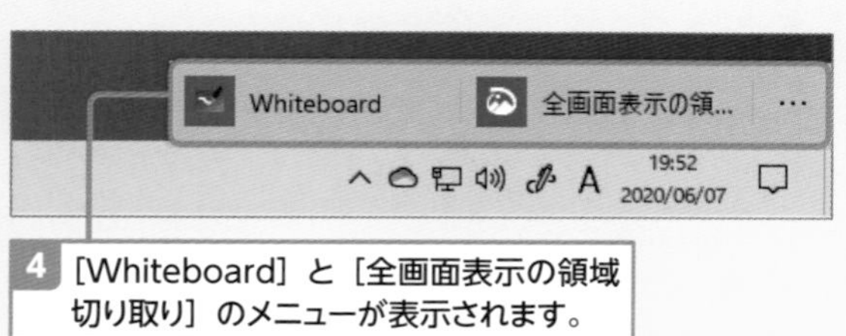

4 ［Whiteboard］と［全画面表示の領域切り取り］のメニューが表示されます。

Q215 お役立ち度 ★★★ スゴわざ 身の回りの情報整理アプリ

手描きのスケッチをするには？

A Windows Ink ワークスペースの「Whiteboard」機能を使います。

「Windows Inkワークスペース」の「**Whiteboard**」を使うと、用意されたホワイトボードに自由に絵を描けます。思いついたアイデアやデザインをメモとして残すときに便利です。
なお、「Whiteboard」を初めて使うときは、クリックしたときに自動的にインストールが実行されます。もしインストールされない場合は、Q201の操作で「Microsoft Store」アプリから「Microsoft Whiteboard」アプリをダウンロードします。

関連 Q214 Windows Ink ワークスペース

1 通知領域の［Windows Ink ワークスペース］ボタンをクリックし、

2 ［Whiteboard］をクリックして、

3 Microsoft アカウントでサインインすると、

4 Whiteboard が表示されます。

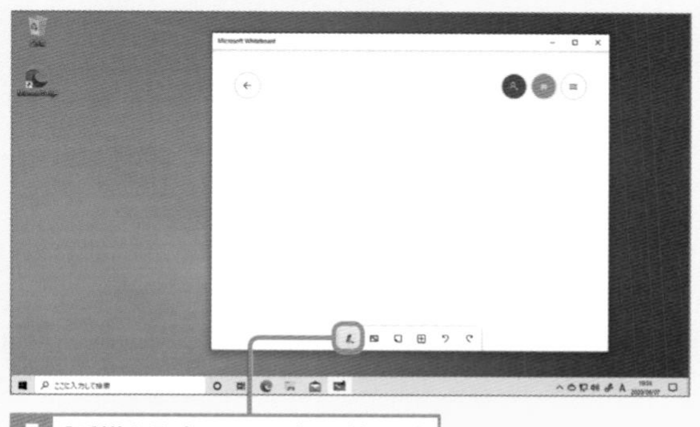

5 ［手描き入力モードに切り替える］をクリックします。

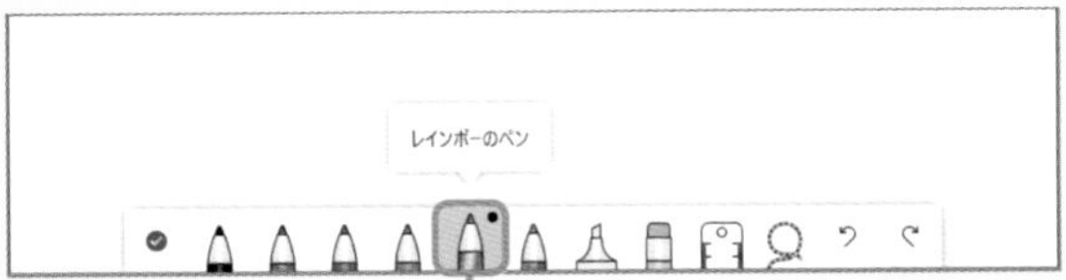

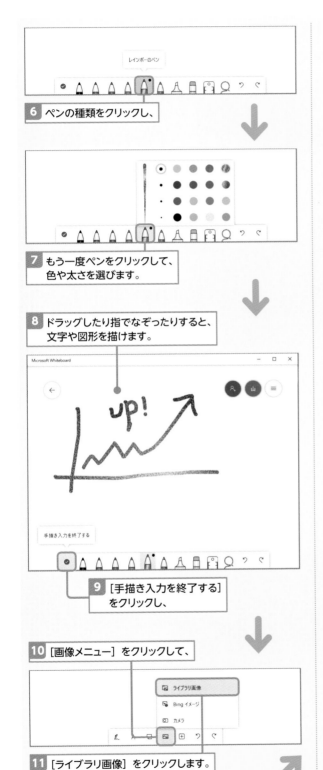

6 ペンの種類をクリックし、

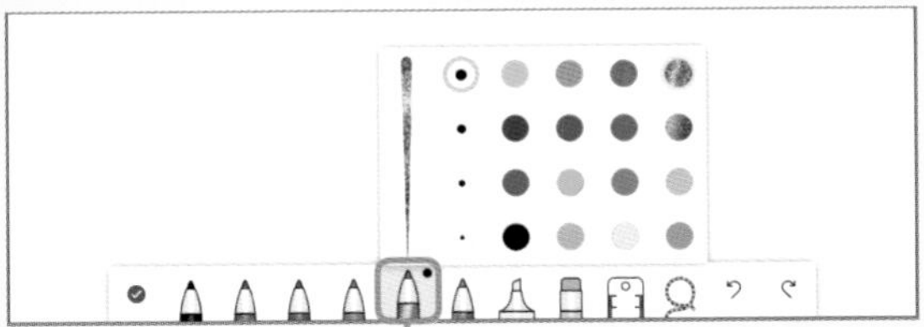

7 もう一度ペンをクリックして、色や太さを選びます。

8 ドラッグしたり指でなぞったりすると、文字や図形を描けます。

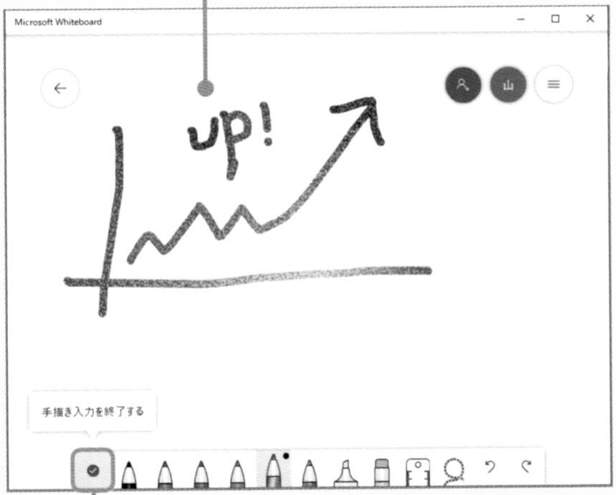

9 ［手描き入力を終了する］をクリックし、

10 ［画像メニュー］をクリックして、

11 ［ライブラリ画像］をクリックします。

12 画像のファイルを指定して、

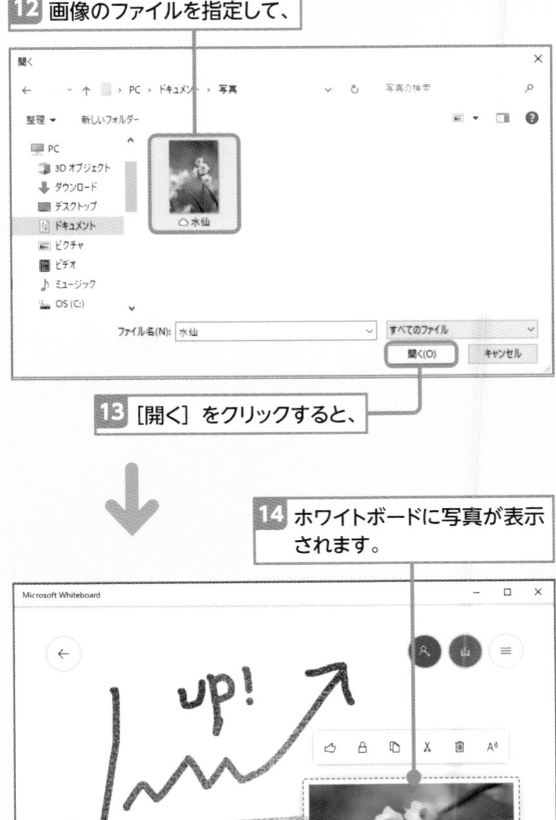

13 ［開く］をクリックすると、

14 ホワイトボードに写真が表示されます。

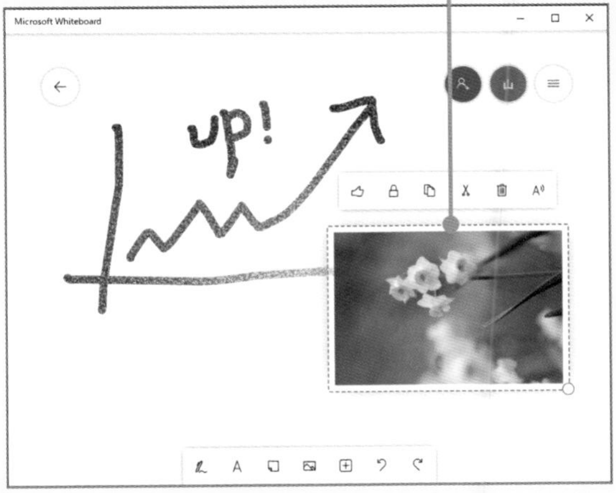

おトクな情報 指でなぞって描けない場合は？

タッチパネル対応ディスプレイで、指でなぞったときに用紙が移動してしまう場合は、右上の［設定メニュー］をクリックし、「アクティブなペン」をオフにします。

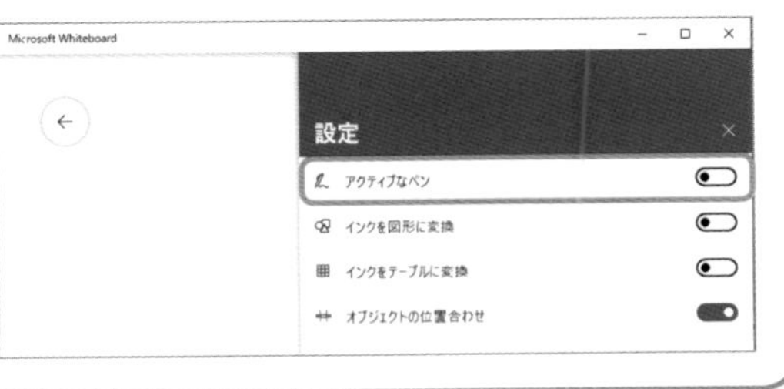

Q216 お役立ち度 ★★★ スゴわざ 身の回りの情報整理アプリ

画面のスクリーンショットにメモを残すには？

A Windows Ink ワークスペースの「全画面表示の領域切り取り」機能を使います。

「Windows Inkワークスペース」の「**全画面表示の領域切り取り**」を使うと、パソコン画面をカメラで撮影するようにスクリーンショットを撮り、その画面に手書きのメモを追加できます。撮影できるのは、直前に表示していた画面です。 関連 Q214 Windows Ink ワークスペース

1 スクリーンショットを撮りたい画面を表示し、

2 Q214 の操作で Windows Ink ワークスペースを表示し、［全画面表示の領域切り取り］をクリックすると、

3 パソコン画面のスクリーンショットが表示されます。

4 ［ボールペン］ ボタンをクリックし、

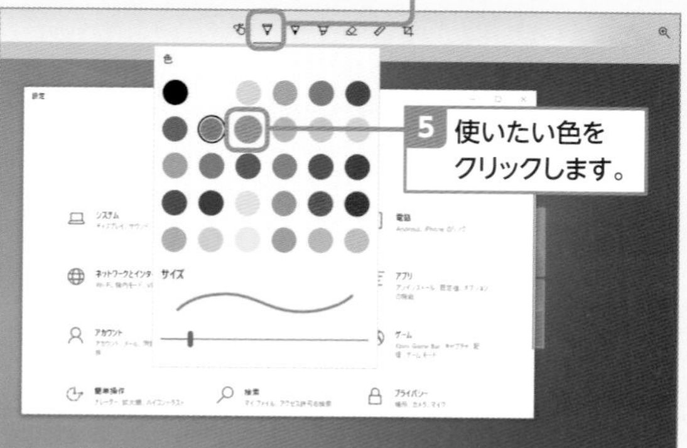

5 使いたい色をクリックします。

6 もう一度［ボールペン］ボタンをクリックし、

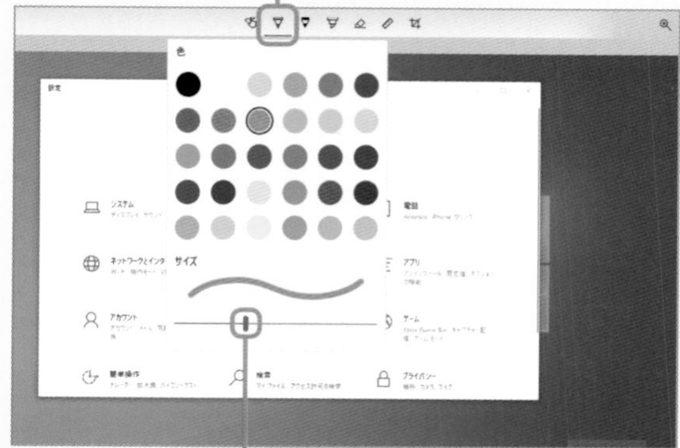

7 サイズのつまみをドラッグして太さを変更します。

8 画面上をドラッグすると、指定した色とサイズでメモを残せます。

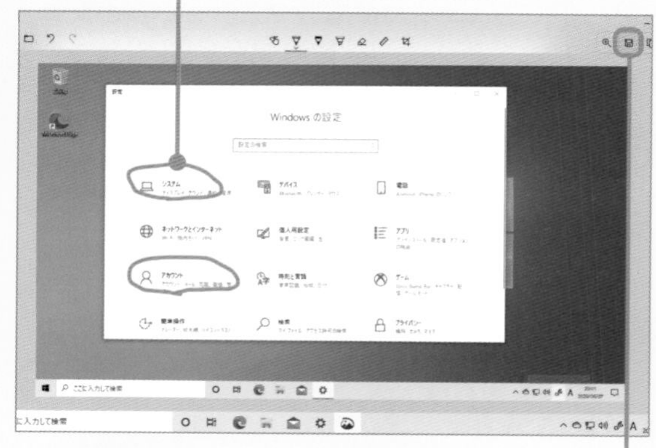

9 ［名前を付けて保存］ボタンをクリックして、保存します。

おトクな情報 「切り取り＆スケッチ」のツールバー

Windows Ink ワークスペースの「切り取り&スケッチ」の上部のツールバーには［ボールペン］❶［鉛筆］❷［蛍光ペン］❸［消しゴム］❹［定規］❺［画像のトリミング］❻などの機能が用意されています。

予定を管理するアプリには どんなものがあるの?

A 「カレンダー」アプリを使いましょう。

Windows 10の「**カレンダー**」アプリを使うと、カレンダーに予定を書くような感覚で予定を追加できます。Microsoftアカウントにサインインした状態でカレンダーアプリに追加した予定は、Outlook.comのカレンダーにも自動的に表示されます。その反対にOutlook.comのカレンダーで予定を追加･修正すると、カレンダーアプリにも変更が反映されます。 関連 Q137 OneDrive

カレンダーアプリの起動

1 スタートメニューの［カレンダー］をクリックすると、

2 カレンダーアプリが表示されます。

Outlook.com のカレンダーを見る

1 ブラウザーでOneDriveのWebページを表示して、

2 このボタンをクリックし、

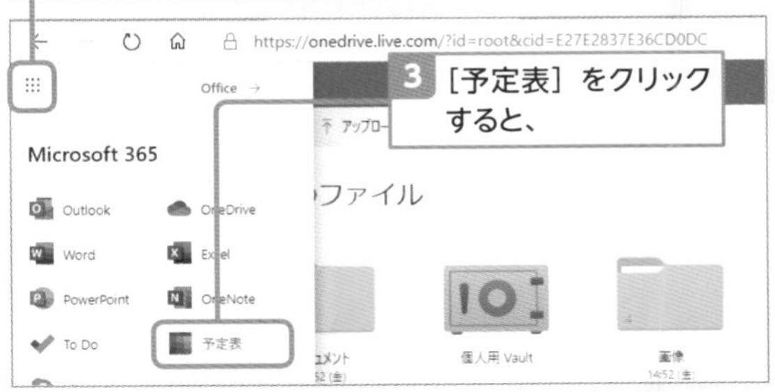

3 ［予定表］をクリックすると、

4 Outlook.com のカレンダーが表示されます。

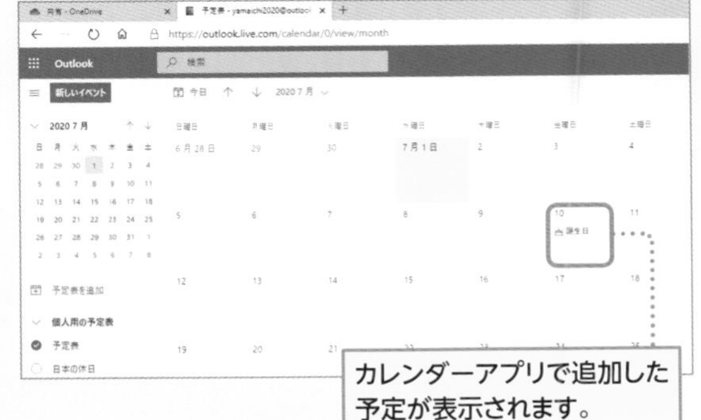

カレンダーアプリで追加した予定が表示されます。

おトクな情報 Google や iCloud のカレンダーと同期する

Microsoft アカウントでサインインした状態でカレンダーアプリを起動すると、自動的に Outlook.com のカレンダーと同期されます。Outlook.com 以外のカレンダーと同期するには、カレンダーアプリの画面左下の ⚙ ボタンをクリックし、［アカウントの管理］→［アカウントの追加］をクリックして、関連付けるアプリを指定します。

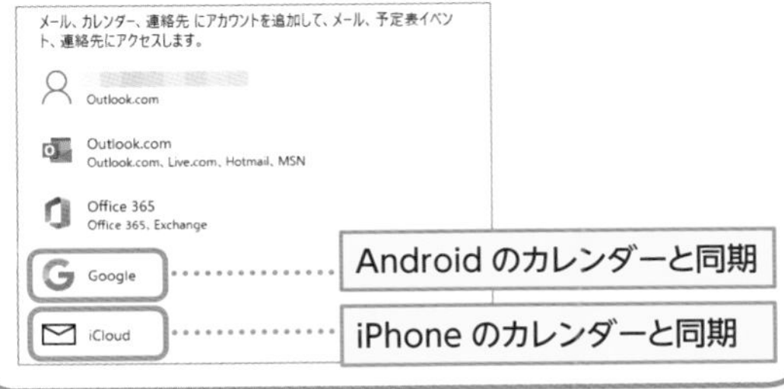

Android のカレンダーと同期

iPhone のカレンダーと同期

Q218 お役立ち度 ★★★ 予定管理のアプリ

カレンダーアプリの画面について教えて！

A カレンダーの表示の切り替え方法を覚えましょう。

カレンダーアプリは、スタートメニューの［カレンダー］をクリックして起動します。カレンダーアプリを起動すると、最初は月単位で表示されますが、週単位や年単位の表示に切り替えることができます。各部の名称と役割は以下のとおりです。

［新しいイベント］
予定を入力するときにクリックします。

［今日］［日］［週］［月］［年］
カレンダーの表示単位を切り替えます。

［…］（表示）
カレンダーの印刷や同期を行います。

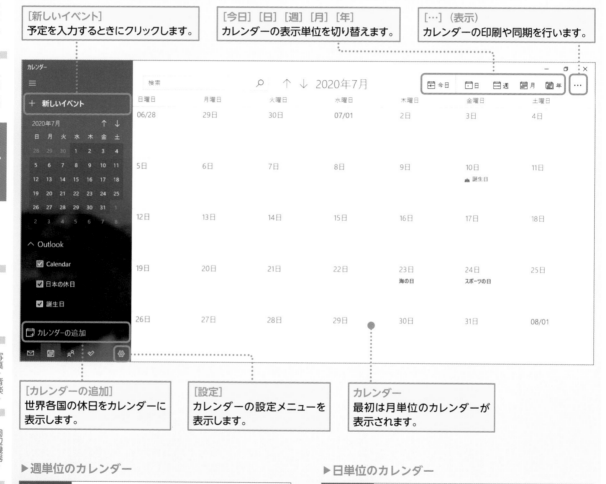

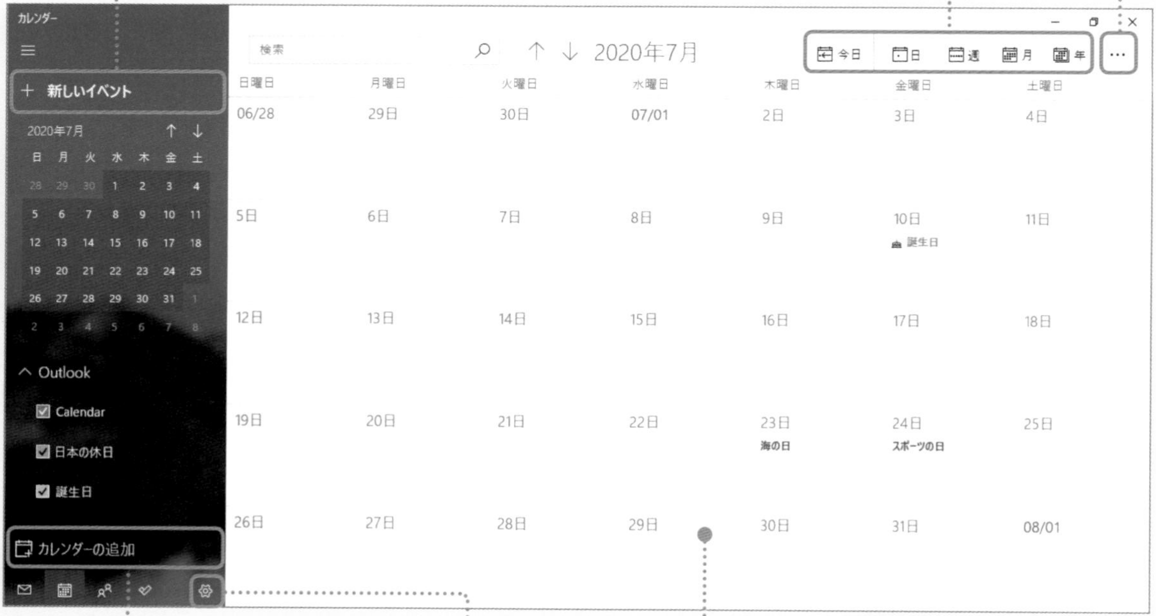

［カレンダーの追加］
世界各国の休日をカレンダーに表示します。

［設定］
カレンダーの設定メニューを表示します。

カレンダー
最初は月単位のカレンダーが表示されます。

▶週単位のカレンダー

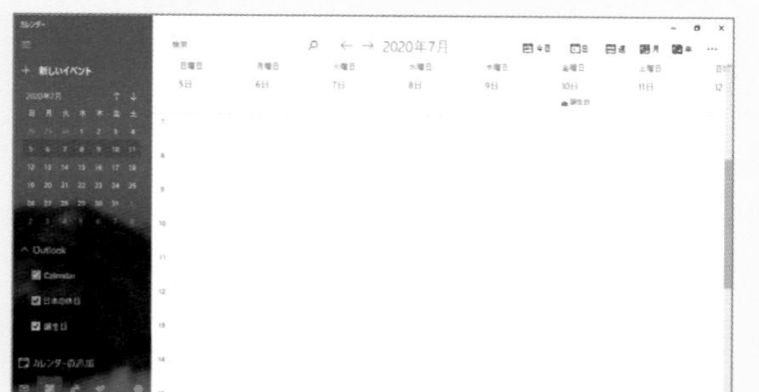

▶日単位のカレンダー

Q219 お役立ち度 ★★★ 予定管理のアプリ

カレンダーアプリに予定を追加するには?

A [新しいイベント] をクリックします。

カレンダーアプリでは、予定のことを「イベント」といいます。カレンダーに予定を追加するには、[新しいイベント] をクリックして内容や日時、場所などを入力します。あるいは、予定を入れたい日を直接クリックしてもかまいません。

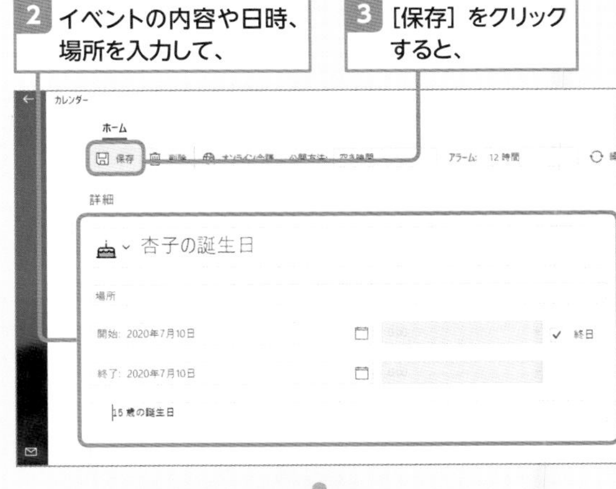

Q220 お役立ち度 ★★★ スゴわざ 予定管理のアプリ

定期的に繰り返す予定を追加するには?

A [繰り返し] をクリックします。

毎月第1月曜日の定例会議、毎週木曜日の習い事など、定期的に繰り返される予定は1つずつ入力する必要はありません。繰り返しの設定を行うと、期間や曜日などを指定して、カレンダーに予定を自動表示できます。

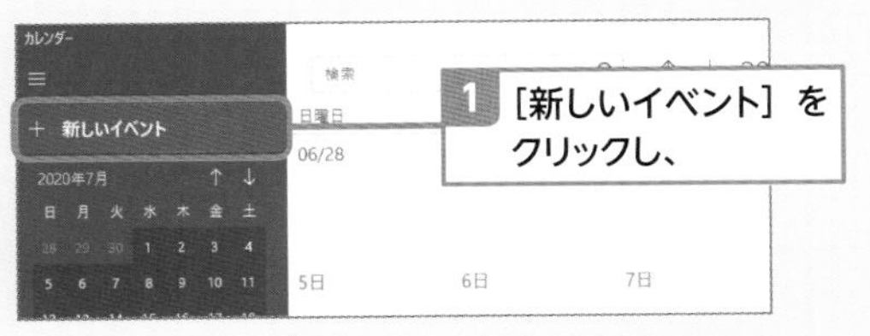

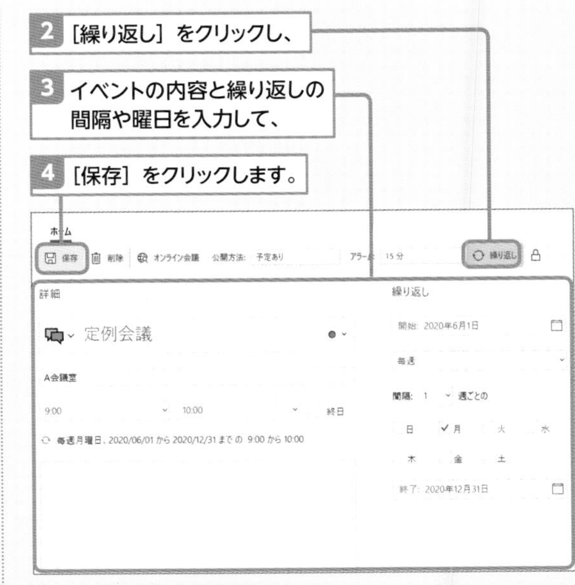

Q221 お役立ち度 ★★★ スゴわざ 予定管理のアプリ

予定が通知されるようにするには?

A 「アラーム」を設定します。

予定の日時が近づいたときに「○時に○○の予定がありますよ」とメッセージが表示されたら、うっかり忘れるミスを防げます。カレンダーの「**アラーム**」を設定すると、予定のどれだけ前に通知するかを指定できます。

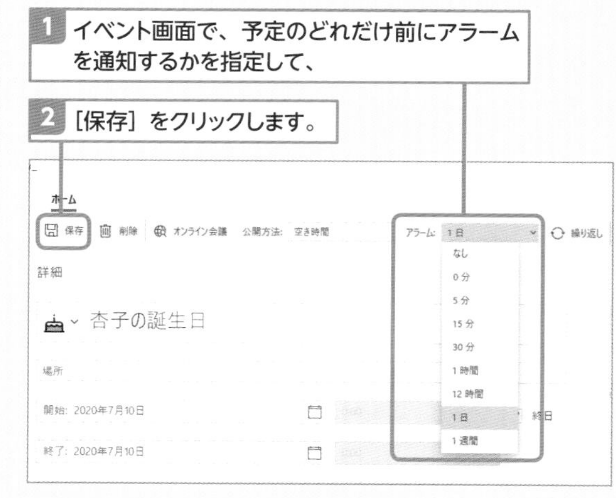

Q222 お役立ち度 ★★★ 予定管理のアプリ

予定を編集するには?

A 予定をクリックすると、入力済みの予定が開きます。

カレンダーに入力した予定を後から編集するには、編集したい予定のある日をクリックして入力済みのイベント画面を開きます。

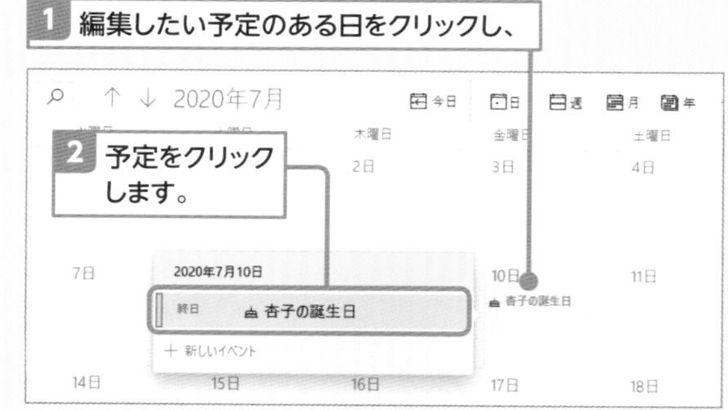

Q223 お役立ち度 ★★★ 予定管理のアプリ

予定を削除するには?

A 右クリックして [削除] をクリックします。

カレンダーに入力した予定を削除するには、予定を右クリックして表示されるメニューから [削除] をクリックします。

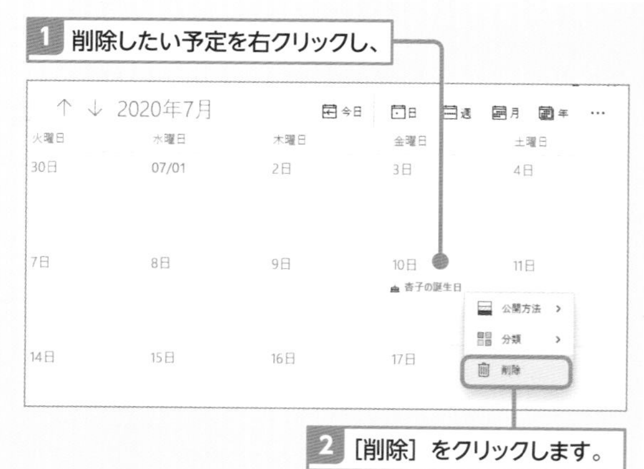

最新の天気予報を見るには?

A 「天気」アプリを起動すると、現在地の天気が表示されます。

「**天気**」アプリを使うと、インターネットを介して取得した現在の天気や気温、週間予報などの情報が表示されます。初めて天気アプリを起動すると、気温を「華氏」と「摂氏」のどちらで表示するか、現在地の情報を取得するかどうかを指定する画面が表示されます。現在地以外の天気を知りたいときは、検索ボックスに地域やランドマークなどの名前を入力すると、指定した地域の天気予報に切り替わります。

天気アプリの起動

1 スタートメニューの［天気］をクリックします。

2 「気温の表示」で［摂氏］を指定し、

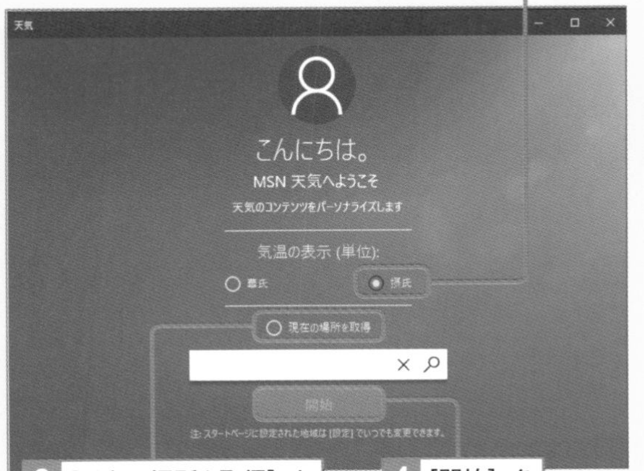

3 ［現在の場所を取得］をクリックして、位置情報へのアクセスを許可し、

4 ［開始］をクリックすると、

5 天気アプリが表示されます。

地域の変更

1 検索ボックスにキーワードを入力して、

2 ［検索］ボタンをクリックすると、

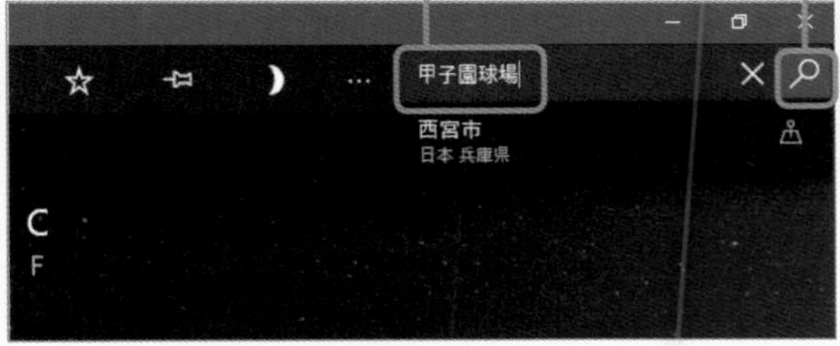

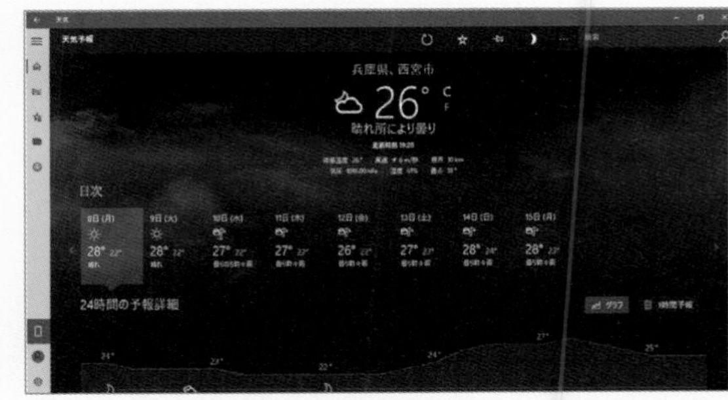

3 指定した地域の天気予報が表示されます。

おトクな情報 常に同じ地域の天気予報を表示したいときは

天気アプリを起動したときに常に同じ地域の天気予報を表示したければ、画面左下の ⚙（設定）をクリックし、「地域を設定」の［スタートページに設定された場所］をクリックして、検索して地域を指定します。

Q225 お役立ち度 ★★★ さまざまなアプリを楽しむ

最新のニュースを見るには?

A 「Microsoft Store」アプリから「Microsoft ニュース」アプリをダウンロードして使います。

「**Microsoftニュース**」アプリは、最初はスタートメニューに表示されませんが、Q201の操作で「Microsoft Store」アプリから無料でダウンロードできます。「Microsoftニュース」アプリの上部には、[ニュース] [エンタメ] [スポーツ] [マネー] [ビジネス] といった分類別のタブが用意されており、クリックすると関連するニュースが表示されます。

1 Microsoft Store から「Microsoft ニュース」アプリをダウンロードしておきます。

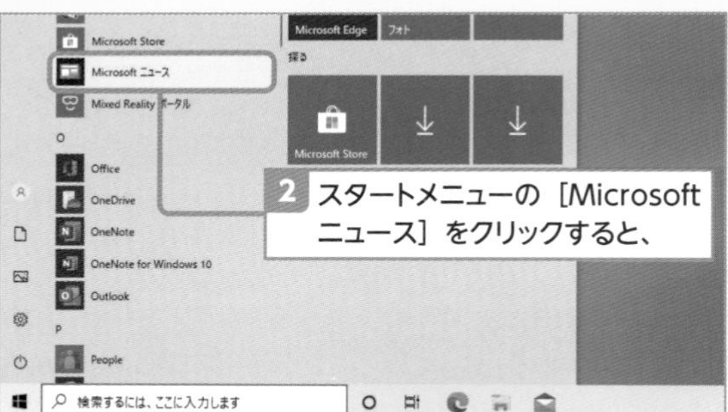

2 スタートメニューの [Microsoft ニュース] をクリックすると、

3 ニュースアプリが表示されます。

4 見たいニュースをクリックすると、

5 ニュースの内容が表示されます。

6 [←] ボタンをクリックすると、

7 前のページに戻ります。

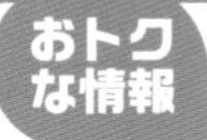

おトクな情報 ニュース速報を通知する

画面左下の (設定) をクリックして表示される画面で、[速報ニュース] をオンにすると、ニュース速報が通知されます。

目的地の地図を見るには?

A 「マップ」アプリを起動します。

「**マップ**」アプリを使うと、現在地周辺の地図や指定した場所の地図を表示できます。また、見たい地域の地図を検索したり、地図を拡大・縮小したりすることもできます。

マップアプリの起動

1 スタートメニューの［マップ］をクリックし、

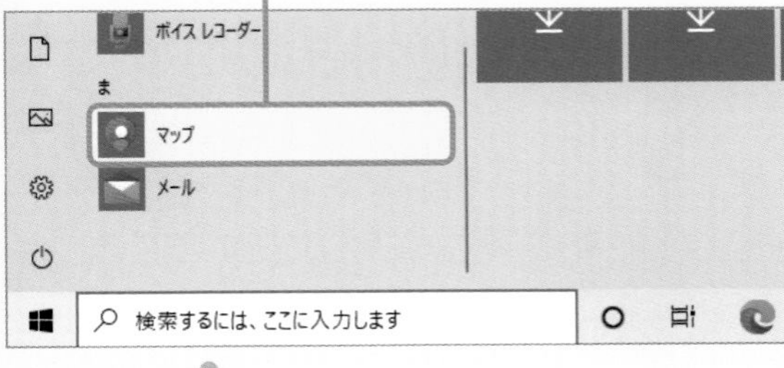

2 ［はい］をクリックすると、

マップ が詳しい位置情報にアクセスすることを許可しますか?

マップ が詳しい位置情報にアクセスすることを許可しますか?
後で変更する場合は、設定アプリを使ってください。
はい　いいえ

3 マップアプリが表示されます。

地図をドラッグすると表示位置を変更できます。

クリックするか、マウスのホイールを動かすと、地図を拡大・縮小できます。

場所の検索

［ルート案内］ボタン

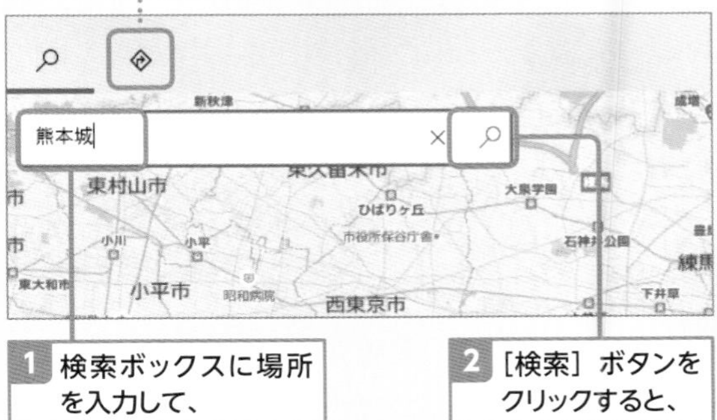

1 検索ボックスに場所を入力して、

2 ［検索］ボタンをクリックすると、

3 指定した場所の周辺地図が表示されます。

おトクな情報 出発地から目的地までのルートを検索する

［ルート案内］ボタンをクリックして出発地と目的地を入力し、［ルート案内→］をクリックすると、車や電車、徒歩での移動時間やルートを検索できます。

Q227 お役立ち度 ★★★ さまざまなアプリを楽しむ

パソコンで電卓を使うには?

A 「電卓」アプリを起動します。

「**電卓**」アプリには通常の電卓機能に加えて、三角関数(sin, cos, tan)や対数関数(log)を計算する「関数電卓」機能があります。さらに、「体積」「長さ」「重さ」「温度」などの単位を変換する「コンバーター」機能も用意されています。

電卓アプリの起動

1 スタートメニューの［電卓］をクリックすると、

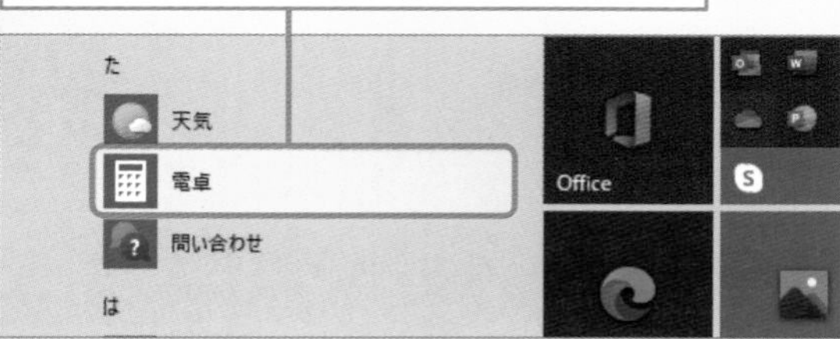

2 電卓アプリが表示されます。

ここをクリックすると常に手前に表示されます。

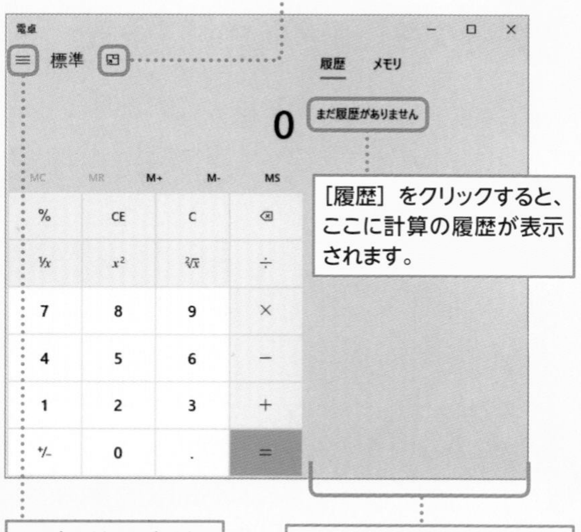

［履歴］をクリックすると、ここに計算の履歴が表示されます。

ここをクリックすると、［関数電卓］を選べます。

ここが表示されていないときは、右辺をドラッグして広げれば表示されます。

単位を変換する

1 ここをクリックして、

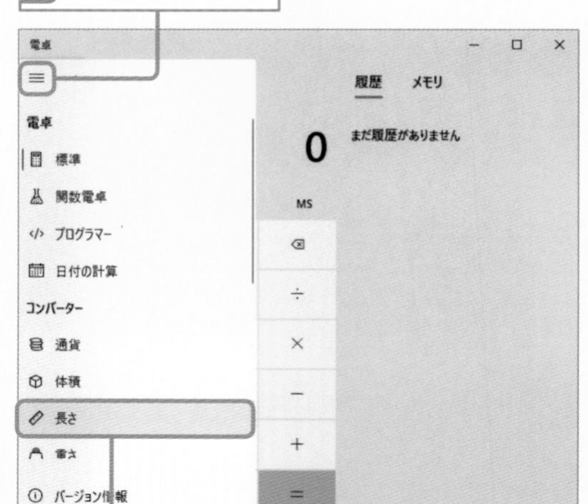

2 今回は、「コンバーター」の［長さ］をクリックします。

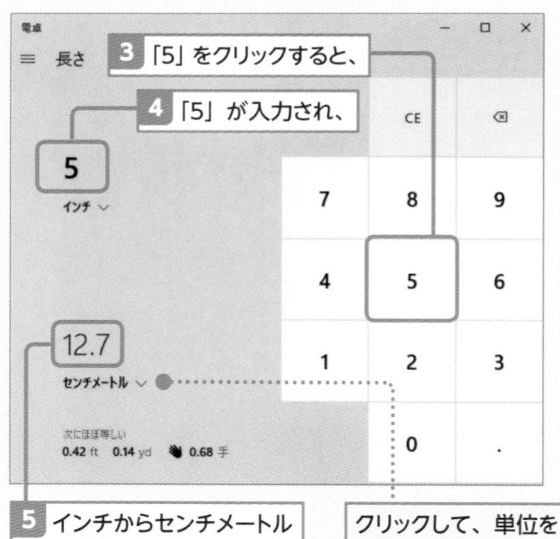

3 「5」をクリックすると、

4 「5」が入力され、

5 インチからセンチメートルに変換されます。

クリックして、単位を切り替えることができます。

おトクな情報

「コンバーター」で通貨の変換ができる

「コンバーター」で［通貨］を選択すると、そのときの為替レートで通貨の変換ができます。

Q228 お役立ち度 ★★★ さまざまなアプリを楽しむ

「ペイント」アプリで絵を描くには?

A ペンの太さや色を選んでからマウスでドラッグします。

「**ペイント**」アプリは簡易的なグラフィックソフトで、四角形などの図形を描いたり、マウスでドラッグしながらフリーハンドで絵を描いたりすることができます。ペイントアプリを起動するには、スタートメニューから[Windowsアクセサリ] → [ペイント] の順番にクリックします。

フリーハンドで描く

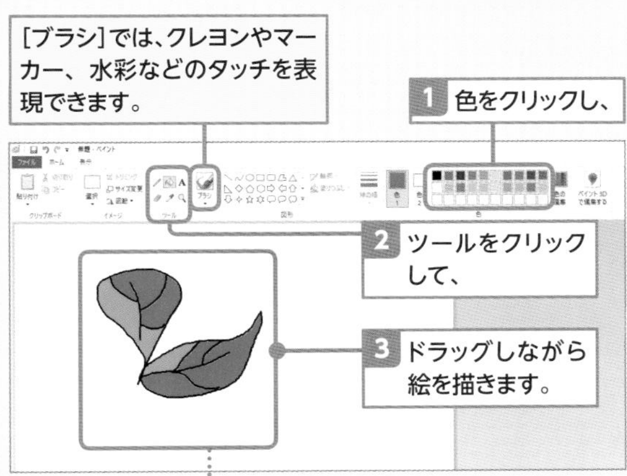
[ブラシ]では、クレヨンやマーカー、水彩などのタッチを表現できます。
1 色をクリックし、
2 ツールをクリックして、
3 ドラッグしながら絵を描きます。
[鉛筆] ツールで線を描き、[塗りつぶし] ツールで色を着けました。

図形を描く

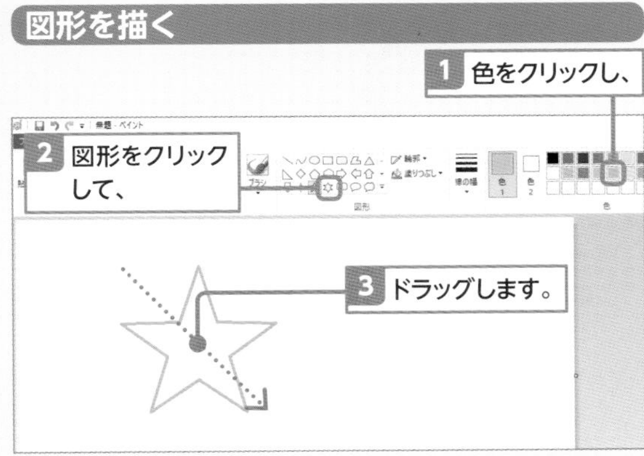
1 色をクリックし、
2 図形をクリックして、
3 ドラッグします。

Q229 お役立ち度 ★★★ スゴわざ さまざまなアプリを楽しむ

3D のイラストを作成するには?

A 「ペイント 3D」アプリを使います。

「**ペイント3D**」アプリを使うと、手軽に3Dのイラストを作成できます。一から作成するだけでなく、用意されているモデル(イラスト)を回転させたり、ステッカーというスタンプを貼ったりするなどして楽しめます。作成したイラストは3Dプリンターで3D印刷が可能です。

1 スタートメニューの [ペイント 3D] をクリックしてペイント 3D アプリを起動し、[新規作成] をクリックします。

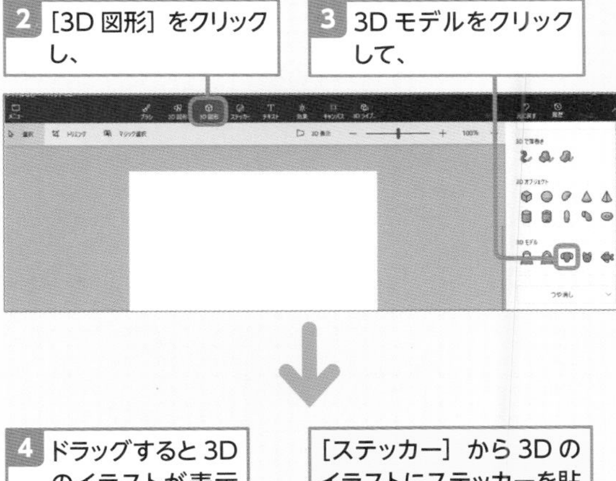
2 [3D 図形] をクリックし、
3 3D モデルをクリックして、

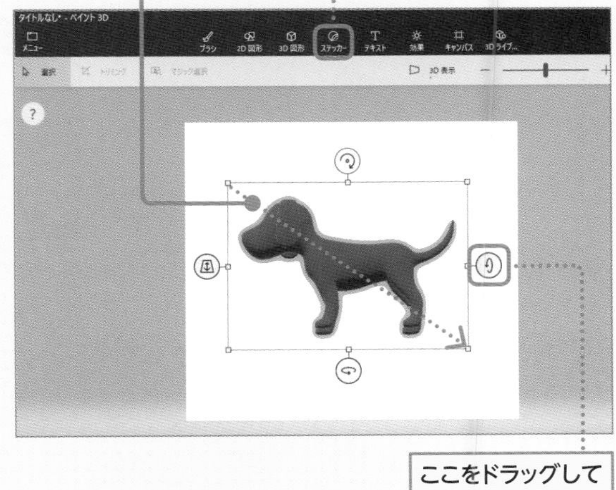
4 ドラッグすると 3D のイラストが表示されます。
[ステッカー] から 3D のイラストにステッカーを貼り付けることが可能です。
ここをドラッグして回転します。

Q230

お役立ち度 ★★★

さまざまなアプリを楽しむ

パソコンで写真を撮影するには?

A 「カメラ」アプリを使います。

パソコンにWebカメラが付属している場合や、外付けのWebカメラを接続している場合は、「**カメラ**」アプリで写真を撮影できます。前面カメラと背面カメラを切り替えて撮影したり、動画を撮影したりすることもできます。

1 スタートメニューの[カメラ]をクリックして、カメラアプリを起動します。

2 [はい] をクリックします。

クリックすると、セルフタイマー機能を利用できます。

クリックすると、動画モードに切り替わります。

3 ここをクリックして撮影します。

Q231

お役立ち度 ★★★

さまざまなアプリを楽しむ

「カメラ」アプリで撮影した写真を見るには?

A 「ピクチャ」フォルダーの「カメラロール」を開きます。

カメラアプリで撮影した写真や動画は、「ピクチャ」フォルダーの「カメラロール」に保存されています。写真や動画をダブルクリックすると、それぞれに適したアプリを使って表示･再生されます。写真は「フォト」アプリ、動画は「映画&テレビ」アプリが起動します。

1 エクスプローラーを開きます。

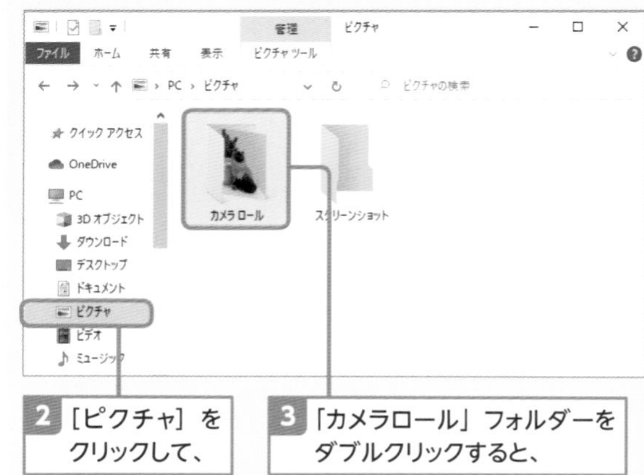

2 [ピクチャ] をクリックして、

3 「カメラロール」フォルダーをダブルクリックすると、

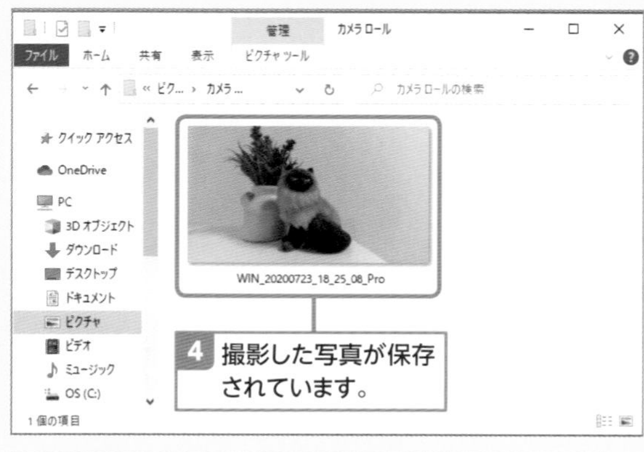

4 撮影した写真が保存されています。

写真はJPEG形式で保存されていて、ダブルクリックして表示することができます。

Q232 お役立ち度 ★★★

トランプゲームを楽しむには?

A 「Microsoft Solitaire Collection」アプリを使います。

旧いバージョンのWindowsから慣れ親しんできたトランプゲーム「ソリティア」は、「**Microsoft Solitaire Collection**」アプリに含まれています。「Microsoft Solitaire Collection」には「Klondike」「Spider」「FreeCell」「Pyramid」「TriPeaks」の5種類のトランプゲームが用意されており、無料で楽しむことができます。

1 スタートメニューの［Microsoft Solitaire Collection］をクリックします。

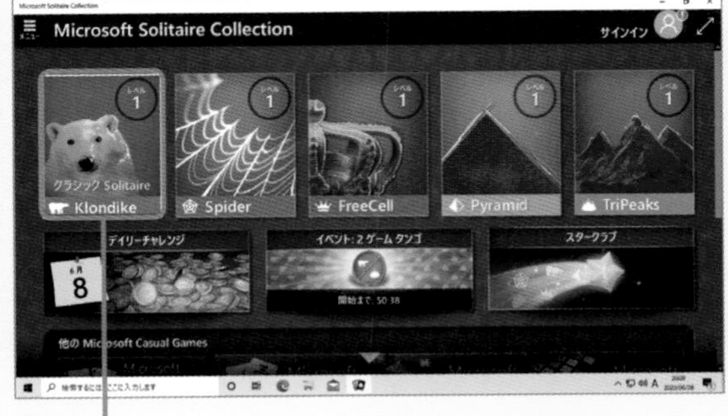

2 遊びたいゲームをクリックします。

3 ゲームがスタートします。

［オプション］をクリックして、ゲームの設定を変更できます。

［カード］をクリックして、カードの絵柄を変更できます。

4 ［メニュー］をクリックして、別のゲームに切り替えることができます。

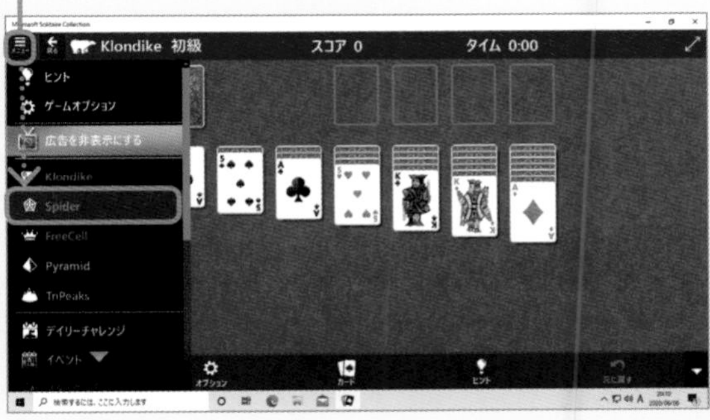

おトクな情報 ゲームの実績やランキングの表示

Microsoft アカウントでサインインしなくてもゲームを楽しむことができますが、サインインした状態でゲーム用のアカウントを作成すると、ゲームの実績やランキングの表示ができます。

Q233 お役立ち度 ★★★ さまざまなアプリを楽しむ

麻雀パイのゲームを楽しむには?

A Microsoft Store から「Microsoft Mahjong」アプリをダウンロードして使います。

Microsoft Storeから「Microsoft Mahjong」アプリをダウンロードすると、旧いバージョンのWindowsから慣れ親しんできた「上海」のような麻雀パイのゲームを無料で楽しめます。 関連 Q202 アプリを探すには

1 Microsoft Store から「Microsoft Mahjong」アプリをダウンロードしておきます。

2 スタートメニューの［Microsoft Mahjong］をクリックします。

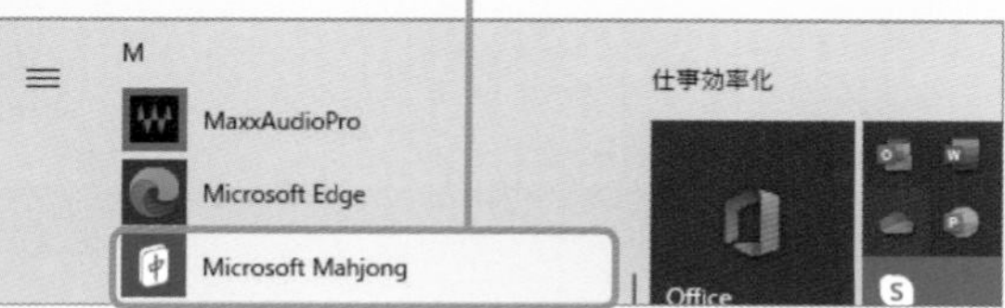

3 遊びたいゲームをクリックし、

4 クリックしてゲームをスタートします。

Q234 お役立ち度 ★★★ さまざまなアプリを楽しむ

ジグソーパズルゲームを楽しむには?

A Microsoft Store から「Microsoft Jigsaw」アプリをダウンロードして使います。

Microsoft Storeから「Microsoft Jigsaw」アプリをダウンロードすると、ジグソーパズルゲームを楽しめます。パズルには有料のものもありますが、ここでは無料のパズルでゲームを進めています。ピースをドラッグして完成させましょう。 関連 Q202 アプリを探すには

1 Microsoft Store から「Microsoft Jigsaw」アプリをダウンロードしておきます。

2 スタートメニューの［Microsoft ジグソー］をクリックします。

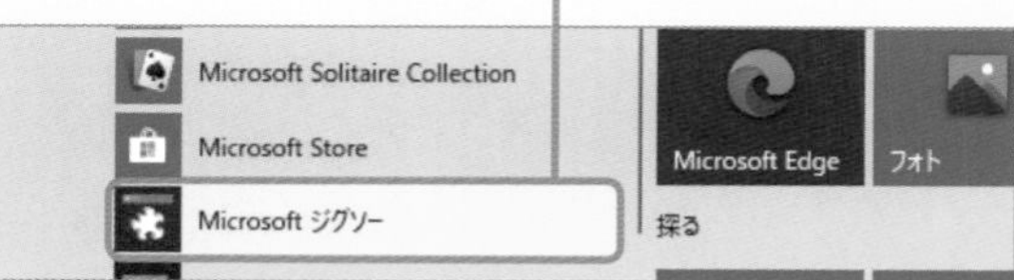

3 遊びたいゲームをクリックし、

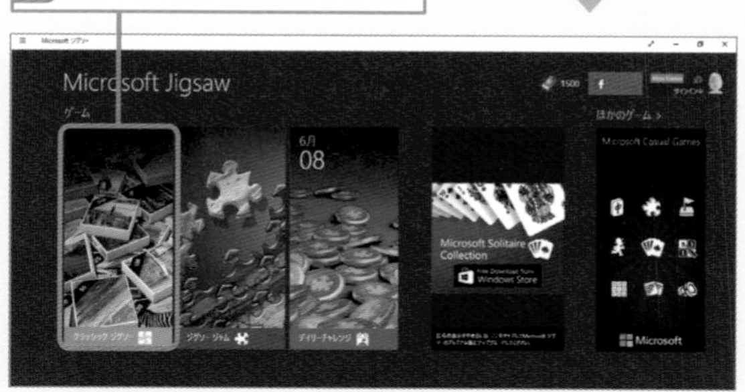

4 クリックしてゲームをスタートします。

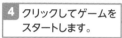

Q235 お役立ち度 ★★★ さまざまなアプリを楽しむ

特定の時間にアラームを鳴らすには?

A 「アラーム & クロック」アプリを使います。

「**アラーム&クロック**」アプリには、「アラーム」「クロック」「タイマー」「ストップウォッチ」の機能が用意されています。アラームが鳴る時間にパソコンが起動していなかったり、スピーカーのボリュームがオフになっていたりするとアラームが鳴らないので注意しましょう。

1 スタートメニューの［アラーム & クロック］をクリックします。

2 ［アラーム］をクリックして、

3 クリックしてオンにします。

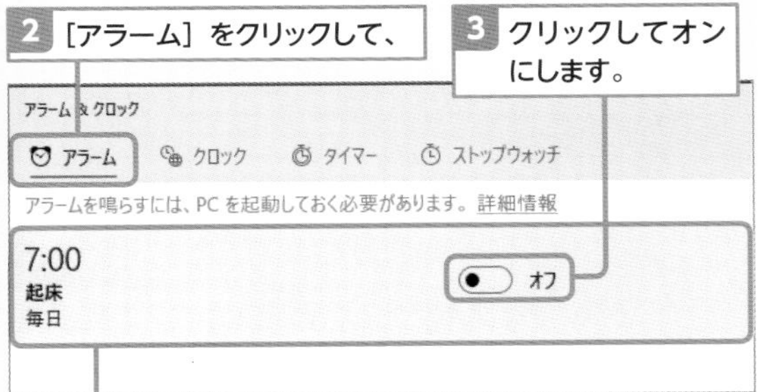

4 ここをクリックし、

5 アラームの内容をセットして、

6 ［保存］ボタンをクリックします。

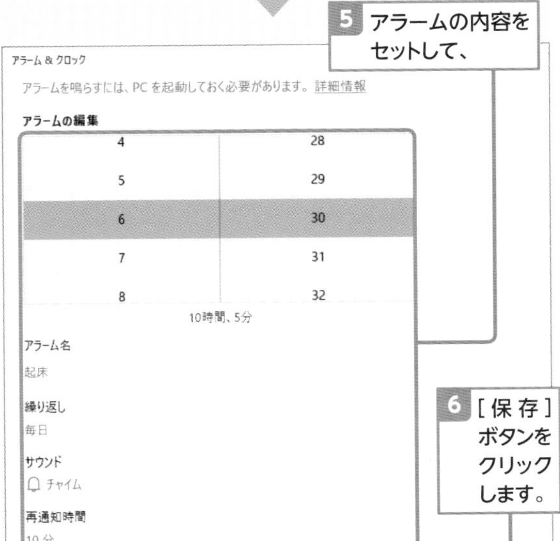

Q236 お役立ち度 ★★★ スゴわざ さまざまなアプリを楽しむ

テレビ電話を楽しむには?

A 「Skype」アプリを利用できます。

テレビ電話を楽しむ方法はさまざまありますが、「**Skype**」アプリを使用すると、インターネットを介して世界中の人と無料でテレビ電話を楽しめます。グループビデオ通話を使うと、複数の友達や家族全員で通話することもできます。なお、パソコンで通話やビデオ通話するには、マイクやWebカメラ、スピーカーが必要です。

1 スタートメニューの［Skype］をクリックします。

2 Microsoft アカウントの入力を求められたらサインインし、

3 マイクやカメラへのアクセスを許可して、オーディオとビデオのテストが完了すると、

4 Skype が起動します。

使いはじめ
デスクトップ
ファイル
文字入力
アプリ
インターネット
メール
写真・音楽・動画
周辺機器・スマホ
設定
安全に使う

Q237

お役立ち度 ★★★ スゴわざ

さまざまなアプリを楽しむ

Skype で友人に電話できるようにするには?

A 検索機能を使って友人のアカウント情報を探します。

Skypeを利用するには、SkypeアカウントかMicrosoftアカウントのどちらかが必要です。Skypeを使用している友人とテレビ電話をするには、友人のアカウント情報をSkypeの連絡先に登録する必要があります。相手がSkypeで使用しているメールアドレスを聞いてから、友人にテレビ電話をかける準備をします。

1 メールアドレスを入力して、

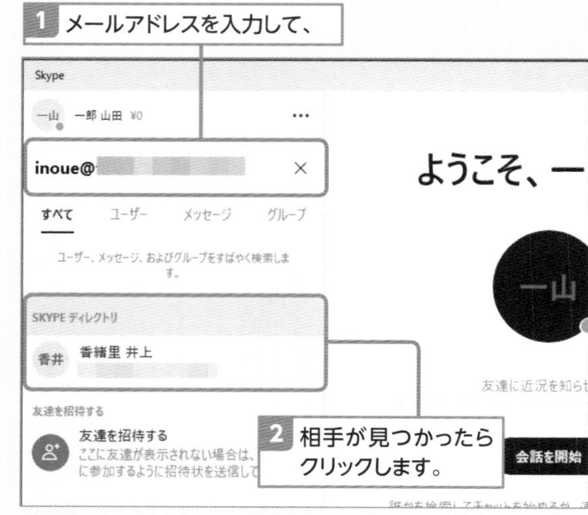

2 相手が見つかったらクリックします。

Q238

お役立ち度 ★★★ スゴわざ

さまざまなアプリを楽しむ

Skype でテレビ電話をするには?

A 友人を選択して通話します。

Q237で準備ができたらSkypeで友人にテレビ電話をかけてみましょう。相手が応答すると通話がスタートします。映像が不要な場合は音声だけでやり取りすることもできます。

1 通話相手をクリックし、

2 ［ビデオ通話］をクリックすると、

3 テレビ電話が始まります。

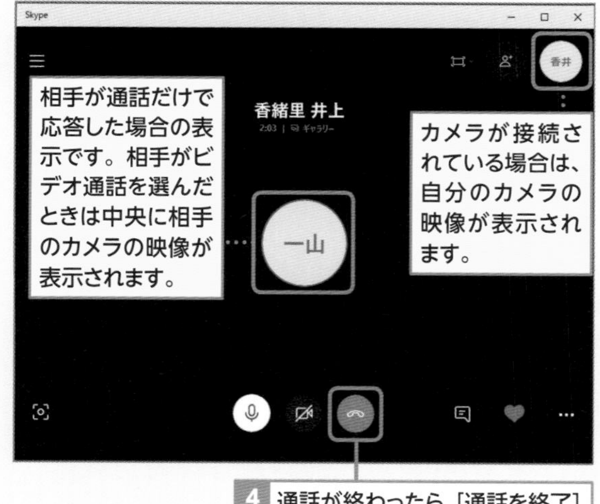

相手が通話だけで応答した場合の表示です。相手がビデオ通話を選んだときは中央に相手のカメラの映像が表示されます。

カメラが接続されている場合は、自分のカメラの映像が表示されます。

4 通話が終わったら［通話を終了］をクリックします。

おトクな情報

ビデオ通話を選ぶと、相手側には映像が表示される

相手が通話だけで応答した場合は、上図のように中央には何も表示されません。一方、自分が「ビデオ通話」を選んだ場合は、常に相手の画面に自分の Web カメラで撮影されている映像が表示されます。

「インターネット」を快適に利用しよう！

今やビジネスシーン、プライベートシーンを問わず、インターネットを使わない日はないといえるほど、インターネットが身近なものになりました。この章では、まず、普段何気なく使っているインターネット関連の用語をしっかり理解します。次に、Windows 10の既定のブラウザーである「Edge」を使って、目的の情報を素早く検索するワザやタブの操作、よく見るWebページの保存方法などを解説します。

アイコンの意味

- 知っておきたい基礎知識を示します。
- ぜひ習得したい基本ワザを示します。
- スゴわざ 目からウロコのすごワザを示します。
- 時短に役立つ活用ワザを示します。
- 基本を超えた上級ワザを示します。

インターネットを利用するには何が必要?

A 回線の種類を選び、プロバイダーと契約します。

パソコンをインターネットにつなげるには、使用する**回線**を決め、その回線を扱っている**プロバイダー**という通信業者と契約します。プロバイダーは、**インターネットサービスプロバイダー**ともいい、インターネット接続サービスを提供している事業者です。
プロバイダーとの契約が済んだら、光回線やケーブルテレビ回線を自宅まで接続する工事を行い、プロバイダーから提供される専用機器を設置します。その後、回線をパソコンに接続してプロバイダーの定める設定を行います。回線によって必要な機器が異なりますが、一般的には以下のものを揃える必要があります。

① パソコン
② ONU（光回線終端装置）、ブロードバンドルーター
　パソコンと回線の間に設置します。
③ ケーブル
　パソコンとブロードバンドルーター、ブロードバンドルーターとONUをつなぎます。接続方式によって使うケーブルが異なります。
④ 回線
　インターネットに接続するための回線です（Q240）。
⑤ プロバイダーとの契約

■光回線でインターネットに接続する場合（一般的な例）

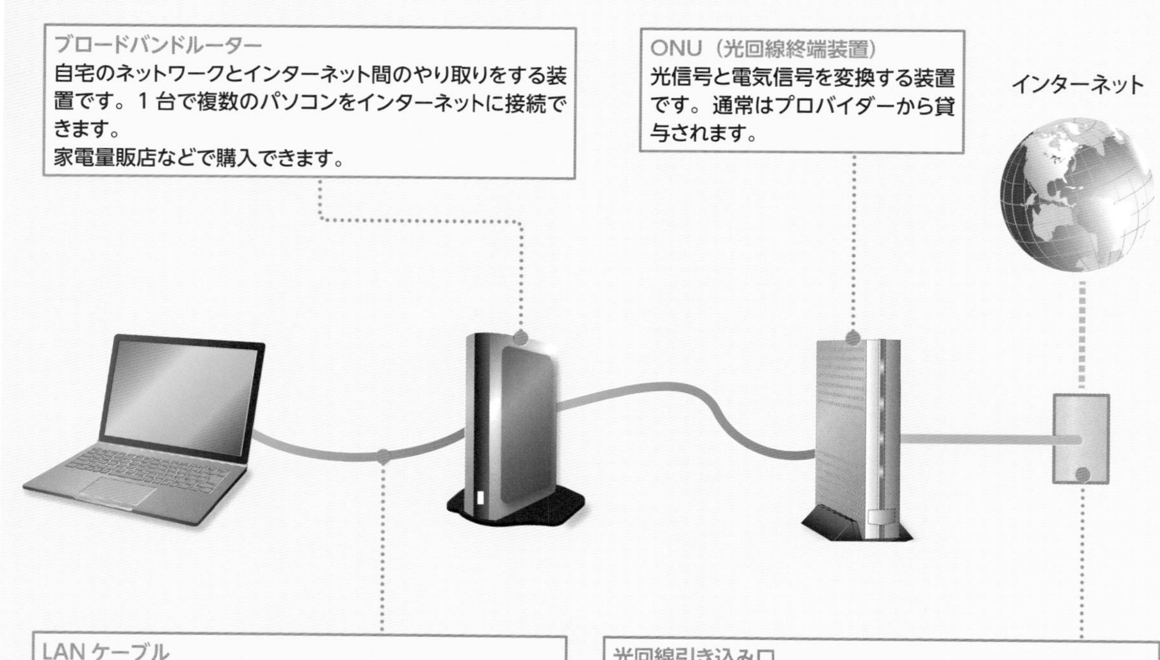

ブロードバンドルーター
自宅のネットワークとインターネット間のやり取りをする装置です。1 台で複数のパソコンをインターネットに接続できます。
家電量販店などで購入できます。
ONU（光回線終端装置）
光信号と電気信号を変換する装置です。通常はプロバイダーから貸与されます。
インターネット
LAN ケーブル
パソコンとブロードバンドルーターをつなぐものと、ブロードバンドルーターと ONU をつなぐものが必要です。
家電量販店などで購入できます。
光回線引き込み口
光ファイバーケーブルを部屋まで引き込みます。電話線の引き込み口を利用する場合や、配線工事が必要となる場合など、建物の状況によって工事の内容や費用は異なります。

※ブロードバンドルーターとONUの役割はそれぞれ異なりますが、最近はブロードバンドルーターの機能を備えたONUが貸与されることもあります。

Q 240 お役立ち度 ★★★ インターネットを利用する準備

インターネットにつなぐ回線にはどんな種類があるの？

A 光回線やケーブルテレビなどがあります。

パソコンをインターネットにつなげる回線には、光回線（光ファイバー）やケーブルテレビ回線、高速モバイル通信などがあります。回線によって、接続に必要な通信機器やケーブルが異なるので、契約するプロバイダーに確認しましょう。マンションなどの集合住宅には、最初から回線が導入されている場合があるので、管理会社に確認してみましょう。

おトクな情報　光回線の選び方

現在、インターネット通信は光回線が主流となり、たくさんの光回線の種類があります。どの回線を選べばよいか迷ったときは、「回線速度が速いもの」や「月額料金が安いもの」を基準に選ぶとよいでしょう。たとえばNURO 光は下り最大2Gbps の高速な回線を謳っています。また、利用しているスマートフォンの会社の光回線を使うと、セットで割引になるケースもあります。

■主な回線の種類と特徴

光回線	光ファイバーケーブルを使ってつなげる方法。現在主流の接続方法です。	ドコモ光、au ひかり、SoftBank 光、So-net 光プラス、NURO 光など
ケーブルテレビ	ケーブルテレビの回線を使ってつなげる方法。ケーブルテレビを契約していると、セット料金などで割安に契約できます。	J:COMなど
高速モバイル通信	無線通信機器を使用して無線でインターネットにつなげる方法。無線なので電波状況によって接続が不安定になることもあります。通信可能エリアならば、外出先や引っ越し先でも利用できるのがメリットです。	WiMAX、ワイモバイルなど

Q 241 お役立ち度 ★★★ インターネットを利用する準備

プロバイダーはどうやって選ぶの？

A 料金やサービスなどに応じて選択します。

プロバイダーのWebページをチェックして自分にあったプロバイダーを見つけるのは大変です。プロバイダーの多くは、電話会社関連やパソコンメーカー関連、電力会社関連に分けられます。他の支払いとセットで利用すると割引サービスを受けられるケースもありますので、うまく活用するとよいでしょう。右の比較ポイントも参考にしてください。

■プロバイダーを選ぶときの比較ポイント

料金	契約料金や回線をつなげるための工事費や支払方法が異なります。
通信速度	通信速度や安定性が異なる場合があります。プロバイダーの Web ページなどで確認します。
サービス内容	提供しているサービスの内容に違いがあります。たとえば、無料で利用できるメールアドレスの数や、ホームページ公開サービスを利用できるかどうか、セキュリティソフトを利用できるかどうかなどが異なります。
契約内容	契約期間が異なります。また、契約期間内に解約すると解約金が発生する場合もあります。
サポート体制	サポートを受けられる曜日や時間帯が異なります。

Q242 お役立ち度 ★★★ インターネットを利用する準備

Wi-Fiって何?

A 無線で通信をするための規格です。

Wi-Fi（ワイファイ）とは、無線で通信をするための規格で、インターネットに接続する方法として広く普及しています。Wi-Fiはパソコンだけでなく、プリンターやデジカメ、HDD（ハードディスク）、スマートフォン、タブレット端末、ゲーム機などにも対応しています。Wi-Fiはケーブルが不要のため、家の中のいろいろな場所でインターネットを楽しめます。また、複数の機器を同時にインターネットに接続できます。自宅でWi-Fiを利用するには、**Wi-Fiルーター**という通信機器を購入し、Wi-Fiルーターとインターネットの回線を利用する接続口をケーブルでつなげます。

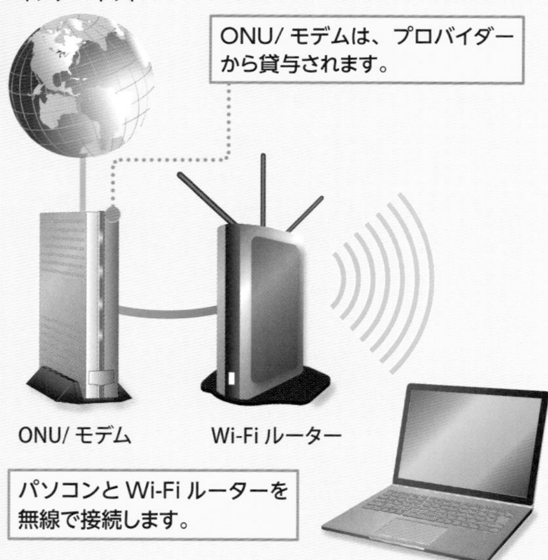
インターネット
ONU/モデムは、プロバイダーから貸与されます。
ONU/モデム
Wi-Fiルーター
パソコンとWi-Fiルーターを無線で接続します。

おトクな情報 Wi-Fiルーターの入手方法

Wi-Fiルーターは家電量販店で購入できますが、プロバイダーがレンタルで貸し出している場合もあります。

Q243 お役立ち度 ★★★ インターネットを利用する準備

Wi-Fiルーターは何を基準に選ぶの?

A 通信規格や通信速度を基準に選びましょう。

Q242で解説したように、無線でインターネットに接続するには**Wi-Fiルーター（無線LANルーター）**という通信機器が必要です。Wi-Fiルーターは種類が多く、値段も数千円から数万円まで幅広くあります。Wi-Fiルーターを選ぶときには、通信規格や通信速度を基準に選ぶとよいでしょう。現時点では11ac対応のものが多く販売されています。

もうひとつ、気にしておきたいのがセキュリティの規格です。現在はWPA2、WPA3という規格に対応した製品が安全です。それ以前のセキュリティ規格であるWEP、WPAにはそれぞれ問題が見つかっているので、できるだけ使用を避けるのが無難です。

■無線LANの規格の種類と特徴

無線LAN規格	通信速度(最大)	周波数帯
IEEE802.11ax	9.6Gbps	2.4GHz帯/5GHz帯
IEEE802.11ac	6.9Gbps	5GHz帯
IEEE802.11n	600Mbps	2.4GHz帯/5GHz帯
IEEE802.11a	54Mbps	5GHz帯
IEEE802.11g	54Mbps	2.4GHz帯
IEEE802.11b	11Mbps	2.4GHz帯

※ 表の通信速度は規格上の理論値です。実際はさまざまな要因から表示の速度より遅くなります。

■周波数帯の違い

5GHz	障害物に弱い。同一の周波数帯を使用する家電などが少ないため、電波干渉が起こりづらい。
2.4GHz	障害物に強い。同時利用できるチャネル数が少なく、同一の周波数帯を使用する家電などが多いため、電波干渉が起こることがある。

Wi-Fi に接続するには?

A パソコンで Wi-Fi 設定を行います。

自宅のパソコンをWi-Fiに接続するには、Q242のような形でWi-Fiルーターの接続と設定を完了してから、Wi-Fi対応のパソコンで設定します。

1 通知領域の Wi-Fi のボタンをクリックします。

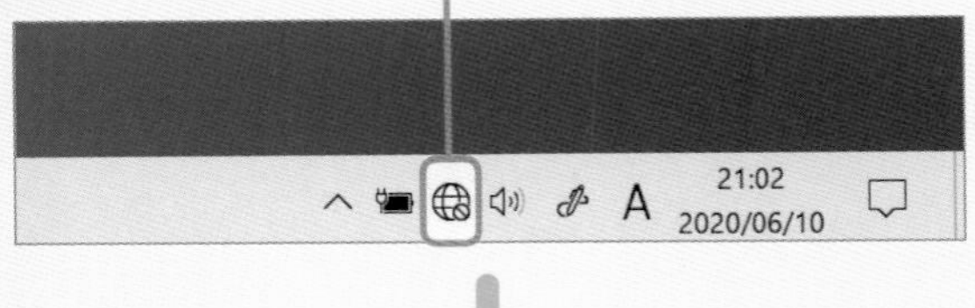

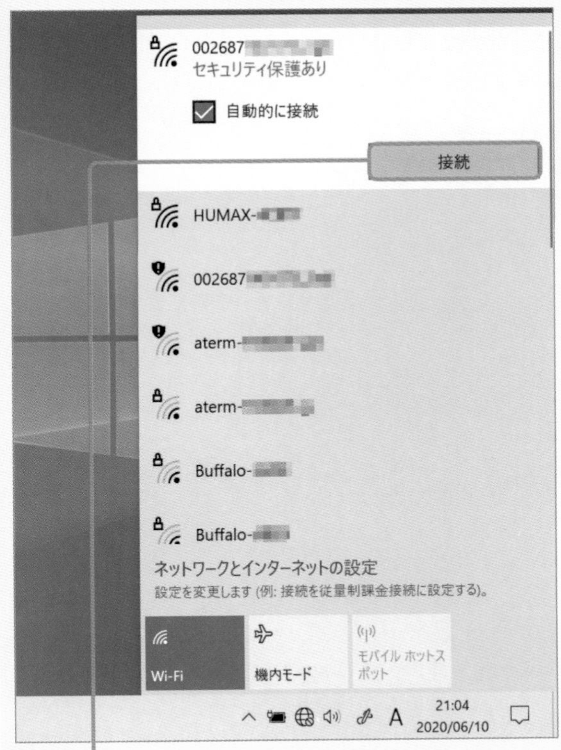

2 接続する Wi-Fi のネットワークをクリックして、[接続] をクリックします。

3 Wi-Fi パスワード（暗号化キー）を入力し、

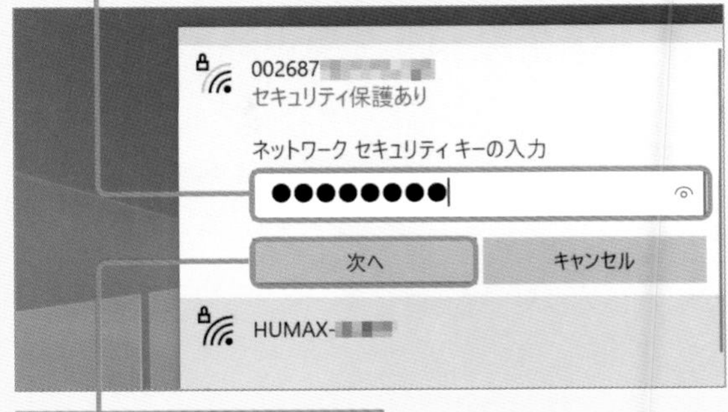

4 [次へ] をクリックします。

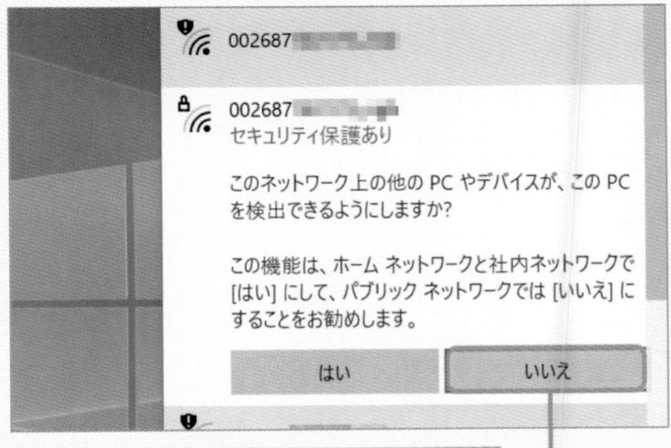

5 ネットワーク上の他のパソコンから検出できるようにするかを指定します。ここでは [いいえ] をクリックすると、

6 Wi-Fi に接続されます。

おトクな情報

暗号化キーはルーターの側面や背面に記載されている

手順 3 で入力する暗号化キーは通常、Wi-Fi ルーターの側面や背面に記載されているので確認してみましょう。

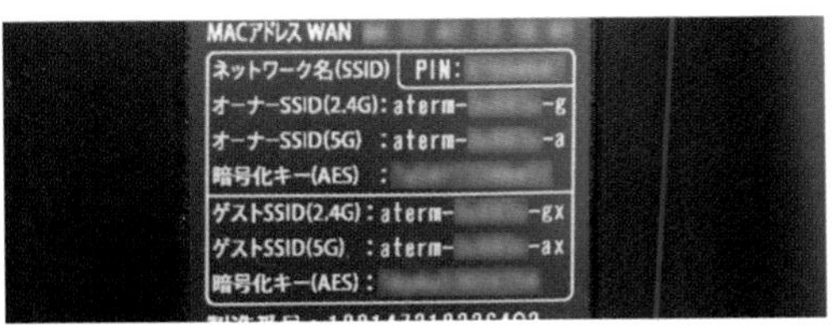

Q245 お役立ち度 ★★★ インターネットを利用する準備

外出先でWi-Fiを利用するには?

A Wi-Fiスポットなどを利用します。

外出先でWi-Fiを利用するには、Wi-Fiスポットに接続する方法や、モバイルルーターを利用する方法、スマートフォン経由で接続する方法などがあります。無料のWi-Fiスポットでは通信内容が盗聴される可能性もあるため、重要な情報は送信しないように注意しましょう。

関連 Q526 無料のWi-Fiの安全性

■外出先でのWi-Fiの利用方法

方法	説明	料金
Wi-Fiスポット	カフェやコンビニ、駅、空港、ホテルなどが提供しているWi-Fiスポットを利用します。接続に必要なパスワードを確認して設定します。	無料で利用できるものが多いですが、有料の場合もあります。
モバイルルーター	携帯用の小型のルーター。モバイル通信業者との契約が必要です。	モバイル通信業者との契約によって異なります。
スマートフォン	スマートフォンのテザリング機能を利用します。	スマートフォンの料金プランによって異なります。

Q246 お役立ち度 ★★★ インターネットを利用する準備

インターネットにつながらないのはなぜ?

A 通信機器やプロバイダーの障害情報を確認します。

インターネットに接続できない原因はいろいろありますが、まずは基本的なことを確認しましょう。特定のパソコンのみ接続できないのか、複数のパソコンやスマートフォンが接続できないのかによって問題点を絞り込めます。

■インターネット接続できないときのチェック事項

パソコンの設定に問題がある	Wi-Fiに接続している場合は、通知領域のWi-Fiボタン（またはⓔ）をクリックして、Wi-Fiに正常に接続しているかを確認します。
パソコンやケーブルに問題がある	有線で接続している場合は、LANケーブルが正しく接続されているかを確認します。
ONU（モデム）やルーターに問題がある	複数のパソコンで接続できない場合は、ONU（モデム）やルーターに問題があるかもしれません。ルーターを再起動して問題が改善されるか試してみましょう。
プロバイダーで障害が発生している	プロバイダーでなんらかの障害が発生している可能性もあります。スマートフォンなどからプロバイダーのWebページの障害情報を確認します。

Q247 お役立ち度 ★★★ インターネットを利用する準備

インターネットでWebページを見るには?

A ブラウザーを使います。

インターネットのWebページを見るには、**ブラウザー**というアプリを使います。Windows 10では、あらかじめ**Edge**と**Internet Explorer (IE)**の2つのブラウザーがインストールされています。また、Google ChromeやFirefoxなどの他のブラウザーをダウンロードして利用することもできます。

Q248 お役立ち度 ★★★ ブラウザーの基本操作

Edgeを起動するには?

A タスクバーの［Edge］ボタンをクリックします。

Windows 10のタスクバーには、Edgeを起動するボタンが用意されています。［Edge］ボタンをクリックするだけで簡単に起動できます。また、スタートメニューからEdgeを起動することもできます。

1 タスクバーの［Edge］ボタンをクリックすると、

2 Edgeが起動します。

おトクな情報 Edgeには2種類ある

Edgeには、従来のWindows 10に搭載されていたものと、2020年1月からダウンロードして利用できるようになった新しいEdgeの2種類があります。新しいEdgeはGoogle Chromeなどと同じChromium（クロミウム）というブラウザーの描画エンジンを採用していて、Webページの表示が速くなることが期待できます。
お使いの環境によっては従来のEdgeが標準で搭載されていることもあります。

従来のEdgeの場合のアイコン表示

おトクな情報 最新のEdgeへの更新

従来のEdgeを起動すると、ダウンロードを促す画面が表示される場合があります。［ダウンロード］をクリックすると、最新のEdgeに更新できます。本書では、新しいEdgeでの操作を解説しています。

Q249 お役立ち度 ★★★ ブラウザーの基本操作

IEはまだ使えるの?

A スタートメニューから起動します。

IEを起動するには、スタートメニューから［Internet Explorer］をクリックします。ただし、IEは今では古いブラウザーで、IEをサポート対象外としているWebページも増えてきています。IEでなければならない場合以外はEdgeを利用しましょう。

1 スタートメニューの［Windows アクセサリ］→［Internet Explorer］をクリックすると、

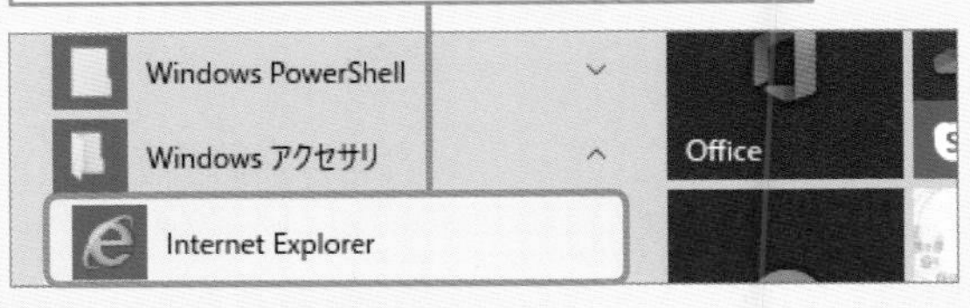

2 IEが起動します。

Q 250 お役立ち度 ★★★ ブラウザーの基本操作

Edge の画面構成を教えて!

A 各部の名称と役割を覚えましょう。

Edgeの画面上部には**タブ**があり、タブごとに異なるWebページを表示できます。また、タブの下にはアドレスバーやさまざまなボタンが用意されています。

[設定など] ボタン
Web ページの印刷や表示倍率などを変更するメニューが表示されます。
[お気に入り] ボタン
登録した「お気に入り」を表示したり、お気に入りの管理画面を表示します。
[コレクション] ボタン
関連する Web ページに名前を付けて管理できます。
タブ
タブをクリックして、表示する Web ページを切り替えます。
[このページをお気に入りに追加] ボタン
よく見る Web ページを「お気に入りバー」や「その他のお気に入り」に登録します。
[新しいタブ]
クリックすると新しいタブが開きます。
アドレスバー
Web ページの URL や検索キーワードを入力します。
Windows 10 OS、パソコン、アプリ、
https://www.microsoft.com/ja-jp/windows/
お気に入りバーにお気に入りを登録すると、簡単にアクセスできるようになります。 今すぐお気に入りを管理する
その他のお気に入り
Microsoft
Windows
Windows 10
表示を増やす
WINDOWS 10 の購入
すべて Microsoft 製品
あなたのアイデア、Windows
仕事とビジョンで創造性を発揮してください。
Windows 10 では、すばらしいことができます。
[戻る] ボタン
直前に表示していた Web ページに移動します。
[進む] ボタン
[戻る] ボタンと逆の Web ページに移動します。
[更新] ボタン
表示中の Web ページを最新の状態にします。
[ホーム] ボタン
クリックすると、初期設定では「新しいタブ」が表示されます。Q258 の操作で表示する Web ページを変更できます。
お気に入りバー
頻繁に使用する Web ページを登録します。

Q251 お役立ち度 ★★★ ブラウザーの基本操作

URL を入力して Web ページを表示するには?

A アドレスバーに URL を入力します。

URLとは、Webページの住所のようなものです。雑誌や名刺などに書かれているURLを入力するには、アドレスバーをクリックしてから入力します。住所が間違っていると手紙が届かないように、URLが1文字でも間違っていると目的のWebページを表示できません。

1 アドレスバーをクリックして URL を入力し、

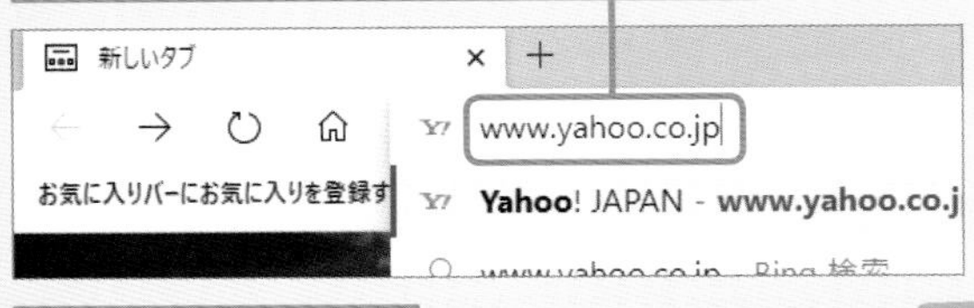

2 Enter キーを押すと、

3 Web ページが表示されます。

おトクな情報 アドレスバーに検索候補を表示しないようにするには

アドレスバーに文字を 2、3 入力したときに検索候補が表示されたときは、直接クリックして Web ページを表示することもできます。
検索候補を表示しないようにするには、[…]（設定など）ボタンをクリックし、[設定] → [プライバシーとサービス] → [アドレスバー] の順にクリックし、[入力した文字を使用して、検索とサイトの候補を表示する] をオフにします。

Q252 お役立ち度 ★★★ ブラウザーの基本操作

URL を入力するときの記号はどのキーを押せばいいの?

A 下の図のキーを半角英数モードで入力します。

URLは必ず半角英数モードで入力します。日本語入力モードになっているときは、半角/全角 キーを押して半角英数モードに切り替えます。「.」「/」「:」などの記号はURLでよく使うので、名称やキーの位置を覚えておくとよいでしょう。

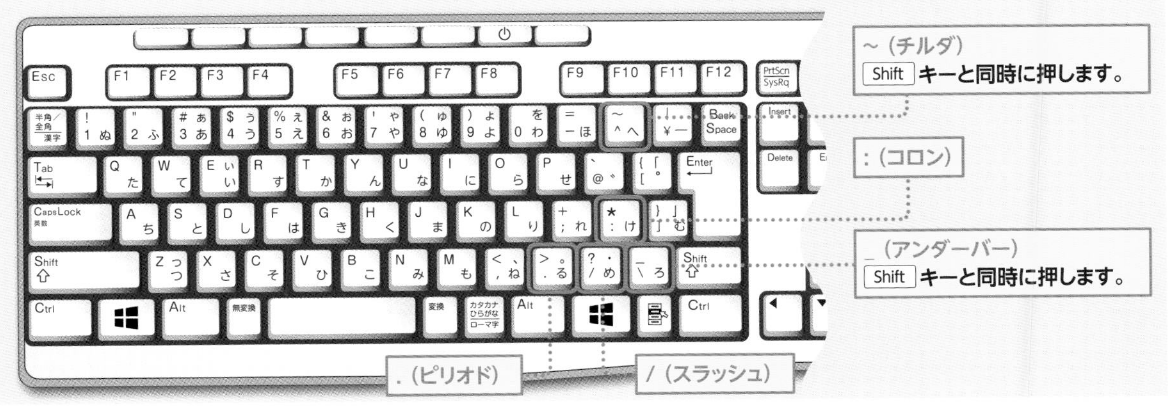

Q253 お役立ち度 ★★★ ブラウザーの基本操作

直前に見ていたWebページに戻って表示するには?

A ［戻る］ボタンをクリックします。

［戻る］ボタン ← をクリックすると、直前に表示していたWebページに移動します。戻り過ぎてしまったときは、［進む］ボタン → をクリックして戻る前のWebページに移動します。［戻る］ボタンと［進む］ボタンを使うと、表示済みのWebページを自在に行ったり来たりできます。

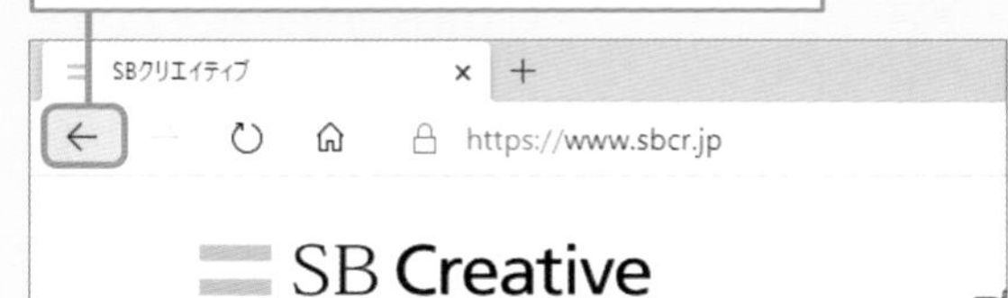

Q254 お役立ち度 ★★★ ブラウザーの基本操作

いくつか前に見ていたWebページに戻って表示するには?

A ［戻る］ボタンを右クリックします。

［戻る］ボタン ← をクリックするたびに、表示したWebページを1つずつ順番にさかのぼることができますが、目的のWebページにたどり着くまでに時間がかかるのが難点です。過去に表示したWebページの一覧からWebページに移動するには、［戻る］ボタンを右クリックします。

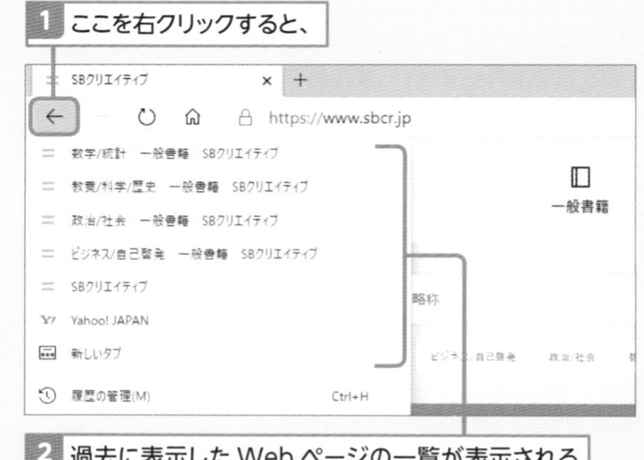

Q255 お役立ち度 ★★★ ブラウザーの基本操作

Webページを更新して最新の状態を見るには?

A ［更新］ボタンをクリックします。

Webページの情報は刻々と新しくなります。表示中のWebページを最新の情報に更新するには、［更新］ボタン ↻ をクリックします。そうすると、Webページを再度読み込んで最新の状態に更新します。
F5 キーを押して更新することもできます。

おトクな情報　新しくなっているはずのWebページの表示が更新されないときは

この場合は Ctrl + F5 キーを押してみましょう。そうすると、ブラウザーの再読み込みとキャッシュ（一度読み込んだ情報を一時的に保管しているもの）の削除が同時に行われます。

Q256 お役立ち度 ★★★ ブラウザーの基本操作

よく見るWebページをタスクバーに登録するには?

A ［タスクバーにピン留めする］をクリックします。

1日に何度も見るようなWebページは、タスクバーにボタンとして登録しておくこともできます。ブラウザーを閉じてしまった後でも、タスクバーのボタンをクリックするだけで、目的のWebページを表示できます。ただし、いくつものWebページを登録すると、タスクバーにボタンがたくさん並んでしまいます。優先度を決めて登録するとよいでしょう。

1 登録するWebページを開き、［…］（設定など）ボタンをクリックし、

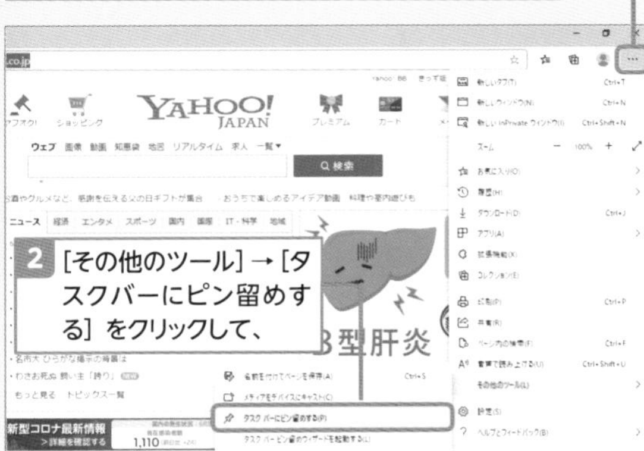

2 ［その他のツール］→［タスクバーにピン留めする］をクリックして、

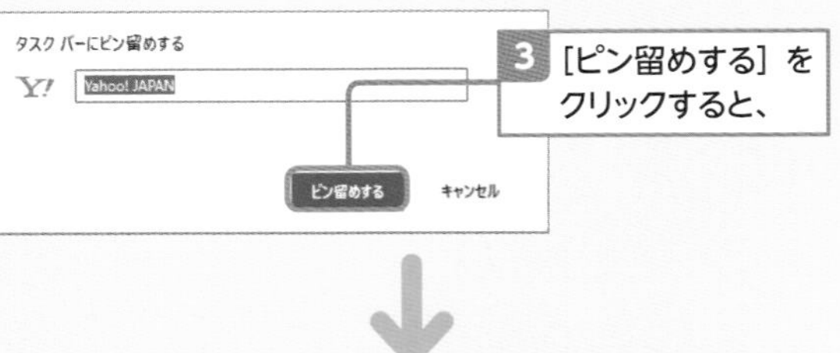

4 タスクバーのボタンとして登録されます。

Q257 お役立ち度 ★★★ ブラウザーの基本操作

過去に見たWebページを素早く表示するには?

A 「履歴」の一覧からクリックします。

過去に表示したWebページは**履歴**として残っています。URLを忘れてしまった場合も履歴の一覧からクリックするだけで素早く目的のWebページを表示できます。履歴は時系列で並んでおり、直近のものが上段に表示されます。なお、Ctrl ＋ H キーを押すと、ダイレクトに履歴一覧を表示できます。

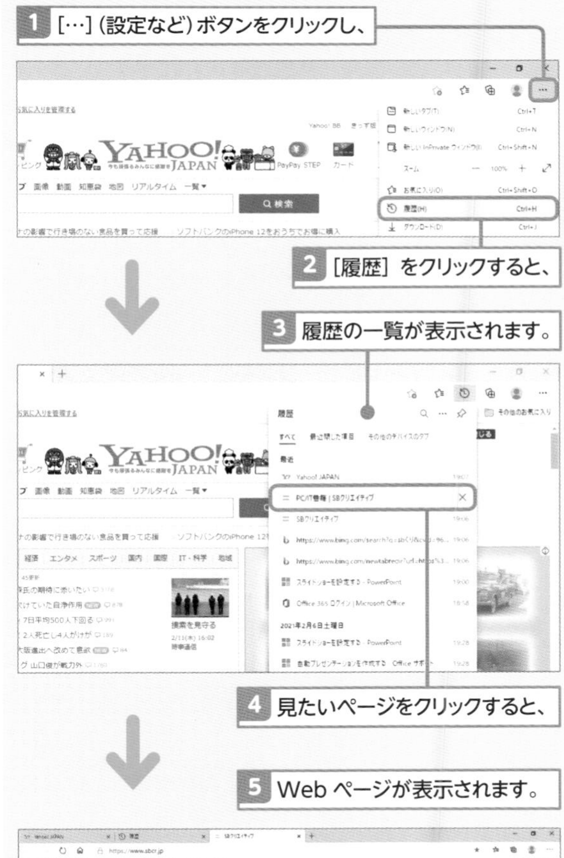

Q258 お役立ち度 ★★★ ブラウザーの基本操作

[ホーム] ボタンが消えてしまった!

A 「設定」画面で [[ホーム] ボタンを表示する] をオンにします。

画面上部の [ホーム] ボタンが消えてしまったときは、以下の操作で再表示できます。初期設定では、[ホーム] ボタンをクリックすると[新しいタブ]が表示されますが、[ホーム] ボタンをクリックしたときに表示するWebページを変更することもできます。

1 […](設定など) ボタン→[設定]をクリックします。

2 [外観] をクリックし、

3 [[ホーム] ボタンを表示する] をオンにすると、

おトクな情報参照

4 [ホーム] ボタンが表示されます。

おトクな情報 ホームページの設定

手順 3 の画面で、[URL を入力してください] を選び、目的の Web ページの URL を入力して [保存] ボタンをクリックします。これで [ホーム] ボタンをクリックしたときに、指定した Web ページを表示できます。

Q259 お役立ち度 ★★★ ブラウザーの基本操作

Web ページを印刷するには?

A […] (設定など) ボタンから印刷を実行します。

Webページを印刷するには、Edgeの [...] (設定など) ボタンから [印刷] をクリックし、表示される「印刷」画面で印刷の向きや印刷するページなどを設定します。なお、Ctrl + P キーを押すとダイレクトに「印刷」画面が表示されます。

1 印刷する Web ページを開き、[…] (設定など) ボタン→ [印刷] をクリックします。

2 プリンターを確認し、

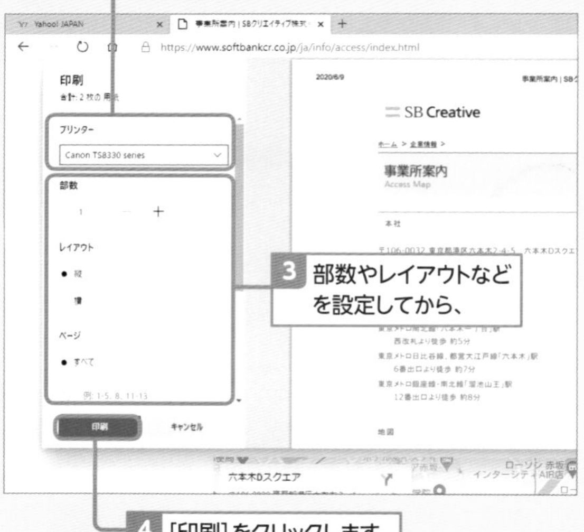

3 部数やレイアウトなどを設定してから、

4 [印刷] をクリックします。

おトクな情報 必要なページだけ無駄なく印刷する方法

Web ページの末尾には広告が表示されることがよくあります。不要な印刷を避けるには、印刷イメージをよく確認して必要なページだけを印刷するとよいでしょう。「印刷」画面の「ページ」の項の入力欄に「1-3」や「1,3」などと入力すると、指定したページだけを印刷できます。「1-3」は 1 ページから 3 ページ、「1,3」は 1 ページと 3 ページという意味です。

Q260 お役立ち度 ★★★ ブラウザーの基本操作

Webページの文字が小さくて見づらい!

A [⋯]（設定など）ボタンから文字を拡大します。

おトクな情報 拡大・縮小はマウスホイールが便利

Ctrl キーを押しながらマウスのホイールを手前に回転すると縮小表示、奥に回転すると拡大表示できます。

Webページの文字は自由に拡大・縮小できます。見やすい文字サイズに調整してください。

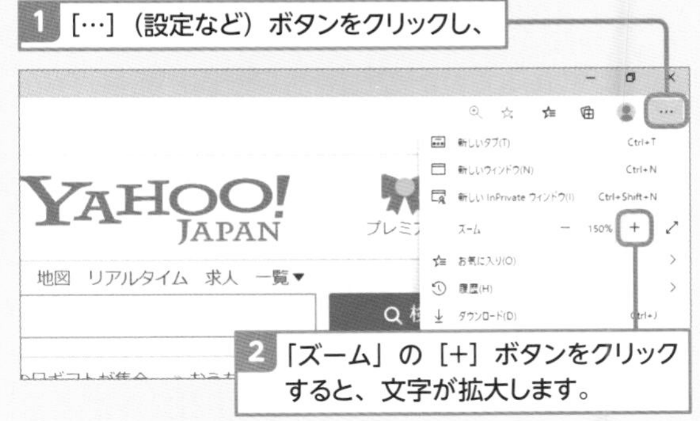

1 [⋯]（設定など）ボタンをクリックし、
YAHOO! JAPAN
地図 リアルタイム 求人 一覧▼
2 「ズーム」の［+］ボタンをクリックすると、文字が拡大します。

Q261 お役立ち度 ★★★ ブラウザーの基本操作

ポップアップブロックのメッセージが表示されたら?

A ポップアップを許可するかどうか選択します。

ポップアップブロックとは、Webページを見ているときに広告や悪質なメッセージなどを表示するポップアップウィンドウが勝手に表示されるのを防ぐ機能です。ポップアップブロックの機能が働くとアドレスバーの右側に「ポップアップがブロックされました」のメッセージが表示され、ブロックを続行するか、ポップアップを許可するか選択できます。

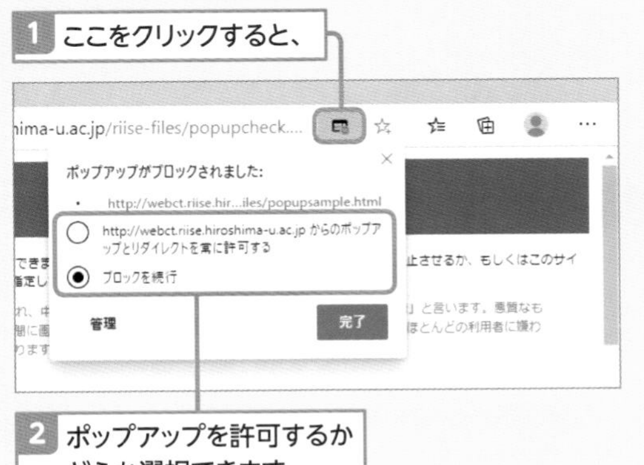

Q262 お役立ち度 ★★★ ブラウザーの基本操作

パスワードを保存するか尋ねるメッセージが表示されたら?

A 保存するかどうか選択します。

Webページによっては、ユーザー名やパスワードを入力してサインインして利用するものがあります。パスワードを保存するか尋ねるメッセージが表示されたら、［保存］か［なし］を選択します。

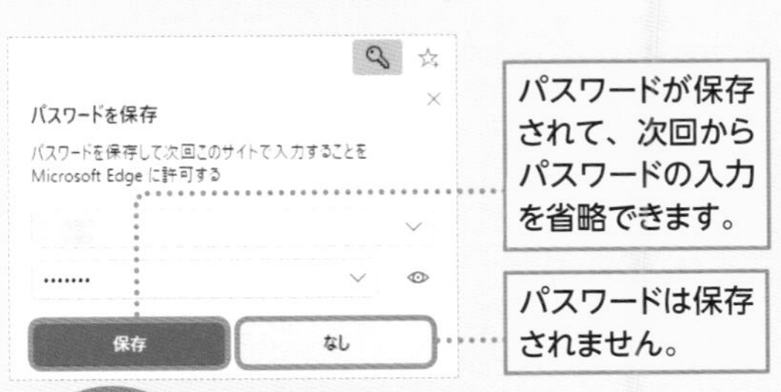

おトクな情報 パスワードを常に保存しないようにするには

パスワードの保存は初期設定で有効になっています。常にパスワードを保存しない場合は、[⋯]（設定など）ボタン→［設定］→［プロファイル］→［パスワード］の順にクリックし、［パスワードの保存を提案］をオフに変更します。

Q 263 お役立ち度 ★★★ スゴわざ　Webページの検索

Edge の検索エンジンを Yahoo! に切り替えるには?

A 検索エンジンの一覧から選択します。

Edgeでは、マイクロソフトが提供する**Bing (ビング)** という検索エンジンを利用してWebページを検索します。**検索エンジン**とは、Webページを検索するためのWebページのことで、他にも「Yahoo! JAPAN」「Google」「BIGLOBE」などがあり、以下の手順で変更できます。

1 […] (設定など) ボタンをクリックし、

2 [設定] をクリックします。

3 [プライバシー、検索、サービス] をクリックし、

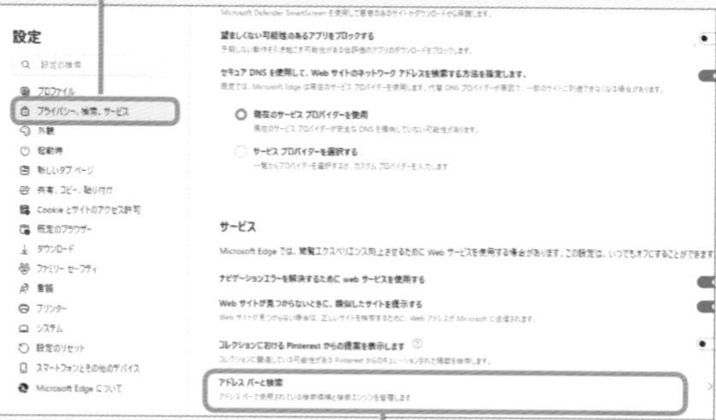

4 ページの下方にある [アドレスバーと検索] をクリックして、

5 [検索エンジンの管理] をクリックします。

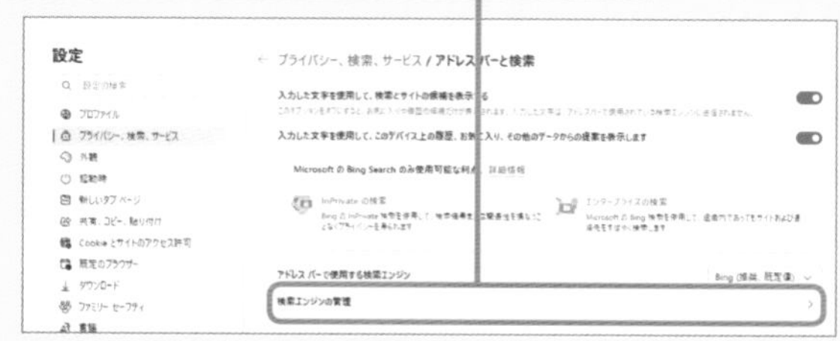

6 変更後の検索エンジン (ここでは、Yahoo! JAPAN) の […] をクリックし、

7 [既定に設定する] をクリックします。

8 アドレスバーにキーワードを入れて検索すると、Yahoo! JAPAN での検索結果が表示されます。

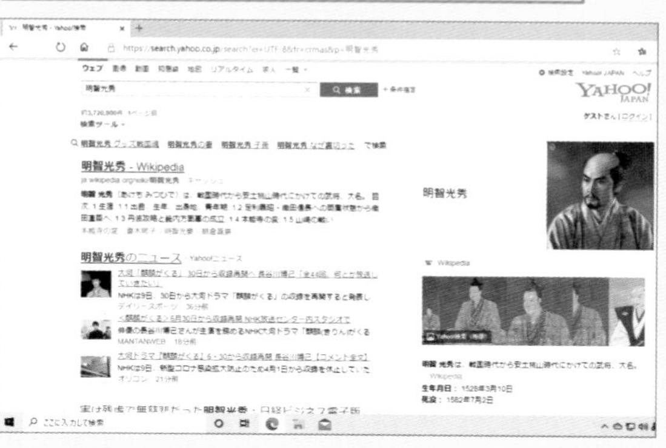

おトクな情報　他の検索エンジンに切り替える際の注意点

手順 6 の画面に目的の検索エンジンが表示されないときは、一度、その検索エンジンを使って検索を実行します。なお、最初の状態に戻すには、手順 6 で「Bing」を選びます。

Q264 お役立ち度 ★★★ Webページの検索

キーワードでWebページを検索するには?

A アドレスバーにキーワードを入力します。

Webページを検索するには、アドレスバーにキーワードを入力します。アドレスバーをクリックすると入力済みの文字が反転表示になるので、キーを入力すると上書きできます。あるいは、Ctrl + L キーを押してアドレスバーに移動する方法もあります。

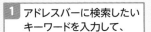

1 アドレスバーに検索したいキーワードを入力して、

2 Enter キーを押すと、

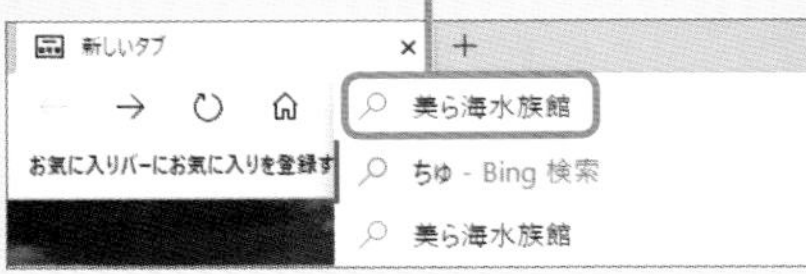

3 キーワードに関連する検索結果が表示されます。

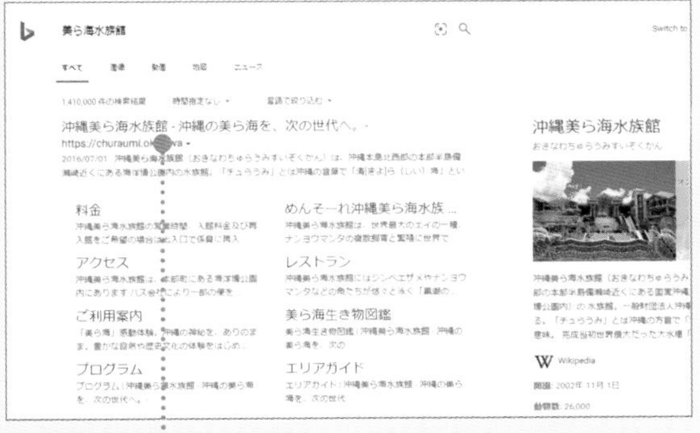

見たい項目をクリックすると、Webページが表示されます。

おトクな情報 Bingの検索結果をさらに絞り込む方法

検索結果の上部にある［すべて］［画像］［動画］［地図］［ニュース］をクリックすると、検索対象を絞り込むことができます。

Q265 お役立ち度 ★★★ Webページの検索

ページ検索のコツを教えて!

A 便利なキーワードの入力方法を覚えましょう。

1つのキーワードだけで検索すると、検索結果に表示される件数が膨大で、見たいWebページを探すのに時間がかかります。キーワードと記号を組み合わせて入力すると、検索結果を絞り込むことができます。

やりたいこと	検索方法	入力例
あるキーワードを含むWebページを探す	キーワードを単独で入力	上野動物園
複数のキーワードを含むWebページを探す	キーワードを「スペース」で区切る	横浜　動物園
いずれかのキーワードを含むWebページを探す	キーワードを半角の「OR」で区切る	野毛山動物園 OR ズーラシア
あるキーワードに完全一致するWebページを探す	キーワードを半角の「""」で囲む	"冷製 カルボナーラ"
タイトルにキーワードを含むWebページを探す	キーワードを半角の「intitle:」の後に指定する	intitle: 冷製 カルボナーラ
言葉の意味を調べる	キーワードの後に「とは」を入力	Wi-Fiルーター とは
株価を調べる	証券コードを入力	7203
	会社名と「株価」をスペースで区切る	トヨタ自動車 株価
為替を調べる	通貨と通貨をスペースで区切る	ドル　ユーロ
		ドル　JPY
天気を調べる	地名と「天気」をスペースで区切る	青森　天気

Q266 お役立ち度 ★★★ スゴわざ

Webページの検索

インターネット上の画像だけを検索するには?

A 検索対象を［画像］に絞り込みます。

写真やイラストなどの画像を探しているときは、Webページの検索結果の上部にある［画像］をクリックします。すると、入力したキーワードに関連する画像だけが表示されます。さらに、フィルター機能を組み合わせると、色やサイズ、ライセンスの有無などによって絞り込めます。

1 アドレスバーに検索したいキーワード（ここでは「レッサーパンダ」）を入力して、Enter キーを押します。

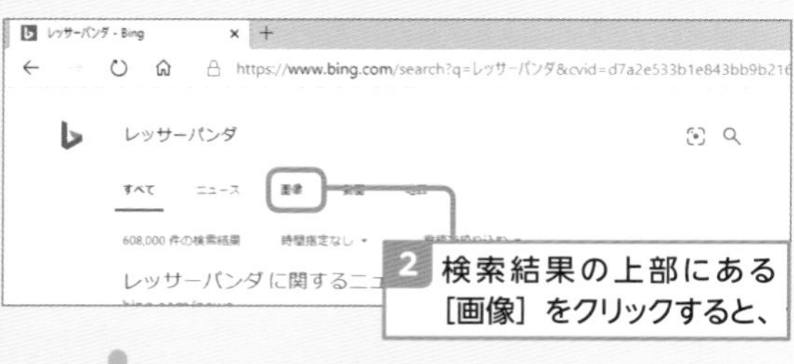

2 検索結果の上部にある［画像］をクリックすると、

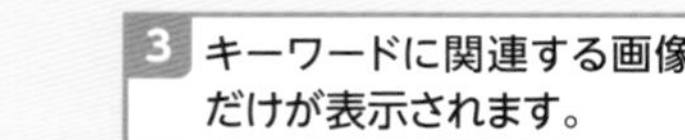

3 キーワードに関連する画像だけが表示されます。

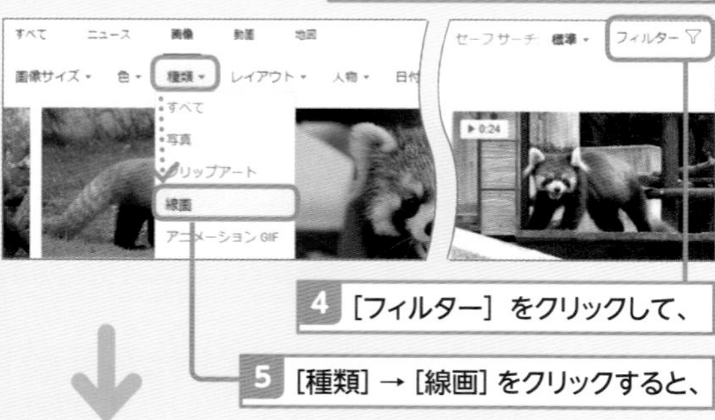

4 ［フィルター］をクリックして、

5 ［種類］→［線画］をクリックすると、

6 線画だけが表示されます。

Q267 お役立ち度 ★★★ スゴわざ

Webページの検索

最近更新された Web ページを検索するには?

A 検索結果の画面で絞り込みます。

Webページの検索結果は最新のものから並んでいるとは限りません。日時を指定すれば、検索結果の中から指定した期間に更新されたWebページに絞り込むことができます。

1 アドレスバーに検索したいキーワード（ここでは「スマホ　新商品」）を入力して、Enter キーを押します。

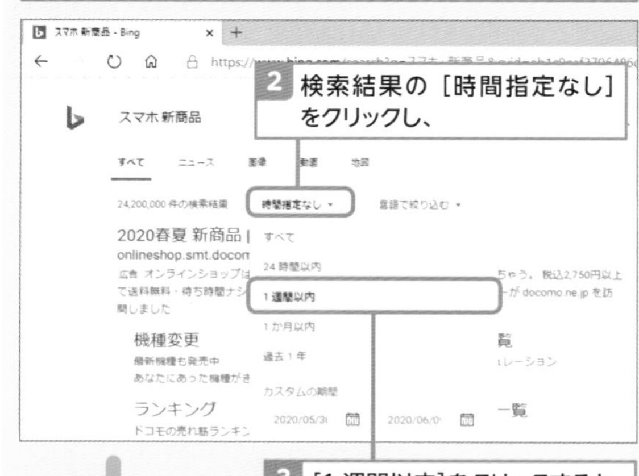

2 検索結果の［時間指定なし］をクリックし、

3 ［1 週間以内］をクリックすると、

4 1 週間以内に更新された Web ページが表示されます。

おトクな情報 検索結果から成人向けコンテンツを除外したいときは

検索結果に表示する条件を指定するには、右上の☰をクリックし、［設定］→［詳細］の順にクリックします。表示される画面でセーフサーチの条件を設定し、画面一番下の［保存］をクリックします。

Q268 お役立ち度 ★★★ Webページの検索

ページ内の文字を検索するには?

A Ctrl + F キーを押します。

情報量の多いWebページから特定の文字を見つけるのは大変です。目で追って探すと時間がかかるうえに発見漏れも発生するでしょう。このようなときは「ページ内の検索」機能を使います。Webページの中で探したい文字をキーワードとして入力すると、一致した箇所が反転して強調されます。

1 Ctrl + F キーを押すと、「ページ内の検索」欄が表示されます。

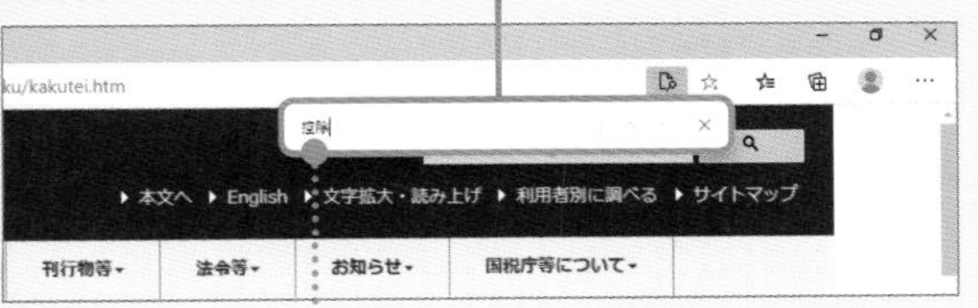

2 検索キーワードを入力すると、

3 ページ内で最初に見つかった部分がオレンジ色で強調されます。

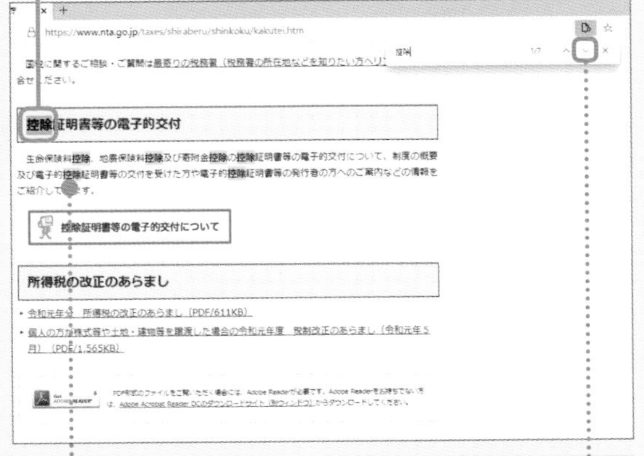

他の検索結果は黄色で表示されます。

ここをクリックすると、次の検索結果に移動します。

Q269 お役立ち度 ★★★ スゴわざ Webページの検索

ページ内の言葉の意味を調べるには?

A 調べる言葉を選択して右クリックします。

Webページの中でわからない言葉や気になる言葉があったら、その場で意味を調べられます。選択した言葉に関連するWebページが検索されるので、目的に合ったページを見てみましょう。

1 Web ページ内の言葉をドラッグして選択し、選択した部分を右クリックして、

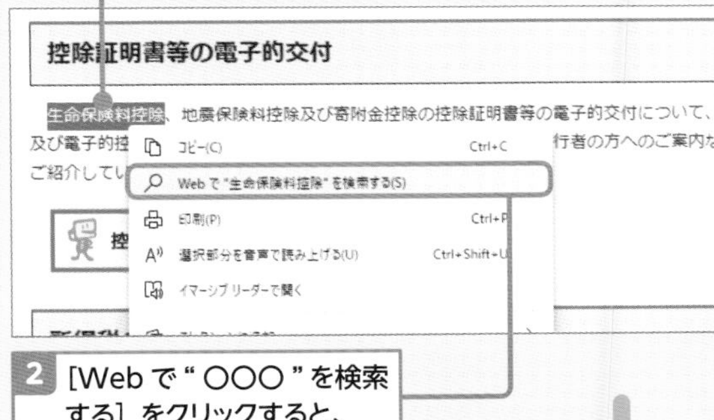

2 [Web で " ○○○ " を検索する] をクリックすると、

3 検索結果が表示されます。

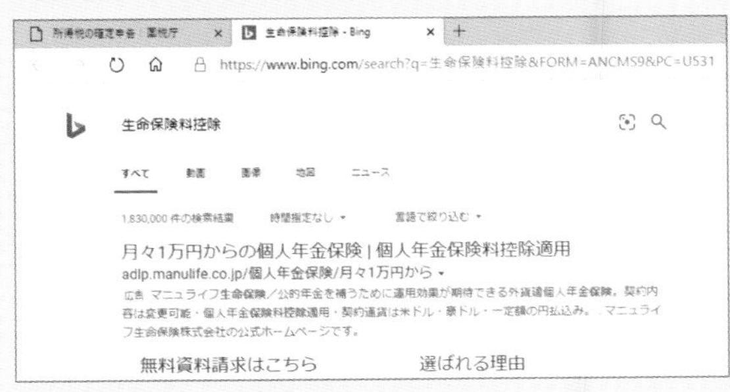

おトクな情報 Web ページの文字をキー操作で選択できるようにするには

初期設定では、Web ページの文字をキー操作で選択できません。キー操作を可能にするには、F7 キーを押して、キャレットブラウズを有効にします。すると、Web ページ上をクリックすると文字カーソルが現れ、Shift + → (←) キーを押して文字を選択できるようになります。

デスクトップの検索ボックスでWeb ページを検索するには?

A 検索ボックスで［ウェブ］を選択します。

Q051の操作で検索範囲として［ウェブ］を選択すると、デスクトップの検索ボックスでWebページの検索もできます。検索結果の一覧から見たいWebページのリンクをクリックすると、ブラウザーにリンク先のページが表示されます。また、キーワードを入力すると、それに関連した検索候補の一覧も表示されるので、クリックするだけで検索結果が表示できます。

検索ボックスから Web ページを検索する

1 検索ボックスをクリックして［ウェブ］をクリックします。

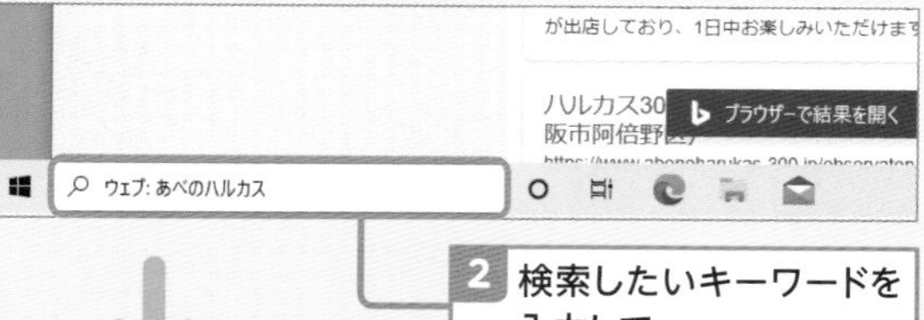

2 検索したいキーワードを入力して、

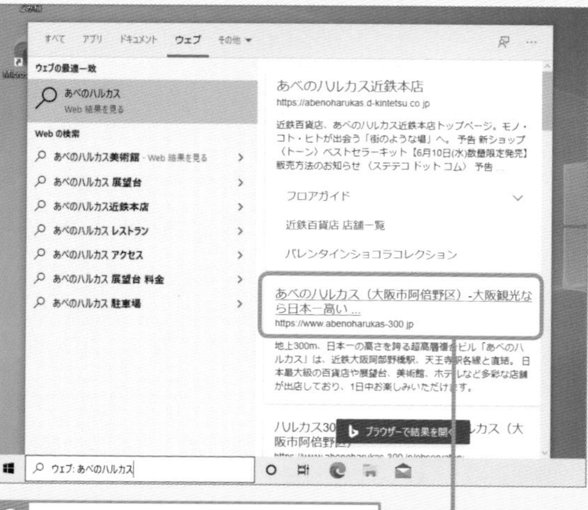

3 検索結果から見たい Web ページのリンクをクリックすると、

4 リンク先の Web ページが表示されます。

検索候補の一覧からページを表示する

1 検索ボックスの検索範囲を［ウェブ］にして、キーワードを入力して検索します。

2 検索候補の一覧の右にある［>］をクリックすると

3 検索結果が表示されます。

ここをクリックすると、検索結果をブラウザーで表示します。

デスクトップの検索ボックスを開くショートカットキー

［Windows］＋［S］キーを押すと、デスクトップの検索ボックスを開くことができます。

Q271 お役立ち度 ★★★ お気に入りの利用

「お気に入り」って何?

A よく見る Web ページを登録しておくところです。

よく見るWebページをその都度検索したり、URLを入力したりして表示するのは面倒です。**お気に入り**にWebページを登録しておけば、お気に入りの一覧からクリックするだけで目的のWebページを表示できます。

Q272 お役立ち度 ★★★ お気に入りの利用

よく見るページを Edge のお気に入りに登録するには?

A [このページをお気に入りに追加] をクリックします。

よく見るWebページや、後からじっくり見たいWebページなど、気になるWebページがあったら「お気に入り」に登録すると便利です。

Webページを登録する

1 登録する Web ページを開いてから、

2 [このページをお気に入りに追加] をクリックします。

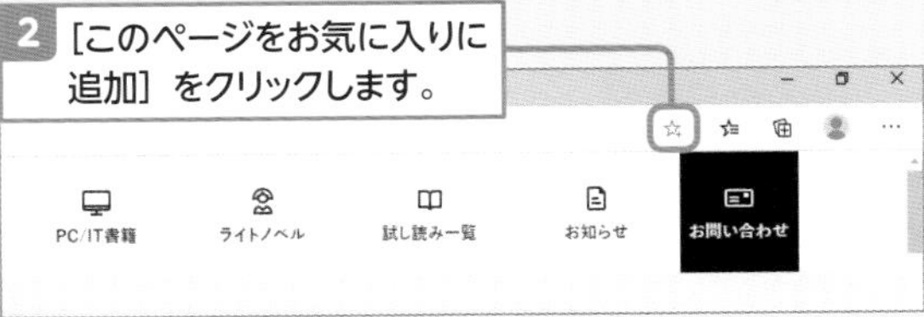

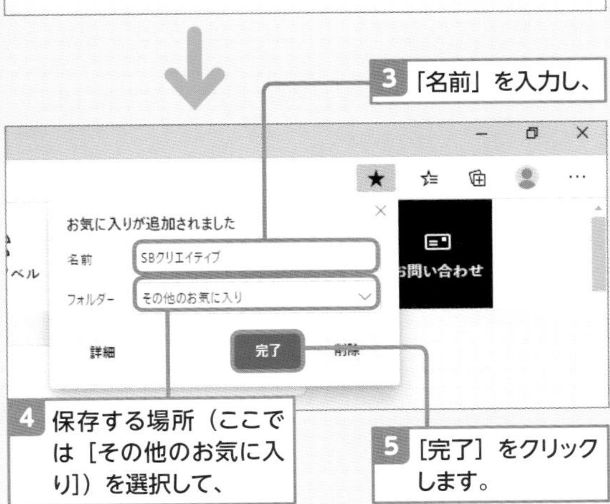

3 「名前」を入力し、

4 保存する場所（ここでは [その他のお気に入り]）を選択して、

5 [完了] をクリックします。

登録した Web ページを開く

1 [お気に入り] ボタンをクリックして、

2 [その他のお気に入り] を選択すると、

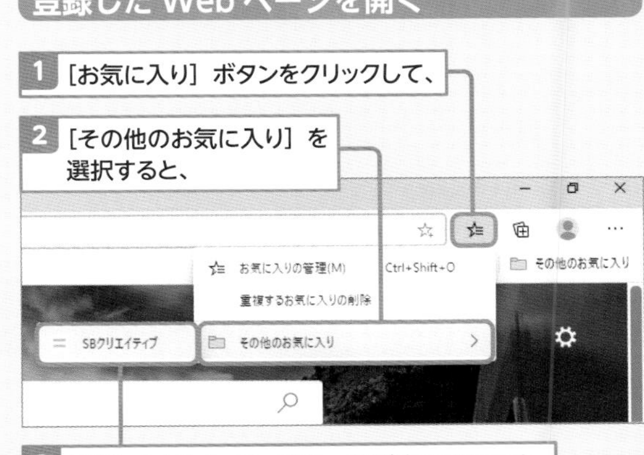

3 登録した Web ページの一覧が表示されます。開きたい Web ページをクリックすると、

4 Web ページが表示されます。

おトクな情報　お気に入りに登録するショートカットキー

お気に入りに登録するページを開いて Ctrl + D キーを押してもお気に入りに追加できます。

Q273 お役立ち度 ★★★ お気に入りの利用

お気に入りの項目をフォルダーで分類するには?

A [フォルダーの追加] をクリックします。

お気に入りに登録したWebページが増えると、一覧から探すのに時間がかかります。「旅行」「買い物」「サッカー」といった具合に目的ごとにフォルダーを作って分類しておくと、お気に入りを管理しやすくなります。

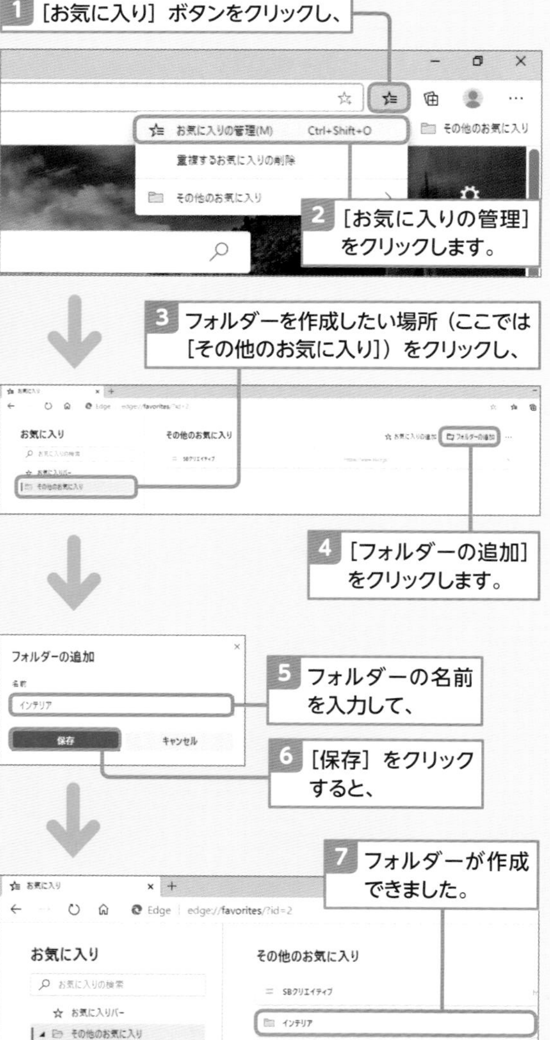

1 [お気に入り] ボタンをクリックし、
お気に入りの管理(M) Ctrl+Shift+O
重複するお気に入りの削除
その他のお気に入り
2 [お気に入りの管理] をクリックします。
3 フォルダーを作成したい場所(ここでは[その他のお気に入り])をクリックし、
4 [フォルダーの追加] をクリックします。
フォルダーの追加
名前
インテリア
保存
キャンセル
5 フォルダーの名前を入力して、
6 [保存] をクリックすると、
7 フォルダーが作成できました。
お気に入り
Edge edge://favorites/?id=2
お気に入りの検索
お気に入りバー
その他のお気に入り
SBクリエイティブ
インテリア

Q274 お役立ち度 ★★★ お気に入りの利用

お気に入りの項目を整理するには?

A お気に入りの項目をフォルダーにドラッグします。

Q273の操作でフォルダーを作成したら、お気に入りに登録済みのWebページを目的のフォルダーにドラッグします。

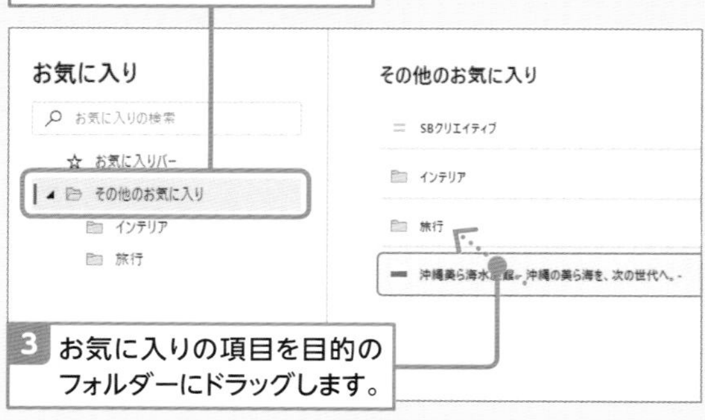

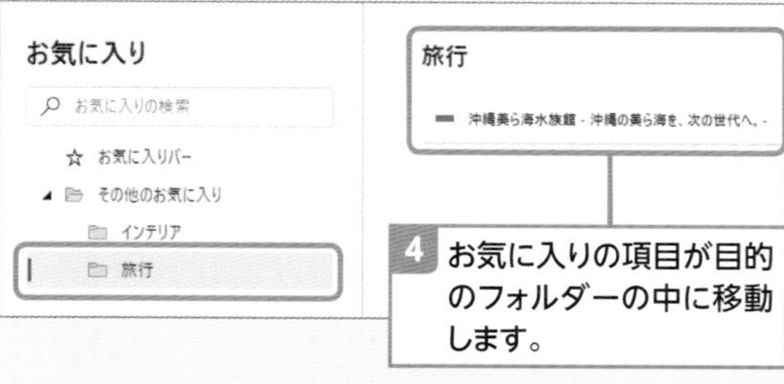

おトクな情報 項目の順序の並べ替え

お気に入りウィンドウの一覧やフォルダー内に表示されるWebページの順番を変更したいときは、登録済みの項目を上下にドラッグします。ゆっくり操作するのがコツです。

Q275 お役立ち度 ★★★ お気に入りの利用

お気に入りの項目を削除するには?

A 削除したい項目を右クリックして削除します。

お気に入りに登録したWebページは一覧から簡単に削除できます。長い期間表示しないWebページは定期的に削除するとよいでしょう。

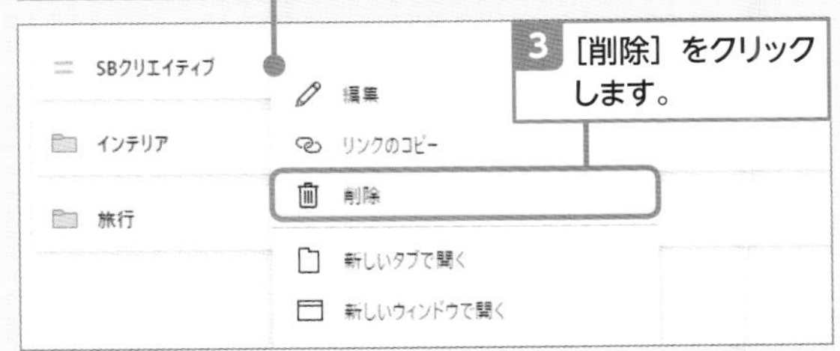

Q276 お役立ち度 ★★★ お気に入りの利用

お気に入りの項目名を変更するには?

A 名前を変更したい項目を右クリックして名前を変えます。

お気に入りに登録したWebページの名前が長くてわかりにくいときは、後から自由に変更できます。お気に入り一覧を見たときにすぐに判別できるわかりやすい名前を付けましょう。

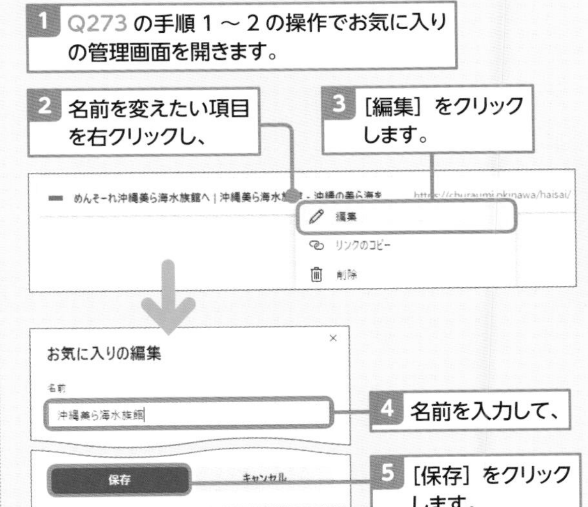

1 Q273の手順1～2の操作でお気に入りの管理画面を開きます。
2 名前を変えたい項目を右クリックし、
3 [編集]をクリックします。
編集
リンクのコピー
削除
お気に入りの編集
名前
沖縄美ら海水族館
4 名前を入力して、
保存
キャンセル
5 [保存]をクリックします。

Q277 お役立ち度 ★★★ お気に入りの利用

「お気に入りバー」って何?

A 頻繁に使うWebページを登録するバーです。

お気に入りバーは、Edgeのアドレスバーの下に表示されるバーです。頻繁に使用するWebページをお気に入りバーに追加しておくと、素早くWebページを表示できます。お気に入りバーが表示されていない場合は、[…](設定など)ボタンをクリックし、[お気に入り]→[お気に入りバーの表示]から[常に]または[新しいタブのみに表示]をクリックします。

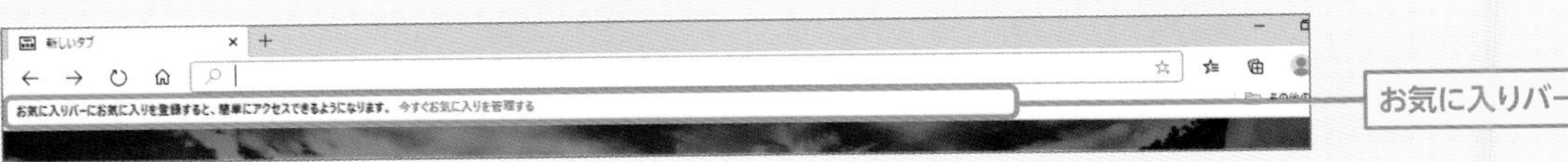

Webページをお気に入りバーに登録するには?

A お気に入りの追加先を「お気に入りバー」にします。

お気に入りバーには、お気に入りの中でも特に見る頻度の高いWebページを登録すると便利です。お気に入りバーに登録するには、Q272の操作でお気に入りに追加するときに、「フォルダー」を「お気に入りバー」に変更します。なお、登録済みのWebページをお気に入りバーに登録するときは、Q274の操作でお気に入りの管理画面で操作します。

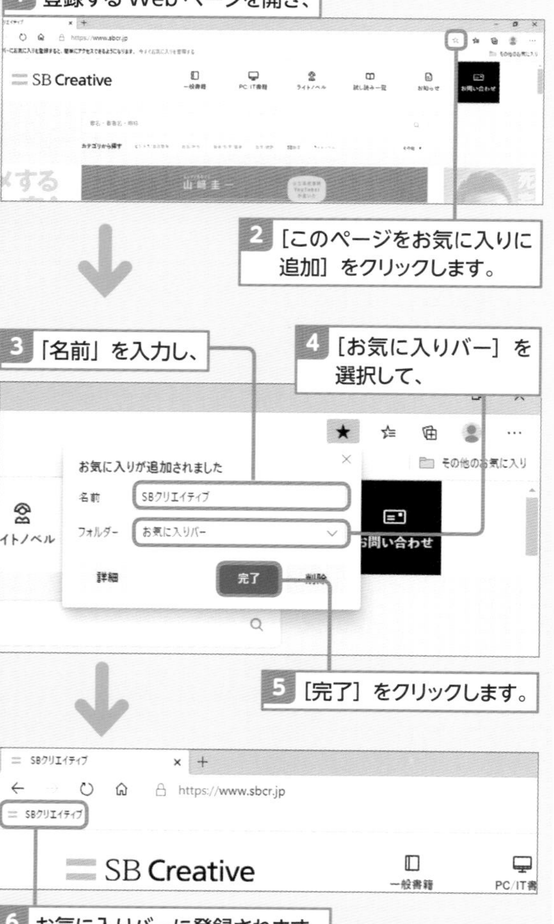

お気に入りバーをフォルダーで分類するには?

A お気に入りバーを右クリックして[フォルダーの追加]を選びます。

お気に入りをフォルダーで整理するように、お気に入りバーにもフォルダーを作ることができます。お気に入りバーに登録したWebページが増えたら、フォルダーごとに分類するとよいでしょう。

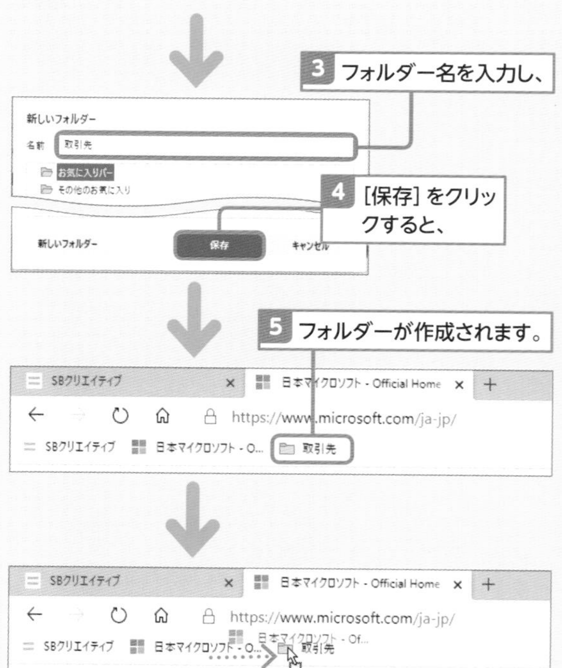

Q280 お役立ち度 ★★★ ブラウザーの使いこなし技

タブを追加して他のページを表示するには?

A タブの横の［+］をクリックします。

Webページは、1つのタブに1つのWebページを表示します。現在のタブとは別のタブにWebページを表示するには、タブ右横にある［+］（新しいタブ）をクリックし、タブを追加します。追加したタブはタブの並びの一番右側に表示されます。なお、Ctrl + T キーを押して新しいタブを追加することもできます。

1 ［+］（新しいタブ）をクリックすると、

2 新しいタブが追加されます。

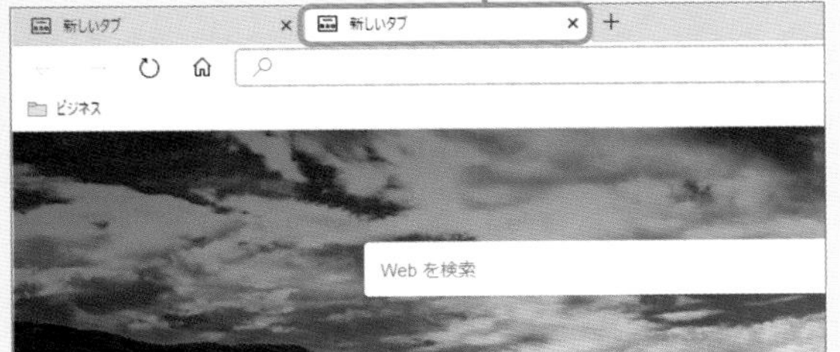

おトクな情報 「タブ」の意味

タブとは、書類などの耳やつまみという意味です。ブラウザーの上部に突き出した小さな見出しを「タブ」といい、タブをクリックして表示する内容を切り替えます。

Q281 お役立ち度 ★★★ スゴわざ ブラウザーの使いこなし技

リンク先ページを新しいタブに表示するには?

A リンクを右クリックして［リンクを新しいタブで開く］を選びます。

Webページの中には下線付きの文字や、他とは色の違う文字があり、そこへマウスポインターを移動すると手の形 になります。これは、ここに別の情報が隠れている＝リンクされているという意味です。Webページの作り方にもよりますが、リンクをクリックすると、これまで見ていたWebページと同じタブに上書きして表示する場合があります。元のWebページも表示しておきたいときは、リンクを右クリックして［リンクを新しいタブで開く］を選ぶと、自動的に新しいタブが追加されてリンク先のWebページが表示されます。リンク先を Ctrl キーを押しながらクリックする方法もあります。

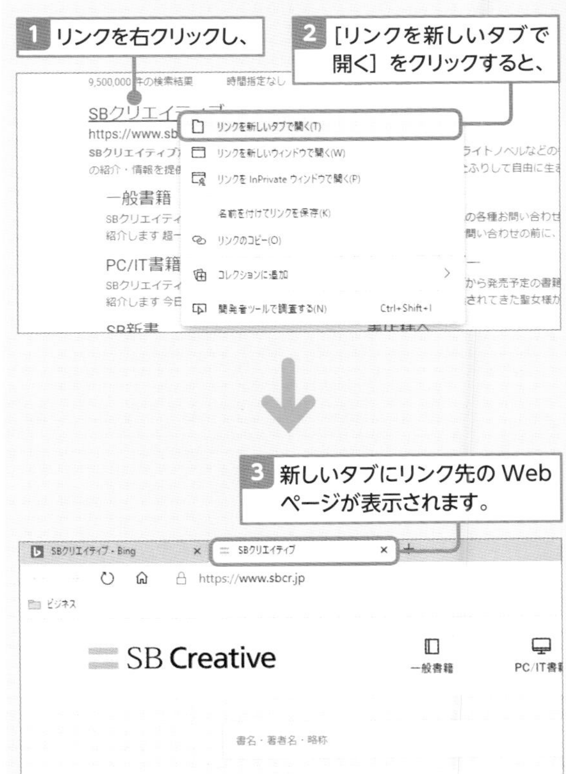

使いはじめ デスクトップ ファイル 文字入力 アプリ インターネット メール 写真・音楽・動画 周辺機器・スマホ 設定 安全に使う

Q282 お役立ち度 ★★★ スゴわざ　ブラウザーの使いこなし技

リンク先ページを新しいウィンドウに表示するには?

A リンクを右クリックして［リンクを新しいウィンドウで開く］を選びます。

Webページのリンクをクリックしたときに、もう1つ別のブラウザーウィンドウを開くことができます。別々のウィンドウに表示すれば、ウィンドウのサイズを調整して左右に並べるなどして、異なるタブの内容を同時に表示できます。

1 リンクを右クリックし、

2 ［リンクを新しいウィンドウで開く］をクリックすると、

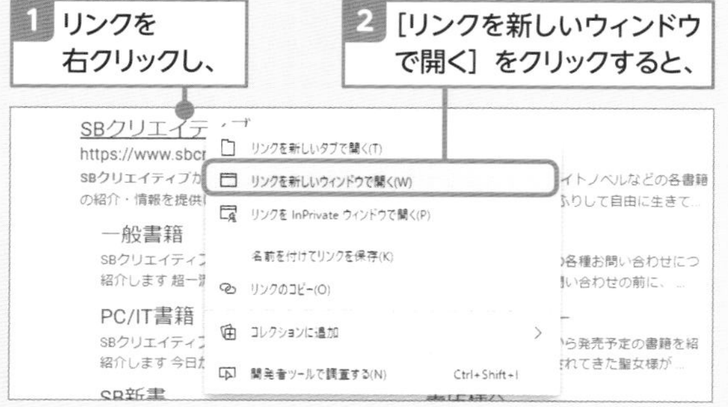

3 新しいウィンドウにリンク先のWebページが表示されます。

おトクな情報　タブをウィンドウ間で移動する方法

ブラウザーのウィンドウが複数開いているとき、タブを別のウィンドウのタブの横にドラッグすると、タブごとWebページを移動できます。

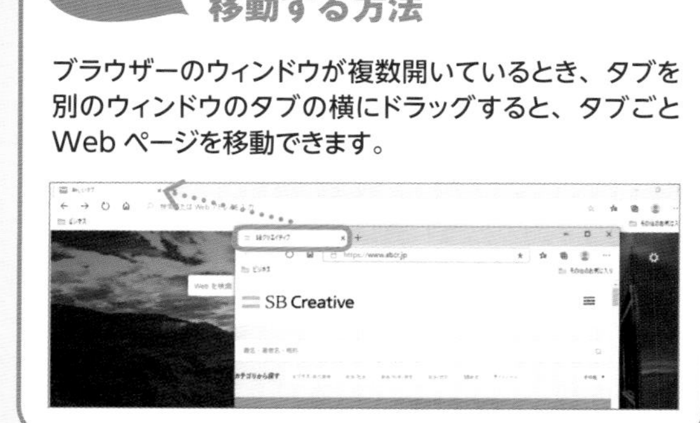

Q283 お役立ち度 ★★★ スゴわざ　ブラウザーの使いこなし技

特定のタブを常に表示するには?

A タブを右クリックして［タブのピン留め］を選びます。

ブラウザーを起動するたびに、特定のタブが常に表示されるようにしたいときは、以下の操作で**タブをピン留め**するとよいでしょう。ピン留めしたタブは、タブの左端に小さなボタンとして表示されます。

1 タブを右クリックし、

2 ［タブのピン留め］をクリックすると、

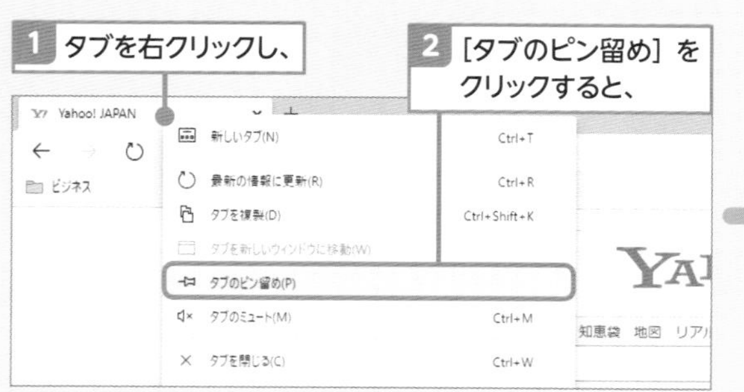

3 タブがピン留めされます。

ピン留めしたタブはブラウザーを起動するたびに左端に表示されます。

Q284 お役立ち度 ★★★ スゴわざ ブラウザーの使いこなし技

後から特定のタブだけ別のウィンドウで表示するには?

A タブを右クリックして［タブを新しいウィンドウに移動］を選びます。

複数のタブの中から特定のタブの内容を後から別のウィンドウに表示するには、目的のタブを右クリックし、表示されるメニューの［タブを新しいウィンドウに移動］をクリックします。

1 タブを右クリックし、

2 ［タブを新しいウィンドウに移動］をクリックすると、

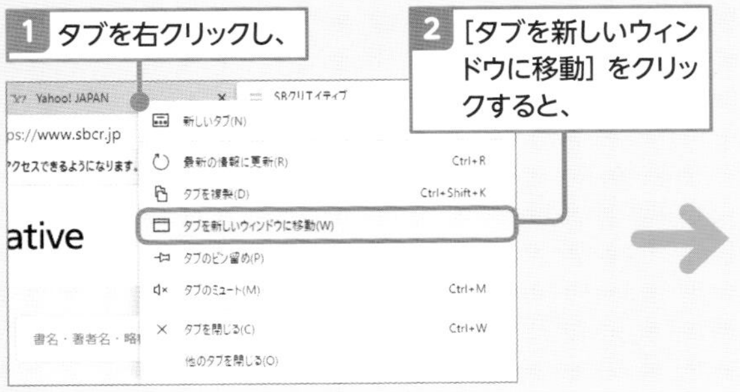

3 指定したタブが別ウィンドウで表示されます。

Q285 お役立ち度 ★★★ ブラウザーの使いこなし技

特定のタブだけを閉じるには?

A タブの右端に表示される［×］をクリックします。

特定のタブだけを閉じるには、タブの右端に表示されている[×](タブを閉じる)をクリックします。ブラウザーの［×］(閉じる)をクリックすると、すべてのタブが閉じてブラウザーが終了します。

1 タブの［×］をクリックします。

おトクな情報 表示しているタブ以外を全部閉じるには

表示しているタブ以外をすべてまとめて閉じるには、残したいタブを右クリックし、[他のタブを閉じる］をクリックします。

Q286 お役立ち度 ★★★ スゴわざ ブラウザーの使いこなし技

タブの組み合わせを保存するには?

A ［開いているすべてのタブを使用］を選びます。

表示している複数のタブの組み合わせをそのまま保存すると、ブラウザーを起動するたびにその組み合わせが表示されます。 関連 Q293 Edge 起動時に表示するページ

1 保存したい複数のタブを表示しておきます。

2 ［…］(設定など) ボタン→［設定］をクリックします。

3 ［起動時］→［特定のページを開く］をクリックし、

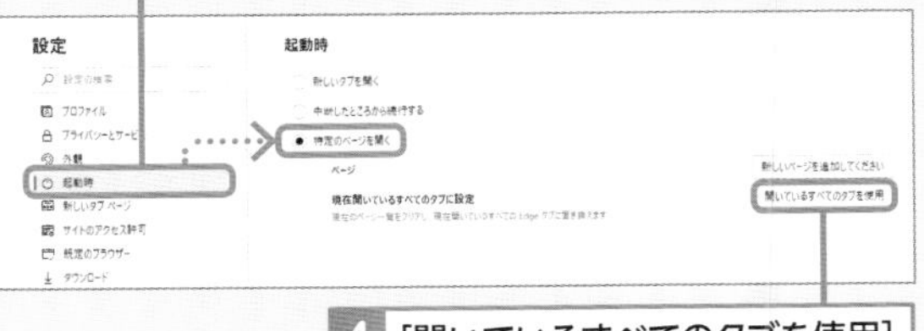

4 ［開いているすべてのタブを使用］をクリックします

Q287 お役立ち度 ★★★ スゴわざ ブラウザーの使いこなし技

うっかり閉じたタブを再び表示するには?

A タブを右クリックして［閉じたタブを再度開く］を選びます。

まだ使うタブをうっかり閉じてしまっても心配いりません。下の手順で［閉じたタブを再度開く］をクリックすると、直前に閉じたタブを再表示できます。［閉じたタブを再度開く］の操作を繰り返すと、それより前に閉じたタブも再表示できます。なお、Ctrl + Shift + T キーを押す方法もあります。

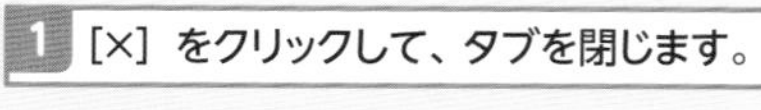

1 ［×］をクリックして、タブを閉じます。

2 いずれかのタブを右クリックし、

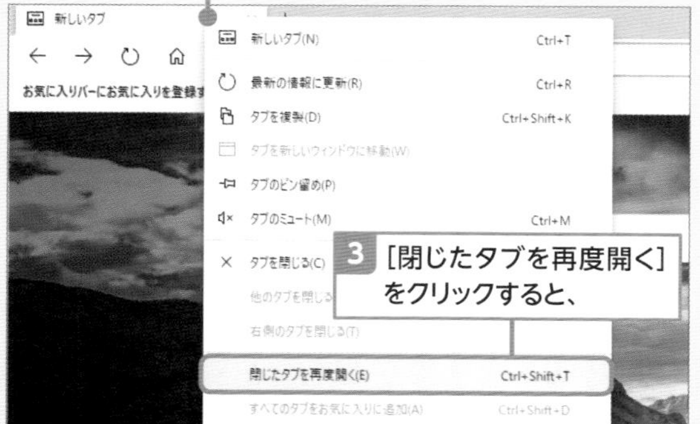

3 ［閉じたタブを再度開く］をクリックすると、

4 直前に閉じたタブが再表示されます。

Q288 お役立ち度 ★★★ ブラウザーの使いこなし技

キー操作でタブを操作するには?

A よく使うキー操作を覚えると便利です。

キーボードを使っているときは、何度もマウスとキーボードを持ち替えるよりも、キーだけで操作できたほうが作業効率が上がります。ブラウザーのタブは以下のキーで操作できます。よく使う操作があれば覚えておくとよいでしょう。

■ブラウザーのタブを操作するショートカットキー

操作	キー
新しいタブを開く	Ctrl + T キー
最後に閉じたタブを再び開く	Ctrl + Shift + T キー
表示中のタブを閉じる	Ctrl + W キー Ctrl + F4 キー
右にあるタブに切り替える	Ctrl + Tab キー
左にあるタブに切り替える	Ctrl + Shift + Tab キー
左から○番目のタブに切り替える	Ctrl + 1（2 3）キー
右端のタブに切り替える	Ctrl + 9 キー
リンク先を新しいタブで表示する	Ctrl キーを押しながらクリック
リンク先を新しいタブで表示し、そのタブに切り替える	Ctrl + Shift キーを押しながらクリック
リンク先を新しいウィンドウで表示する	Alt + Shift キーを押しながらクリック
表示中のタブでキャレットブラウズの有効／無効を切り替える	F7 キー

Q289 お役立ち度 ★★★ スゴわざ ブラウザーの使いこなし技

コレクションって何?

A Webページを用途別にまとめて管理する機能です。

コレクション機能を使うと、Webページを用途別にまとめることができます。たとえば、ショッピングの「欲しいものリスト」や旅行の「行きたい場所リスト」などのように、複数のWebページや画像などを次々と登録してコレクションする（集める）ことができます。

1 コレクションに追加したい Web ページを表示します。

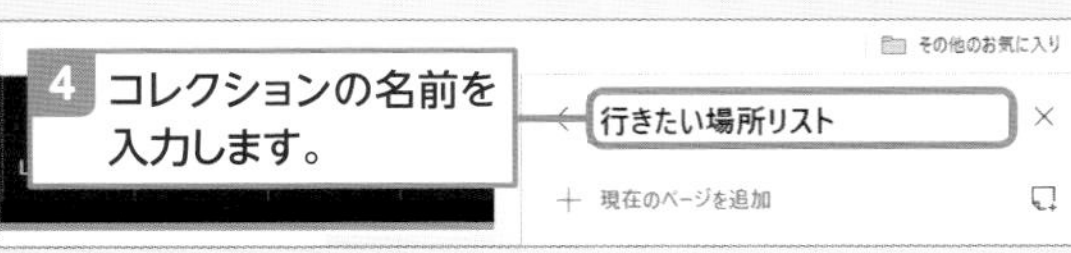

4 コレクションの名前を入力します。
5 [現在のページを追加] をクリックすると、コレクションに追加されます。

6 この操作を繰り返すと、Webページを次々と追加できます。

Q290 お役立ち度 ★★★ スゴわざ ブラウザーの使いこなし技

コレクションを削除するには?

A [選択範囲の削除] をクリックします。

Q289で作成したコレクションは、後から削除できます。コレクションの中にある特定のWebページを削除する方法と、コレクションそのものを削除する方法があります。

コレクション内の Web ページを削除する

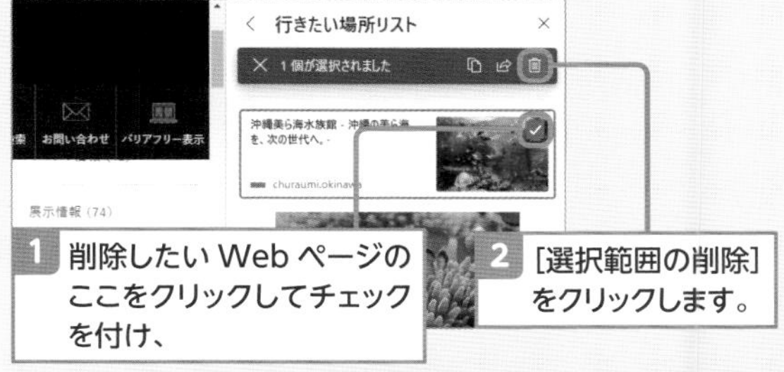

コレクションそのものを削除する

おトクな情報 コレクションにメモを付ける

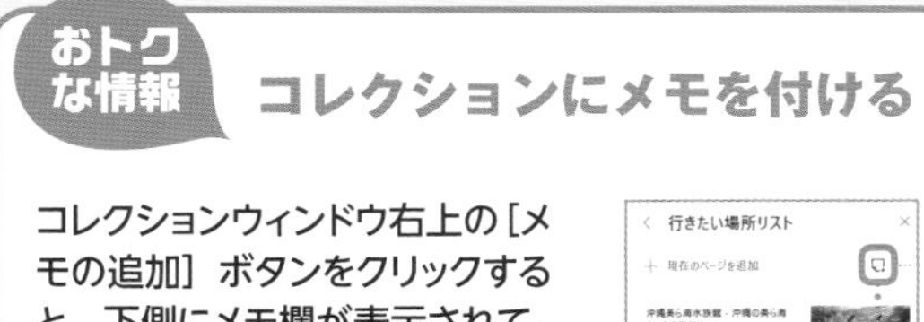

コレクションウィンドウ右上の [メモの追加] ボタンをクリックすると、下側にメモ欄が表示されて、覚書を書き留めておくことができます。

ブラウザーの使いこなし技

ページ内の画像を保存するには?

A 画像を右クリックして保存します。

Web上に公開されている画像をパソコンに保存するには、画像を右クリックして表示されるメニューから［名前を付けて画像を保存］をクリックします。好きな名前でパソコンに保存できますが、Web上の画像の多くには著作権があります。使用条件を確認せずに勝手に保存したり使用したりすると著作権侵害になるので注意が必要です。なお、画像の中には右クリックしてもメニューが表示されないものもあります。

1 保存したい画像を右クリックし、

2 ［名前を付けて画像を保存］をクリックします。

3 保存先を指定し、

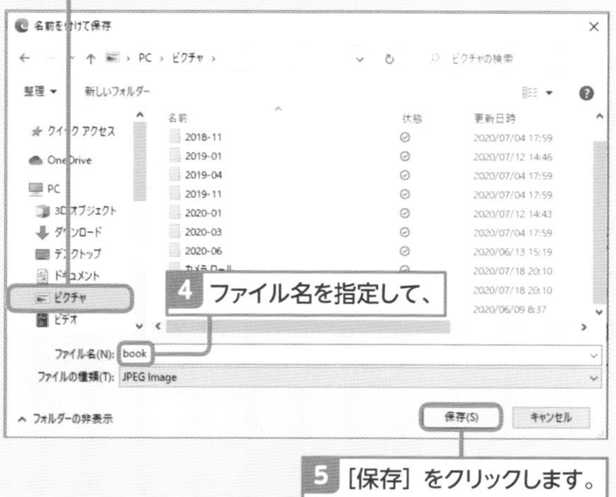

4 ファイル名を指定して、

5 ［保存］をクリックします。

ブラウザーの使いこなし技

ファイルをダウンロードするには?

A ダウンロード用のボタン（リンク）をクリックします。

Webページの中には、配布データやアプリなどをパソコンにダウンロードできるようになっているものがあります。多くの場合はページの中に「ダウンロード」と書かれたボタン（リンク）が用意されており、それをクリックして保存先を指定します。ここでは例として無料の「Acrobat Reader DC」をダウンロードしてみます。

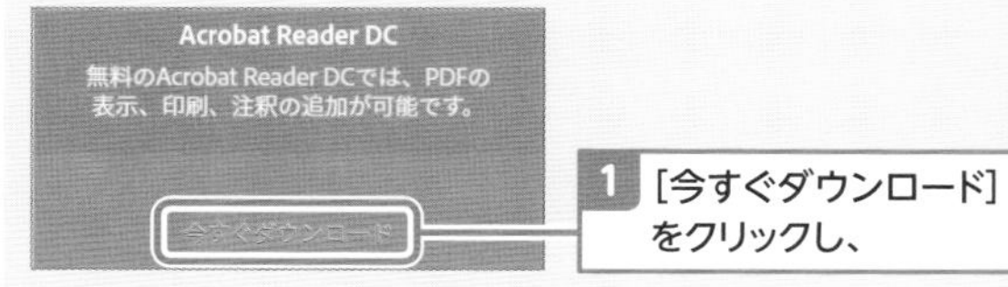

1 ［今すぐダウンロード］をクリックし、

2 ［Acrobat Readerをダウンロード］をクリックすると、ダウンロードが始まります。

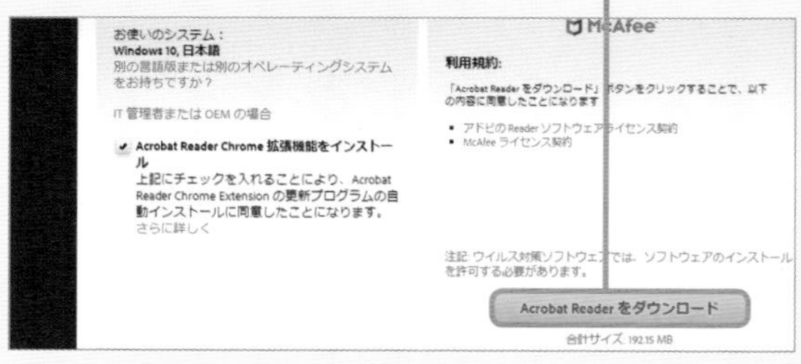

3 画面左下にダウンロードされたファイル名が表示されます。

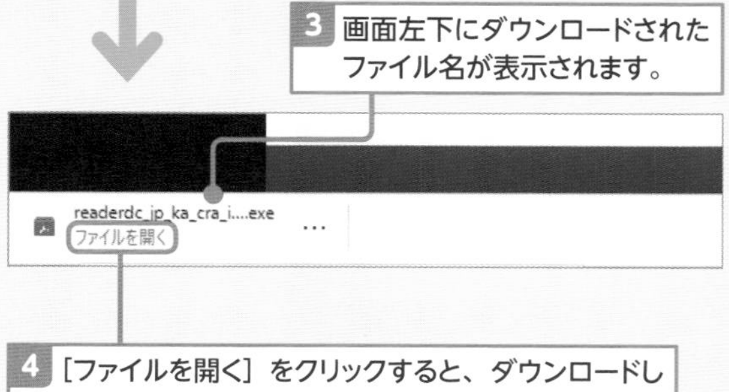

4 ［ファイルを開く］をクリックすると、ダウンロードしたファイルが開けます。今回の例では、Acrobat Reader 本体のダウンロードが始まります。

ダウンロードしたファイルは［PC］の「ダウンロード」フォルダーに保存されます。

Q293 お役立ち度 ★★★ ブラウザーの使いこなし技

Edgeを起動したときに最初に表示するページを指定するには?

A 「設定」画面で「起動時」の［特定のページを開く］を選びます。

Edgeを起動したときに最初に表示されるWebページはパソコンによってまちまちですが、後から変更できます。起動時に表示したいWebページを開いてから、以下の操作で登録できます。

関連 Q286 タブの組み合わせを保存する

Webページの登録

1 起動時に表示したいWebページを開いておきます。

2 ［…］（設定など）ボタン→［設定］をクリックします。

3 ［起動時］をクリックし、

4 ［特定のページを開く］をクリックして、

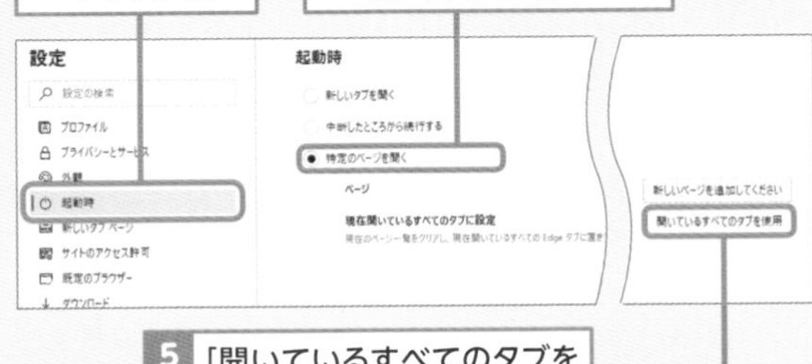

5 ［開いているすべてのタブを使用］をクリックします。

6 開いているWebページが表示されます。

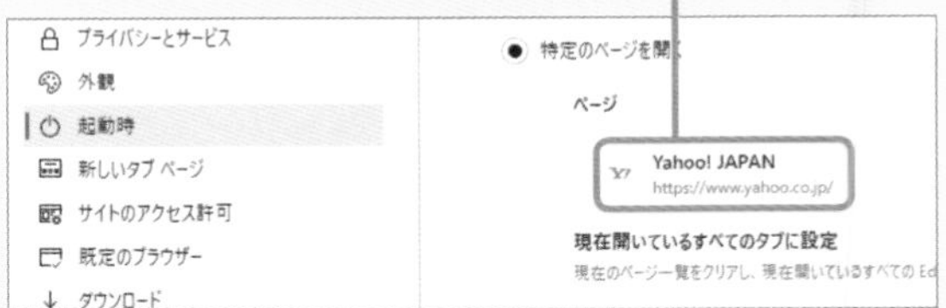

7 Edgeを起動し直すと、手順1で開いておいたWebページが表示されます。

登録したWebページを変更する場合は、変更したいWebページを表示してから、手順2～7の操作を繰り返します。

登録したWebページの削除

1 「設定」画面の［起動時］をクリックし、削除したいWebページの［…］をクリックします。

2 ［削除］をクリックします。

おトクな情報 ［ホーム］ボタンと区別して使おう

Q258で解説した［ホーム］ボタンは、Edgeの操作中に使います。［ホーム］ボタンに特定のWebページを登録しておくと、ボタンをクリックするだけでそのページが表示されます。起動時に表示されるWebページを「ホームページ」と呼ぶこともあるので、［ホーム］ボタンとの使い分けに注意しましょう。

Q294 お役立ち度 ★★★ スゴわざ ブラウザーの使いこなし技

過去に見たWebページの履歴を見られたくない!

A [閲覧データをクリア] をクリックします。

どのWebページを表示したのかは「履歴」として残っており、同じパソコンを使う他の人にも見えてしまいます。過去に見たWebページの履歴を第三者に見られたくないときは、「閲覧データをクリア」を実行します。

1 […] (設定など) ボタン→ [履歴] をクリックし、

2 [その他のオプション] をクリックして、

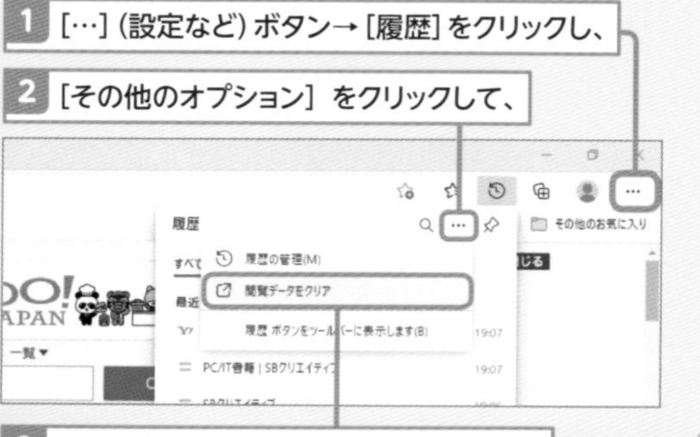

3 [閲覧データをクリア] をクリックします。

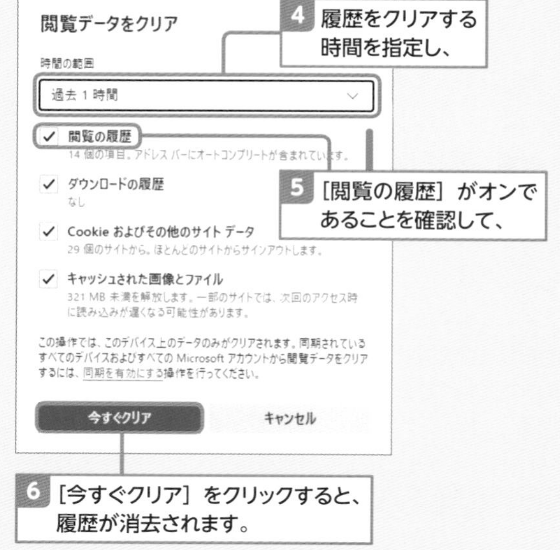

4 履歴をクリアする時間を指定し、

5 [閲覧の履歴] がオンであることを確認して、

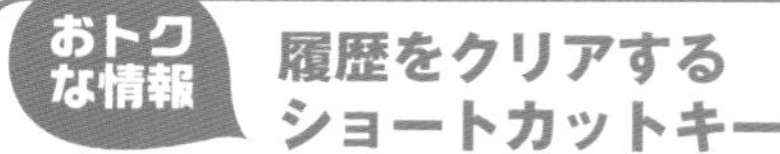

6 [今すぐクリア] をクリックすると、履歴が消去されます。

おトクな情報 履歴をクリアするショートカットキー

Ctrl + Shift + Delete キーを押すと、閲覧データの消去画面をダイレクトに表示できます。

Q295 お役立ち度 ★★★ スゴわざ ブラウザーの使いこなし技

ブラウザーを閉じるときに履歴を自動で消すには?

A 「ブラウザーを閉じるたびにクリアするデータを選択する」を設定します。

Q294の操作でも履歴を消去できますが、消去後に新しくWebページを見るたびに履歴が追加され、その都度消去しなければなりません。その日に見たWebページの履歴を自動的に消去したいときは「ブラウザーを閉じるたびにクリアするデータを選択する」を設定します。そうすると、Q294の操作をしなくてもブラウザーを閉じるたびに自動的に履歴が消去されます。

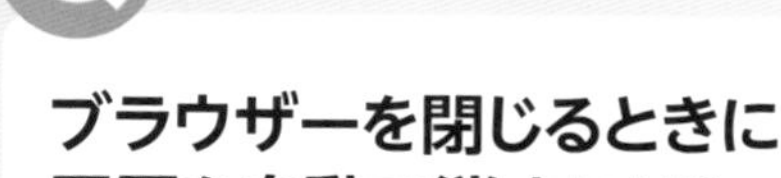

1 […] (設定など) ボタン→ [設定] をクリックし、

2 [プライバシー、検索、サービス] をクリックして、

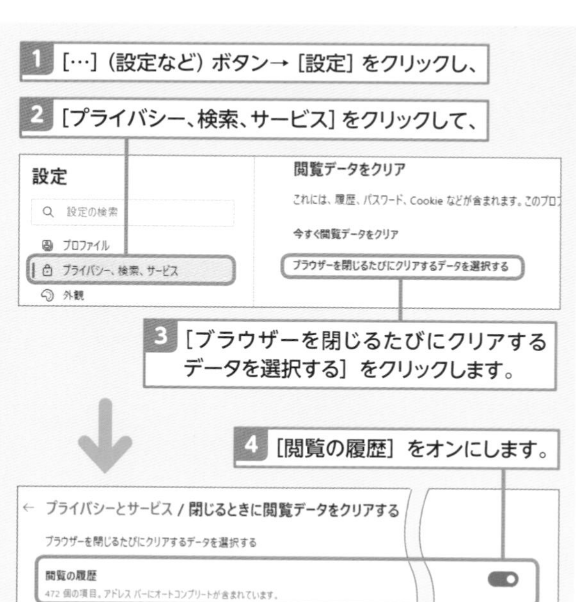

3 [ブラウザーを閉じるたびにクリアするデータを選択する] をクリックします。

4 [閲覧の履歴] をオンにします。

Q296 お役立ち度 ★★★ スゴわざ ブラウザーの使いこなし技

履歴を残さずにページを見るには?

A InPrivate ウィンドウで Web ページを表示します。

InPrivateウィンドウを表示してEdgeを利用すると、履歴を残さずにWebページを閲覧できます。InPrivateウィンドウの使い方は通常のEdgeと同じです。

1 Edge で［…］（設定など）ボタンをクリックし、［新しい InPrivate ウィンドウ］をクリックします。

2 InPrivate ウィンドウが開きます。

Q297 お役立ち度 ★★★ ブラウザーの使いこなし技

安全でないサイトからパソコンを保護するには?

A 「Microsoft Defender SmartScreen」がオンになっていることを確認します。

Edgeでは、詐欺のサイトとして認識されているWebページを表示した場合や、ウイルスが仕掛けられている問題のあるファイルをダウンロードした場合などに、警告メッセージが表示されることがあります。これは、ユーザーをトラブルから守るための「**Microsoft Defender SmartScreen**」機能によるものです。通常はこの機能がオンになっていますが、設定を確認しておくと安心です。

1 Edge で［…］（設定など）ボタンをクリックし、［設定］→［プライバシーとサービス］の順にクリックします。

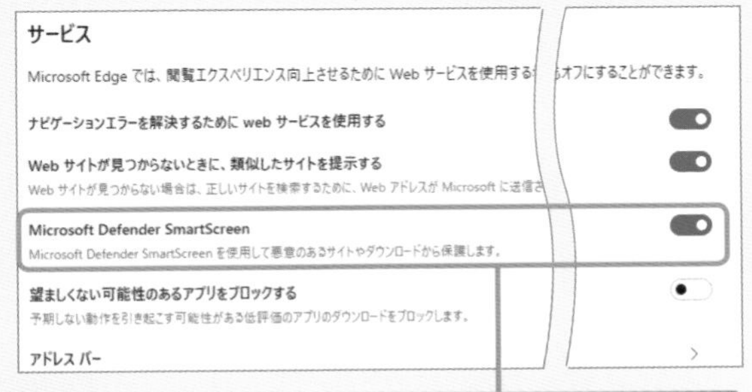

2 「Microsoft Defender SmartScreen」がオンになっていることを確認します。

Q298 お役立ち度 ★★★ ブラウザーの使いこなし技

信頼できるサイトかどうかを確認するには?

A アドレスバーの表示を目安にします。

Webページの中には、偽のWebページを作成して個人情報やクレジットカード番号を入力するように促してお金を盗み取る悪質なページもあります。Webページが本物なのか判断する方法として、アドレスバーに表示される鍵マークがあります。鍵マークは、そのWebページの所有者を証明するデジタル証明書が付いている目印です。ただし、最近では鍵マーク付きの詐欺サイトも増えています。鍵マークをクリックして、さらに［証明書］をクリックすると、証明書の発行先と発行者を確認できます。企業からのお知らせなどもしっかりチェックするなどして十分注意しましょう。

所有者を証明するデジタル証明書が付いている Web ページ

使いはじめ デスクトップ ファイル 文字入力 アプリ インターネット メール 写真・音楽・動画 周辺機器・スマホ 設定 安全に使う

Q299 お役立ち度 ★★★ スゴわざ ブラウザーの使いこなし技

Webページの文章を音声で聞くには?

A 「音声で読み上げる」機能を使います。

Webページ内の文章は「**音声で読み上げる**」機能を使って音声で聞くことができます。この機能を使うときは、パソコンにスピーカーを接続しておく必要があります。[音声で読み上げる]機能を中止するには、[音声オプション] 右側の [×]（閉じる）をクリックします。

1 […]（設定など）ボタンをクリックし、

2 [音声で読み上げる] をクリックすると、

3 Webページの文章が音声で読み上げられます。

ここをクリックして閉じます。

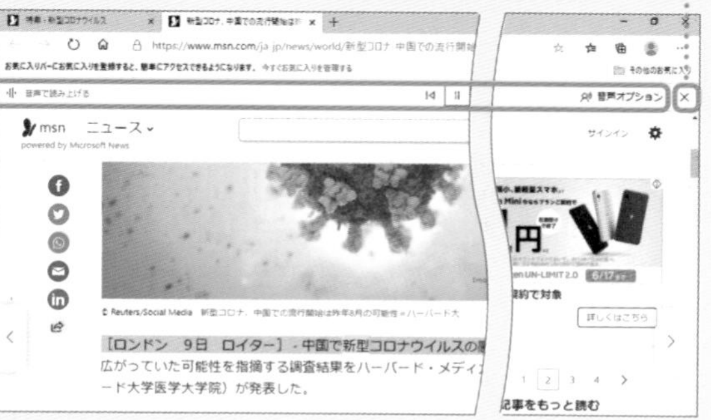

Q300 お役立ち度 ★★★ スゴわざ ブラウザーの使いこなし技

Webページをもっとゆっくり読み上げて欲しい!

A [音声オプション] をクリックしてスピードを変更します。

Q299の「音声で読み上げる」機能を使ったときに、読み上げるスピードをもっとゆっくりしたり速くしたりすることができます。[音声オプション] をクリックしたときに表示される、スピードのつまみを左右にドラッグして調整します。

1 [音声で読み上げる]機能を実行中に、[音声オプション] をクリックし、

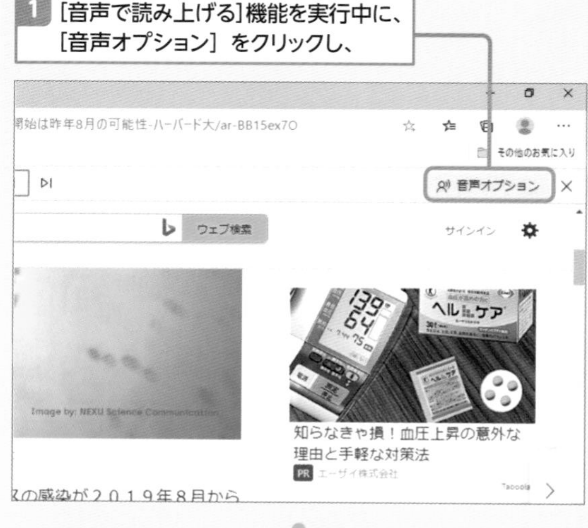

2 スピードのつまみを左右にドラッグして調整します。

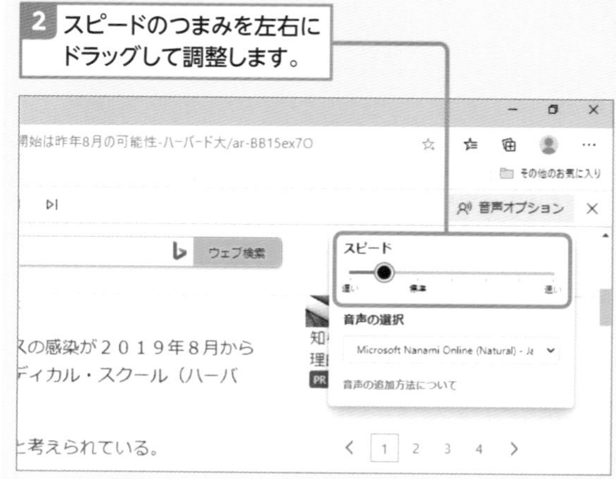

Q301 お役立ち度 ★★★ ブラウザーの使いこなし技

Webページの音声のオン／オフを素早く切り替えるには?

A タブのスピーカーのアイコンをクリックします。

Webページ内で動画などが再生されて音声が流れてきたときに、とっさにミュート（消音）したいことがあります。そのような場合には、タブのスピーカーアイコンをクリックすることで音声のオン／オフを切り替えることができます。

1 タブのスピーカーアイコンをクリックすると、

UAE火星探査機、種子島 ×
お気に入りバーにお気に入りを登録すると、簡単にアクセス
msn ニュース
powered by Microsoft News

2 音量がミュートされ、スピーカーアイコンに×印が表示されます。

UAE火星探査機、種子島 ×
お気に入りバーにお気に入りを登録すると、簡単にアクセス
msn ニュース
powered by Microsoft News

もう一度スピーカーアイコンをクリックすると、音声がオンになります。

Q302 お役立ち度 ★★★ スゴわざ ブラウザーの使いこなし技

外国語のWebページを翻訳するには?

A 翻訳機能を使って日本語で表示しましょう。

英語版のニュースなど、外国語のWebページを表示すると、画面上部に「○○のページを翻訳しますか？」のメッセージが表示されます。翻訳後の言語を指定して［翻訳］ボタンをクリックすると、指定した言語でWebページが表示されます。

1 英語のWebページを表示するとメッセージが表示されます。

2 「翻訳のターゲット言語」を指定して、

3 ［翻訳］をクリックすると、

4 Webページが指定した言語に翻訳されます。

英語だけでなく中国語やドイツ語など、さまざまな外国語を翻訳できます。

おトクな情報 翻訳オプションの表示

アドレスバーの右端にある［翻訳オプションの表示］ボタンをクリックすると、もう一度手順1の画面を表示できます。

Edge に便利な機能を追加するには?

A 「拡張機能」を追加します。

Edgeは多くの機能を備えた便利なブラウザーですが、さらに機能を追加するための仕組みも備えています。マイクロソフト以外にも多くの開発元が「**拡張機能**」を提供しており、ほとんどが無料なので気軽に試してみましょう。不要であれば簡単に削除できます。

1 […](設定など)ボタンをクリックし、

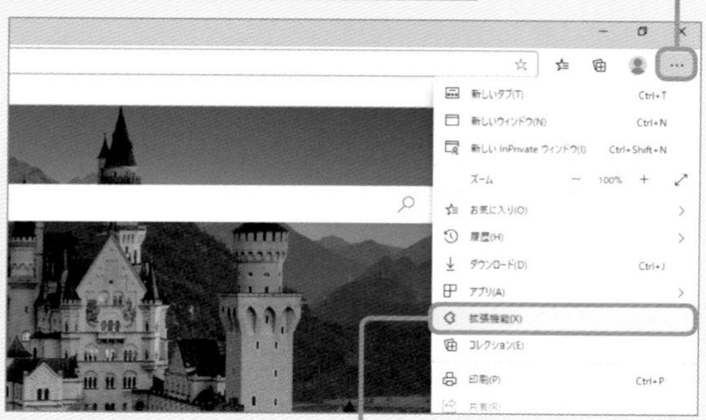

2 [拡張機能] をクリックします。

3 [Microsoft Edge の拡張機能を検出する] をクリックすると、

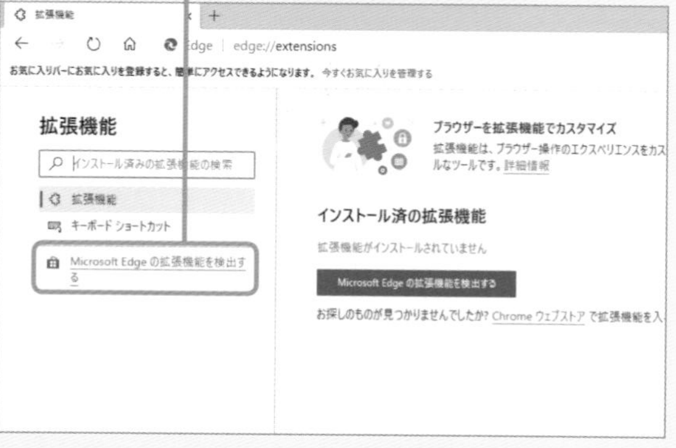

4 拡張機能の一覧が表示されます。

5 追加したい拡張機能をクリックし、

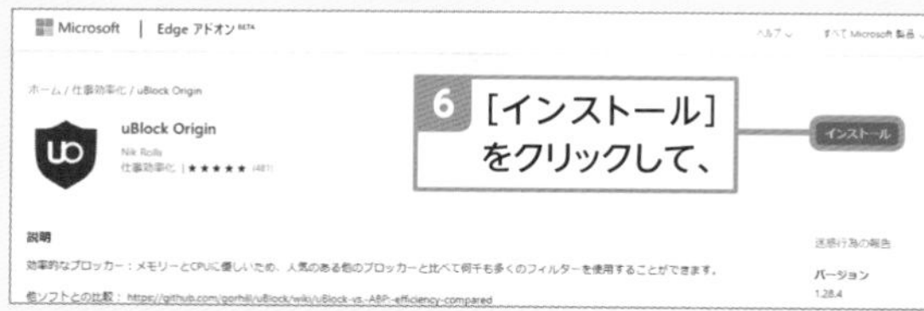

6 [インストール] をクリックして、

7 [拡張機能の追加] をクリックすると、拡張機能がインストールされます。

8 アイコンが表示され、拡張機能が使えるようになります。

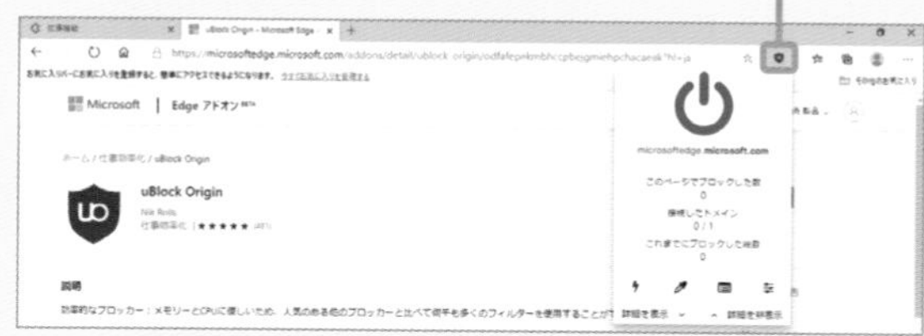

拡張機能ごとに使用方法は異なりますが、「uBlock Origin」をインストールすると、自動的に広告がブロックされます。

おトクな情報 拡張機能の削除

手順 3 の画面で、削除したい拡張機能の下にある [削除] をクリックします。

第7章

「メール」を手軽にやり取りしよう！

SNSでのコミュニケーションが盛んとは言っても、ビジネスシーンではまだまだ電子メールでやり取りするのが一般的です。この章では、Windows 10にインストールされている「メール」と、Web上で操作する「Outlook.com」の2種類のメールアプリを使って、メールの基本的な作法を振り返りながら、メールの送受信で使えるワザを解説します。また、受信したメールをわかりやすく整理して管理します。

アイコンの意味

ぜひ習得したい基本ワザを示します。

時短に役立つ活用ワザを示します。

知っておきたい基礎知識を示します。

スゴわざ 目からウロコのすごワザを示します。

基本を超えた上級ワザを示します。

Q 304
お役立ち度 ★★★
メールを利用する準備

電子メールの仕組みを教えて!

A インターネット上のサーバーを介して手紙をやり取りします。

電子メール（以下、メールといいます）とは、インターネット上でやり取りする手紙のようなものです。手紙の住所に当たる**メールアドレス**を指定してメールを送信すると、最初に自分が利用しているメールサービスのサーバーに送られます。続いて、メールの宛先となる相手のメールサービスのサーバーに転送されます。サーバーには私書箱のようなものがあり、相手がメールを受信するまでは一時的にそのサーバーの私書箱に保管されます。

以前は、メールをやり取りする専用のアプリを使用してメールを送受信する方法が一般的でしたが、最近は、ブラウザーを使用して会社のパソコンや自宅のパソコン、スマホなどから手軽にメールをやり取りする**Webメール**も使われるようになりました。

メールアプリでは、メールの送信はSMTP方式、メールの受信はPOP3方式やIMAP方式を利用しますが、Webメールでは、HTTP方式やHTTPS方式でメールをやり取りします。

Web メールの場合はサーバーに保管されたメールを閲覧する形になります。
閲覧
Cさん
一人だけでなく、複数の人に同じ内容のメールを送ることもできます。
メールにファイルを添付することもできます。
Cさんが契約したメールサーバー
送信
Aさんが契約したメールサーバー
Bさんが契約したメールサーバー
メールアプリの場合は自分のパソコンにメールを取り込む形になります。
受信
Aさん
Bさん

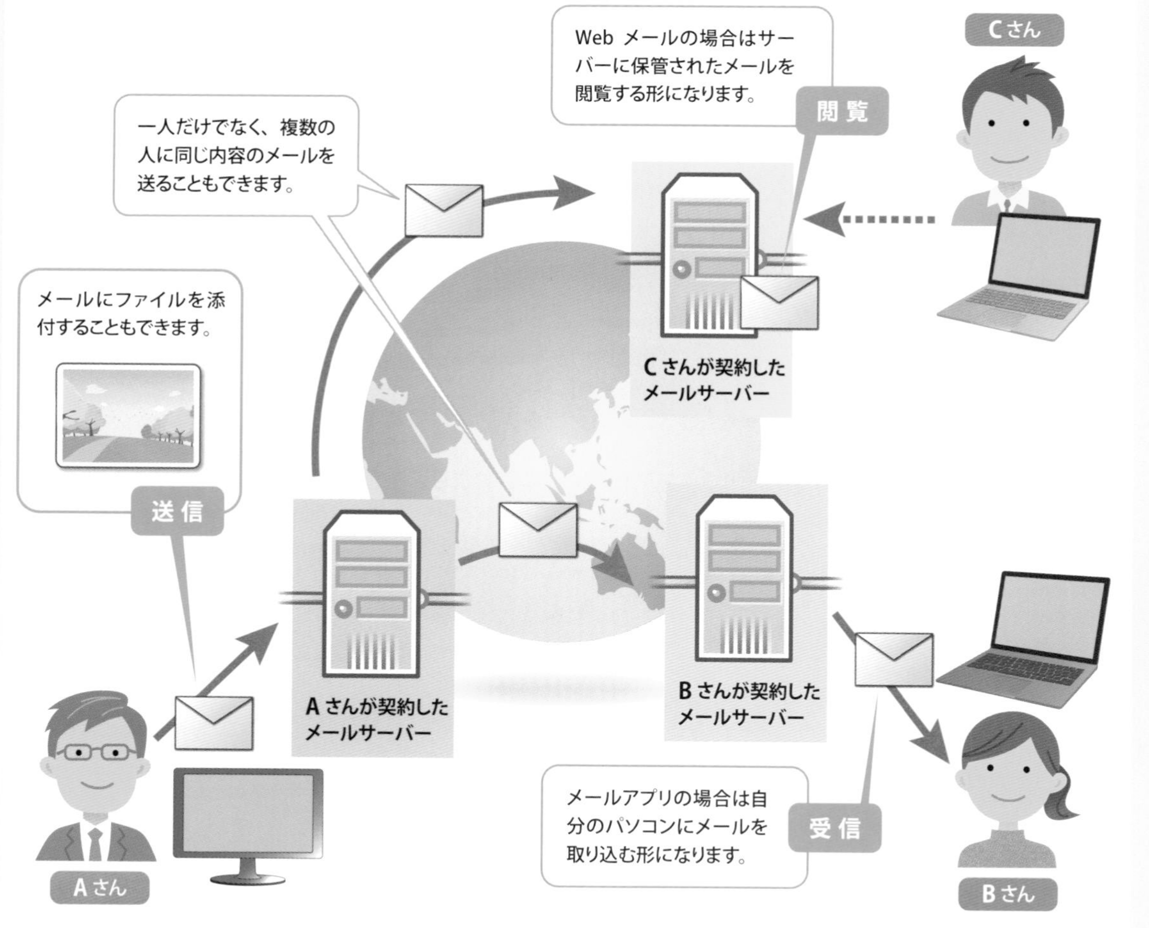

Q305

お役立ち度 ★★★

メールを利用する準備

電子メールにはどんな種類があるの?

A メールアプリとWebメールがあります。

メールには、Windows 10に付属している「メール」やOffice製品に含まれる「Outlook」のように専用アプリをインストールして利用するものと、「Outlook.com」「Yahoo!メール」「Gmail」のようにWeb上で利用するものがあります。前者を**メールアプリ**、後者を**Webメール**と呼びます。Webメールはブラウザー上でメールの操作をするため、専用アプリは必要ありません。

「メール」アプリの画面

「Outlook.com」の画面

Q306

お役立ち度 ★★★

メールを利用する準備

メールアプリとWebメール、どちらを使えばいいの?

A 目的によって使い分けましょう。

メールアプリは、パソコンにアプリをインストールして使います。会社や自宅のパソコンでメールのやり取りを行うのであればメールアプリでよいでしょう。パソコンにOffice製品が最初からインストールされているのであれば、「Outlook」というメールアプリを使うのもひとつの方法です。一方、Webメールはインターネットに接続できる環境があればどこからでも手軽にメールをチェックできます。

メールアプリ	「メール」 「Outlook」 など	○ 良い点 ・メールの表示や整理方法などを詳細に設定できます。 ・初回の設定が終われば、メールアプリを起動するだけでメールをチェックできます。 ・受信メールはパソコンに保存されるので、古いメールを残しておけます。 ▲ 気になる点 ・メールアプリのインストールが必要です。 ・メールアプリをインストールしたパソコンがないと使えません。
Webメール	「Outlook.com」 「Gmail」 「Yahoo! メール」 など	○ 良い点 ・インターネットに接続できれば、どこにいてもメールを使えます。 ・メールは Web 上のサーバーに保存されます。 ▲ 気になる点 ・サーバーの容量を超えると、古いメールから自動的に削除されます。 ・インターネットカフェなど不特定多数の人が使用するパソコンを使う場合は、使用後に履歴情報を削除するなどの対策が必要です。

Q 307 お役立ち度 ★★★ 「メール」アプリの基本操作

「メール」アプリを使うには?

A メールアカウントの設定を行います。

Windows 10に最初から入っている「メール」というアプリを使うには、メールアカウントの設定が必要です。プロバイダーのメールアカウントを登録するには、以下の手順でメールアドレスやパスワードなどの情報を入力します。

Microsoftアカウントを設定しているときは、初回起動時の最初の画面でワンクリックでメールアカウントの設定が完了します。 関連 Q320 メールアカウントの追加

1 タスクバーの「メール」をクリックしてメールアプリを起動し、

2 [その他のアカウント] をクリックします。

アカウントの追加

メール、カレンダー、連絡先 にアカウントを追加して、メール、予定表イベント、連絡先にアクセスします。

Outlook.com
Outlook.com、Live.com、Hotmail、MSN

Office 365
Office 365、Exchange

Google

iCloud

その他のアカウント
POP、IMAP

詳細設定

閉じる

Microsoft アカウントを登録する場合は、ここをクリックします。

このページの操作でメールアカウントを設定できない場合は、Q320 の操作で「アカウントの追加」画面を表示して、この [詳細設定] をクリックし、プロバイダーから指定された情報を入力します。

3 プロバイダーから指定されたメールアドレス、パスワードを入力し、名前は自由に入力して、

アカウントの追加

その他のアカウント

一部のアカウントでは、サインインするために追加の手順が必要です。
詳細情報

メール アドレス
tanaka@example.com

この名前を使用してメッセージを送信
田中太郎

パスワード
●●●●●●●●●●

情報は自動的に保存されるため、毎回サインインする必要はありません。

サインイン キャンセル

4 [サインイン] をクリックします。

アカウントの追加

すべて完了しました。

アカウントは正常にセットアップされました。

tanaka@example.com

スマートフォンでの Outlook でメールがさらに便利に

任意のメール アカウントに接続して、外出先で職場や個人の予定表にアクセスできます。無料でご利用いただけます。

アプリを入手

完了

5 [完了] をクリックすると、

6 設定が完了し、「メール」アプリが起動します。

受信トレイ

メールの新規作成

アカウント

フォルダー

ここに表示するアイテムはまだありません

「メール」アプリの画面の見方を教えて!

A 3 つの領域で構成されています。

「メール」アプリは、中央のメッセージ一覧を中心に3つの領域で構成されています。左側の領域からフォルダーを選ぶと、フォルダー内のメールが中央の領域に表示され、選択したメールの内容が右側の領域に表示されます。

折りたたむ
クリックすると、フォルダー一覧を折りたたんだり広げたりします。

メールの新規作成
クリックすると、新規メール作成画面が表示されます。

アカウント
メールアプリに登録したメールアカウントの一覧が表示されます。

検索ボックス
メールを検索するキーワードを入力します。

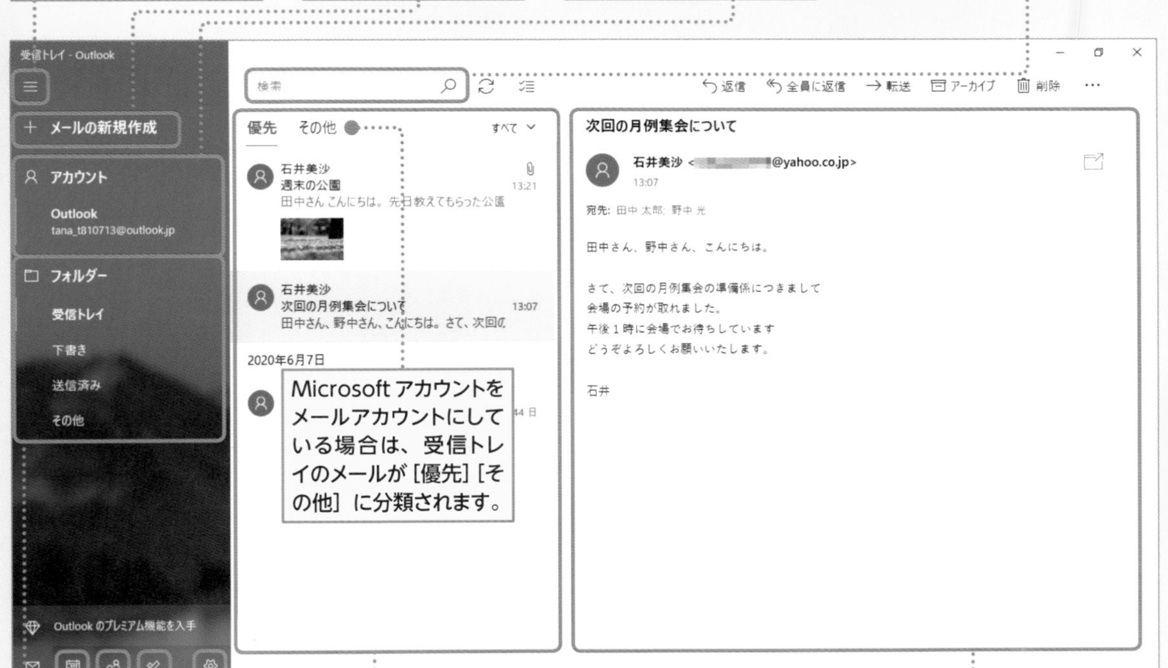

予定表に切り替える
クリックすると、カレンダーアプリに切り替わります。

［設定］ボタン
クリックすると、メールアプリの設定メニューを表示できます。

メッセージ一覧
選択しているフォルダー内のメールの一覧が表示されます。

閲覧ウィンドウ
メッセージ一覧で選択しているメールの内容が表示されます。

連絡先に切り替える
クリックすると、People アプリに切り替わります。

To Do に切り替える
クリックすると、To Do アプリに切り替わります。To Do アプリを使用するには、Microsoft Store からアプリをダウンロードします。

フォルダー
受信したメールや送信したメールが、それぞれのフォルダーに分類されます。
［その他］をクリックすると隠れているフォルダーを含めてすべてのフォルダーが表示されます。

Q 309

お役立ち度 ★★★

「メール」アプリの基本操作

新しいメールを送るには?

A メールを作成してから［送信］をクリックします。

［メールの新規作成］をクリックしてメールを作成したら、［送信］をクリックしてメールを送信します。送信したメールは「送信済みアイテム」フォルダーに移動します。

Q 310

お役立ち度 ★★★

「メール」アプリの基本操作

宛先／CC／BCC の違いを教えて!

A 目的によって使い分けましょう。

メールを送信するには、「宛先」欄、「CC」欄、「BCC」欄のいずれかに相手のメールアドレスを入力します。それぞれの使い分けは右の表のとおりです。最初はCC欄やBCC欄が表示されていませんが、宛先欄の右の［CCとBCC］をクリックすると表示されます。

宛先	メールを送りたい相手のメールアドレスを入力します。
CC	宛先以外にメールを送りたい相手がいるときに使います。宛先にはメインの相手を指定し、CCには参考程度に読んでもらったり、メールを送信したことを伝えたい相手を指定します。CCに入力したメールアドレスは相手にも見えます。
BCC	BCCに入力したメールアドレスは相手には見えません。そのため、面識のない人たちに一斉にメールを送るときには、それぞれのメールアドレスがわからないようにBCCに全員分を入力します。

Q 311

お役立ち度 ★★★

「メール」アプリの基本操作

複数の人に同じメールを送るには?

A 「宛先」欄に複数のメールアドレスを入力します。

同じ内容のメールを複数の人に同時に送信するには、「宛先」欄に半角の「;」（セミコロン）で区切ってメールアドレスを入力します。また、アドレスを入力して Enter キーを押すと、セミコロンが自動的に表示されます。

宛先: hana@example.com; satou@example.com;

セミコロンで区切ります。

Q312 お役立ち度 ★★★ 「メール」アプリの基本操作

メールを受信するには?

A [このビューを同期] をクリックします。

「メール」アプリを起動すると、自動的にメールを受信します。手動でメールを受信するには、(このビューを同期)をクリックします。受信したメールをクリックすると、閲覧ウィンドウに内容が表示されます。

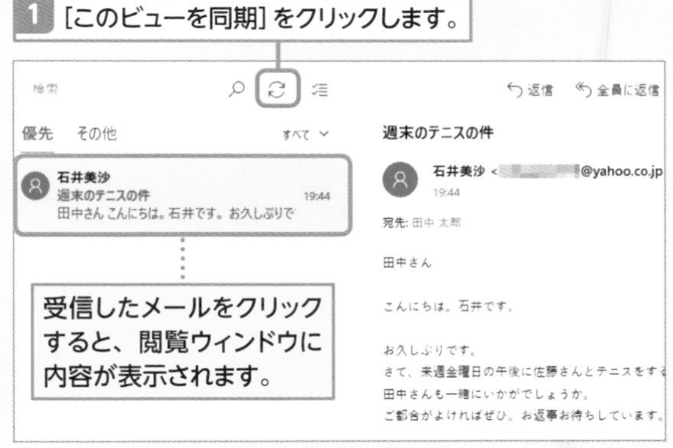

Q313 お役立ち度 ★★★ 「メール」アプリの基本操作

メールに返信するには?

A [返信] をクリックします。

受信したメールに返信するには、返信したいメールを表示して[返信]をクリックします。返信用の画面の「宛先」欄には、自動的に相手のメールアドレス(もしくは登録名)が入力されます。また、「件名」の先頭に「RE:」の文字が付与されます。これはReplyの意味で、このメールが返信であることを示しています。

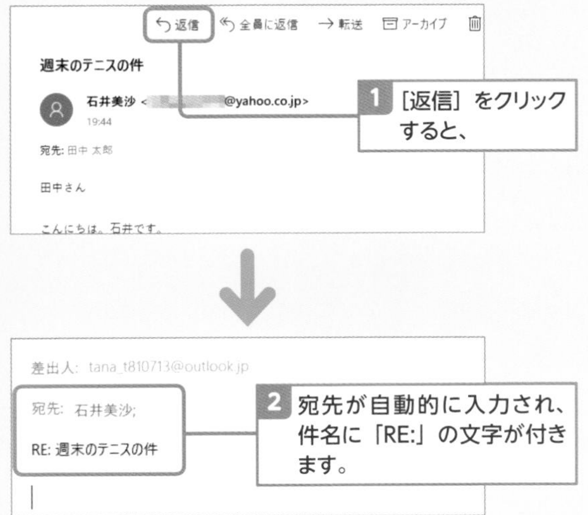

Q314 お役立ち度 ★★★ 「メール」アプリの基本操作

全員にメールを返信するには?

A [全員に返信] をクリックします。

受信したメールに自分以外の宛先が指定されているときは、メールの送信者だけでなく全員に返信するのがマナーです。全員に返信するには、返信したいメールを表示して[全員に返信]をクリックします。返信用の画面の「宛先」欄には、自動的に全員分のメールアドレス(もしくは登録名)が入力されます。

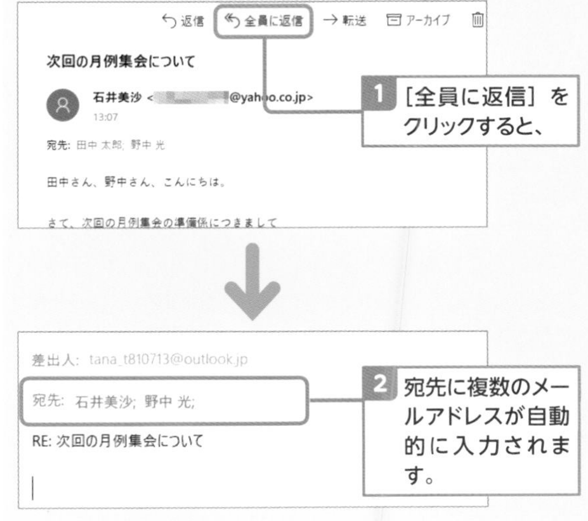

Q315 お役立ち度 ★★★ 「メール」アプリの基本操作

メールを転送するには?

A ［転送］をクリックします。

受信したメールを別の人に転送するには、転送したいメールを表示して［転送］をクリックします。転送用の画面の「件名」の先頭には「FW:」の文字が付与されます。これはForwardの意味で、このメールが転送であることを示しています。

Q316 お役立ち度 ★★★ 「メール」アプリの基本操作

添付ファイルを保存するには?

A 添付ファイルを右クリックして［保存］をクリックします。

受信したメールに添付されたファイルをクリックすると、別のウィンドウが開いて添付ファイルの内容が表示されます。また、添付ファイルを右クリックして表示されるメニューの［保存］をクリックすると、パソコンに保存できます。

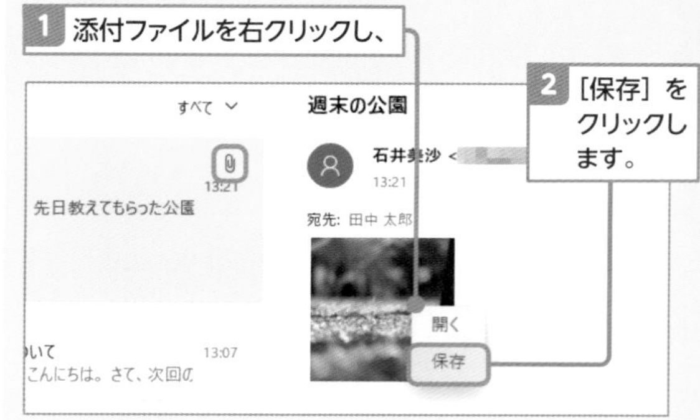

Q317 お役立ち度 ★★★ 「メール」アプリの基本操作

メールにファイルを添付するには?

A ［挿入］タブの［ファイル］をクリックします。

メールに写真や文書などのファイルを添付するには、新規メール作成画面で［挿入］タブの［ファイル］をクリックし、添付したいファイルを指定します。複数のファイルを添付することもできますが、ファイルサイズが大きすぎると正しく送信できない場合があるので注意しましょう。

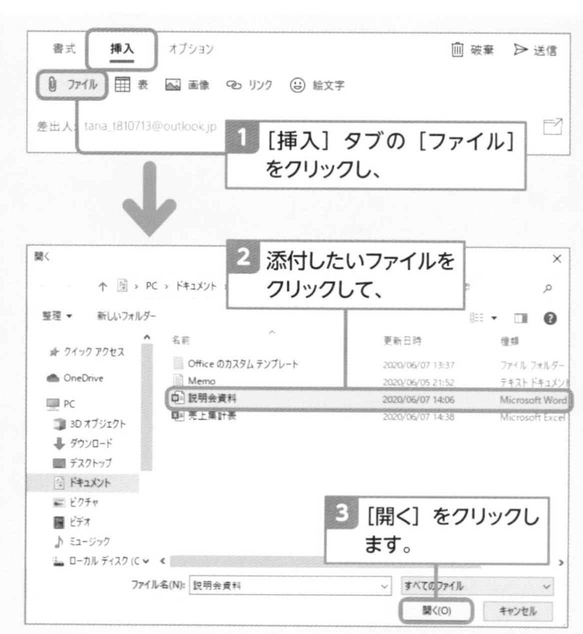

Q318 お役立ち度 ★★★ 「メール」アプリの基本操作

メールに署名を付けるには?

A 「電子メールの署名を使用する」をオンにして署名を入力します。

メール本文の末尾には差出人の名前や会社名などを入力するのが一般的です。「**署名**」を作成しておくと、毎回差出人を入力しなくても、新規メール画面を開いたときに自動的に署名が入力されます。

1 ［設定］ボタンをクリックし、

2 ［署名］をクリックします。

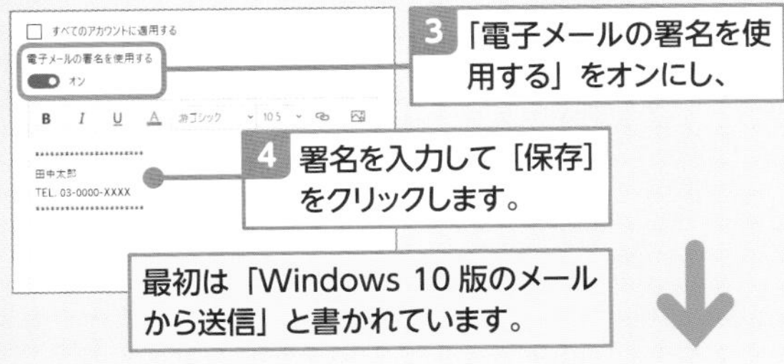

3 「電子メールの署名を使用する」をオンにし、

4 署名を入力して［保存］をクリックします。

最初は「Windows 10 版のメールから送信」と書かれています。

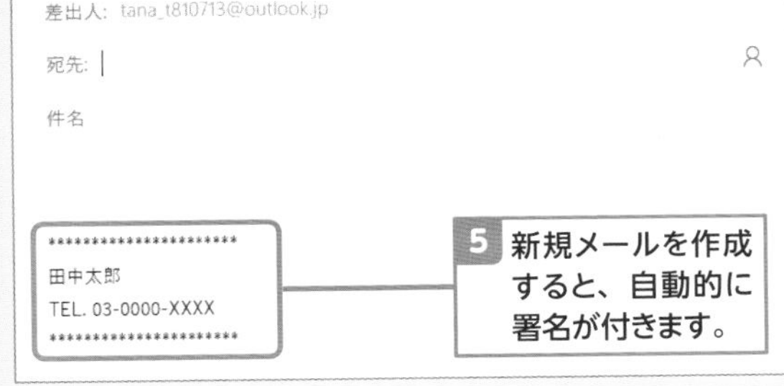

5 新規メールを作成すると、自動的に署名が付きます。

Q319 お役立ち度 ★★★ 「メール」アプリの基本操作

メールの内容を印刷するには?

A ［…］（アクション）から［印刷］をクリックします。

メールを印刷するには、印刷したいメールを表示して以下の手順で印刷を実行します。

1 ［…］（アクション）をクリックし、

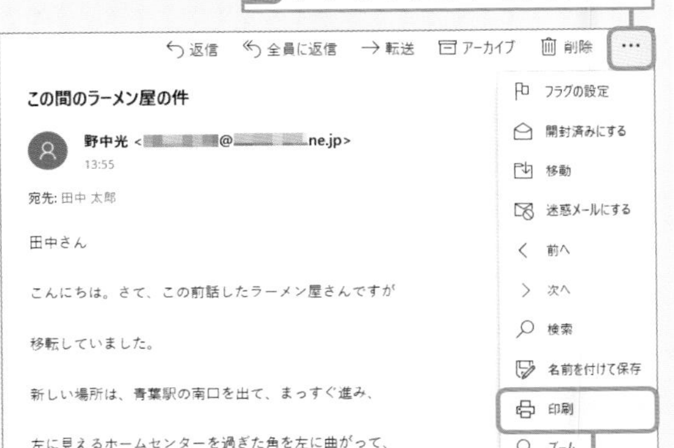

2 ［印刷］をクリックします。

3 印刷イメージを確認し、

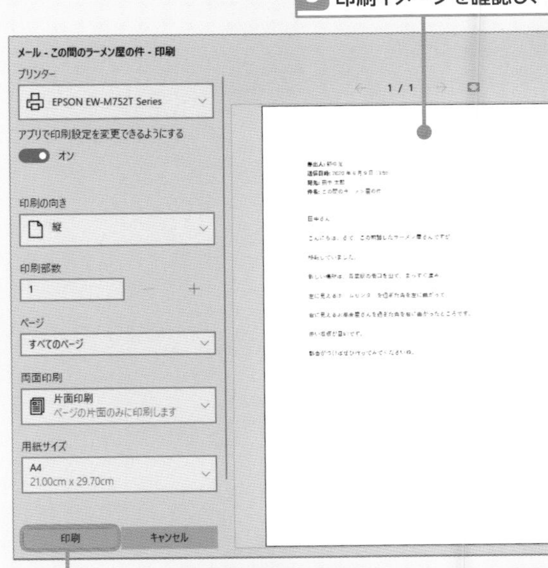

4 プリンターや印刷部数などを確認して、［印刷］をクリックします。

メールアカウントを追加するには?

A [アカウントの追加] をクリックします。

仕事用とプライベート用でメールアドレスを分けるなどして、一人で複数のメールアドレスを持っている場合は、後から「メール」アプリにアカウントを追加します。アカウントを追加すると、左側のアカウント一覧に追加され、それぞれのアカウントごとにフォルダーが用意されます。GmailなどのWebメールのアカウントも同じ操作で追加できます。ここではGmailのアカウントを使用します。

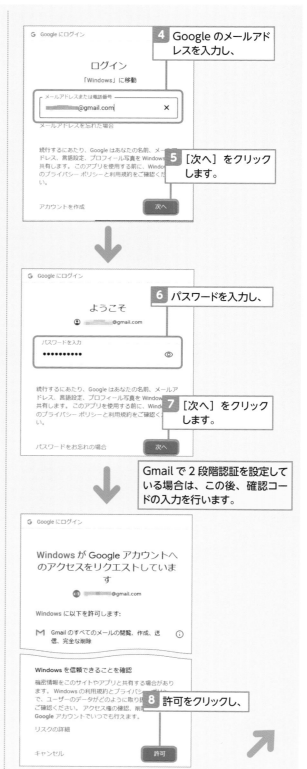

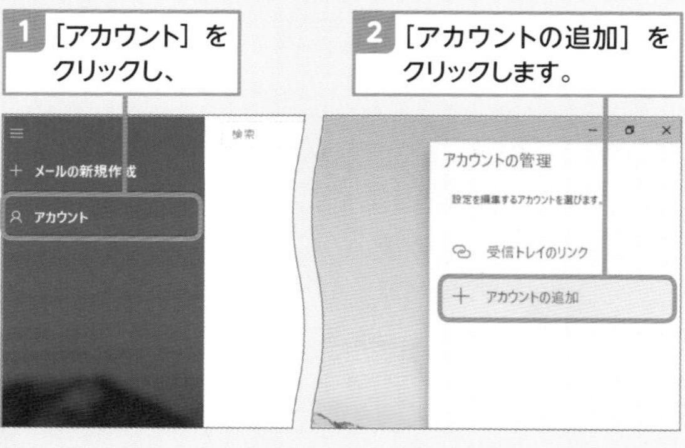

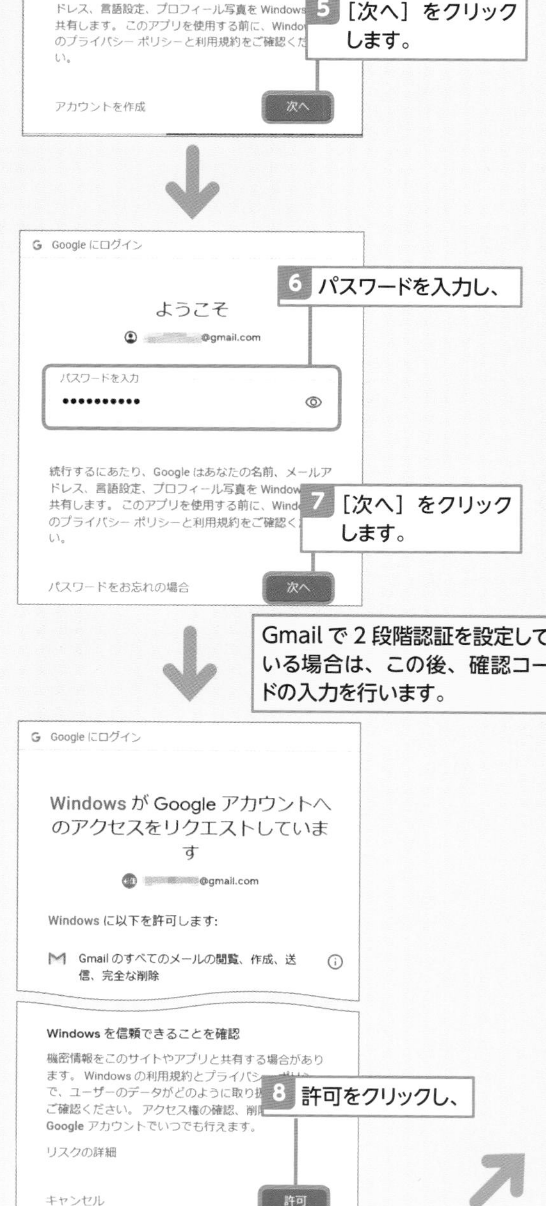

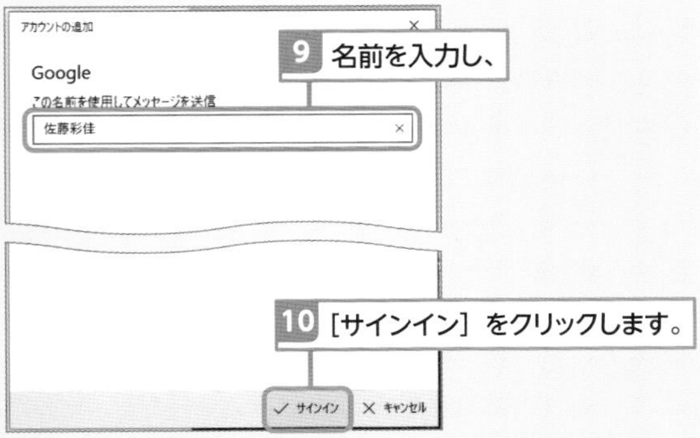

9 名前を入力し、

10 ［サインイン］をクリックします。

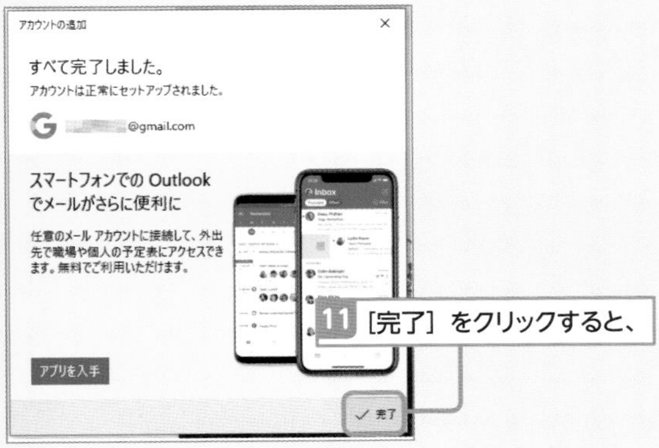

11 ［完了］をクリックすると、

12 Gmail のアカウントが追加されます。

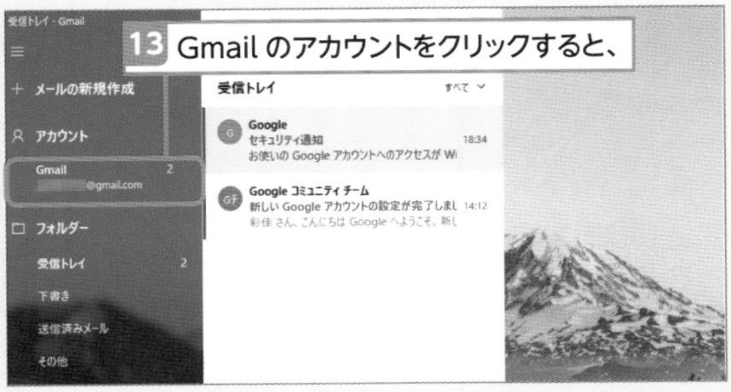

13 Gmail のアカウントをクリックすると、

14 Gmail 用のフォルダーに切り替わります。

メールアカウントを削除するには?

A 「アカウントの設定」画面で削除します。

「メール」アプリに登録したものの、長い間使っていないアカウントは削除するとよいでしょう。アカウントを削除するには、以下の操作で「○○アカウントの設定」画面を開き、［アカウントの削除］をクリックします。アカウントを削除すると、それまでに送受信したメールはすべてなくなります（ただし、メールサーバー上のものは残ります）。

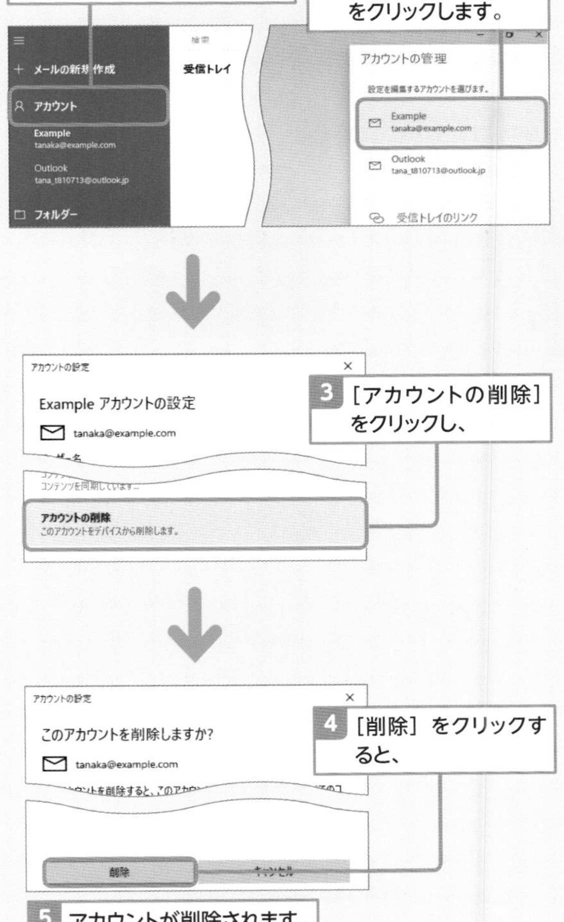

Q322 お役立ち度 ★★★ スゴわざ

「メール」アプリの基本操作

メールの受信間隔を指定するには?

A [新しいコンテンツのダウンロード] で指定します。

「メール」アプリの初期設定では、使用状況に応じて自動的にメールを受信する設定になっています。これは、外出先でノートパソコンを使うときに、頻繁に受信することで無駄にバッテリーを消費しないためです。メールを受信する頻度を変更したいときは、以下の手順で「○分ごと」などの間隔を指定します。

設定
アカウントの管理
優先
その他
2020年6月7日

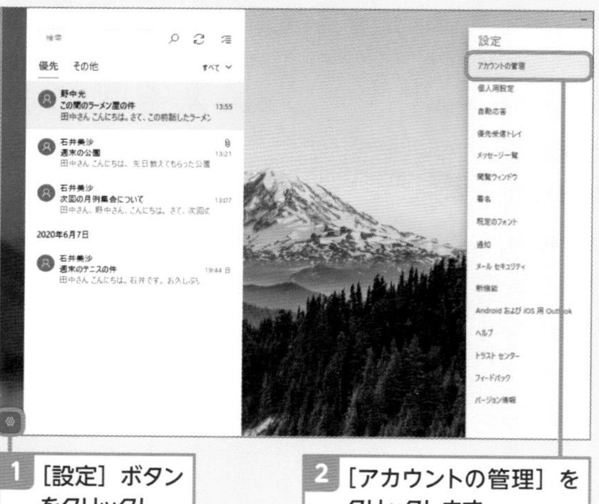

1 [設定] ボタンをクリックし、

2 [アカウントの管理] をクリックします。

アカウントの管理
設定を編集するアカウントを選びます。
Outlook
tana_t810713@outlook.jp
受信トレイのリンク
アカウントの追加

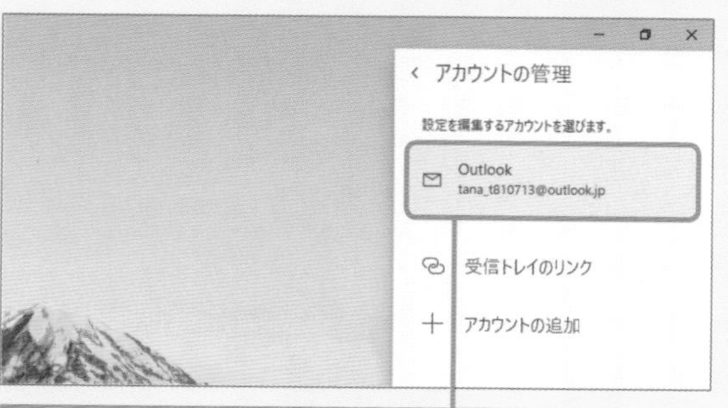

3 設定を変更するアカウントをクリックし、

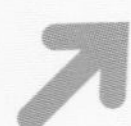

4 [メールボックスの同期の設定を変更] をクリックします。

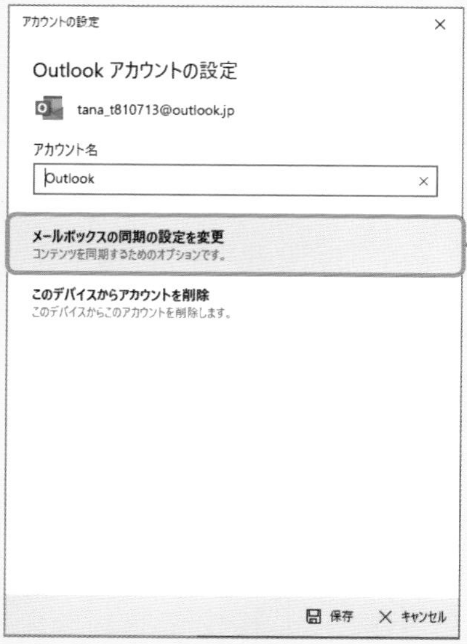

アカウントの設定
Outlook アカウントの設定
tana_t810713@outlook.jp
アカウント名
Outlook
メールボックスの同期の設定を変更
コンテンツを同期するためのオプションです。
このデバイスからアカウントを削除
このデバイスからこのアカウントを削除します。
保存
キャンセル

5 [新しいコンテンツのダウンロード] をクリックして間隔を指定し、

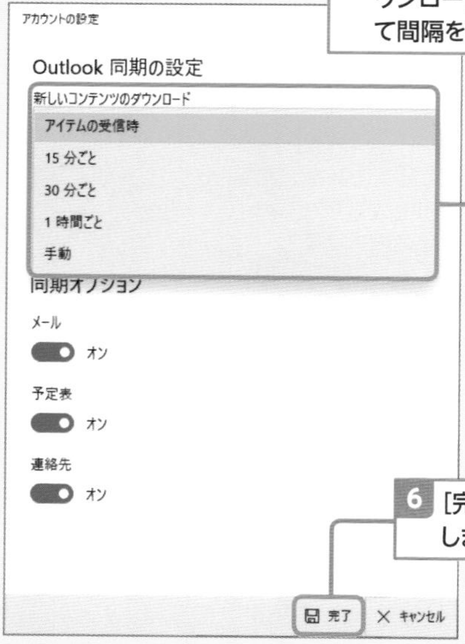

アカウントの設定
Outlook 同期の設定
新しいコンテンツのダウンロード
アイテムの受信時
15 分ごと
30 分ごと
1 時間ごと
手動
同期オプション
メール
オン
予定表
オン
連絡先
オン
完了
キャンセル

6 [完了] をクリックします。

おトクな情報 メールの受信頻度を「手動」にした場合の注意点

受信頻度を「手動」に設定すると、Q312 の操作で受信しないかぎり、新しいメールを受信できません。

Q323 お役立ち度 ★★★ 「メール」アプリの基本操作

間違えて送信したメールは取り消せるの？

A 原則、取り消すことはできません。

うっかりメールを間違えて送ってしまったら、ほとんどの場合は取り消すことはできません。ただし、さまざまな条件を満たす場合に限り、メールを取り消せる場合があるので、会社であればシステム管理者に確認してみるとよいでしょう。たとえば、WebメールのGmailは、設定の中でメールを送信した直後に取り消せる機能が使えます。いずれの場合もメールを送信する前に、宛先や本文をしっかり確認する習慣が必要です。

Q324 お役立ち度 ★★★ 「メール」アプリの基本操作

届くはずのメールが届かない!

A 同期を実行します。

届くはずのメールがいつまでたっても届かないときは、考えられる原因がいくつかあります。Q312の操作で[このビューを同期] ボタン をクリックしてもメールが届かない場合は、以下のことを試してみましょう。

迷惑メールフォルダーを確認	受信したメールが迷惑メールと判断される場合があります。フォルダーを[その他]→［迷惑メール］とクリックして、「迷惑メール」フォルダーを確認します。
メール容量を確認	プロバイダーの受信メールのメールボックスの容量がいっぱいになっている可能性があります。不要なメールを削除します。
プロバイダーのWebページを確認	プロバイダーの Web ページで障害などが発生していないか確認します。
受信の設定を確認	携帯電話やスマートフォンなどのメールアドレスを使用しているときに、受信できるメールを限定している可能性があります。送信先のメールアドレスの受信を許可する設定を行います。

Q325 お役立ち度 ★★★ 「メール」アプリの基本操作

迷惑メールを振り分けるには？

A 「迷惑メール」フォルダーに移動します。

通常は、フィルタリング機能が働いて、迷惑メールは自動的に「迷惑メール」フォルダーに振り分けられます。「受信トレイ」に届いてしまった迷惑メールは、手動で「迷惑メール」フォルダーに移動しましょう。

関連 Q328「迷惑メール」フォルダーが表示されない

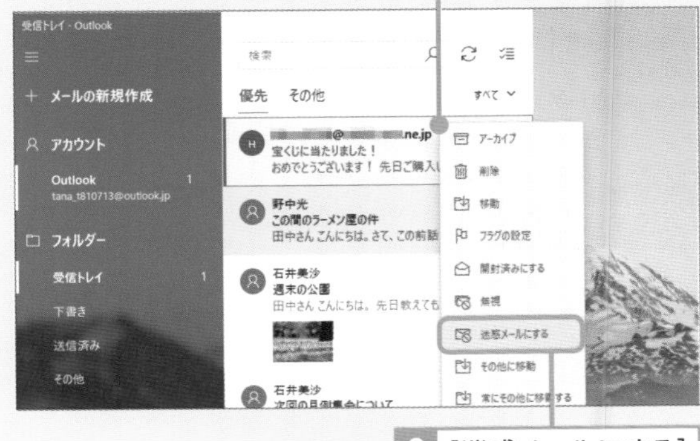

3 フォルダーを［その他］→［迷惑メール］とクリックして切り替えると、「迷惑メール」フォルダーに移動したことを確認できます。

メールを削除するには?

A ごみ箱のアイコンをクリックします。

不要なメールはごみ箱のアイコンをクリックして削除します。あるいは、Delete キーを押して削除することもできます。削除したメールは「削除済みアイテム」(または「ごみ箱」)フォルダーに移動するので、完全に削除するには「削除済みアイテム」(または「ごみ箱」)フォルダーからも削除します。

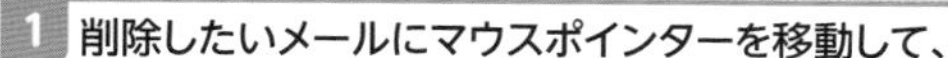

1 削除したいメールにマウスポインターを移動して、

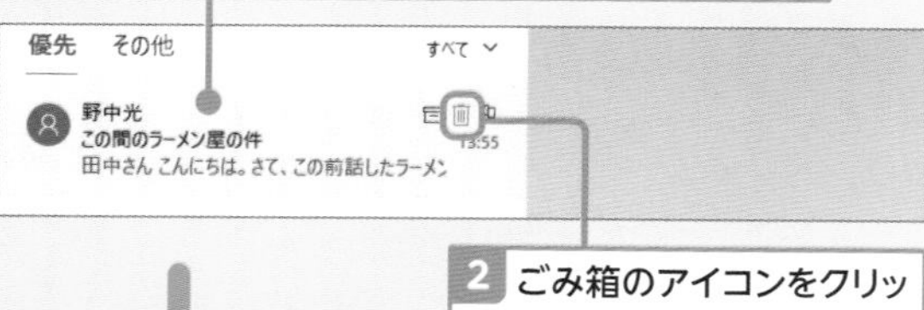

2 ごみ箱のアイコンをクリックします。

3 [その他] をクリックし、

4 [ごみ箱] をクリックします。

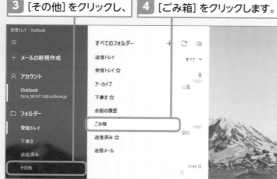

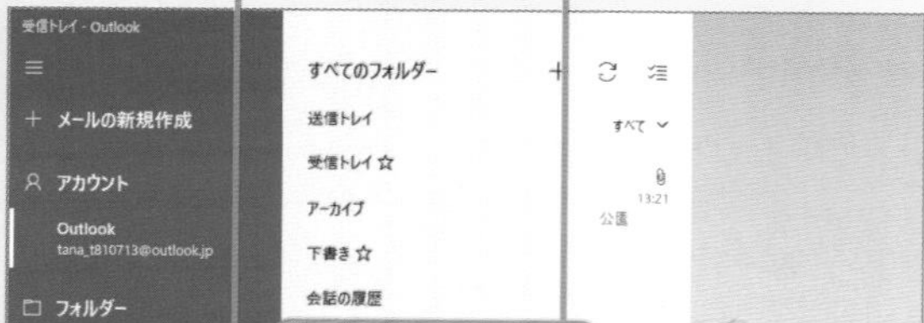

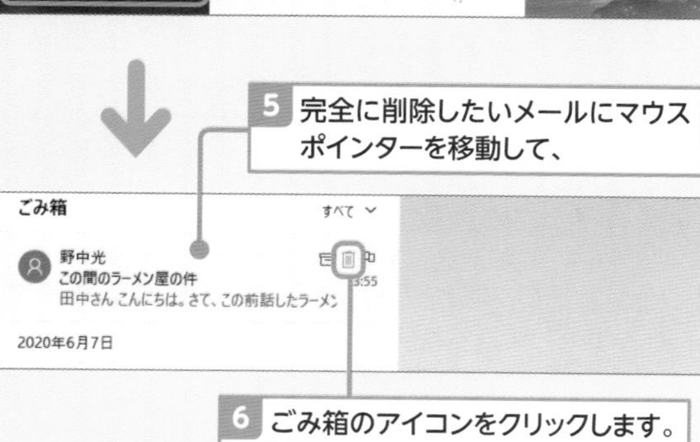

Q 327
お役立ち度 ★★★
「メール」アプリの整理術

知らないアドレスから メールが来たら?

A 添付ファイルを開かずに削除します。

知らないアドレスからのメールを受信したら、悪意のあるメールの可能性があるので削除しましょう。メールを読むだけなら問題ありませんが、本文のリンクをクリックしたり添付ファイルを開いたりすると、ウイルスに感染したり個人情報が洩れてしまう危険性があるからです。最近は実際にある企業の名前をかたったメールや荷物の再配達を促すメールなど、悪意のあるメールが巧妙化しています。おかしいな?と思ったメールは内容を読まずに削除するのが安全です。

関連 Q516 ウイルスに感染しないための対策
関連 Q525 個人情報を守る

Q 328
お役立ち度 ★★★
「メール」アプリの整理術

「迷惑メール」フォルダーが 表示されない!

A メールの通信方式によっては表示されない場合があります。

Windows 10の「メール」アプリでは、メールを受信するときの通信方式によって「迷惑メール」フォルダーが表示される場合と表示されない場合があります。IMAPで設定したアカウントは「迷惑メール」フォルダーが表示されますが、POP3 で設定したアカウントは「迷惑メール」フォルダーが表示されません。POP3は、サーバーのメールボックス内にメールが蓄積され、メールをダウンロードして読む方式で、一般的にプロバイダーのメールはこの方式を採用しています。これに対してIMAPは、メールはサーバー側に保存しておき、メールをダウンロードせず、サーバーのメールを直接開いてメールを読みます。

関連 Q304 電子メールの仕組み

Q329 お役立ち度 ★★★ 「メール」アプリの整理術

メールを検索するには?

A 検索ボックスにキーワードを入力します。

メールの数が増えると、見たいメールを探すのに時間がかかります。効率よくメールを探すには、「検索ボックス」にキーワードを入力して検索します。入力したキーワードが宛先、件名、本文のいずれかに含まれているメールが検索できます。

1 キーワードを入力して、

2 ここをクリックすると、

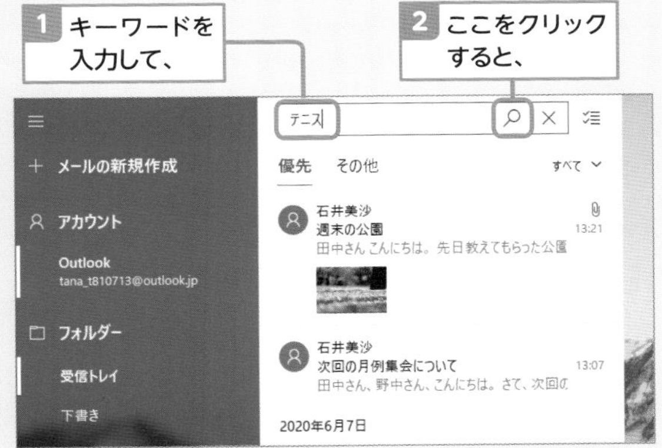

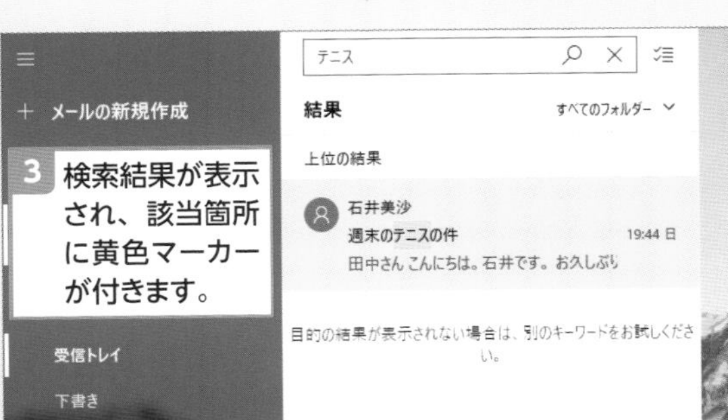

3 検索結果が表示され、該当箇所に黄色マーカーが付きます。

おトクな情報 検索するフォルダーを絞り込むには

最初はすべてのフォルダーが検索対象ですが、検索結果の右上にある[すべてのフォルダー]をクリックすると、検索したいフォルダーを後から絞り込むことができます。

Q330 お役立ち度 ★★★ スゴわざ 「メール」アプリの整理術

メールを分類して整理するには?

A フォルダーを作ってメールを移動します。

顧客別や目的別にフォルダーを作っておくと、用途別にメールを整理できて後からメールを探しやすくなります。分類するメールは画面左の［フォルダー］にドラッグし、フォルダーの一覧で移動先のフォルダーにドラッグして移動します。ただし、プロバイダーのメールアカウントによってはフォルダーを作成できないものもあります。

1 ［フォルダー］をクリックし、

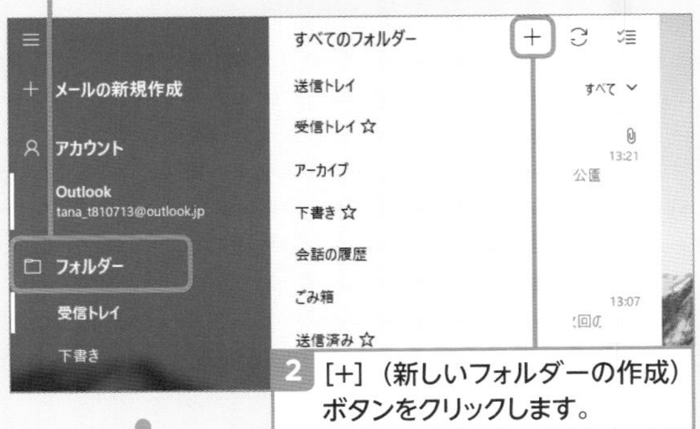

2 ［+］（新しいフォルダーの作成）ボタンをクリックします。

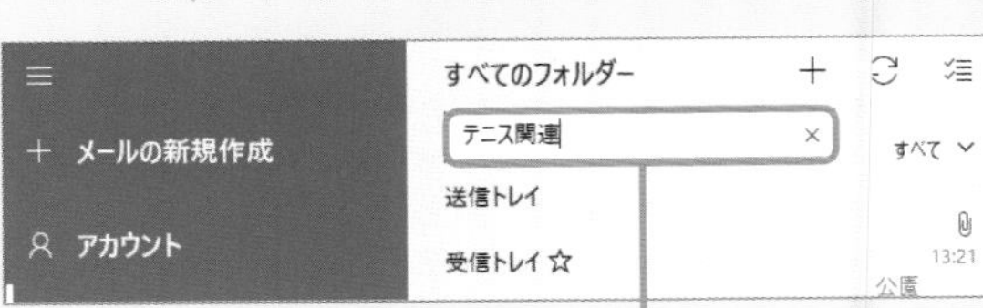

3 フォルダー名を入力して Enter キーを押すと、フォルダーが作成されます。

おトクな情報 フォルダーの中にフォルダーを作るには

たとえば「受信トレイ」の中にフォルダーを作成するには、手順1を実行後、「すべてのフォルダー」にある［受信トレイ］を右クリックし、表示されるメニューの［新しいサブフォルダーの作成］をクリックします。同じ操作で、それぞれのフォルダーの中にフォルダーを作成できます。

Q331 メールに目印を付けるには?

お役立ち度 ★★★ スゴわざ　「メール」アプリの整理術

A フラグを付けます。

後で返信するメールや、何度も見返す重要なメールには「フラグ」と呼ばれる目印を付けておくと、他のメールに埋もれずにすぐに探せるので便利です。なお、「メール」アプリのウィンドウ幅が広い場合は、左下の図の［フラグの設定］が［…］ボタンの外に表示されています。

メールの内容を表示しているとき

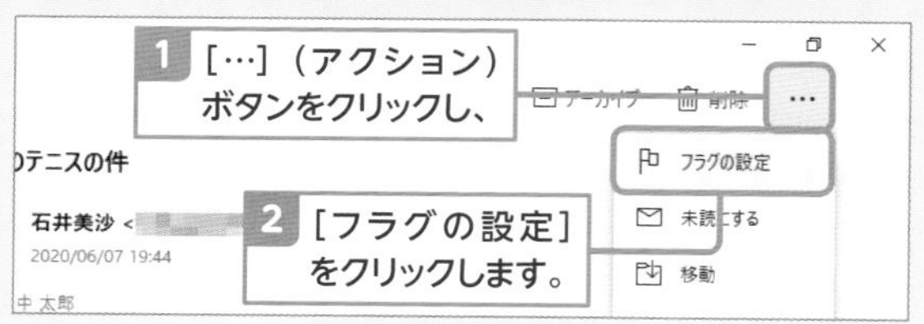

メールの一覧を表示しているとき

Q332 メールを未読（既読）にするには?

お役立ち度 ★★★　「メール」アプリの整理術

A 右クリックして［未読にする］をクリックします。

受信したメールの中で、未読のメールは件名が青字で表示され、既読のメールと区別されています。いったん読んだメールを未読の状態にするには、メールを右クリックし、表示されるメニューの［未読にする］を選びます。反対に、未読のメールを［開封済みにする］にすることもできます。

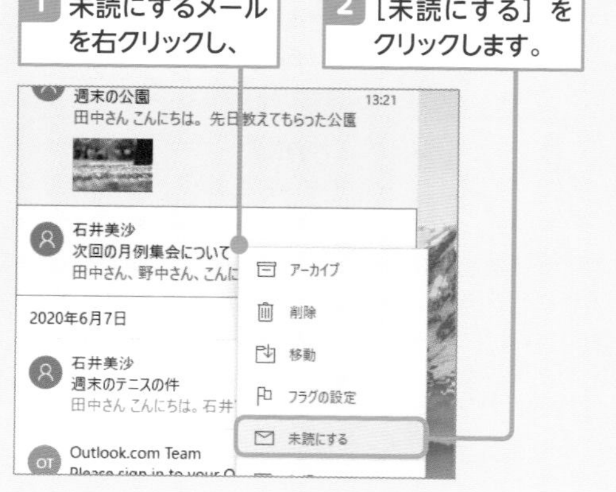

Q333 複数のメールを素早く選択するには?

お役立ち度 ★★★　「メール」アプリの整理術

A ［選択モードを開始する］ボタンをクリックします。

複数のメールをまとめて削除したり移動したりできると、作業効率が上がります。［選択モードを開始する］ボタン をクリックすると、メール一覧の先頭に□が表示され、クリックしてチェックを付けると、メールをまとめて選択できます。

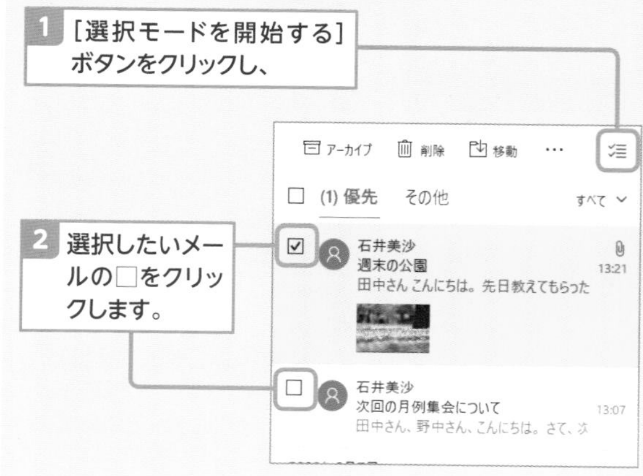

友人のメールアドレスを登録するには?

A People アプリに登録します。

「メール」アプリにはメールアドレスなどの連絡先を管理する「**People**」アプリに切り替えるボタンが用意されています。Peopleアプリにメールアドレスを登録しておくと、メールを作成するときにメールアドレスを手入力せずに連絡先の一覧から選択できます。

1 [連絡先に切り替える] をクリックすると、

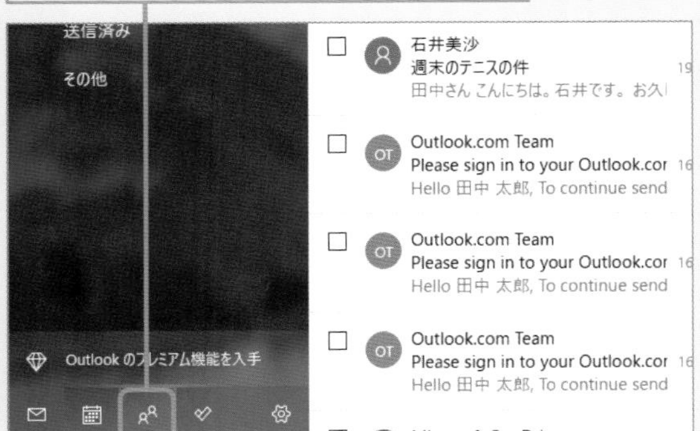

2 People アプリが起動します。

メール送信を許可するか尋ねるメッセージが表示された場合は、[はい] をクリックします。

3 [新しい連絡先] をクリックして、

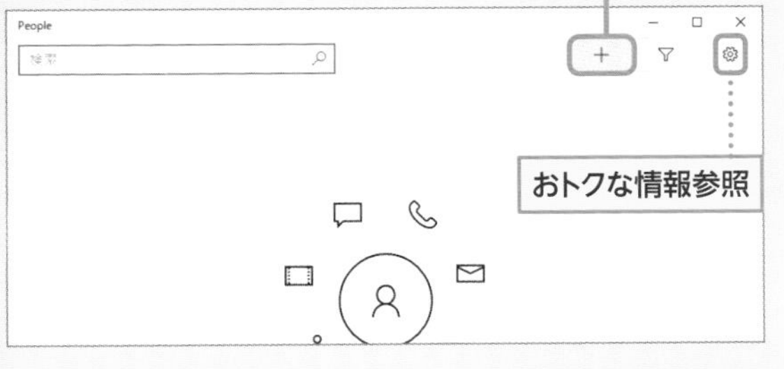

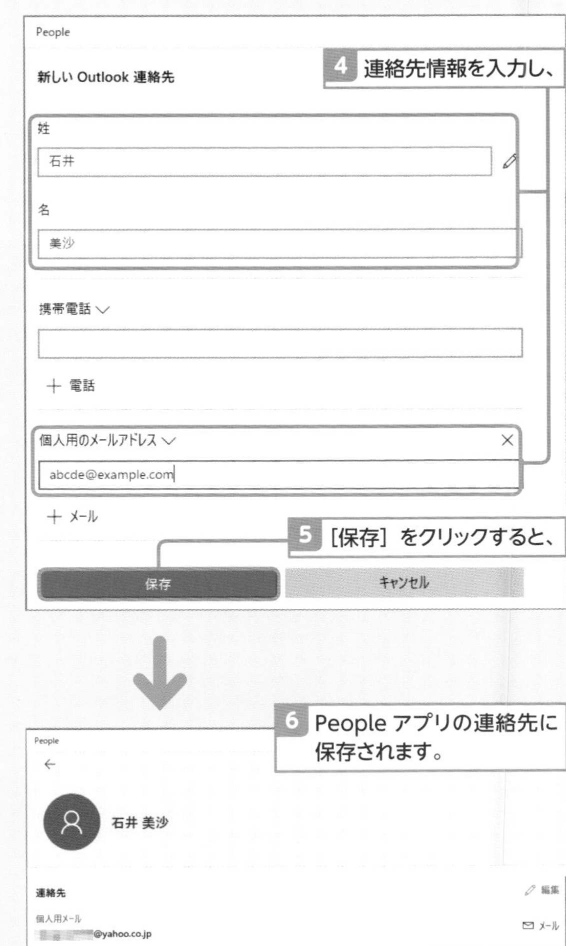

4 連絡先情報を入力し、

5 [保存] をクリックすると、

6 People アプリの連絡先に保存されます。

おトクな情報 People の設定画面

People の設定画面を開くには、People 画面右上にある ⚙ をクリックします。すると、設定画面に切り替わり、People アプリで使用するアカウントを確認できます。

People アプリに登録したアドレスへメールを送るには?

A People アプリと「メール」アプリのどちらからでもメールを送れます。

Peopleアプリに登録したメールアドレスを使ってメールを送るには2つの方法があります。ひとつはPeopleアプリからメールを作成する方法で、もうひとつは「メール」アプリの「宛先」欄で、Peopleアプリに登録した連絡先を検索する方法です。

People アプリからメールを送る

1 メールを送りたい相手をクリックし、

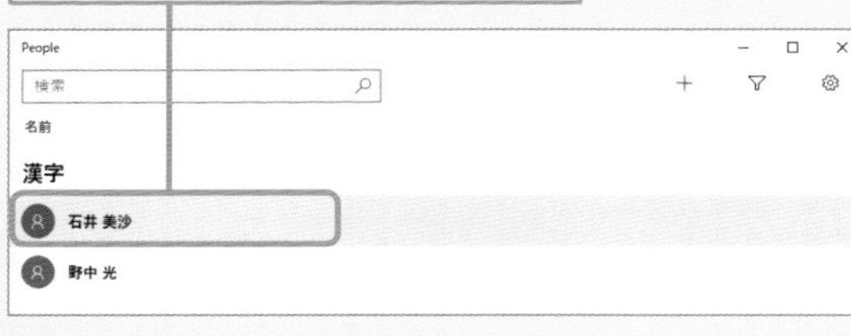

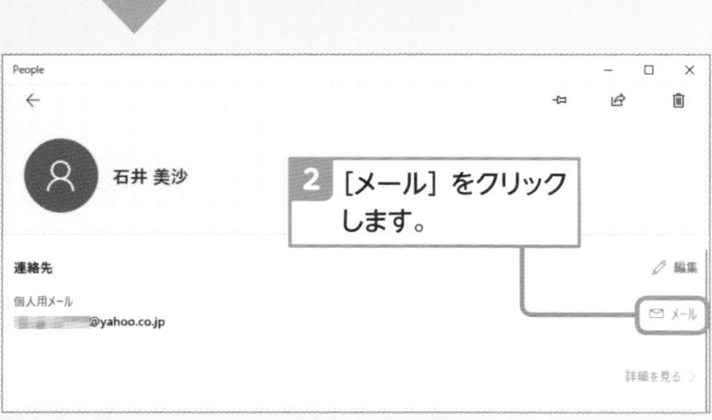

2 [メール] をクリックします。

3 新規メール画面が表示されます。

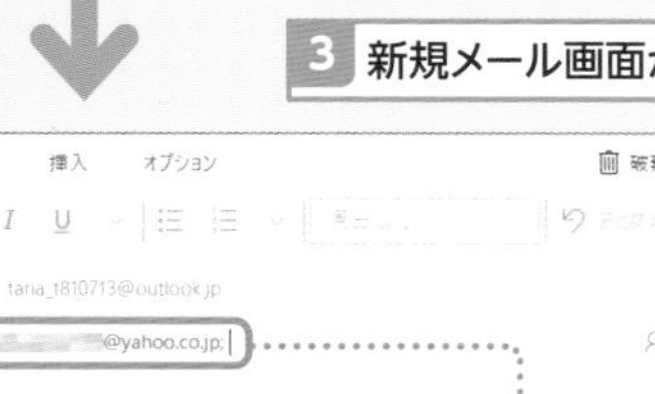

「宛先」欄には相手のメールアドレスが入力されています。

「メール」アプリからメールを送る

1 [メールの新規作成] をクリックし、

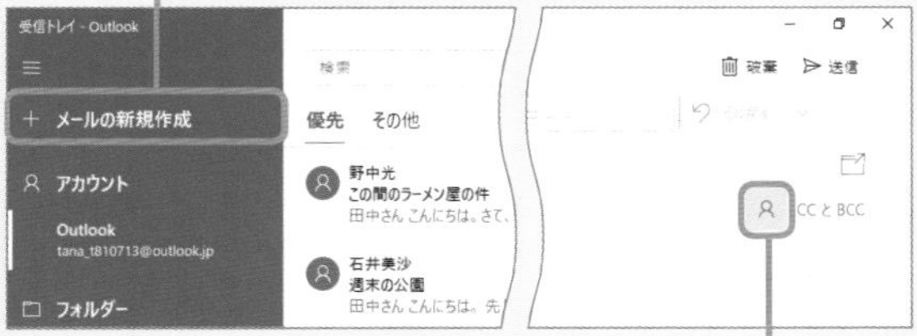

2 ここをクリックすると、

3 People アプリの連絡先が表示されます。

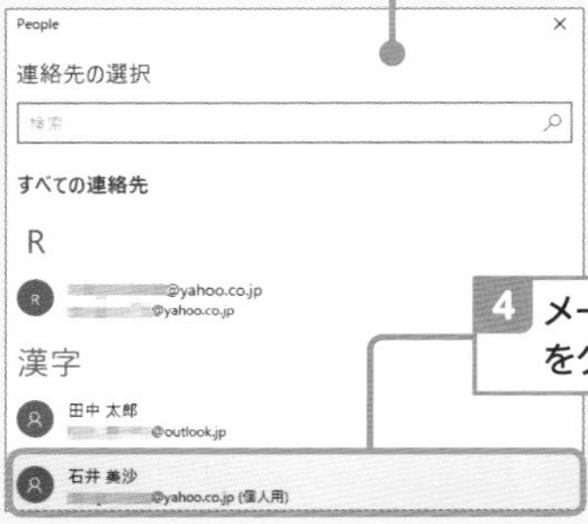

4 メールを送りたい相手をクリックすると、

5 連絡先が表示されます。

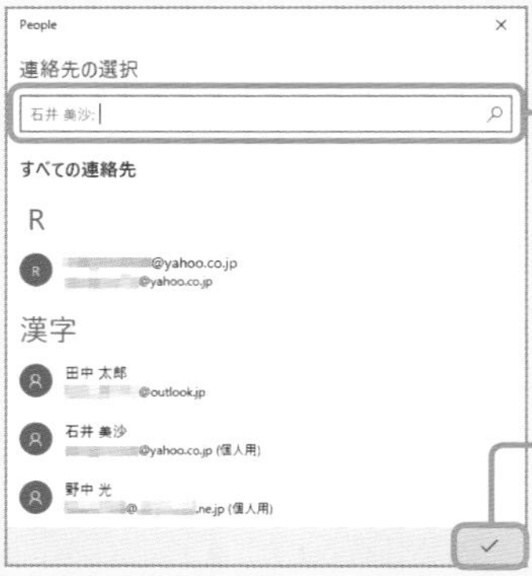

6 [完了] をクリックすると、

7 「宛先」欄にメールアドレスが入力されます。

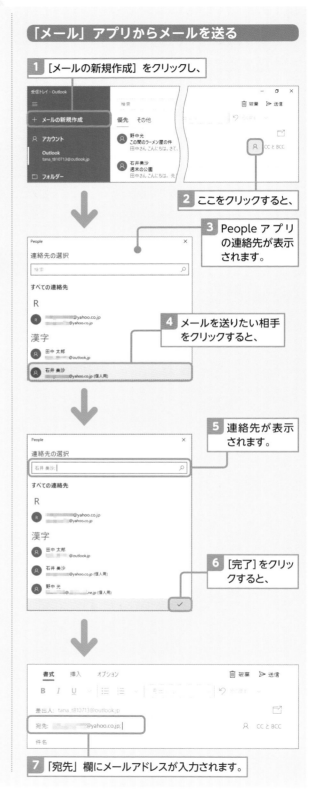

Q336 お役立ち度 ★★★ 連絡先の利用

スタートメニューにある［People］と何が違うの？

A 同じアプリです。

スタートメニューから［People］をクリックして起動するアプリと、メールアプリの［連絡先に切り替える］をクリックして表示されるアプリは同じものです。初めてスタートメニューから［People］を起動すると、連絡先をインポートするボタンが表示されるので、作成済みのアドレス帳をPeopleに取り込むことができます。

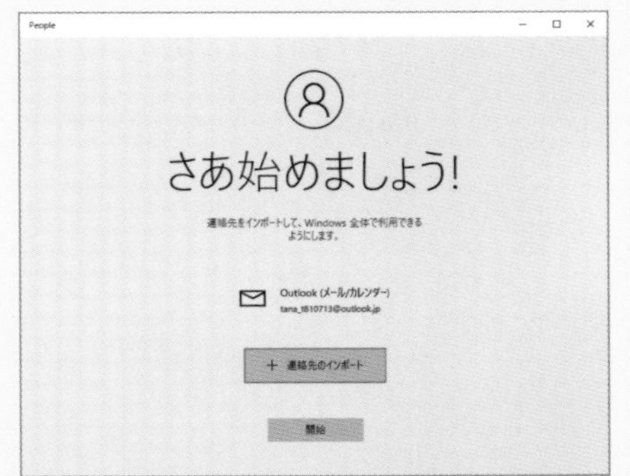

スタートメニューから［People］を起動し、［はじめましょう］をクリックした画面

Q337 お役立ち度 ★★★ 連絡先の利用

People アプリに登録した内容を修正するには？

A 名前を右クリックして［編集］をクリックします。

連絡先に登録した内容を修正するには、名前を右クリックしたときに表示されるメニューの［編集］をクリックします。すると、登録済みの内容が表示されるので、修正が終わったら［保存］をクリックして内容を更新します。

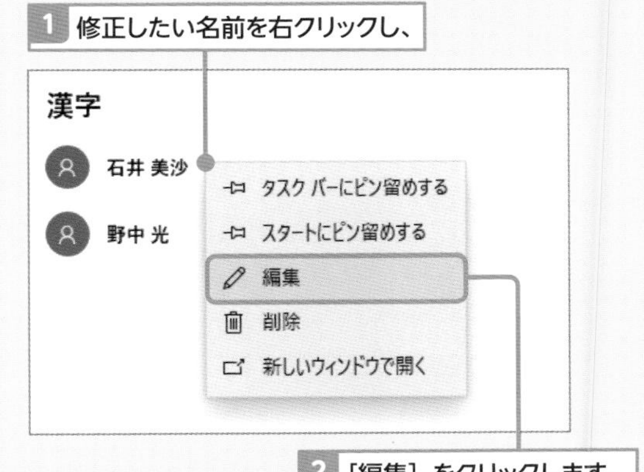

Q338 お役立ち度 ★★★ 連絡先の利用

People アプリに登録したメールアドレスを削除するには？

A 名前を右クリックして［削除］をクリックします。

やり取りすることがなくなった相手の情報は連絡先から削除しましょう。名前を右クリックしたときに表示されるメニューの［削除］をクリックすると削除できます。

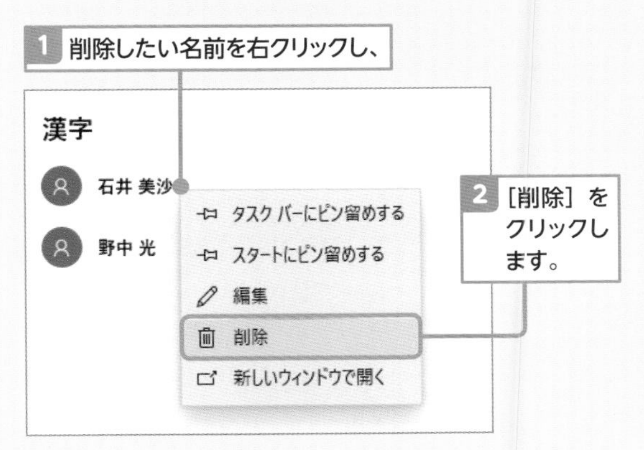

Outlook.com って何?

A Web メールサービスのひとつです。

「**Outlook.com**」は、マイクロソフトが提供する無料のWebメールサービスの名称です。マイクロソフトは以前「Hotmail」というWebメールサービスを提供していましたが、この「Hotmail」をベースに改良したものがOutlook.com で、Microsoftアカウントを新規に取得した際のメールアドレスを使って、Web上でメールのやり取りが行えます。また、スマートフォンに「Outlook」アプリをインストールすると、外出先からメールをチェックすることもできます。Outlook.comには、Webメールのやり取り以外にも連絡先やカレンダーなども用意されており、それぞれを連携して使えます。

Web メールのやり取り

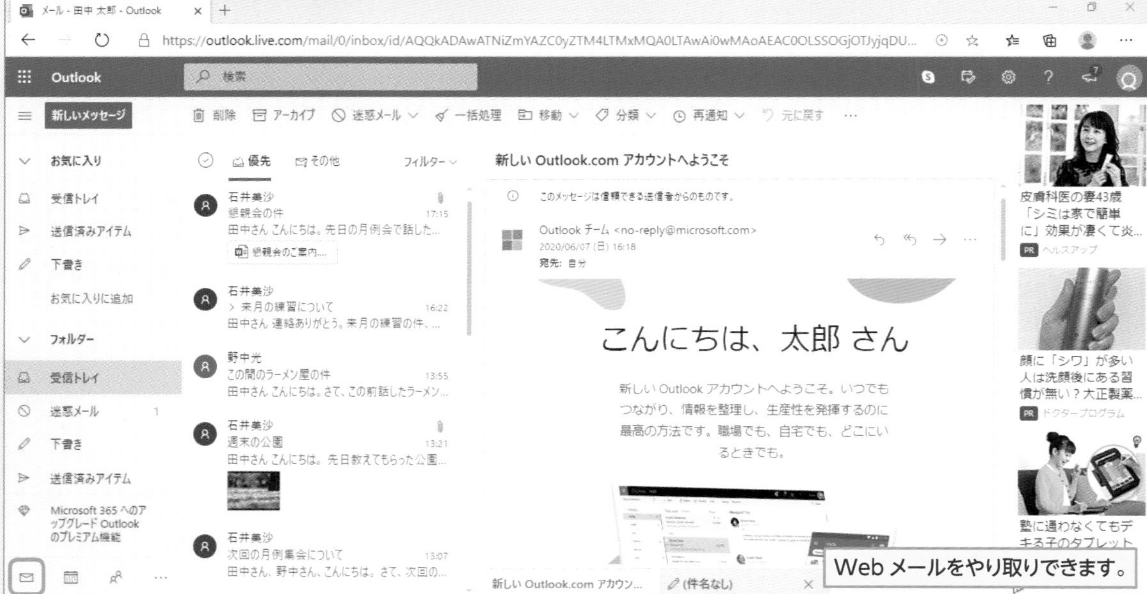

Web メールをやり取りできます。

スケジュールの管理

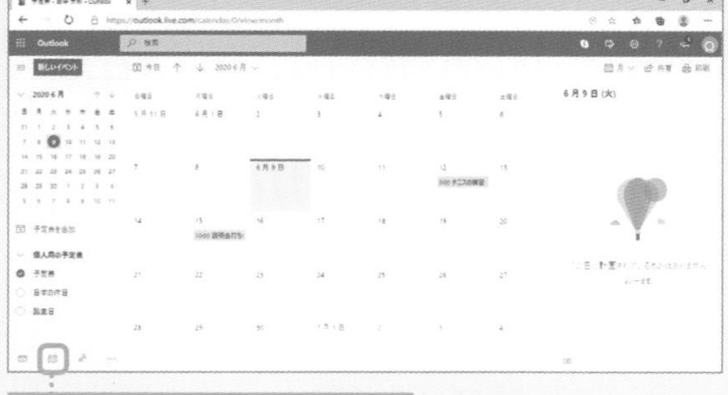
「予定表」(カレンダーアプリ)でスケジュールを管理できます。

連絡先の管理

「連絡先」で氏名やメールアドレスなどを管理できます。

Q 340 お役立ち度 ★★★ Webメール（Outlook.com）の利用

Outlook.com にアクセスするには?

A ブラウザーで Outlook.com の Web ページを表示します。

Outlook.comを使うには、ブラウザーを起動してOutlook.comのWebページを表示します。初めてOutlook.comを使うときはサインインの手続きが必要ですが、すでにMicrosoftアカウントでWindows 10にサインインしているときは、すぐにOutlook.comを利用できます。

1 ブラウザーを起動して、「https://outlook.com」にアクセスします。

2 ［サインイン］をクリックし、

3 Microsoft アカウントのメールアドレスを入力して、

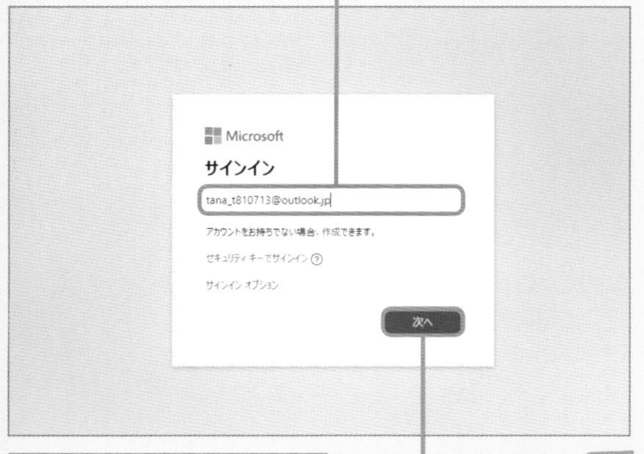

4 ［次へ］をクリックします。

5 パスワードを入力し、

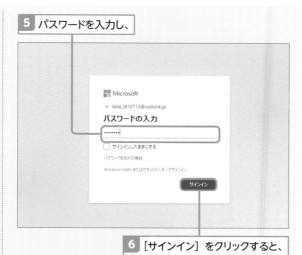

6 ［サインイン］をクリックすると、

7 Outlook.com の Web ページが表示されます。

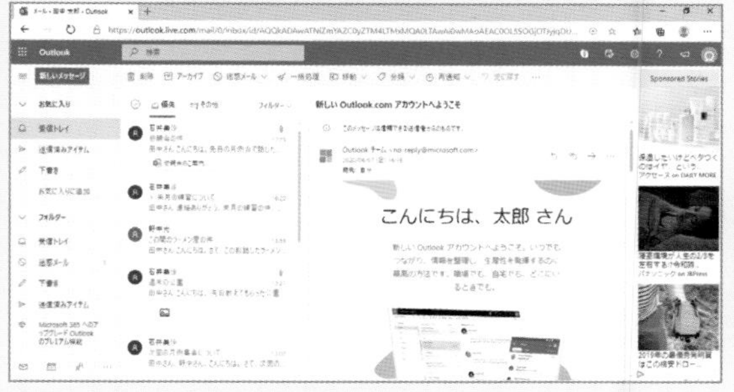

■ **Outlook.com の Web ページ**

https://outlook.com/

おトクな情報　Edge のお気に入りバーを活用しよう

Outlook.com を頻繁に使う場合は、Q272 の操作でお気に入りに追加したり、Q278 の操作でお気に入りバーに追加しておくと便利です。

Q341 お役立ち度 ★★★ Webメール（Outlook.com）の利用

Outlook.com の画面の見方を教えて!

A 3 つの領域に分かれています。

Outlook.comの画面は、「メール」アプリと同じように3つの領域に分かれています。左側のフォルダー一覧からフォルダーを選択すると、メール一覧にフォルダーの内容が表示され、メール一覧から選択したメールの内容が右側のプレビューウィンドウに表示されます。

左ウィンドウ枠を切り替える
左側のメニューを表示するか切り替えます。

Skype
Skype の相手を指定してチャットができます。

設定
メールの詳細を設定するメニューが表示されます。

アカウント
サインインしている Microsoft アカウントの情報をここから確認・編集できます。

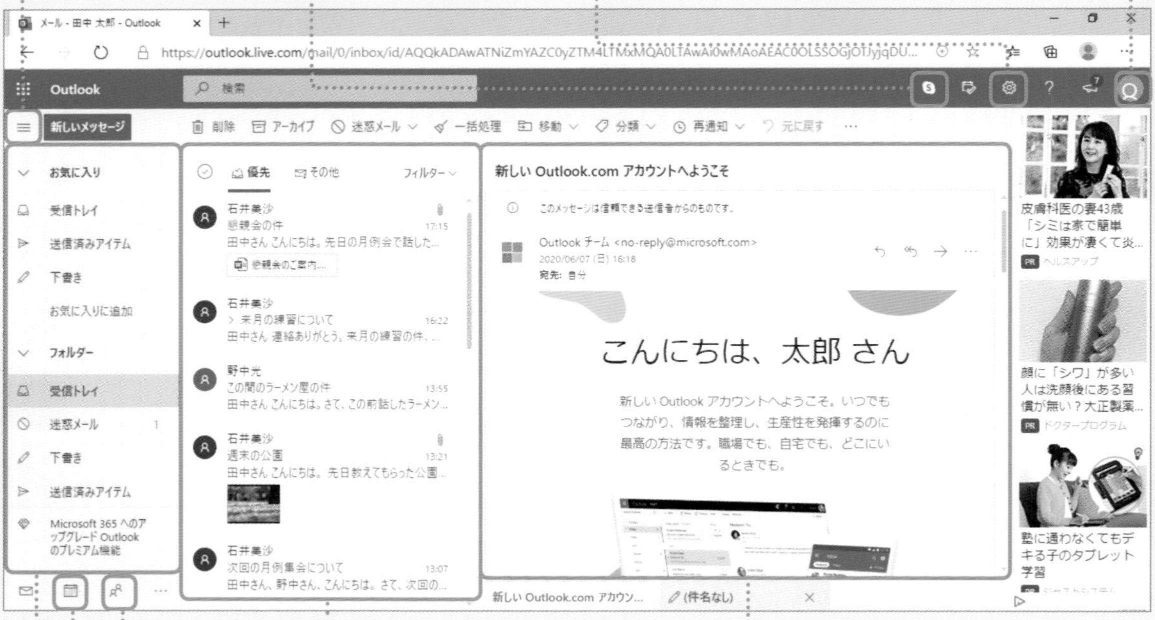

予定表
クリックすると、カレンダーのページが表示されます。

連絡先
クリックすると連絡先のページが表示されます。

プレビューウィンドウ
選択したメールの内容が表示されます。

フォルダー一覧
「受信トレイ」や「送信済みアイテム」などのフォルダーが表示されます。

メール一覧
選択したフォルダーのメールの一覧が表示されます。「受信トレイ」のメールは上部にある「優先」「その他」をクリックしてそれぞれ表示します。なお、この分類は設定でオフにすることもできます。

! Outlook.com のような Web アプリは、画面のデザインや表示されるメニューが不定期に更新される可能性があります。本書では 2020 年 8 月 7 日時点での画面を使っています。

Q342 お役立ち度 ★★★ Webメール(Outlook.com)の利用

新しいメールを送るには?

A メールを作成してから[送信]をクリックします。

Outlook.comで新しくメールを作成するには、[新しいメッセージ]をクリックします。メール作成画面で「宛先」「件名」「本文」を入力したら、[送信]をクリックします。

1 [新しいメッセージ]をクリックします。

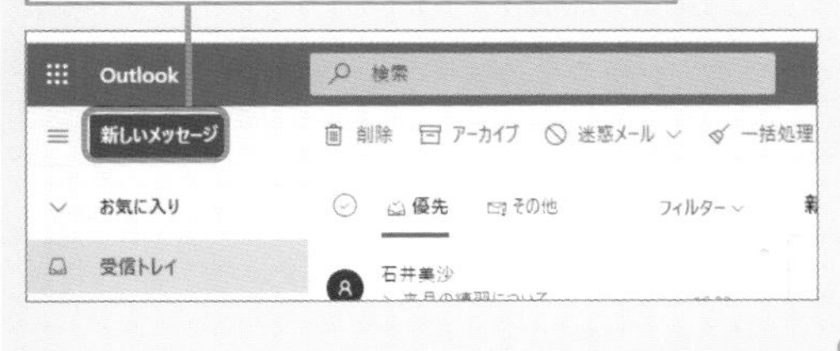

2 「宛先」と「件名」、メール本文を入力して、

3 [送信]をクリックします。

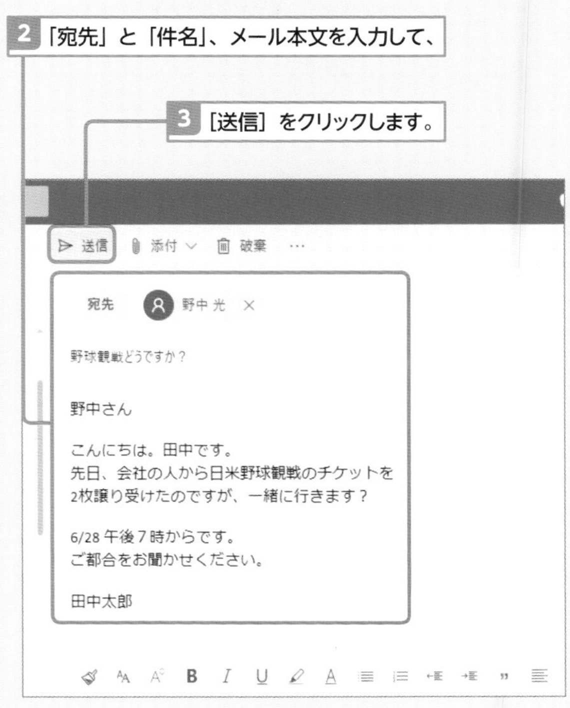

Q343 お役立ち度 ★★★ Webメール(Outlook.com)の利用

複数の人に同じメールを送るには?

A 「宛先」に複数のメールアドレスを入力します。

同じ内容のメールを複数の人に同時に送信するには、「宛先」欄に複数のメールアドレスを入力します。

1 「宛先」欄に1人目のメールアドレスを入力して、Enterキーを押します。

2 続けて、「宛先」欄に2人目のメールアドレスを入力します。

[CC]や[BCC]をクリックすると、それぞれの入力欄が表示されます。

Q344 お役立ち度 ★★★ Webメール(Outlook.com)の利用

メールの本文を目立たせたい!

A [太字][斜体][フォントの色]などの書式を付けます。

メール本文に書式を付けて目立たせるには、書式を付けたい文字を選択し、入力欄の下部にある[太字][斜体][フォントの色]などのボタンをクリックします。

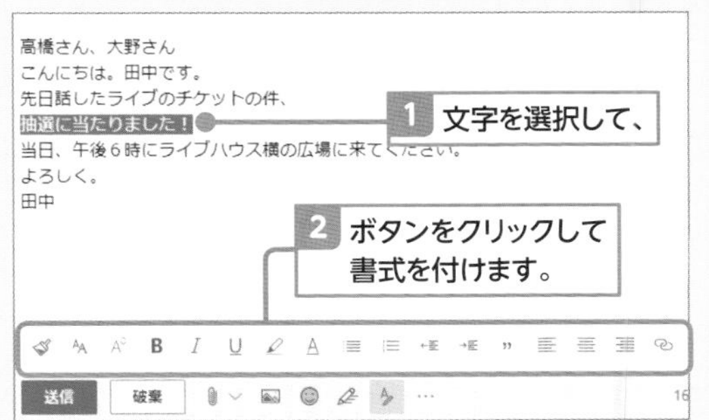

1 文字を選択して、

2 ボタンをクリックして書式を付けます。

Q345 お役立ち度 ★★★ Webメール (Outlook.com) の利用

メールを受信するには?

A [更新] ボタンをクリックします。

Outlook.comを起動すると、自動的にメールを受信します。手動でメールを受信するには、ブラウザーの ⟳ (更新) ボタンをクリックします。受信したメールをクリックすると、右側のプレビューウィンドウに内容が表示されます。

1 [更新] ボタンをクリックします。

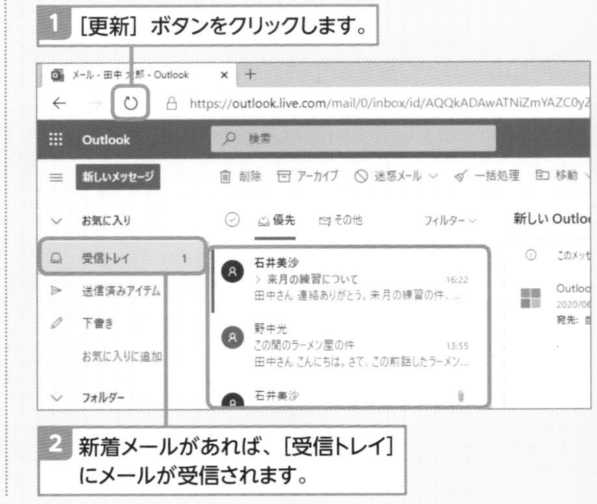

2 新着メールがあれば、[受信トレイ] にメールが受信されます。

Q346 お役立ち度 ★★★ Webメール (Outlook.com) の利用

メールに返信するには?

A [返信] ボタンや [全員に返信] ボタンをクリックします。

受信したメールに返信するには、返信したいメールを表示して [返信] ボタン ↶ や [全員に返信] ボタン ↶↶ をクリックします。返信用の画面の「宛先」欄には、自動的に相手のメールアドレス (もしくは登録名) が入力されます。

1 返信するメールを表示して、[返信] ボタンをクリックします。

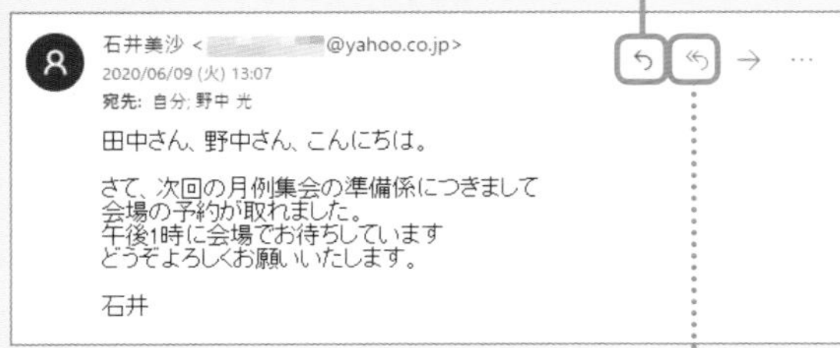

全員に返信する場合はこちらをクリックします。

Q347 お役立ち度 ★★★ Webメール (Outlook.com) の利用

メールを転送するには?

A [転送] ボタンをクリックします。

受信したメールを別の人に転送するには、転送したいメールを表示して [転送] ボタン → をクリックします。転送用の画面の「件名」の先頭には「Fw:」の文字が付与されます。

1 転送するメールを表示して、[転送] ボタンをクリックします。

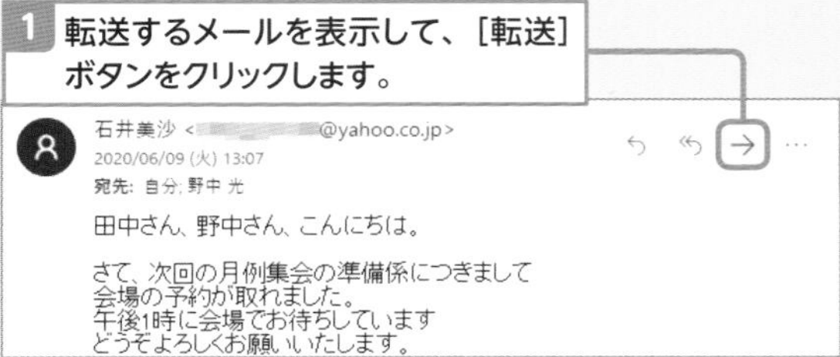

おトクな情報 [その他の操作] ボタン

[転送] ボタンの右側にある [その他の操作] ボタン … をクリックすると、返信、転送、フラグや迷惑メールの設定など、メールに関するメニューが表示されます。

メールにファイルを添付するには?

A ［添付］をクリックしてファイルを指定します。

メールに写真や文書などのファイルを添付するには、新規メール作成画面で［添付］をクリックし、添付したいファイルを指定します。ファイルサイズが大きすぎると正しく送信できない場合があるので注意しましょう。

1 ［添付］をクリックし、

2 ファイルの保存場所をクリックします。

3 添付したいファイルをクリックし、

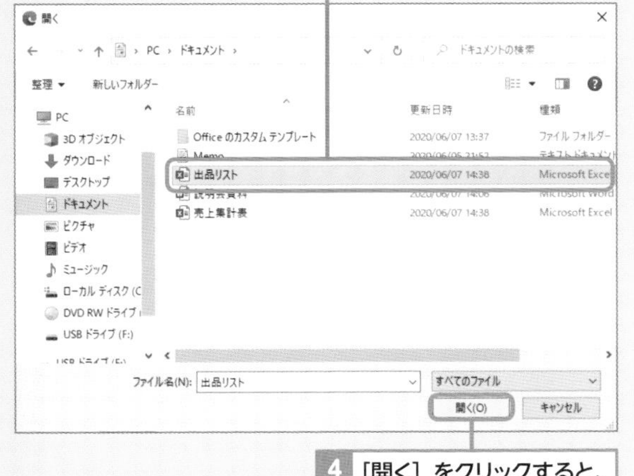

4 ［開く］をクリックすると、

5 メールにファイルが添付されます。

おトクな情報 添付したファイルを外すには

目的とは違うファイルを添付してしまった場合は、添付ファイルの右上の［×］をクリックして削除します。

おトクな情報 添付ファイルを送る前に確認できる

目的とは違うファイルを添付してしまわないように、送信前に添付ファイルの内容を確認できます。添付ファイル右端の ∨ をクリックして［プレビュー］をクリックすると、画面左側に添付ファイルの内容が表示されます。

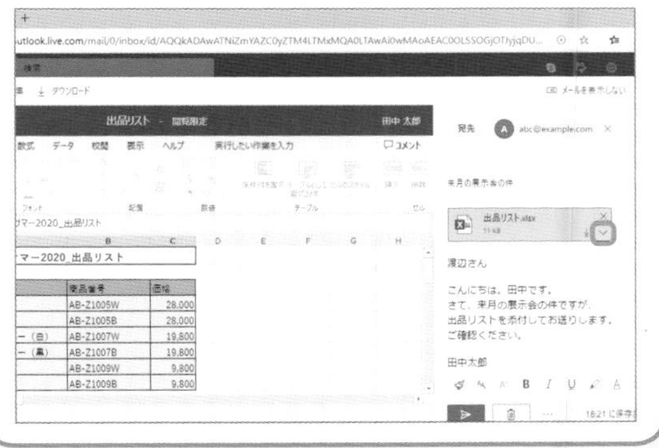

Q349 お役立ち度 ★★★ Webメール（Outlook.com）の利用

添付ファイルを開くには?

A 添付ファイルをクリックします。

受信したメールに添付ファイルがあると、メッセージ一覧にクリップの記号 📎 が表示されます。メール本文に表示された画像やファイル名をクリックすると、内容が表示されます。また、⤓ をクリックすると、添付ファイルをパソコンに保存できます。

1 クリックすると、ブラウザー上で内容を表示できます。
石井美沙 < @yahoo.co.jp>
2020/06/09 (火) 17:15
宛先: 自分
懇親会のご案内.docx
15 KB
クリックすると、「ダウンロード」フォルダーにファイルが保存されます。
クリックして、［OneDriveに保存］を選択すると、OneDriveの「添付ファイル」フォルダーに保存されます。

Q350 お役立ち度 ★★★ Webメール（Outlook.com）の利用

メールの署名を利用するには?

A 「設定」画面で署名を作成します。

メール本文の末尾には差出人の名前や会社名などを入力するのが一般的です。「署名」を作成しておくと、毎回差出人を入力しなくても、新規メール画面を開いたときに自動的に署名が表示されます。

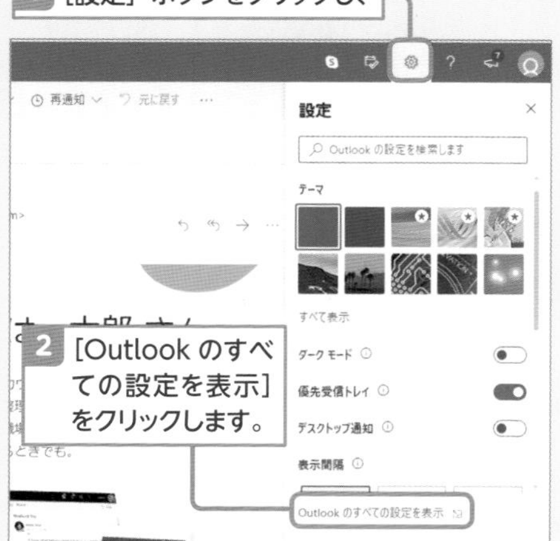

1 ［設定］ボタンをクリックし、
設定
テーマ
すべて表示
ダークモード
優先受信トレイ
デスクトップ通知
表示間隔
Outlook のすべての設定を表示
2 ［Outlookのすべての設定を表示］をクリックします。

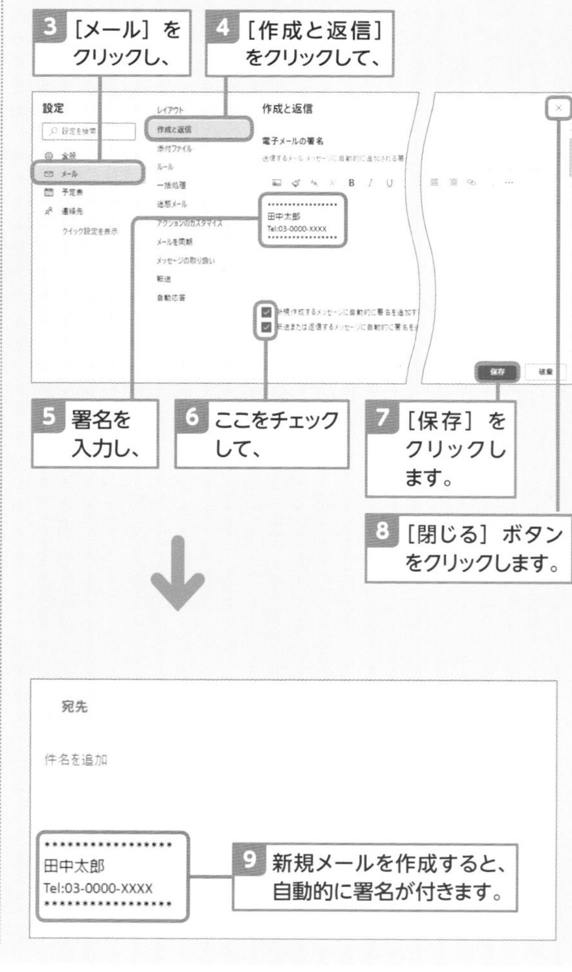

3 ［メール］をクリックし、
4 ［作成と返信］をクリックして、
設定
全般
メール
予定表
連絡先
レイアウト
作成と返信
添付ファイル
ルール
作成と返信
電子メールの署名
田中太郎
Tel:03-0000-XXXX
保存
破棄
5 署名を入力し、
6 ここをチェックして、
7 ［保存］をクリックします。
8 ［閉じる］ボタンをクリックします。
宛先
件名を追加
****
田中太郎
Tel:03-0000-XXXX
****
9 新規メールを作成すると、自動的に署名が付きます。

Q351 お役立ち度 ★★★ Webメール（Outlook.com）の利用

メールの内容を印刷するには？

A ［その他の操作］から［印刷］をクリックします。

メールを印刷するには、印刷したいメールを表示して以下の手順で印刷を実行します。

1 印刷したいメールを表示して、［その他の操作］ボタン［…］をクリックし、

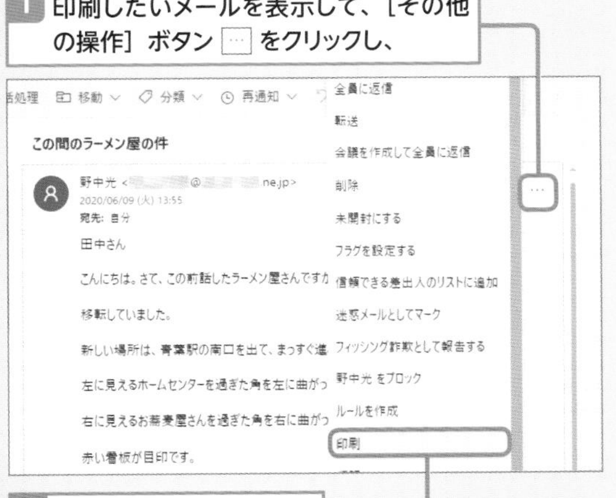

2 ［印刷］をクリックします。

3 印刷イメージを確認して、

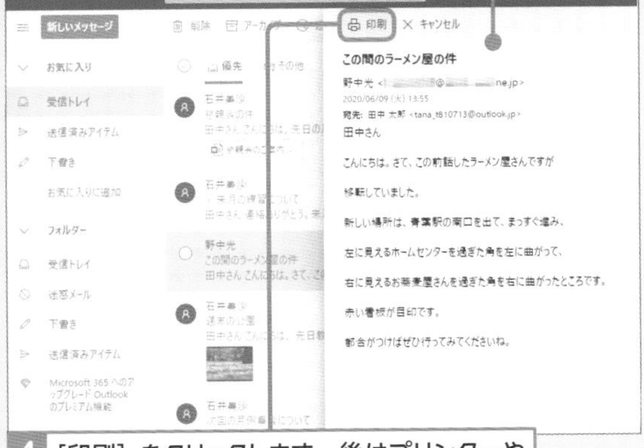

4 ［印刷］をクリックします。後はプリンターや部数を確認して印刷を実行します。

Q352 お役立ち度 ★★★ スゴわざ Webメール（Outlook.com）の利用

特定の人からのメールを自動的に振り分けるには？

A 振り分けのルールを作成してフォルダーに移動します。

受信したメールは「受信トレイ」に入るため、メールの数が増えると目的のメールを探しにくくなります。ルールを作成すると、特定の差出人のメールを指定した別のフォルダーに自動的に移動させることができます。移動先のフォルダーは、フォルダーの一覧の下部にある［新しいフォルダー］をクリックして事前に作成しておきます。

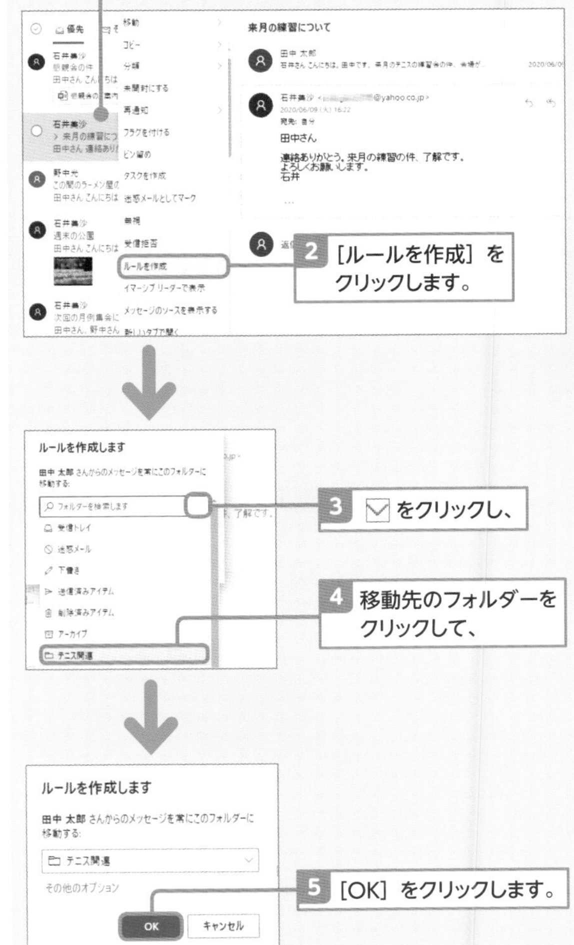

1 ルールを作成したいメールを右クリックし、

2 ［ルールを作成］をクリックします。

3 ［∨］をクリックし、

4 移動先のフォルダーをクリックして、

5 ［OK］をクリックします。

Q353 メールを削除するには?

お役立ち度 ★★★　Webメール（Outlook.com）の利用

A ［削除］をクリックします。

不要なメールは［削除］をクリックして削除します。あるいは、Deleteキーを押して削除することもできます。削除したメールは「削除済みアイテム」フォルダーに移動するので、完全に削除するには「削除済みアイテム」フォルダーからも削除します。

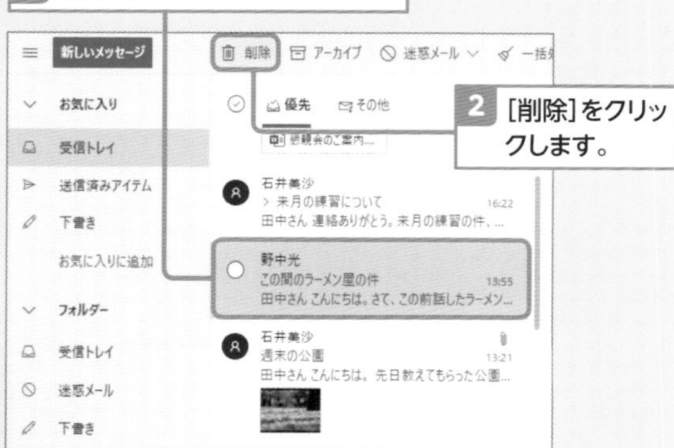

Q354 メールを検索するには?

お役立ち度 ★★★ スゴわざ　Webメール（Outlook.com）の利用

A ［検索］欄にキーワードを入力します。

たくさんのメールの中からキーワードに一致したメールを探すには、［検索］欄にキーワードを入力します。検索結果のメールから見たいメールをクリックすると内容が表示されます。

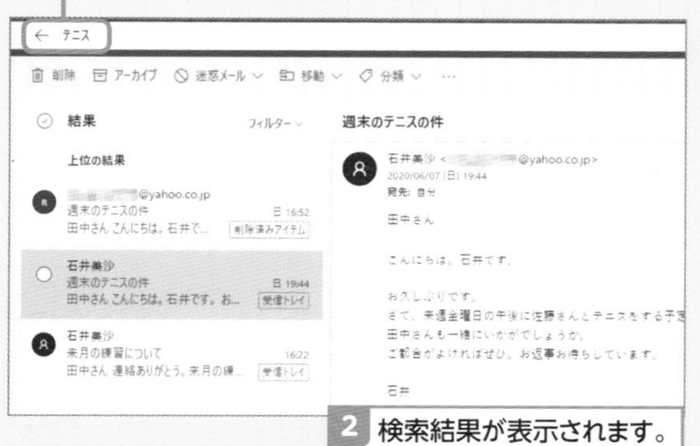

Q355 迷惑メールを確認するには?

お役立ち度 ★★★ スゴわざ　Webメール（Outlook.com）の利用

A 「迷惑メール」フォルダーを表示します。

Outlook.comが迷惑メールと判断したメールは、自動的に「迷惑メール」フォルダーに入ります。届くはずのメールが届かなかったときは「迷惑メール」フォルダーをクリックしてみるとよいでしょう。間違って迷惑メールとして判断されてしまったときは、［迷惑メールではない］をクリックすると、「受信トレイ」に移動します。

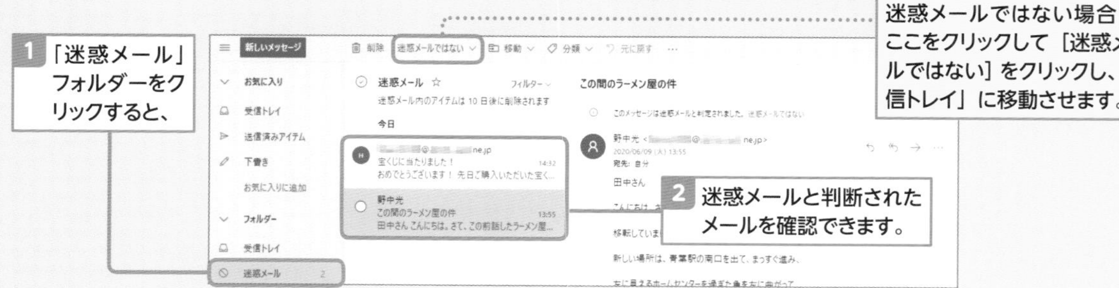

第8章

「写真」「音楽」「動画」を楽しもう！

Windows 10は、「写真」や「音楽」や「動画」といった分野も強力にサポートしています。写真なら「フォト」アプリ、音楽なら「Windows Media Player」アプリや「Grooveミュージック」アプリ、動画なら「映画＆テレビ」アプリといった具合に、それぞれのアプリで趣味を思う存分楽しむためのワザを覚えましょう。また、映画を購入したりレンタルしたりする操作も解説します。

アイコンの意味

- ぜひ習得したい基本ワザを示します。
- 時短に役立つ活用ワザを示します。
- 知っておきたい基礎知識を示します。
- スゴわざ 目からウロコのすごワザを示します。
- 基本を超えた上級ワザを示します。

Q356

お役立ち度 ★★★

デジカメから写真を取り込む

デジカメで撮影した写真を取り込むには?

A [写真とビデオのインポート] をクリックします。

デジタルカメラで撮影した写真をパソコンに取り込むと、写真を大きく表示したり、写真の色や明るさなどを編集したりできるようになります。デジタルカメラの写真をパソコンに取り込むには、以下の手順で操作します。これ以外にも、最初に「フォト」アプリを起動し、画面上部で［インポート］→［USBデバイスから］をクリックして取り込む方法もあります。

1 デジタルカメラとパソコンをUSBケーブルで接続し、デジタルカメラの電源を入れます。

2 メッセージが表示されたらクリックし、

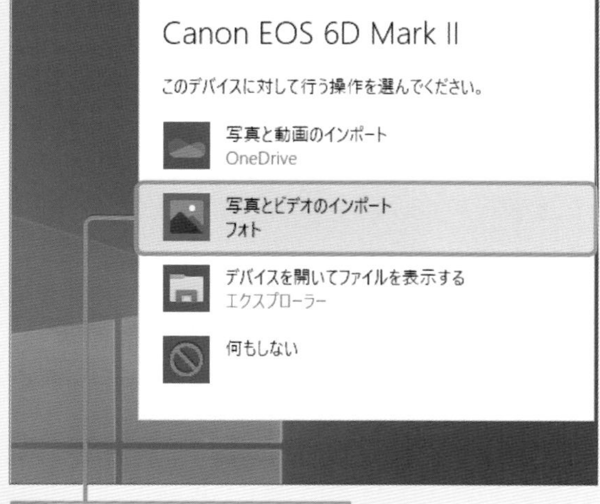

3 [写真とビデオのインポート] をクリックすると、

4 フォトアプリが起動します。

5 取り込みたい写真の右上のチェックボックスをクリックし、

6 [〇個のアイテムのうち、〇個をインポート] をクリックすると、

7 写真がパソコンに取り込まれて表示されます。

おトクな情報 デジカメの写真を取り込むその他の方法

デジタルカメラのメモリーカード（SDカード、コンパクトフラッシュなど）をパソコンのメモリーカードスロットに挿入して写真を取り込む方法もあります。

Q 357 お役立ち度 ★★★ デジカメから写真を取り込む

デジカメをつないでもメッセージが出ないときはどうするの？

A エクスプローラーを使いましょう。

Q356のように、パソコンとデジタルカメラを接続しても通知メッセージが表示されない場合は、Windows 10の自動再生機能がオフになっている可能性があります。このようなときは、エクスプローラー画面に表示されるカメラのアイコンを利用します。

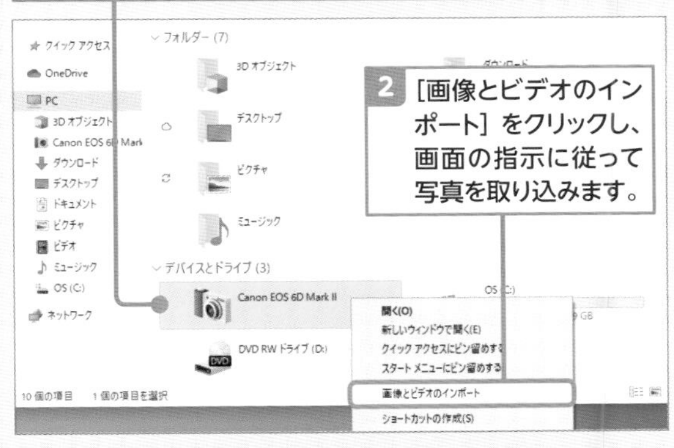

Q 358 お役立ち度 ★★★ スゴわざ デジカメから写真を取り込む

デジカメを接続したときの動作を指定するには？

A 「自動再生」の設定を変更します。

パソコンにデジタルカメラを接続したときに表示される通知メッセージは初回のみです。次回からは、初回に選択した動作が自動的に実行されます。毎回通知メッセージを表示するのか、それともすぐにフォトアプリでインポートを開始するのかといった動作は「設定」画面の「自動再生」の項目で自由に決められます。

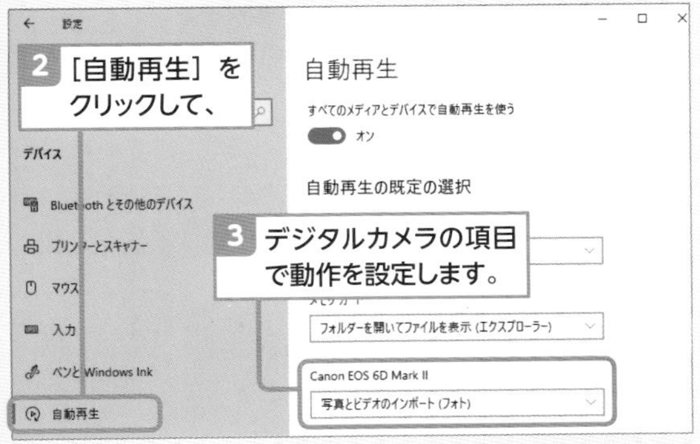

Q 359 お役立ち度 ★★★ デジカメから写真を取り込む

デジカメから取り込んだ写真はどこに保存されるの？

A 「ピクチャ」（画像）フォルダーに保存されます。

デジタルカメラから取り込んだ写真は、「ピクチャ」フォルダーに保存されます。エクスプローラーを開いて「ピクチャ」フォルダーをクリックすると、撮影月ごとのフォルダーが作られており、それぞれのフォルダーの中に写真が保存されています。

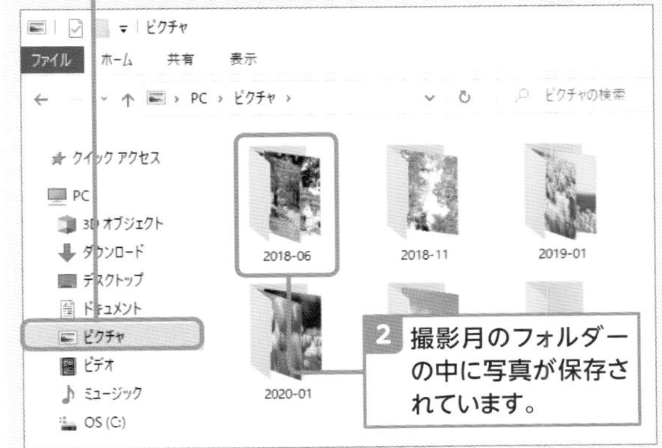

使いはじめ　デスクトップ　ファイル　文字入力　アプリ　インターネット　メール　写真・音楽・動画　周辺機器・スマホ　設定　安全に使う

「フォト」アプリの利用

Q360 「フォト」アプリで何ができるの?

A 写真の表示や編集ができます。

Windows 10に最初から入っている「フォト」アプリを使うと、保存されている写真を一覧表示したり、写真の一部を拡大して表示したりできます。また、暗い写真を明るく補正したり、写真の不要な部分をトリミングしたりする編集機能も備わっています。さらに、写真をL判用紙に印刷するなどの印刷機能も用意されています。

▶写真の一覧表示

▶写真の明るさや色を補正

▶写真の印刷

Q 361 お役立ち度 ★★★ 「フォト」アプリの利用

Q361 デジカメから取り込んだ写真を見るには?

A 「フォト」アプリを起動します。

スタートメニューから［フォト］をクリックすると、フォトアプリが起動します。フォトアプリの［コレクション］をクリックすると、「ピクチャ」フォルダーに保存されている写真が表示されます。大きく表示したい写真をクリックすると、1枚の写真が画面全体に表示されます。

1 スタートメニューから［フォト］をクリックします。

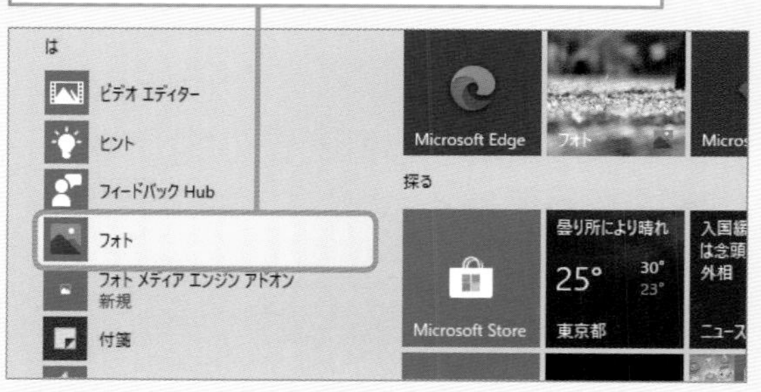

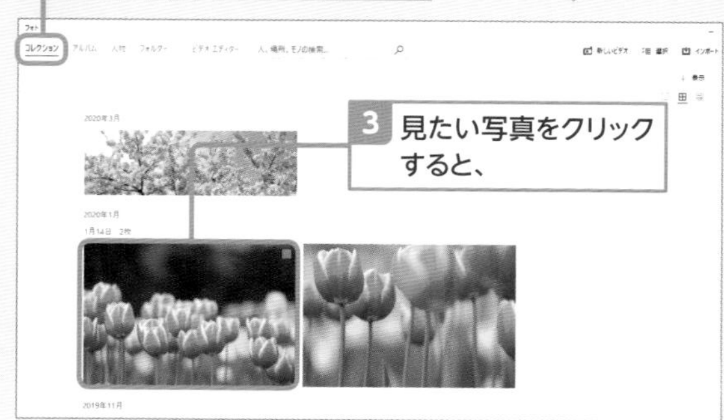

3 見たい写真をクリックすると、

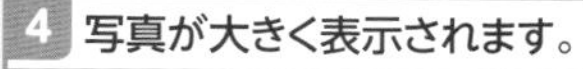

4 写真が大きく表示されます。

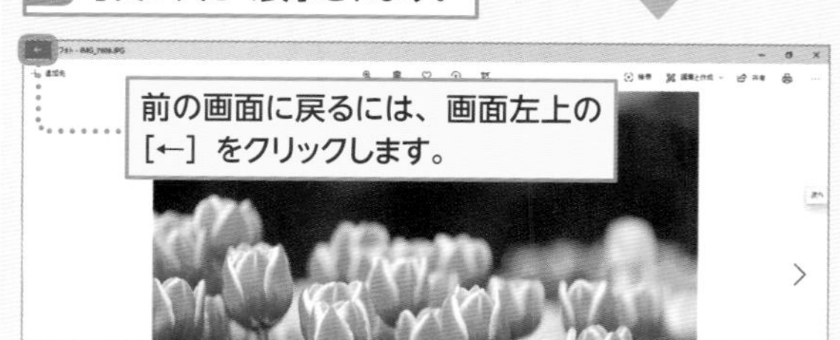

前の画面に戻るには、画面左上の［←］をクリックします。

Q362 お役立ち度 ★★★ 「フォト」アプリの利用

写真をスライドショーで表示するには?

A […]（もっと見る）ボタンから［スライドショー］をクリックします。

画面全体に大きく表示した写真が自動的に次々と切り替わっていくことを「スライドショー」といいます。フォトアプリを使うと、[…]（もっと見る）ボタンから［スライドショー］をクリックするだけで、保存されている写真のスライドショーを実行できます。

1 […] ボタンをクリックし、

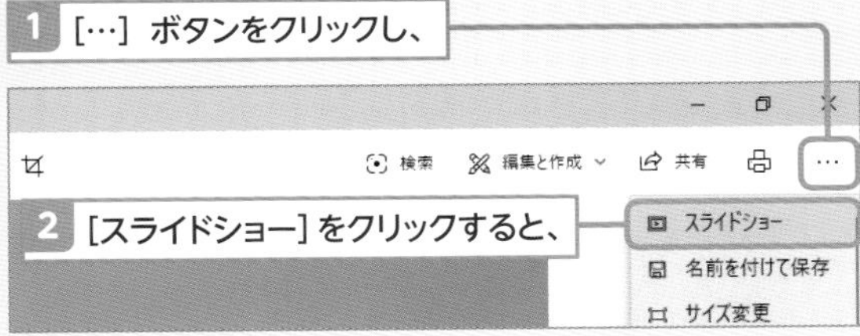

2 ［スライドショー］をクリックすると、

3 先頭の写真が画面全体に表示されます。

4 しばらくすると、自動的に写真が次々と切り替わります。

画面をクリックすると、スライドショーを中断できます。

Q363 お役立ち度 ★★★ 「フォト」アプリの利用

写真を削除するには?

A 写真を選択してから［削除］ボタンをクリックします。

不要な写真はフォトアプリの中で削除できます。写真の一覧で削除したい写真をクリックして選択してから、[削除］ボタンをクリックします。複数の写真をクリックして選択しておくと、まとめて削除できます。削除した写真は「ごみ箱」に送られます。なお、Delete キーを押して削除することもできます。

1 削除したい写真の右上のチェックボックスをクリックし、

2 ［削除］ボタンをクリックして、

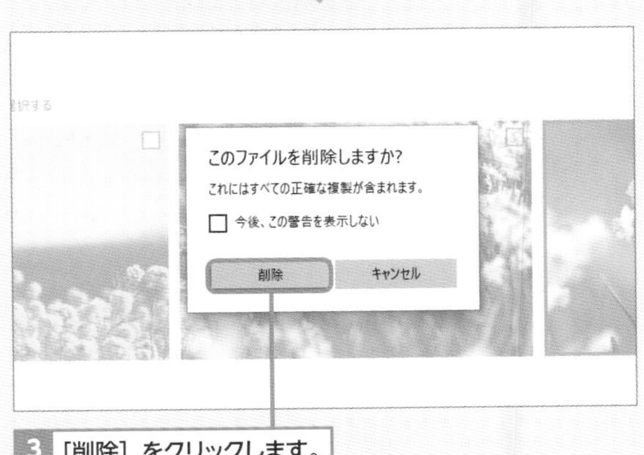

3 ［削除］をクリックします。

Q364 お役立ち度 ★★★ スゴわざ 「フォト」アプリの利用

暗い写真を明るくするには?

A 編集機能の中の「ライト」を調整します。

撮影時に写真が暗くなってしまっても心配いりません。フォトアプリの編集機能の中には明るさを調整する「ライト」機能が用意されており、クリックするだけで写真を明るくできます。

1 明るくしたい写真をクリックして大きく表示します。

2 ［編集と作成］→［編集］をクリックします。

3 ［調整］をクリックし、

4 「ライト」の縦棒を右側にドラッグすると、

5 写真が明るくなります。

［コピーを保存］をクリックすると、元の写真とは別に調整後の写真を保存します。

⌄ をクリックして［保存］をクリックすると、元の写真が編集後の写真に置き換わります。

Q365 お役立ち度 ★★★ スゴわざ 「フォト」アプリの利用

写真を回転させるには?

A ［回転］ボタンをクリックします。

パソコンに取り込んだ写真は、横長もしくは縦長に表示されます。もし、思った向きに表示されなかった場合は、［回転］ボタンをクリックして調整しましょう。［回転］ボタンをクリックするたびに右に90度ずつ回転します。

1 回転したい写真をクリックして大きく表示します。

2 ［回転］ボタンをクリックすると、

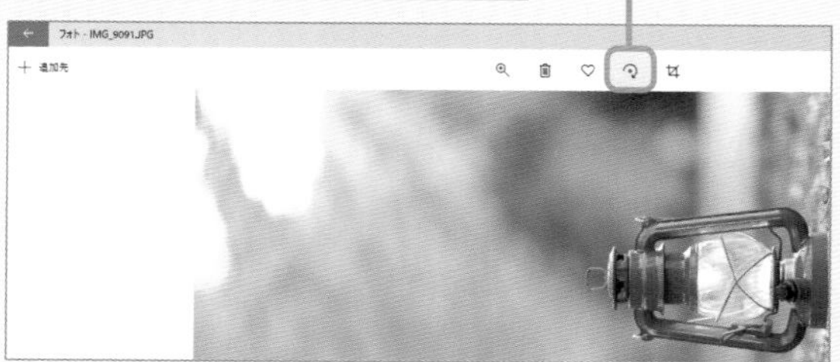

3 写真が回転します。

おトクな情報 回転した写真は自動的に保存される

上記の操作で写真を回転すると、回転後の写真が自動的に保存されます。

Q366

お役立ち度 ★★★ スゴわざ　「フォト」アプリの利用

写真の色合いを変更するには?

A 編集機能の中の「色」を調整します。

撮影した写真の色が淡かったり鮮やかすぎたりするときは、フォトアプリの「色」の編集機能を使って、後から色合いを変更します。

1 色合いを変更したい写真をクリックして大きく表示します。

2 [編集と作成] → [編集] をクリックします。

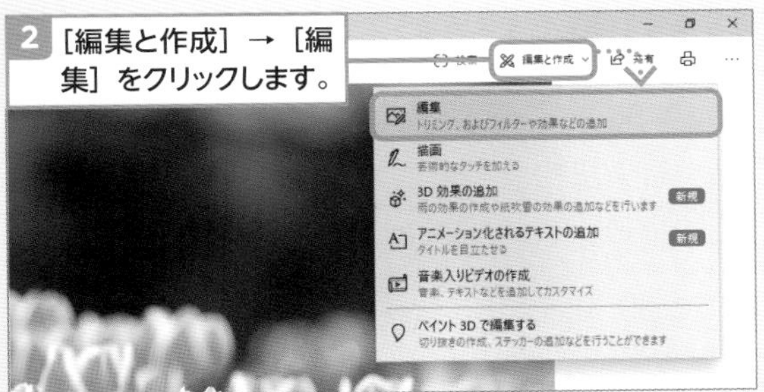

3 [調整] をクリックし、

4 「色」の縦棒を左側にドラッグすると、

5 色が淡くなります。

「明瞭度」の縦棒をドラッグすると、写真のコントラスト（明暗比）を調整できます。

Q367

お役立ち度 ★★★ スゴわざ　「フォト」アプリの利用

写真の不要な部分をトリミングするには?

A 編集機能の中の［トリミングと回転］を使います。

写真の背景に余計な建物や人物が映りこんでしまうことがあります。見せたい部分だけを大きく見せるには不要な部分をトリミングするとよいでしょう。フォトアプリの［トリミングと回転］を使うと、ハンドルをドラッグするだけでトリミングできます。

1 トリミングしたい写真をクリックして大きく表示します。

2 [編集と作成] → [編集] をクリックします。

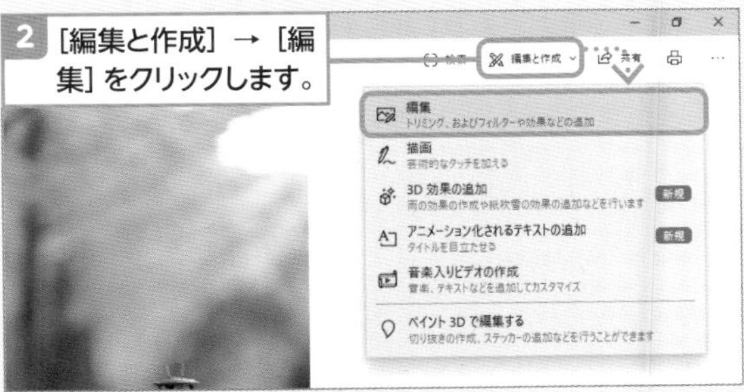

3 [トリミングと回転] をクリックし、

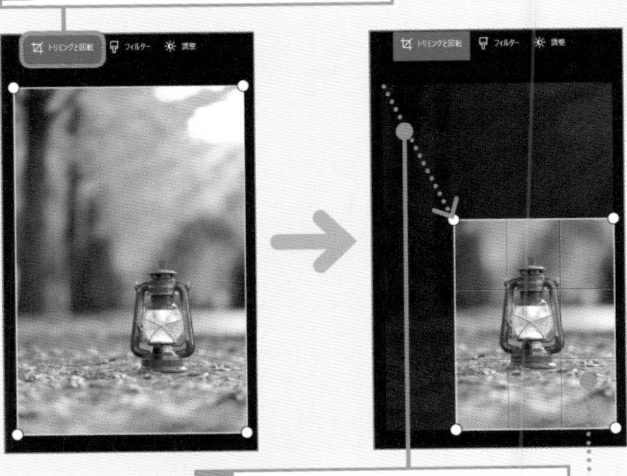

4 四隅のハンドルをドラッグして残したい部分だけにします。

写真をドラッグして位置を調整できます。

Q368 お役立ち度 ★★★ スゴわざ 「フォト」アプリの利用

写真を部分的にぼかすには?

A 編集機能の中の［スポット修正］を使います。

たとえば、花の写真に枯れた葉が写ってしまったとか、ちょっとしたシミやごみが写ってしまったときは、その部分だけをぼかして隠すことができます。以下の手順で［スポット修正］を選び、ぼかしたい部分をクリックすると、周りの色と混ざるようにぼかすことができます。

1 写真をクリックして大きく表示します。

2 ［編集と作成］→［編集］をクリックします。

3 ［調整］をクリックし、

4 ［スポット修正］をクリックします。

5 修正したい箇所をクリックすると、

一度できれいに修正できないときは、周辺を何度かクリックします。

6 その部分が周りの色と混ざってぼかされます。

Q369 お役立ち度 ★★★ スゴわざ 「フォト」アプリの利用

写真を正方形にするには?

A 正方形にトリミングします。

写真投稿のSNSなどでは正方形の写真が主流です。デジタルカメラで撮影した長方形の写真を正方形にするには、［トリミングと回転］の［縦横比］から［正方形］を選んでトリミングします。見せた部分が魅力的に見えるようにトリミングしましょう。

1 写真をクリックして大きく表示します。

2 ［編集と作成］→［編集］をクリックします。

3 ［トリミングと回転］をクリックします。

4 ［縦横比］をクリックし、

5 ［正方形］をクリックします。

6 写真をドラッグしてトリミングする位置を調整します。

写真の雰囲気をがらりと変えるには?

A 編集機能の中の「フィルター」を使います。

フォトアプリの「フィルター」機能を使うと、用意されているフィルターをクリックするだけで写真全体の雰囲気をがらりと変更できます。面白いフィルターがいくつも用意されているので、いろいろ試してみるとよいでしょう。

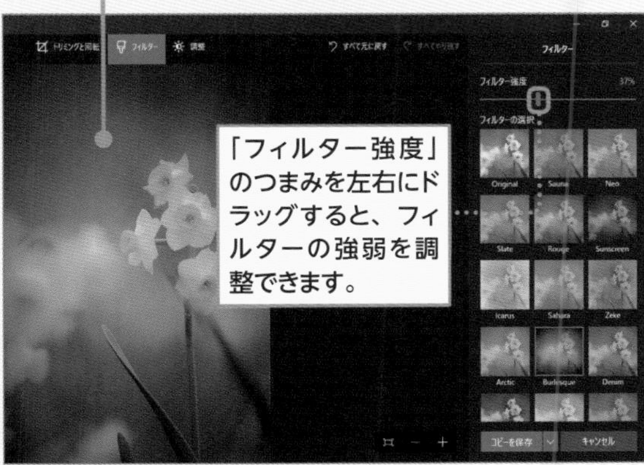

5 写真全体の雰囲気が変わります。
「フィルター強度」のつまみを左右にドラッグすると、フィルターの強弱を調整できます。

主なフィルター

▶ Original

▶ Neo

▶ Burlesque

▶ Denim

Q371 お役立ち度 ★★★ スゴわざ 「フォト」アプリの利用

写真をアルバムにまとめて整理するには?

A 「アルバム」機能を使います。

デジタルカメラから取り込んだ写真は撮影月ごとに分類されますが、後から目的別に整理したいときはフォトアプリの「アルバム」機能を使うと便利です。アルバムには「北海道旅行」や「結婚式」などのタイトルを自由に付けられるので、後から写真を探しやすくなります。

アルバムを作る

1 [アルバム] をクリックし、

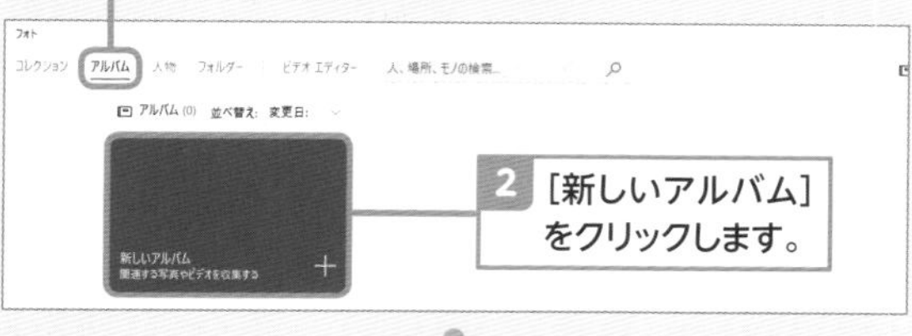

2 [新しいアルバム] をクリックします。

3 アルバムに追加したい写真をクリックしてチェックを付け、

4 [作成] をクリックします。

5 「アルバム」をクリックし、

6 アルバムのタイトルを上書きして、

7 [完了] をクリックします。

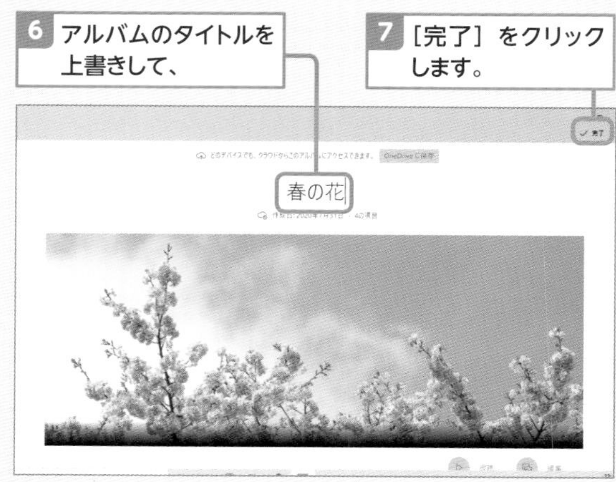

アルバムを見る

1 [アルバム] をクリックし、

2 見たいアルバムをクリックすると、

3 アルバムが表示されます。

[写真の追加] をクリックすると、アルバムに写真を追加できます。

写真をL判用紙に印刷するには?

A [印刷] ボタンをクリックします。

フォトアプリで写真を印刷するには、印刷したい写真を大きく表示して、右上の[印刷]ボタンをクリックします。L判用紙に印刷する場合は、「用紙サイズ」を「写真L判」に変更します。右側に表示される印刷イメージを確認してから印刷を実行しましょう。

L判用紙に印刷する

1 印刷したい写真をクリックして大きく表示して、

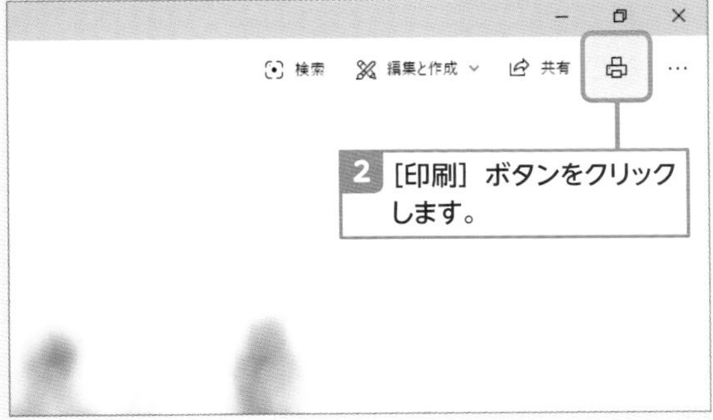

2 [印刷] ボタンをクリックします。

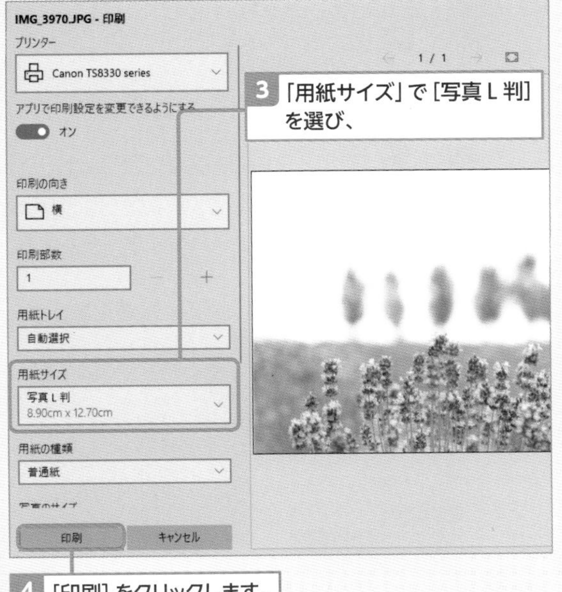

3 「用紙サイズ」で [写真L判] を選び、

4 [印刷] をクリックします。

写真用の用紙を使う場合(左の「3」に続けて)

4 「用紙の種類」で をクリックし、

5 用紙の種類を変更します。

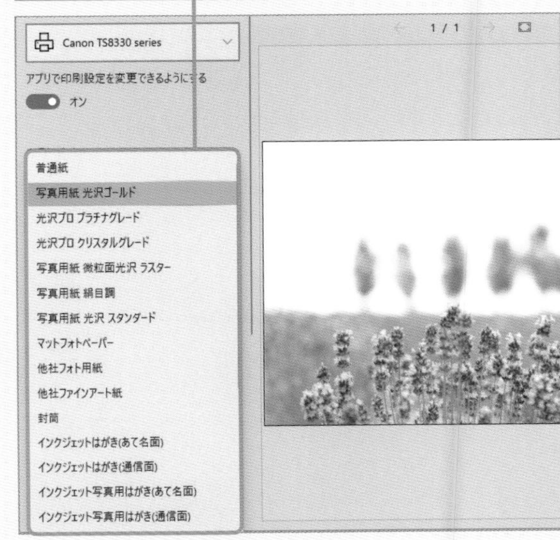

プリンターの設定画面は、プリンターのメーカーや機種によって表示される項目が異なります。

Q 373 お役立ち度 ★★★ 「フォト」アプリの利用

複数の写真を 1 枚の用紙に印刷するには?

A エクスプローラーで印刷します。

フォトアプリは写真を1枚ずつ印刷することはできますが、複数の写真を一覧形式で印刷することはできません。一覧形式で印刷するには、エクスプローラー画面を使います。

1 印刷したい写真のフォルダーを開き、

2 印刷したい写真をすべて選択します。

3 [共有] タブの [印刷] をクリックします。

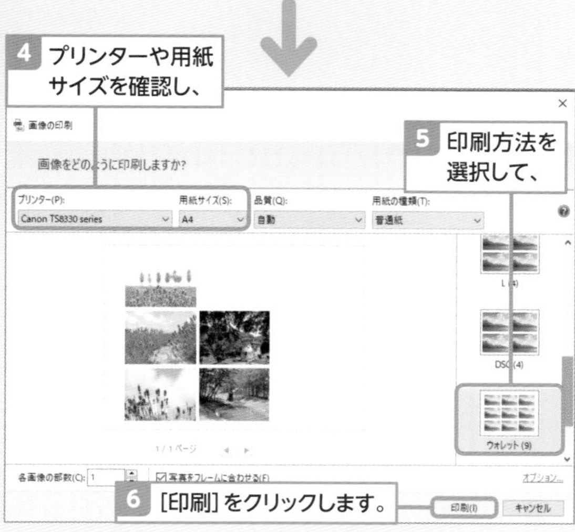

4 プリンターや用紙サイズを確認し、

5 印刷方法を選択して、

6 [印刷] をクリックします。

Q 374 お役立ち度 ★★★ 「フォト」アプリの利用

写真をきれいに印刷できる用紙は何?

A 写真用紙を使いましょう。

写真を大きく印刷するときは、写真に適した用紙を使うときれいに印刷できます。主な用紙の特徴は以下の表のとおりです。どんなふうに写真を印刷したいかによって用紙を使い分けましょう。ただし、せっかく写真用の用紙をプリンターにセットしても、パソコン側で用紙の種類を変更しないと意味がありません。たとえば「写真用紙」を購入してプリンターにセットしたときは、印刷画面に表示される「用紙の種類」も「写真用紙」に変更します。関連 Q372 写真の印刷

用紙の種類	特徴
普通紙	通常の印刷に使う用紙です。コピー用紙と同じ品質で、安価で入手できます。A4 サイズや B5 サイズが主流です。写真の印刷には向きません。
写真用紙	インクジェットプリンターで写真を印刷するための用紙です。インクが乗りやすいように加工され、耐水性もあります。L 判、2L 判、はがき、A4 判、A3 判など幅広いサイズが用意されています。
光沢紙	用紙の表面に光沢のあるコーティングが施されています。写真を印刷すると、つやつやした仕上がりになります。
マット紙	用紙の表面につや消しのコーティングが施されています。写真を印刷すると落ち着いた仕上がりになります。
絹目紙	用紙の表面に凹凸がある写真用紙です。絹目仕上がりで印刷できます。

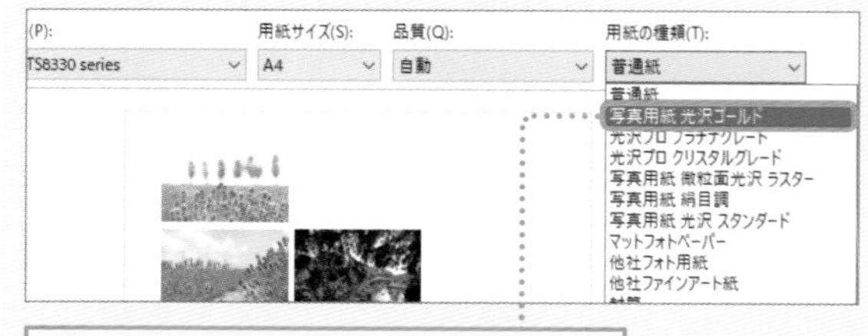

プリンターにセットした用紙を印刷画面で忘れずに設定します。

Q375

お役立ち度 ★★★ スゴわざ

「フォト」アプリの利用

写真を簡単に共有するには?

A 「フォト」アプリで「近距離共有」機能を使います。

Q136で解説した「近距離共有」機能を使うと、写真を近くのパソコンに送ることができます。撮った写真を共有してSNSで公開したり、メールで送信したりといった操作が手軽にできて便利です。

1 フォトアプリを起動します。

2 共有したい写真を選択し、

3 ［共有］をクリックします。

4 共有したいデバイスをクリックします。

共有相手が承認すると、写真の共有が始まります。

Q376

お役立ち度 ★★★

「フォト」アプリの利用

パソコンに保存してある写真を探すには?

A デスクトップの検索ボックスから検索できます。

デスクトップの検索ボックスから簡単に写真を探すことができます。検索結果にはサムネイルや保存場所、最終更新日時なども表示されます。

1 検索ボックスをクリックして、

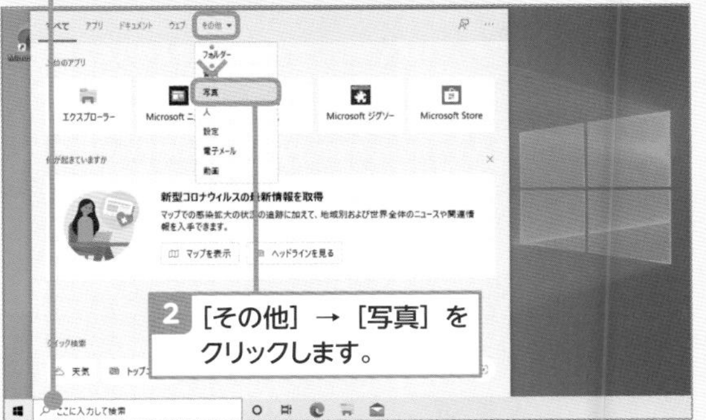

2 ［その他］→［写真］をクリックします。

3 ファイル名の一部を入力すると、

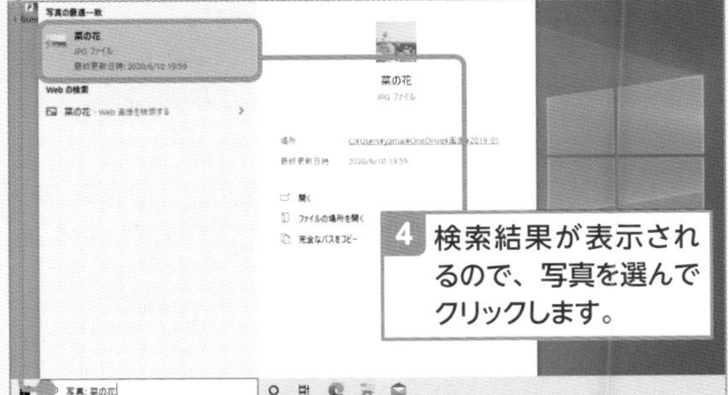

4 検索結果が表示されるので、写真を選んでクリックします。

5 フォトアプリが起動し、写真が表示されます。

Q377 お役立ち度 ★★★ 動画を楽しむ

動画を見るアプリには どんなものがあるの?

A 「フォト」アプリや「映画 & テレビ」アプリなどがあります。

デジタルカメラで撮影した動画を見るには、「Windows Media Player」や「フォト」、「映画&テレビ」アプリを使います。Windows Media Playerは音楽や動画を閲覧するためのアプリです。フォトは写真を表示したり編集したりするアプリですが、動画の再生や動画のトリミングなどの編集も行えます。また、映画&テレビアプリは、映画をレンタルしたり購入したりして楽しむことができます。どれもWindows 10に最初から用意されています。

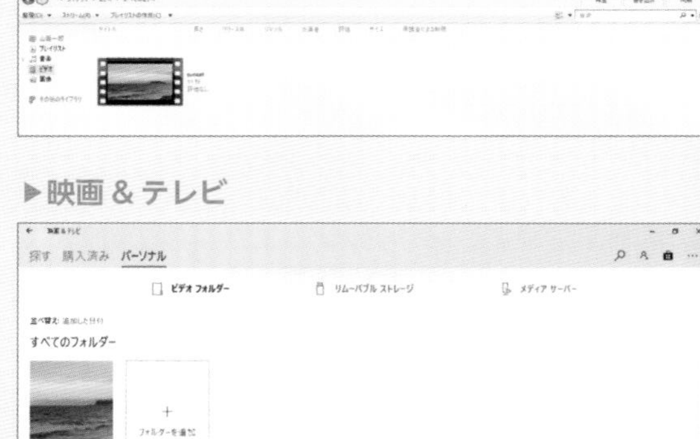

Q378 お役立ち度 ★★★ 動画を楽しむ

デジカメで撮影した動画を 取り込むには?

A 「フォト」アプリの［インポート］をクリックします。

デジタルカメラで撮影した動画をパソコンに取り込む方法は、Q356で解説した写真を取り込む方法と同じです。ここでは、「フォト」アプリから直接動画を取り込む方法を使います。取り込んだ動画は「ピクチャ」フォルダーに保存されます。

1 デジタルカメラとパソコンをUSBケーブルで接続し、デジタルカメラの電源を入れます。

2 フォトアプリを起動して、［インポート］をクリックし、

動画の特定の場面を切り出すには?

A 「フォト」アプリの「トリミング」機能を使います。

「フォト」アプリのトリミング機能を使うと、撮影した動画の必要な場面だけを残し、その他をカットすることができます。抜き出したい場面の先頭と末尾を指定して保存すれば、簡単にトリミングできます。動画をプレビューで確認しながら作業できて便利です。

1 編集したい動画をクリックすると、

2 編集画面が開きます。

3 [編集と作成] をクリックし、

4 [トリミング] をクリックすると、

5 トリミング画面が表示されます。

6 動画のタイムラインにある◯をドラッグして切り出したい箇所を決め、

7 [コピーの保存] をクリックすると、

8 トリミングした動画が保存されます。

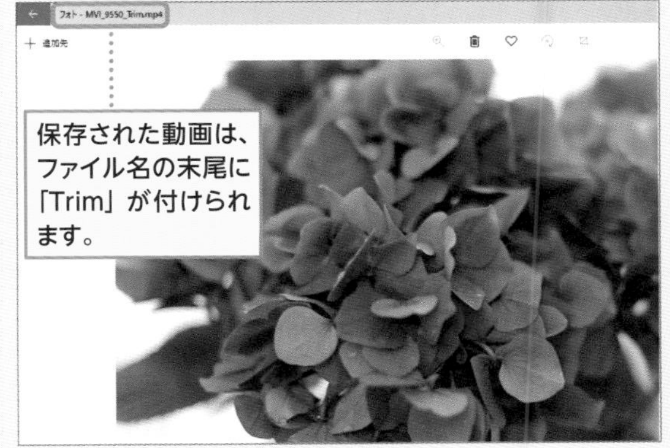

保存された動画は、ファイル名の末尾に「Trim」が付けられます。

Q380 お役立ち度 ★★★ スゴわざ 動画を楽しむ

動画にスローモーションを追加するには?

A 「フォト」アプリで「スローモーション」機能を使います。

「フォト」アプリを使って、動画の特定の場面をスローモーション再生するように編集することができます。スローモーションの速度調節も簡単で、手軽に動画にアクセントをつけることができます。

1 フォトアプリを起動して、編集したい動画を表示します。

2 [編集と作成]をクリックし、

3 [スローモーションの追加]をクリックします。

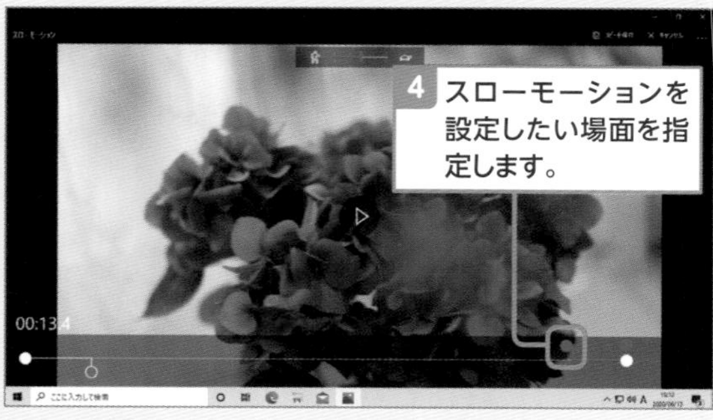

4 スローモーションを設定したい場面を指定します。

5 [コピーを保存]をクリックして動画を保存します。

スライダーで速度を変えることもできます。

Q381 お役立ち度 ★★★ スゴわざ 動画を楽しむ

動画に手書きの文字を入れるには?

A 「フォト」アプリで「描画」機能を使います。

動画に手書きの文字を入れたいときは、「フォト」アプリの描画機能が便利です。書き込むペンの種類を選び、線の色や太さを指定して、書き込みます。書き込んだ文字や線は「消しゴム」を使って消すことができます。

1 フォトアプリを起動して、編集したい動画を表示します。

2 [編集と作成]をクリックし、

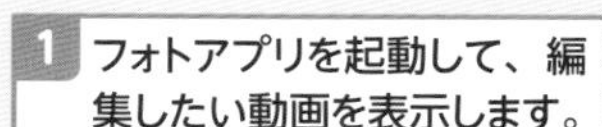

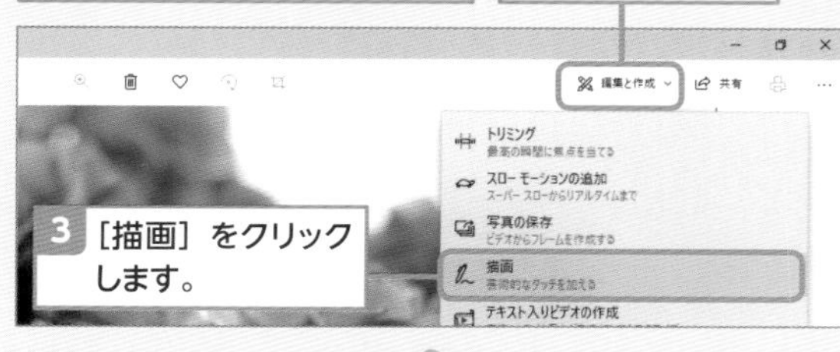

3 [描画]をクリックします。

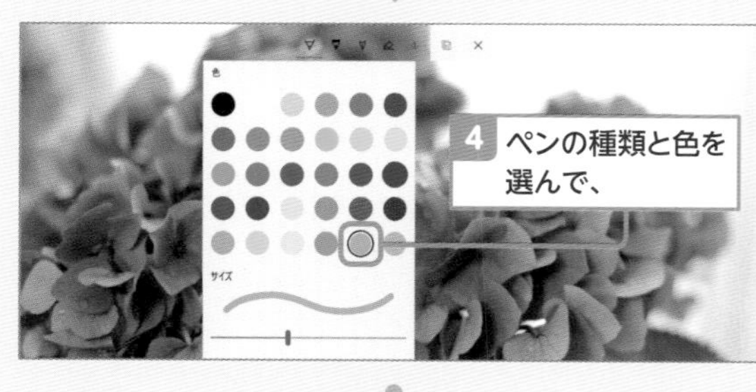

4 ペンの種類と色を選んで、

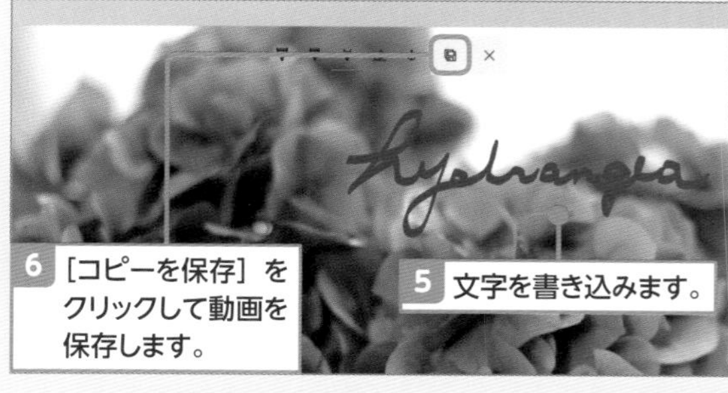

5 文字を書き込みます。

6 [コピーを保存]をクリックして動画を保存します。

文字は動画の中にいくつでも書き込めます。

Q 382 お役立ち度 ★★★ スゴわざ　動画を楽しむ

動画から静止画を切り出すには?

A 「フォト」アプリで「写真の保存」機能を使います。

「フォト」アプリを使って、動画の特定の場面を切り出して写真として保存することができます。プレビューを見ながら切り出したい場面を選び、画像として保存します。動画内のお気に入りの場面を残しておきたいときなどに便利です。

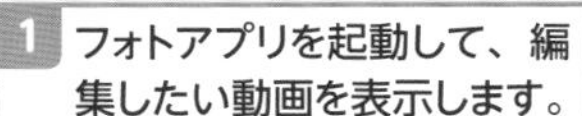

1 フォトアプリを起動して、編集したい動画を表示します。

2 ［編集と作成］をクリックし、

3 ［写真の保存］をクリックします。

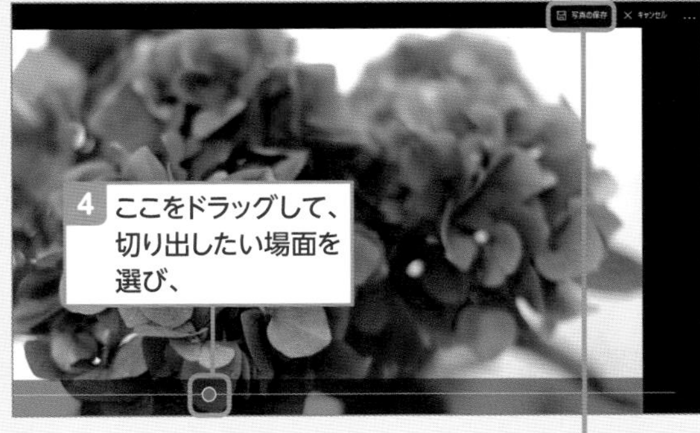

4 ここをドラッグして、切り出したい場面を選び、

5 ［写真の保存］をクリックして写真を保存します。終了するには［キャンセル］をクリックします。

保存された画像は、ファイル名の末尾に「Moment」が付けられます。

Q 383 お役立ち度 ★★★ スゴわざ　動画を楽しむ

動画に 3D 効果を追加するには?

A 「フォト」アプリで「3D 効果」機能を使います。

「フォト」アプリには、シャボン玉を飛ばしたり、星をちりばめたりといった3D効果を動画に付けることができます。元の動画にさまざまな効果を加えることで、より自分好みに動画をカスタマイズできる機能です。

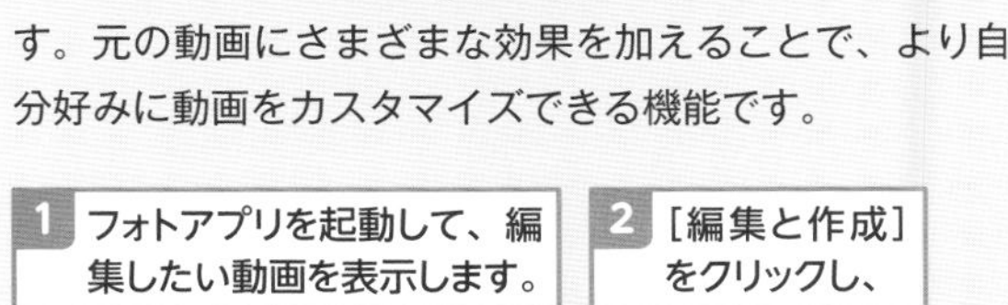

1 フォトアプリを起動して、編集したい動画を表示します。

2 ［編集と作成］をクリックし、

3 ［3D 効果の追加］をクリックします。

4 ［効果］の中から追加したい効果を選んで、クリックします。

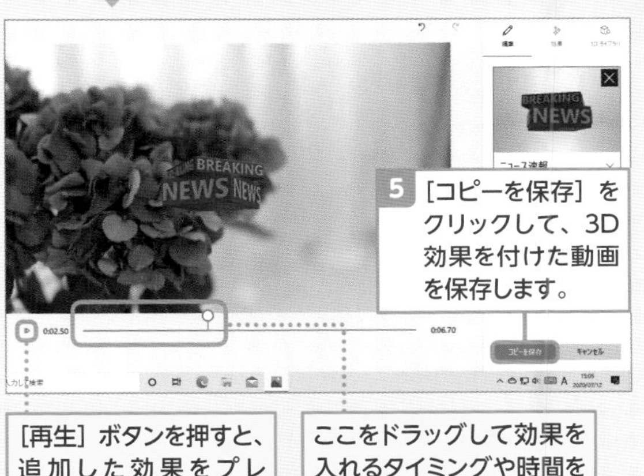

5 ［コピーを保存］をクリックして、3D 効果を付けた動画を保存します。

［再生］ボタンを押すと、追加した効果をプレビューで確認できます。

ここをドラッグして効果を入れるタイミングや時間を設定できます。

Q384 お役立ち度★★★ 動画を楽しむ

取り込んだ動画を再生するには?

A アプリを起動して再生します。

動画を再生するアプリには複数の種類がありますが、ここでは「映画&テレビ」アプリで再生します。あらかじめエクスプローラー画面の左側にある「ビデオ」フォルダーに、動画ファイルを保存しておきます。

1 スタートメニューから［映画 & テレビ］をクリックします。

2 ［パーソナル］をクリックします。

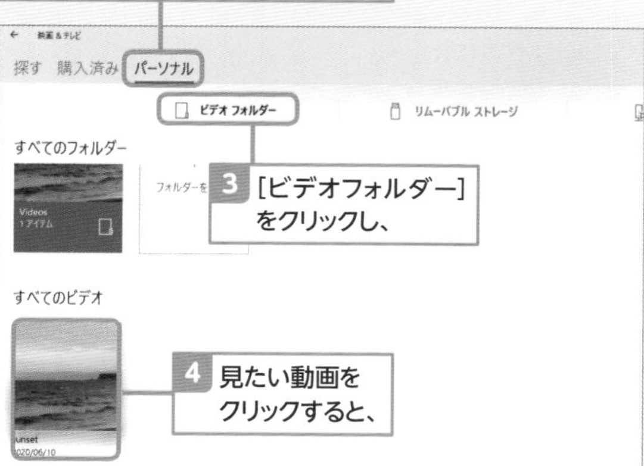

3 ［ビデオフォルダー］をクリックし、

4 見たい動画をクリックすると、

5 動画が再生されます。

Q385 お役立ち度★★★ 動画を楽しむ

映画の DVD をパソコンで再生するには?

A DVD をパソコンの DVD ドライブにセットします。

デジタルカメラで撮影した動画をパソコンで再生できても、映画のDVDをパソコンで再生できるとは限りません。映画のDVDをパソコンで再生するためには、パソコンにDVDを見るアプリがインストールされている必要があります。パソコンを購入したときにあらかじめインストールされている場合も多いので、DVDドライブに映画のDVDをセットして再生できるかどうかを確認しましょう。再生できない場合は、以下のようなDVDを見るアプリを別途インストールする必要があります。

▶ 「Windows DVD プレイヤー」（有料：￥1,750）

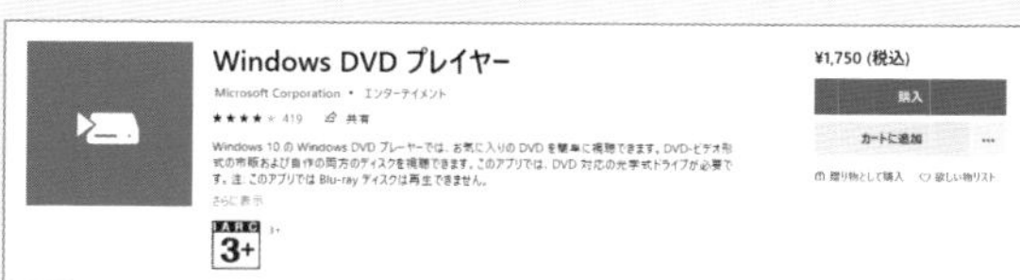

マイクロソフトが販売している DVD 再生アプリです。「Microsoft Store」アプリから購入できます。

▶ 「VLC media player」（無料）

Web 上には無料の DVD 再生アプリがたくさんあります。

■ 「VLC media player」の Web ページ

https://www.videolan.org/vlc/index.ja.html

おトクな情報　映画の Blu-ray をパソコンで再生するには

映画の Blu-ray をパソコンで再生するにも再生用のアプリが必要です。Blu-ray が見られない場合は、Blu-ray を見るアプリをインストールします。

Q386 お役立ち度 ★★★ スゴわざ

映画を購入して見るには?

A 「映画 & テレビ」アプリで購入しましょう。

Windows 10で映画を見る方法にはいろいろありますが、「映画&テレビ」アプリで見たい映画を購入するのもひとつの方法です。新作映画や人気の映画だけでなく、注目のテレビ番組も購入できます。[購入] ボタンをクリックし、Microsoftアカウントでサインインした後で支払い方法（クレジットカード／デビットカード／PayPal ／ギフトカード）を選択します。

一覧から映画を探す

1 スタートメニューから [映画 & テレビ] をクリックします。

2 [探す] をクリックし、

3 [映画] をクリックします。

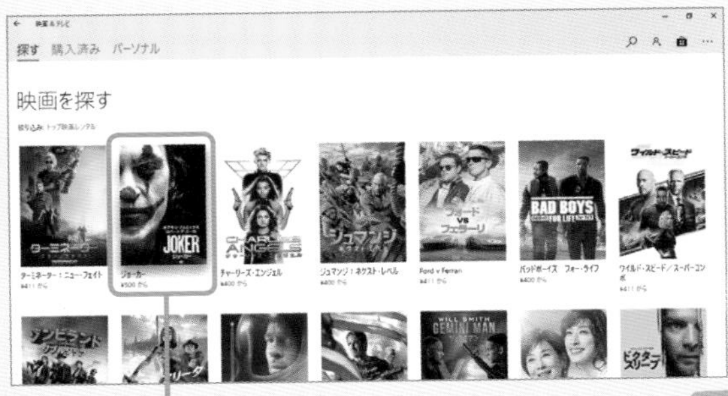

4 購入する映画を探してクリックします。

5 Microsoft Store アプリが表示され、映画の詳細が表示されます。

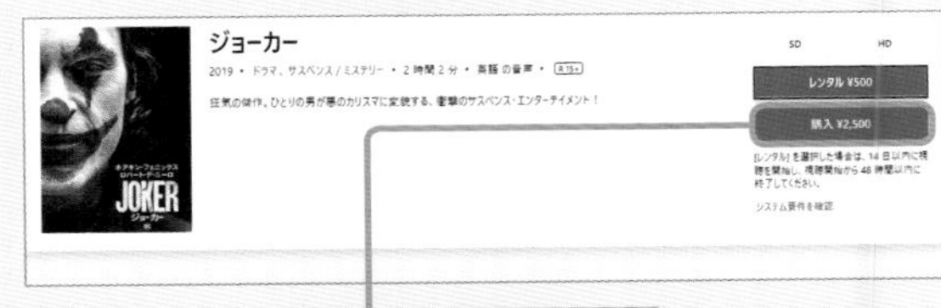

6 [購入 ¥ ○○○] をクリックします。

キーワードで映画を探す

1 [検索] ボタンをクリックし、

2 映画のキーワード（ここでは「猿の惑星」）を入力して Enter キーを押します。

3 Microsoft Store 内が検索され、検索結果が表示されます。

Q387 お役立ち度 ★★★ スゴわざ　動画を楽しむ

映画をレンタルして見るには?

A 「映画 & テレビ」アプリでレンタルできます。

Q386のように映画を購入しなくても、「映画&テレビ」アプリで映画をレンタルできます。購入するよりもレンタルするほうが安価です。ただし、レンタルしてから14日間以内に視聴を開始し、再生してから48時間以内に見ないと期限切れで見られなくなるので注意しましょう。

1 Q386 の操作で、「映画 & テレビ」アプリでレンタルする映画を探してクリックします。

2 Microsoft Store アプリで、[レンタル ¥○○○] をクリックします。

3 視聴方法を選択して、

映画レンタル オプション

ボヘミアン・ラプソディ

映画をオンラインでストリーミング

映画をこのデバイスにダウンロードしてオフラインで鑑賞する

ネットワークの速度がストリーミングに十分である場合は、ストリーミングを選択してください (複数のデバイスでのストリームが可能です)。妨げられることなくオフラインで視聴したい場合は、ダウンロードを選択してください (ダウンロードは 1 つのデバイスのみに行うことができます)。

まだ、お支払いは発生しません。

キャンセル　次へ

4 [次へ] をクリックします。この後、Microsoft アカウントでサインインして支払い方法を選択します。

Q388 お役立ち度 ★★★　動画を楽しむ

パソコンでテレビを見るには?

A テレビチューナーを接続します。

パソコンでテレビを見るには、パソコンに「テレビチューナー」という機器を接続し、専用のアプリを使用して番組を視聴します。パソコンにテレビチューナーが付いていない場合は、後から購入して接続します。テレビチューナーによっては、地上デジタル放送以外の放送に対応しているものや録画機能に対応しているものもあるので、目的に合わせて選択しましょう。また、テレビチューナーを販売するメーカーのWebページでは、自分のパソコンでテレビが見られるかをチェックするアプリを公開している場合もあります。購入前に確認するとよいでしょう。

■ 接続方法別のテレビチューナー

接続方法	詳細
スロットに差し込むタイプ	デスクトップパソコンなどでマザーボードのスロットに差し込むタイプのテレビチューナーです。アンテナケーブルでテレビチューナーと部屋の壁のアンテナ端子を接続します。
USB で接続するタイプ	パソコンの USB ポートを使用して接続できるタイプのテレビチューナーです。アンテナケーブルでテレビチューナーと部屋の壁のアンテナ端子を接続します。
ワイヤレスで接続するタイプ	部屋に置くタイプのテレビチューナーです。アンテナケーブルでテレビチューナーと部屋の壁のアンテナ端子を接続します。 Wi-Fi の環境を使用して無線で利用できます。Wi-Fi ルーターにテレビチューナーが搭載されているものもあります。

Q389 お役立ち度 ★★★ 音楽を楽しむ

音楽を楽しむアプリにはどんなものがあるの?

A 「Windows Media Player」や「Groove ミュージック」などがあります。

Windows 10で音楽を聴くには、「Windows Media Player」や「Grooveミュージック」アプリなどを使います。Windows Media Playerは、音楽や動画を楽しむアプリです。音楽CDから曲を取り込んでプレイリストを作成して再生したり、曲をCDに書き込んだりできます。Grooveミュージックは、音楽を気軽に楽しむ音楽再生専用のアプリです。曲の再生リストを作成して再生したり、「Microsoft Store」アプリで購入した曲を聴いたりするのに便利です。

▶ Windows Media Player

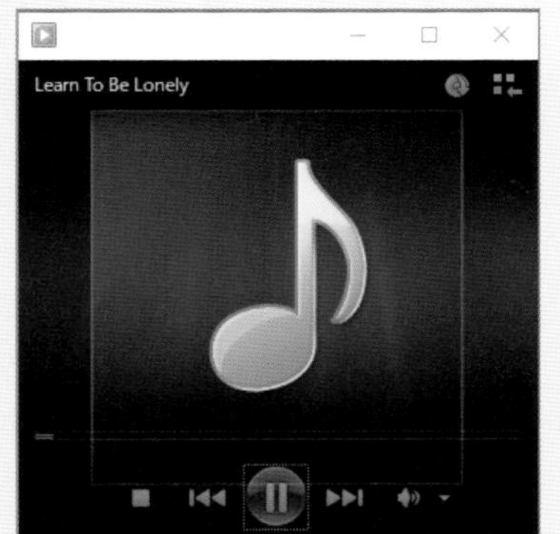

▶ Groove ミュージック

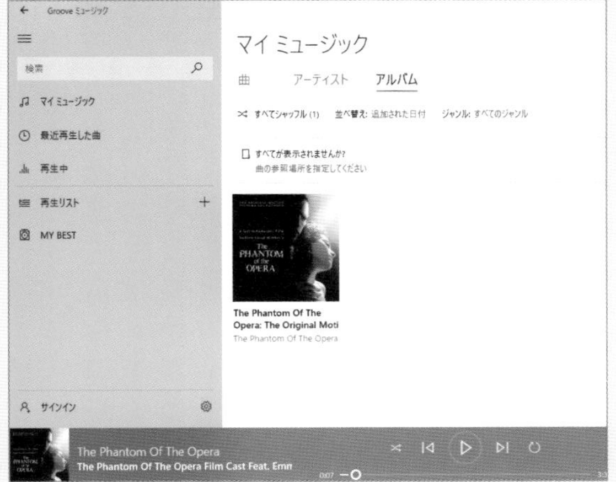

Q390 お役立ち度 ★★★ 音楽を楽しむ

音楽 CD を再生するには?

A 音楽 CD をドライブにセットします。

音楽CDをドライブにセットすると、画面右下にメッセージが表示されます。メッセージをクリックして[オーディオCDの再生]をクリックすると音楽が再生されます。メッセージが表示されない場合は、エクスプローラーの[PC]画面を開いて音楽CDをセットしたドライブのアイコンをダブルクリックして再生します。

1 音楽 CD をセットしたときに表示されるメッセージをクリックし、

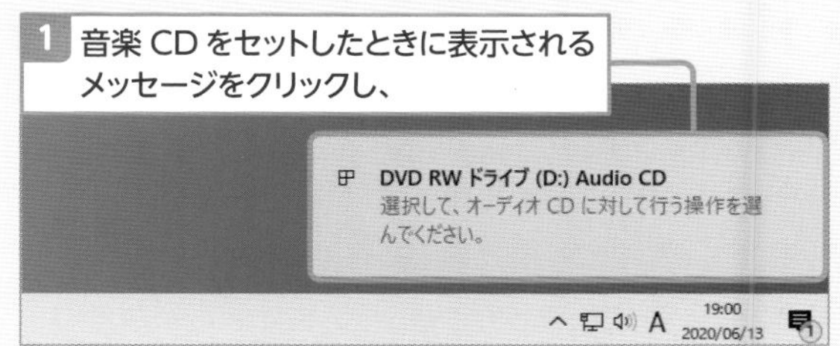

2 [オーディオ CD の再生] をクリックすると、

3 Windows Media Player が起動して再生が始まります。

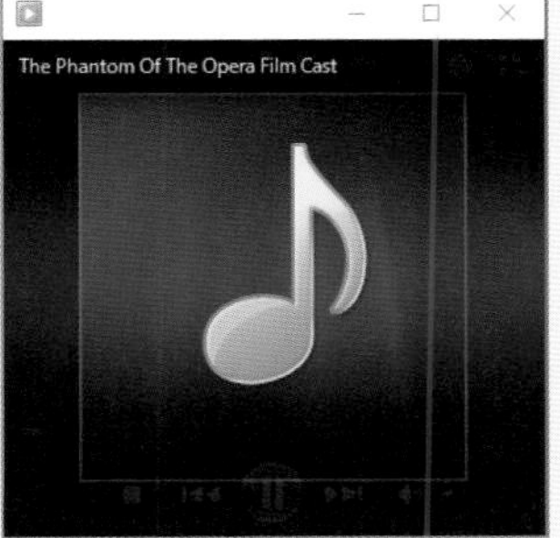

Windows Media Player の画面構成を教えて!

A 再生方法や停止方法を覚えましょう。

音楽CDがセットされている状態で、スタートメニューから［Windowsアクセサリ］→［Windows Media Player］をクリックして起動すると、最初はライブラリモードで表示されます。再生したい曲をクリックして［再生］ボタンをクリックすると、その曲から再生が始まります。［次へ］ボタンで曲を進めたり、［停止］ボタンで再生を終わりにしたりできます。

プレイビューモード

CD の取り込み
音楽CDの曲をパソコンに取り込みます。
ライブラリに切り替え
メディア領域
再生中の曲のタイトルが表示されます。また、右クリックして表示されるメニューから表示や再生の方法を変更できます。
停止
前へ
再生 / 一時停止
次へ
ミュート

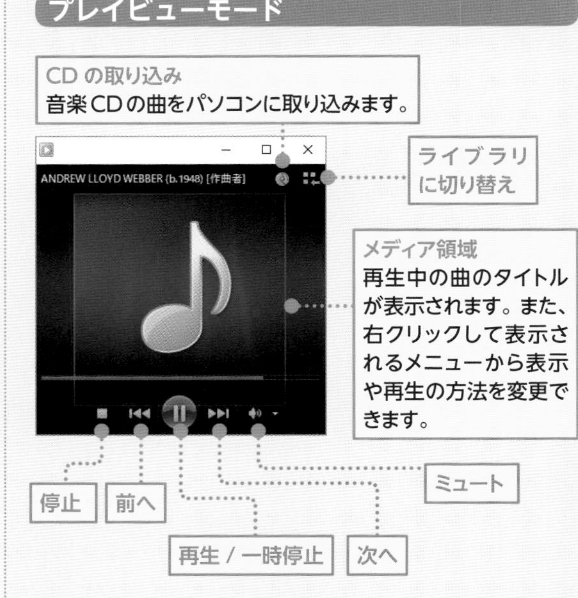

ライブラリモード

ツールバー
［整理］［プレイリストの作成］［CD の取り込み］などのメニューが用意されています。
詳細ウィンドウ
音楽 CD のタイトルや曲のタイトルが表示されます。
再生タブ
プレイリストの編集を行います。
書き込みタブ
音楽を CD に書き込みます。
同期タブ
スマートフォンなどを接続して音楽を同期します。
ナビゲーションウィンドウ
音楽や動画、プレイリストが一覧表示されます。
再生コントロール
［ランダム再生］［連続再生］［停止］［前へ］［再生 / 一時停止］［次へ］［ミュート］［音量］ボタンが並んでいます。
プレイビューに切り替え

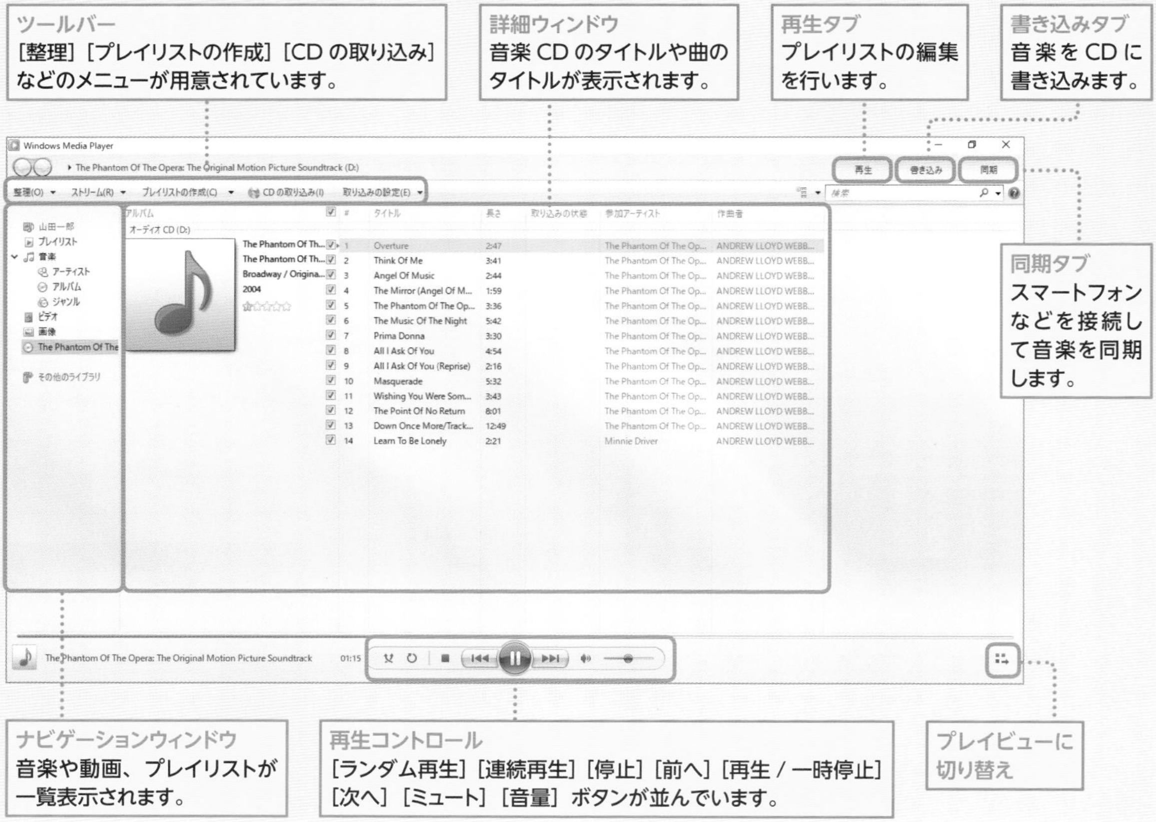

Q392 お役立ち度 ★★★ 音楽を楽しむ

Windows Media Player のライブラリモードとプレイビューモードって何?

A Windows Media Player の表示モードです。

Windows Media Playerには「ライブラリモード」と「プレイビューモード」があります。ライブラリモードは、曲を再生するだけでなくプレイリストを作成するなど、音楽を整理するためのさまざまな機能が使えます。プレイビューモードは曲を再生する専用のモードで、小さなウィンドウで表示できるため、他の作業をしながらでも邪魔になりません。音楽をBGMとして再生しながら仕事をするときに便利です。

▶ライブラリモード

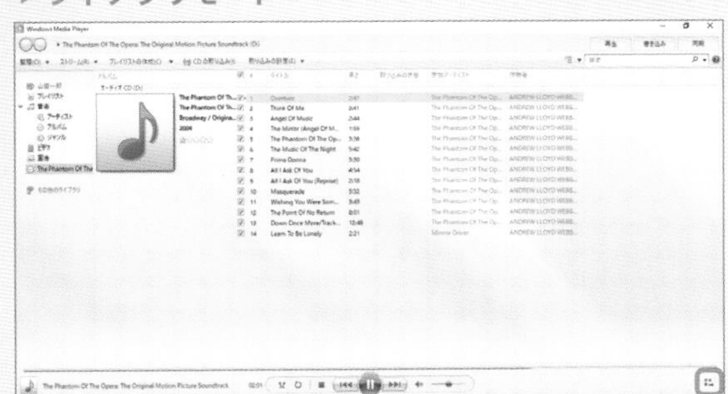

[プレイビューに切り替え] をクリックすると、プレイビューモードに切り替わります。

▶プレイビューモード

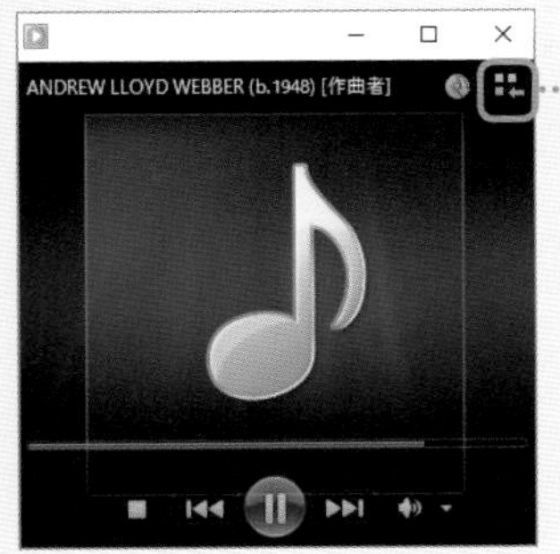

[ライブラリに切り替え] をクリックすると、ライブラリモードに切り替わります。

Q393 お役立ち度 ★★★ スゴわざ 音楽を楽しむ

Windows Media Player で CD から音楽を取り込むには?

A [CD の取り込み] をクリックして曲を取り込みます。

音楽CDの曲をパソコンに取り込むと、次からは音楽CDをセットしなくても曲を再生できます。自分の好きな曲を集めた「プレイリスト」を作成するには、あらかじめ曲をパソコンに取り込んでおく必要があります。

1 音楽 CD をドライブにセットし、スタートメニューから [Windows アクセサリ] → [Windows Media Player] をクリックして起動します。

2 [CD の取り込み] をクリックし、

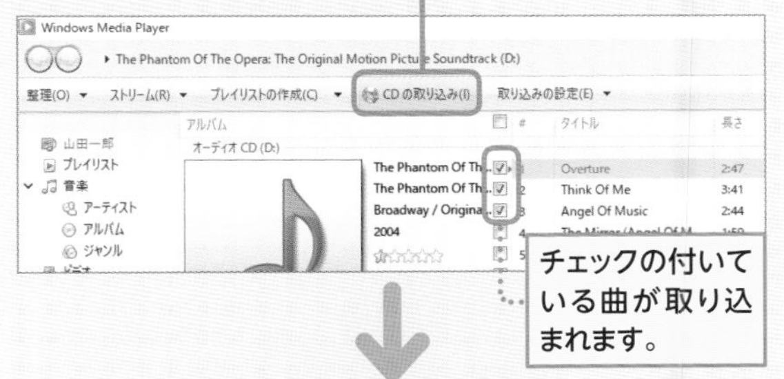

チェックの付いている曲が取り込まれます。

3 [取り込んだ音楽にコピー防止を追加しない] をクリックし、

4 [CD から取り込む音楽が…] のチェックボックスをクリックし、

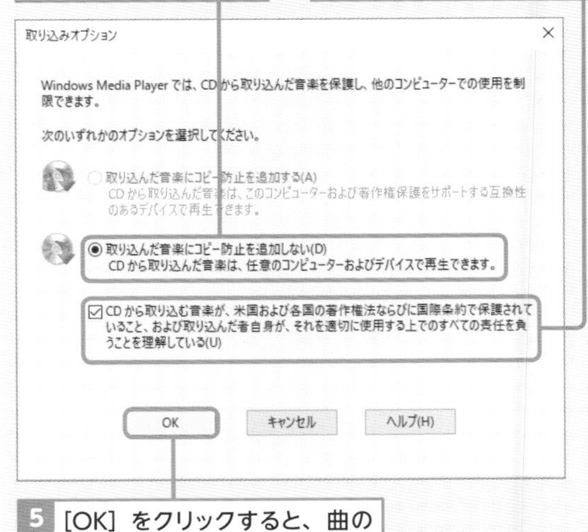

5 [OK] をクリックすると、曲の取り込みが開始されます。

Q394

お役立ち度 ★★★　音楽を楽しむ

Windows Media Player で取り込んだ曲を再生するには?

A Windows Media Player で曲をクリックします。

Q393の操作でパソコンに取り込んだ曲は、Windows Media Playerで再生できます。左側のナビゲーションウィンドウに表示されている[アーティスト][アルバム][ジャンル] のいずれかをクリックすると、目的別に曲を探して再生できます。

1 スタートメニューから［Windows アクセサリ］→［Windows Media Player］をクリックして起動します。

2 ［アルバム］をクリックし、

3 再生したいアルバムをダブルクリックします。

4 再生したい曲をダブルクリックすると曲が再生されます。

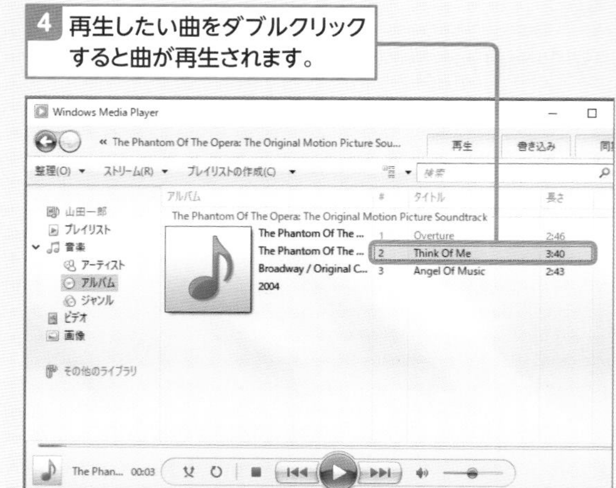

すべての曲を再生するには

すべての曲を再生するには、再生したいアルバムを右クリックして、表示されるメニューの［再生］をクリックします。

Q395

お役立ち度 ★★★　音楽を楽しむ

取り込んだ曲はどこに保存されるの?

A 「ミュージック」フォルダーに保存されます。

Q393の操作でパソコンに取り込んだ曲は、パソコンの「ミュージック」フォルダーに保存されます。

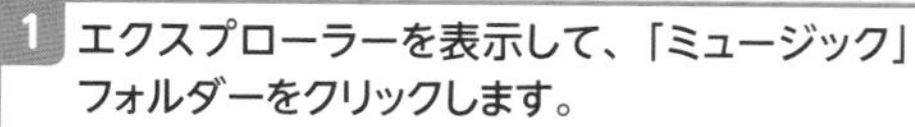

1 エクスプローラーを表示して、「ミュージック」フォルダーをクリックします。

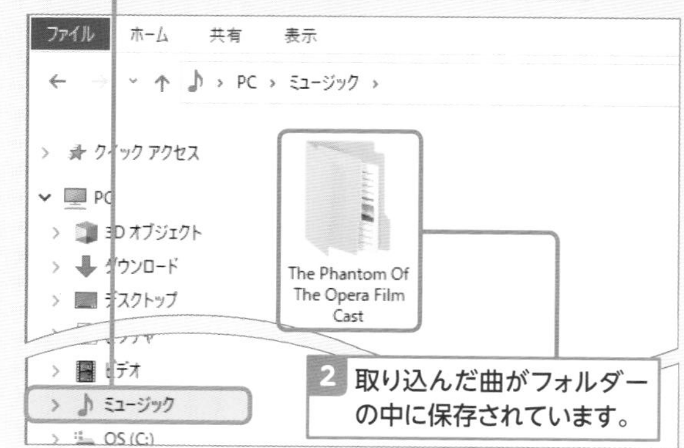

2 取り込んだ曲がフォルダーの中に保存されています。

Q396 お役立ち度 ★★★ スゴわざ 音楽を楽しむ

Windows Media Player でプレイリストを作成するには?

A [プレイリストの作成] をクリックします。

自分の好きな曲を好きな順番で再生するには「プレイリスト」を作成します。Windows Media Playerで新しくプレイリストを作るには、[プレイリストの作成] をクリックし、プレイリストに名前を付けます。最初は、プレイリストの中身は空ですが、Q397からQ399までの操作で後から曲の追加や削除などを行います。なお、プレイリストはいくつでも作成できます。「リラックスできる曲」「元気が出る曲」などのプレイリストを作成して、自由に曲を分類して使いましょう。

1 スタートメニューから [Windows アクセサリ] → [Windows Media Player] をクリックして起動します。

2 [プレイリストの作成] をクリックすると、

3 空のプレイリストが作成されます。

4 プレイリストの名前を入力して、Enter キーを押します。

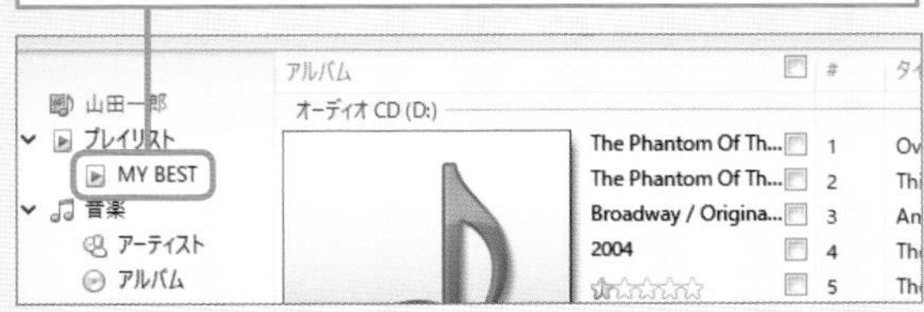

おトクな情報 プレイリストの名前を後から変更するには

プレイリストの名前を後から変更するには、名前を右クリックして表示されるメニューの [名前の変更] をクリックします。

Q397 お役立ち度 ★★★ スゴわざ 音楽を楽しむ

Windows Media Player でプレイリストに曲を追加するには?

A 追加したい曲をプレイリストにドラッグします。

Q396で作成したプレイリストは、最初は空の状態です。プレイリストに曲を追加するには、曲のタイトル一覧から追加したい曲にマウスポインターを移動し、そのままナビゲーションウィンドウのプレイリストまでドラッグします。ただし、音楽CDから直接ドラッグすることはできません。Q393の操作で曲をパソコンに取り込んでおく必要があります。

1 プレイリストに追加したい曲を、プレイリストの名前の上にドラッグします。

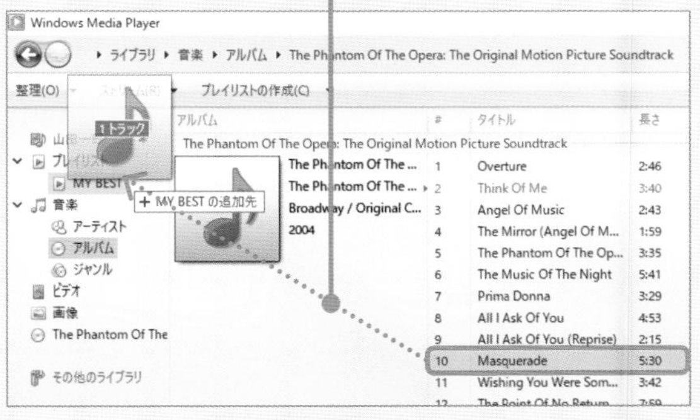

2 プレイリストの名前をクリックすると、

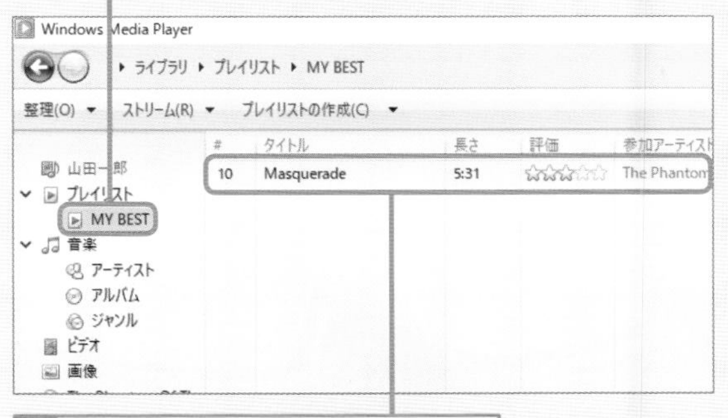

3 曲がプレイリストに追加されたことを確認できます。

Q398 お役立ち度 ★★★ スゴわざ　音楽を楽しむ

Windows Media Player でプレイリストを編集するには?

A 曲の順番を入れ替えたり、プレイリストから曲を削除したりできます。

プレイリストは後から曲の順番を入れ替えたり、不要な曲を削除したりするなどして自由に編集できます。曲を削除してもプレイリストの一覧から削除されるだけで、元の場所に保存されている曲が削除されるわけではありません。

曲順を変更する

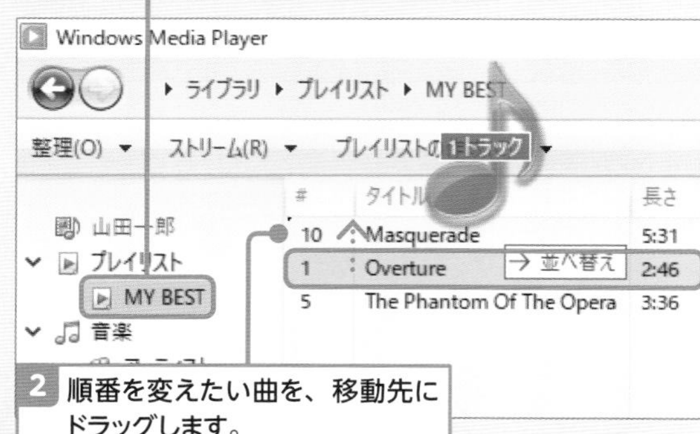

曲を削除する

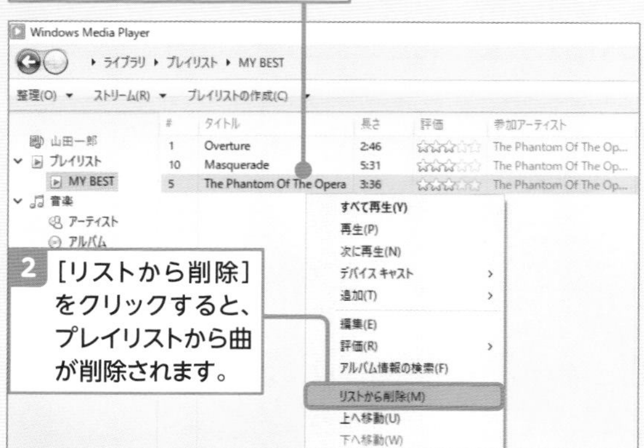

Q399 お役立ち度 ★★★ スゴわざ　音楽を楽しむ

Windows Media Player でプレイリストを削除するには?

A プレイリストを右クリックして［削除］をクリックします。

不要になったプレイリストは、名前を右クリックして表示されるメニューから［削除］をクリックして丸ごと削除できます。プレイリストを削除しても、元の曲は削除されずに残ります。

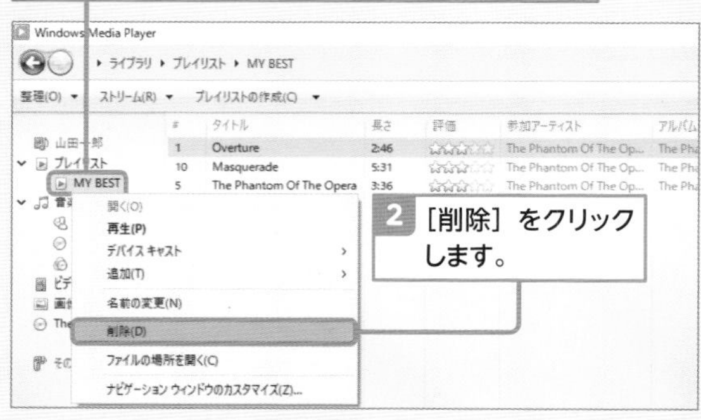

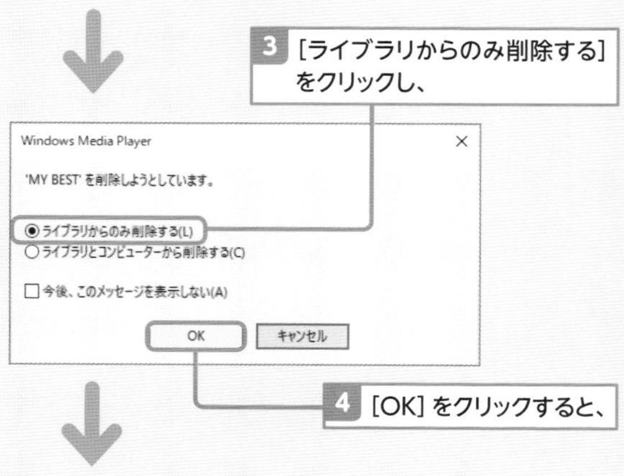

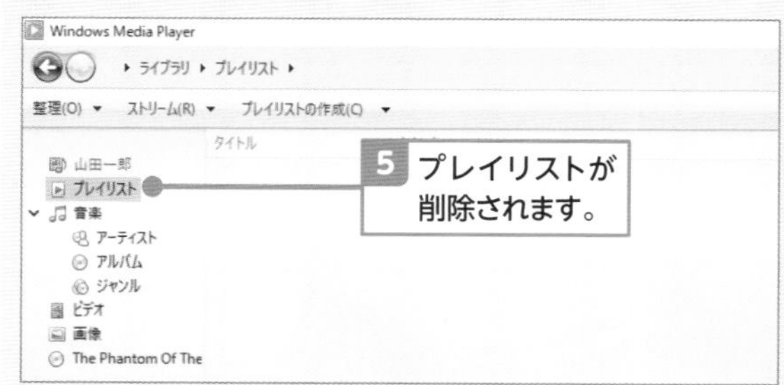

Q400 お役立ち度 ★★★ 音楽を楽しむ

Groove ミュージックの画面構成を教えて!

A 再生リストと曲のタイトルだけのシンプルな構成です。

「Grooveミュージック」アプリは、パソコンに保存されている音楽を再生するアプリです。動画再生の機能を省き、音楽再生に特化したのが特徴です。Grooveミュージックは、左側に再生リストやメニューが表示され、右側に曲のタイトルが表示されます。再生リストにはWindows Media Playerで作成したプレイリストも表示されます。

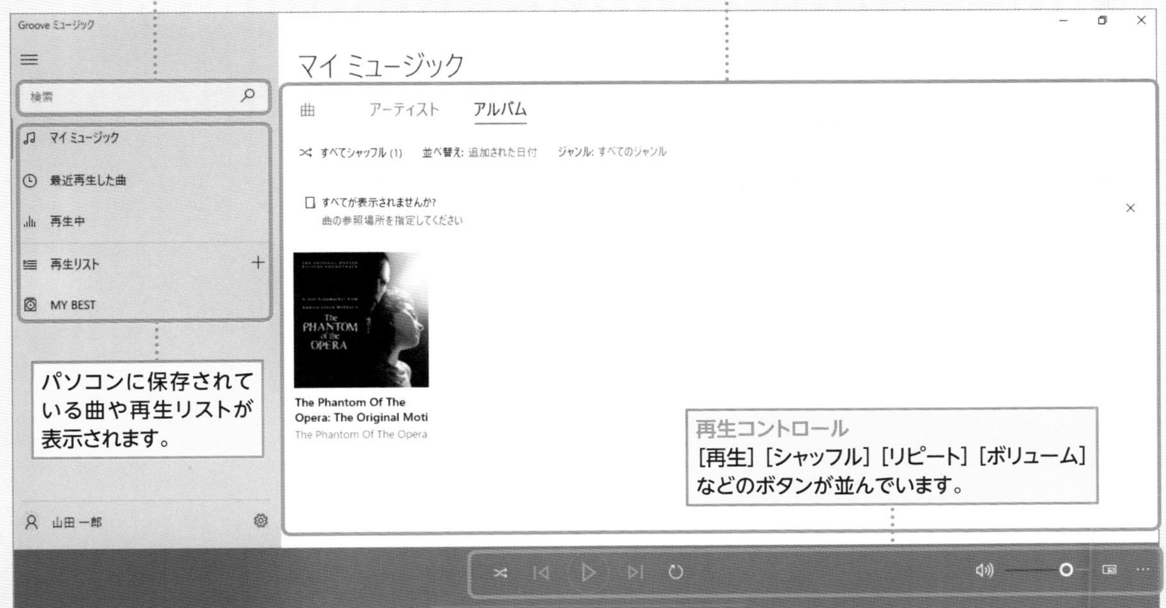

Q401 お役立ち度 ★★★ スゴわざ 音楽を楽しむ

音楽を検索するには?

A 検索ボックスにタイトルの一部を入力します。

パソコンに保存した音楽は、Windows 10の検索ボックスを使って検索できます。ファイルやアプリを検索するのと同じように、検索ボックスに曲のタイトルやその一部を入力して検索します。検索結果から目的の音楽をクリックすると、すぐに再生できます。

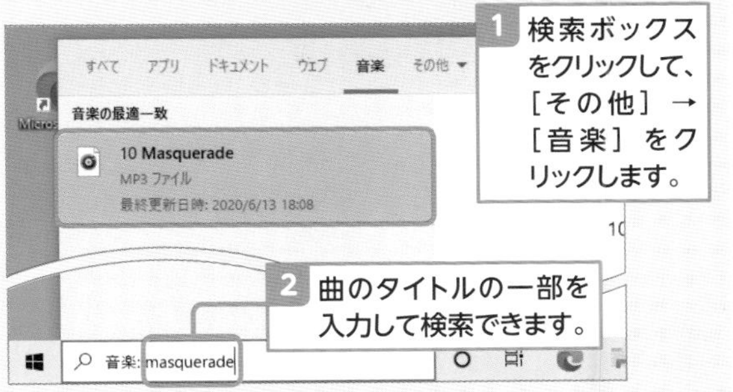

Groove ミュージックで音楽を再生するには?

A タイトルの右側にある［再生］ボタンをクリックします。

Grooveミュージックアプリで音楽を再生するには、以下の手順で操作します。

1 スタートメニューから［Groove ミュージック］をクリックします。

2 ［マイミュージック］をクリックし、

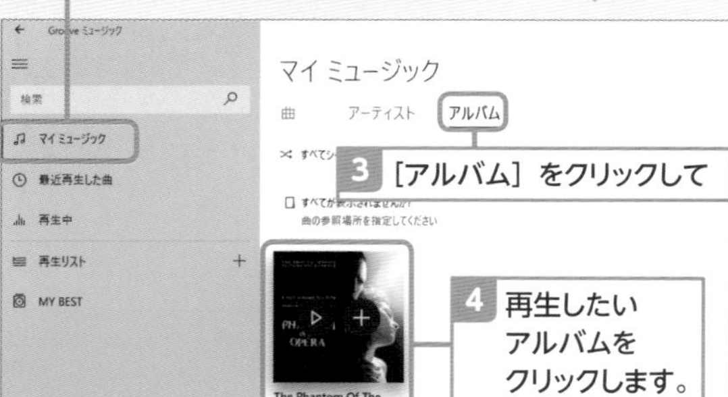

3 ［アルバム］をクリックして

4 再生したいアルバムをクリックします。

5 再生したい曲をクリックして、

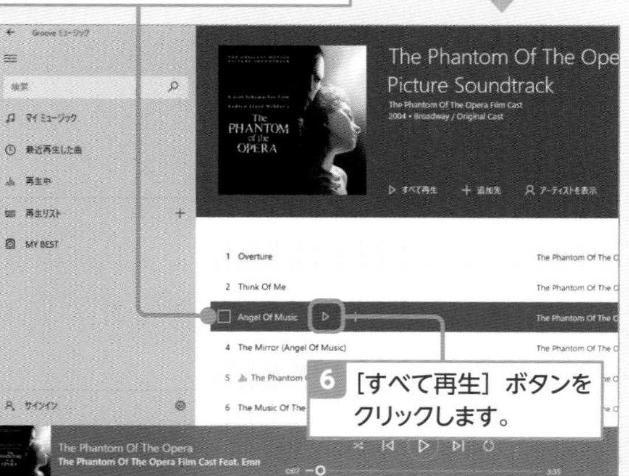

6 ［すべて再生］ボタンをクリックします。

保存した音楽が Groove ミュージックに表示されない!

A 音楽の保存場所を追加します。

Grooveミュージックアプリの「マイミュージック」に表示されるのは、パソコンの「ミュージック」フォルダーに保存されている音楽です。他の場所に保存されている音楽を再生するには、［曲の参照場所を指定してください］をクリックして保存場所を追加します。

1 スタートメニューから［Groove ミュージック］をクリックします。

2 ［マイミュージック］をクリックし、

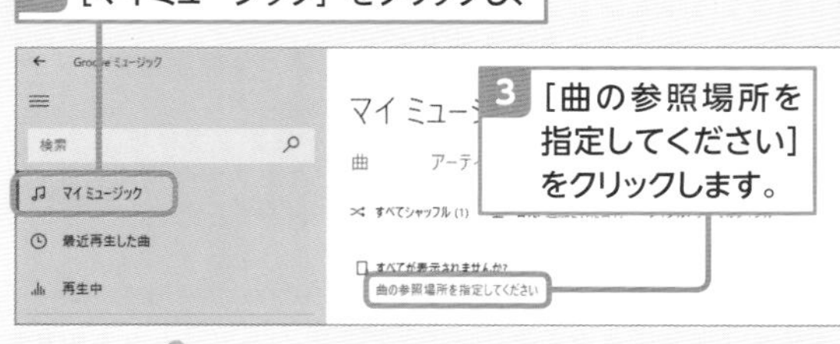

3 ［曲の参照場所を指定してください］をクリックします。

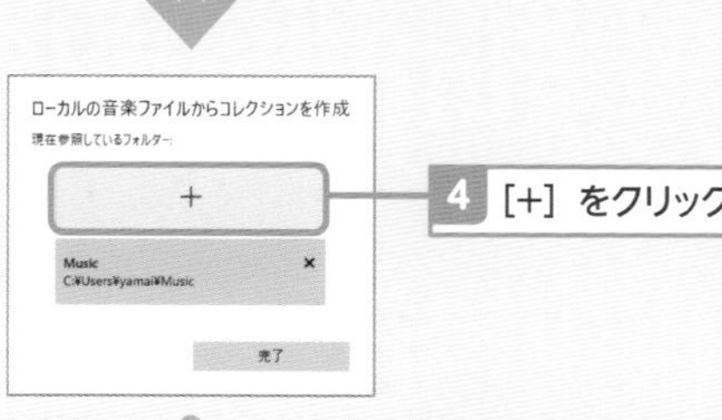

4 ［+］をクリックし、

5 表示されるフォルダーの選択ボックスから音楽の保存場所をクリックして、

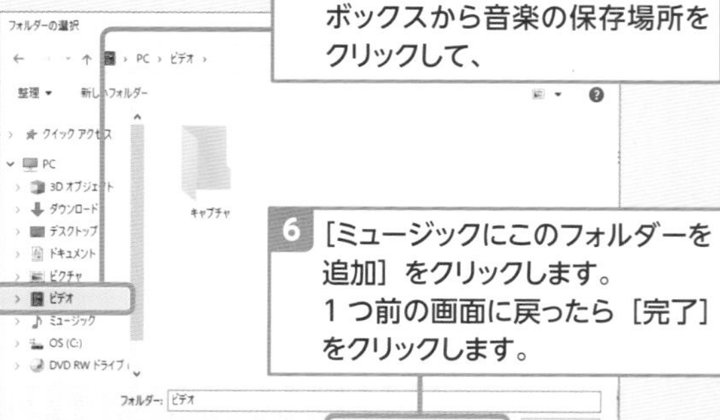

6 ［ミュージックにこのフォルダーを追加］をクリックします。
1 つ前の画面に戻ったら［完了］をクリックします。

Groove ミュージックで再生リストを作成するには?

A [新しい再生リストの作成] ボタンをクリックします。

Grooveミュージックアプリ でWindows Media Playerのプレイリストのようにお気に入りの曲を集めたリストを作成するには、「再生リスト」を作成します。

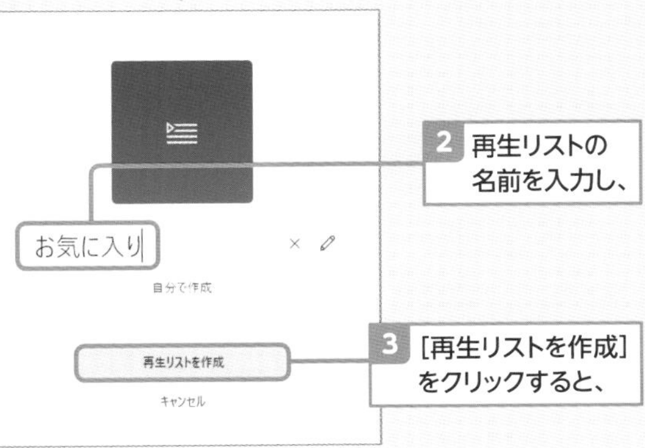

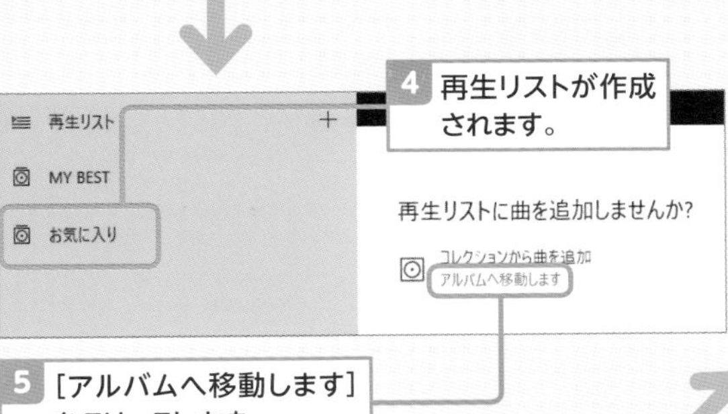

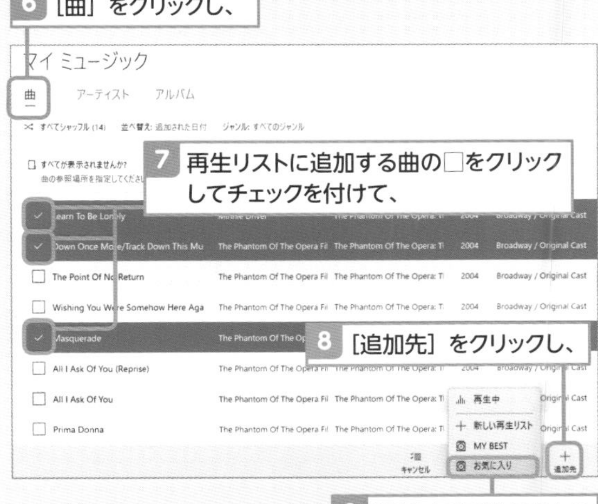

おトクな情報 再生リストの名前を後から変更するには

再生リストの名前を後から変更するには、再生リストの名前を右クリックし、表示されるメニューの[名前の変更]をクリックします。

Q405 お役立ち度 ★★★ スゴわざ 音楽を楽しむ

Groove ミュージックで再生リストを編集するには?

A 曲の順番の入れ替えや曲の削除ができます。

Grooveミュージックアプリで作成した再生リストの画面では、曲順を入れ替えたり、曲を削除したりできます。再生リストから曲を削除しても、元の保存場所には残っています。

曲順を変更する

1 再生リストの名前をクリックします。

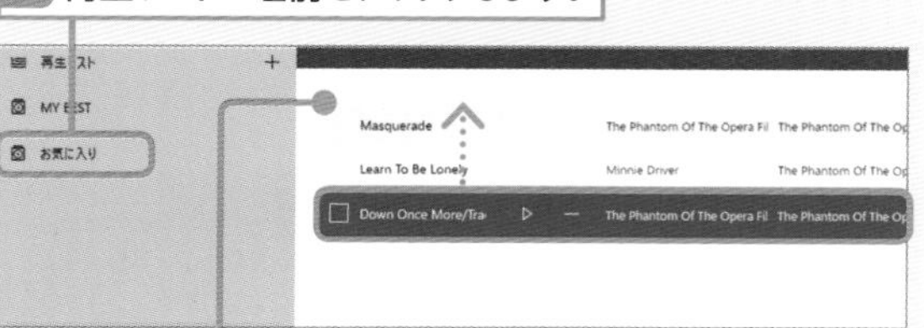

2 順番を変えたい曲を、移動先にドラッグします。

曲を削除する

1 削除する曲にマウスポインターを移動し、

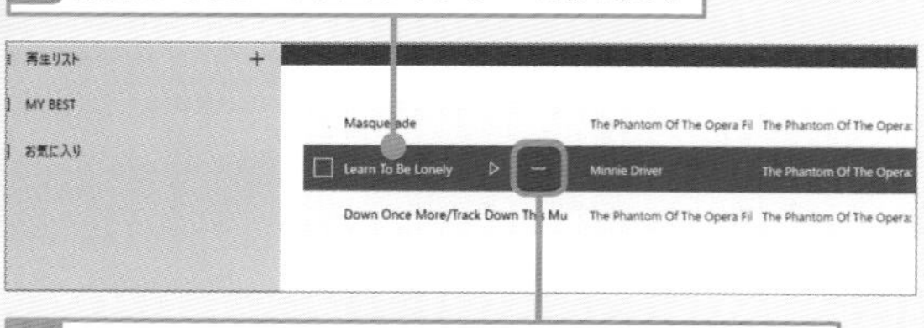

2 [−] (再生リストから削除) ボタンをクリックします。

おトクな情報 再生リストの変更は、Windows Media Playerにも反映される

Windows Media Player で作成したプレイリストは、Groove ミュージックアプリの再生リストに表示されます。Groove ミュージックアプリでその再生リストを編集したり削除したりすると、Windows Media Player のプレイリストの内容も変わります。

Q406 お役立ち度 ★★★ スゴわざ 音楽を楽しむ

Groove ミュージックで再生リストを削除するには?

A 再生リストの名前を右クリックして[削除] をクリックします。

不要になった再生リストは、名前を右クリックして表示されるメニューから [削除] をクリックして削除できます。再生リストを削除しても元の曲は削除されずに残ります。

1 削除したい再生リストの名前を右クリックし、

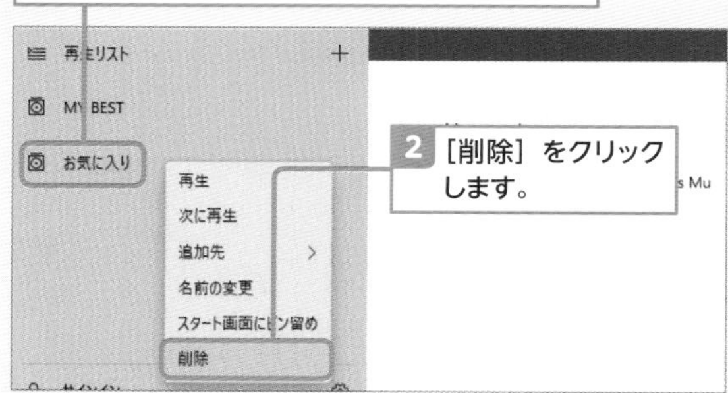

2 [削除] をクリックします。

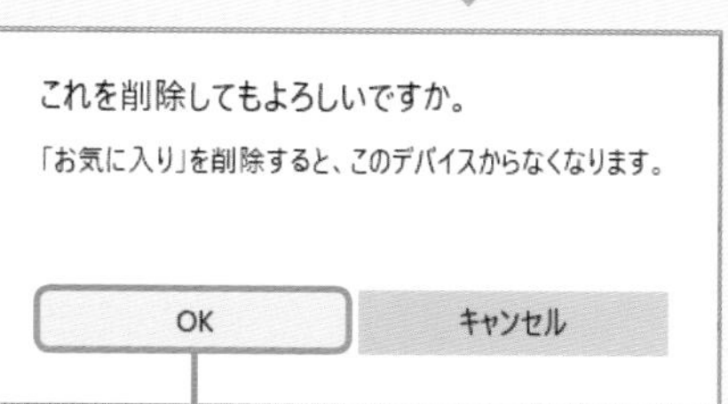

3 [OK] をクリックすると、

4 再生リストが削除されます。

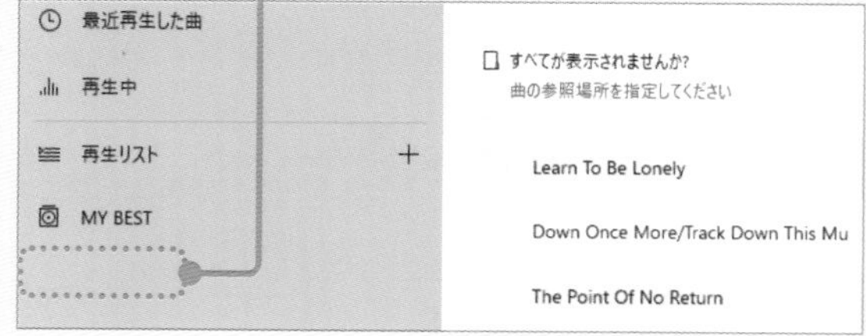

「周辺機器」や「スマホ」を接続して使おう！

プリンターやUSBメモリー、光ディスクドライブといった周辺機器をパソコンに接続すると、パソコンの使い方がぐんと広がります。ただし、種類がたくさんあってどれを選んでよいのか迷うこともあるでしょう。この章では、それぞれの周辺機器の規格や特徴を理解して、自分に合った周辺機器を見つけられるようにします。さらに、パソコンとスマートフォンを連動して使う便利なワザも解説します。

アイコンの意味

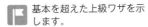

知っておきたい基礎知識を示します。

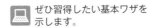

ぜひ習得したい基本ワザを示します。

スゴわざ 目からウロコのすごワザを示します。

時短に役立つ活用ワザを示します。

基本を超えた上級ワザを示します。

Q407 お役立ち度 ★★★ 周辺機器の接続

周辺機器を接続するにはどんな方法があるの?

A USB などの接続口を使用して接続します。

周辺機器とは、パソコン本体に接続して使う機器のことで、プリンターやUSBメモリー、DVDドライブなどさまざまなものがあります。パソコンにこれらの周辺機器を接続するときには、パソコン側の接続口（ポート）に周辺機器をつなぎます。現在主流であるUSB端子をはじめとした主な接続方法は以下のとおりです。

接続方法	内容
USB 端子	キーボードやマウス、プリンターなどの周辺機器を接続します。周辺機器の接続に広く利用されています。
LAN 端子	ネットワークケーブル（LAN ケーブル）を差します。
Wi-Fi（無線 LAN）	無線でインターネットに接続したり、プリンターなどの周辺機器に接続したりします。
Bluetooth	無線でキーボードやイヤホンなどの周辺機器に接続します。通信できる範囲は Wi-Fi よりも狭く、10m 以内の近距離で使用します。
HDMI 端子	ディスプレイやプロジェクターなどを接続します。
DisplayPort 端子	ディスプレイやプロジェクターなどを接続します。
DVI 端子	ディスプレイやプロジェクターなどを接続します。
マイク端子	マイクなどを接続します。
ヘッドホン端子	ヘッドホンなどを接続します。
LINE 入力端子	MD やミニコンポなど、音を取り込む機器を接続します。
LINE 出力端子	PC スピーカーなど、音を出力する機器を接続します。

Q408 お役立ち度 ★★★ 周辺機器の接続

自分のパソコンの USB の規格を見分けるには?

A USB ポートの中の色で見分けましょう。

パソコンで利用するUSBは**USB2.0**と**USB3.0**がほとんどです。USBポートの中の色はUSB3.0ならば青色、USB2.0ならば黒色か白色というのが原則です。ただし、中にはデザイン性を重視してUSB3.0でも青色にしていない製品もあるので、目安として考えてください。また、パソコンがUSB3.0に対応していても、周辺機器とUSBケーブルがUSB3.0に対応していないと、転送速度を最大限に生かすことができないので注意しましょう。

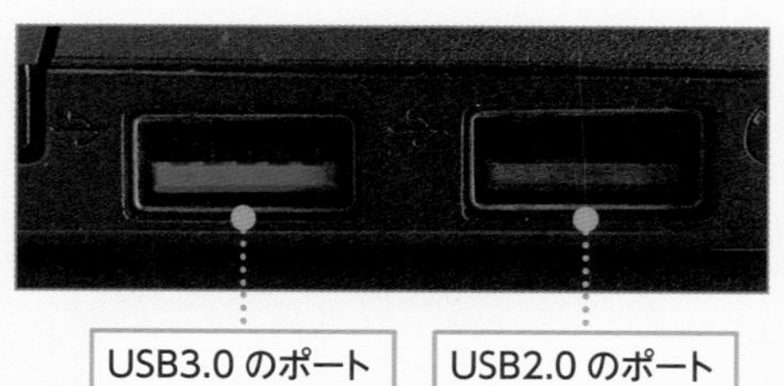

おトクな情報 USB ポートは下位互換性がある

USB3.0 と USB2.0 はポートの色が違うだけで大きさや形状は同じです。そのため、パソコンの USB2.0 ポートに USB3.0 対応の周辺機器を USB ケーブルで接続して使えます。
ただし、そのときの転送速度は USB2.0 のものになります。このように、規格が異なる場合は、上位の規格が下位の規格に転送速度を合わせます。これを「下位互換性がある」といいます。

Q409 お役立ち度 ★★★ 周辺機器の接続

USB はどうやって使うの？

A USB ポートに差し込むだけで使えます。

USBはUniversal Serial Bus（ユニバーサルシリアルバス）の略で、周辺機器をパソコンと接続するための規格のひとつです。キーボードやマウス、モデム、プリンター、デジタルカメラをはじめ、さまざまな機器がUSBで接続できます。最近のほとんどのパソコンには2つ以上のUSBポートが付いています。接続が簡単で、専用のケーブルをUSBポートに差し込むだけで利用できます。

Q410 お役立ち度 ★★★ 周辺機器の接続

USB にはどんな種類があるの？

転送速度によっていくつもの種類に分かれます。

USBには2.0、3.0、3.1、3.2といった規格があり、数字が大きいほど最大転送速度が速くなっています。転送速度が速ければ、大量のデータを短時間でやり取りできます。最新のUSB3.2は3.1の2倍の転送速度を持つ規格です。USB3.2の登場により、従来のUSB3.0を「USB3.2 Gen1」、USB3.1を「USB3.2 Gen2」と呼ぶ場合もあります。
なお、Micro USBは、デジタルカメラやスマートフォン、タブレット端末で利用する端子です。

■ USB の主な規格

規格	形状（オス側）	最大転送速度	用途
USB2.0　TypeA		480Mbps	マウスやキーボードなどをパソコンと接続するときに使う端子で、最も普及している規格です。
USB2.0　TypeB		480Mbps	プリンターなどの周辺機器側に接続する端子です。
USB3.0　TypeA（USB3.2 Gen1）		5Gbps	USB 2.0 と同じ形状で、3.0 用のピンが別に 5 本付いています。転送速度が最大 5Gbps と高速です。内部が青色であることが多いです。
USB3.0　TypeB（USB3.2 Gen1）		5Gbps	プリンターなどの周辺機器側に接続する端子です。内部が青色であることが多いです。
USB3.1　TypeC（USB3.2 Gen2）		10Gbps	転送速度の速い規格です。USB 接続時にどちらの向きでも差せるのが特徴です。
USB3.2 TypeC		20Gbps	USB3.1 の 2 倍の転送速度を持つ、最新の規格です。
Micro USB 2.0 TypeB		480Mbps	Android スマートフォンで利用されている規格です。USB 経由で充電するときに使います。
Micro USB 3.0 TypeB		5Gbps	一部のポータブルハードディスクなどで使われている規格です。USB 3.0 ですが、内部は青色ではありません。

Q 411

お役立ち度 ★★★

周辺機器の接続

USB ポートの数が足りなくなったら?

A USB ハブを使います。

マウス、キーボード、プリンターなど、次々とUSB対応の周辺機器が増えていくと、パソコンのUSBの接続口が足りなくなります。そんなときは、USBの接続口を増やすための**USBハブ**という機器を接続します。USBハブには、パソコンから電源供給を受ける**バスパワー**と、ACアダプターから電源供給を受ける**セルフパワー**、また両方に対応しているものがあります。消費電力の高い周辺機器を接続する場合は、セルフパワーのものや両方に対応しているものを選択しましょう。

写真提供：
エレコム株式会社

Q 412

お役立ち度 ★★★

周辺機器の接続

周辺機器の確認や設定はどこで行うの?

A デバイスマネージャーや「設定」画面を使用します。

周辺機器のことを**デバイス**ともいいます。パソコンに接続されているデバイスを確認したり設定を変更したりするには、デバイスマネージャーを表示します。

デバイスマネージャーを開く

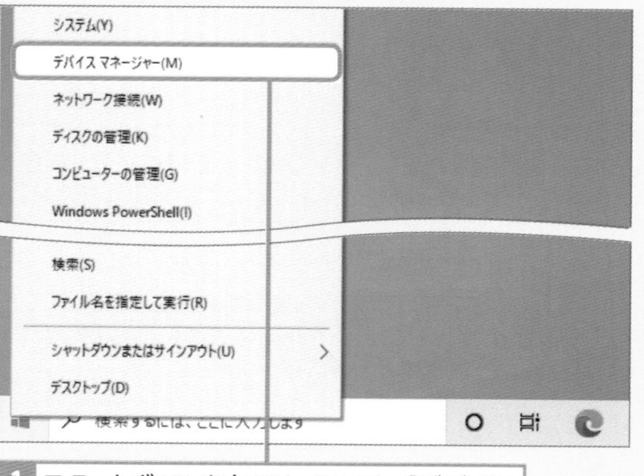

1 スタートボタンを右クリックして、[デバイスマネージャー] をクリックすると、

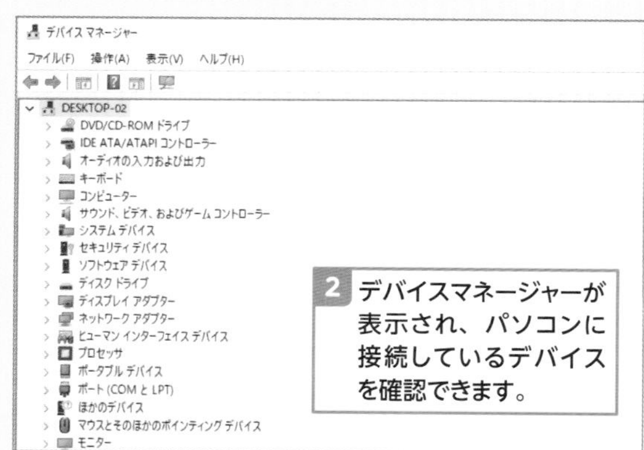

2 デバイスマネージャーが表示され、パソコンに接続しているデバイスを確認できます。

「設定」画面を開く

1 スタートメニューから [設定] ⚙ をクリックし、[デバイス] をクリックすると、デバイスの設定画面が表示されます。

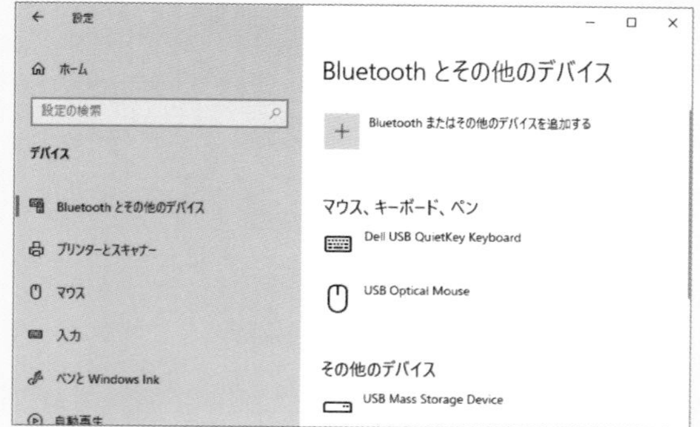

Q413 お役立ち度 ★★★ 周辺機器の接続

周辺機器が動かなくなったら?

A デバイスマネージャーを確認します。

周辺機器が動かなくなったら、まずは周辺機器の電源がオンになっているかを確認します。また、ワイヤレスのマウスやキーボードなどの電池の残量も確認しましょう。それでも動かないときは、デバイスマネージャーで動かない機器を確認し、無効になっている場合は有効にします。

1 Q412 の操作でデバイスマネージャーを開きます。

2 無効になっている機器の項目を右クリックし、

DESKTOP-02
DVD/CD-ROM ドライブ
IDE ATA/ATAPI コントローラー
オーディオの入力および出力
カメラ
UCAM
キーボード
コンピューター
サウンド、ビ
システム デ
セキュリティ
ソフトウェア
ディスク ドライブ

ドライバーの更新(P)
デバイスを有効にする(E)
デバイスのアンインストール(U)
ハードウェア変更のスキャン(A)
プロパティ(R)

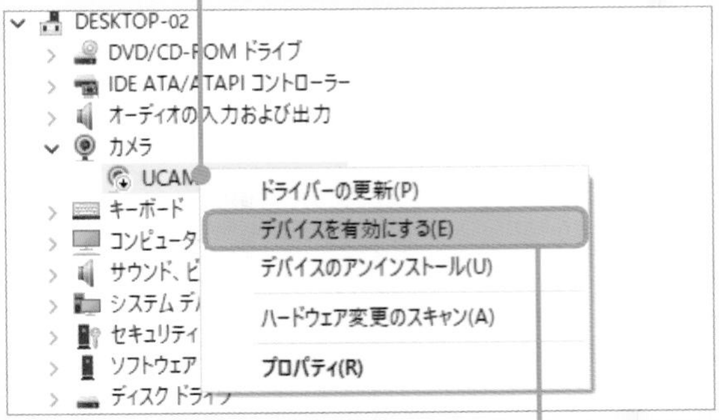

3 [デバイスを有効にする] をクリックします。

Q414 お役立ち度 ★★★ 周辺機器の接続

周辺機器を動かすソフトを更新するには?

A ドライバーを更新します。

周辺機器を正しく動作させるには、**ドライバー**というソフトを使います。使用しているドライバーのバージョンが古いと正しく動作しないことがあるので、ドライバーを更新しましょう。ドライバーを自動的に検索する場合は［ドライバーを自動的に検索］、パソコンに保存済みのドライバーを使う場合は［コンピューターを参照してドライバーを検索］をクリックします。

1 Q412 の操作でデバイスマネージャーを開きます。

2 ドライバーを更新する機器の項目を右クリックし、

カメラ
UCAM
キーボード
コンピューター
サウンド、ビデ
システム デバ
セキュリティ
ソフトウェア
ディスク ドライ

ドライバーの更新(P)
デバイスを無効にする(D)
デバイスのアンインストール(U)
ハードウェア変更のスキャン(A)
プロパティ(R)

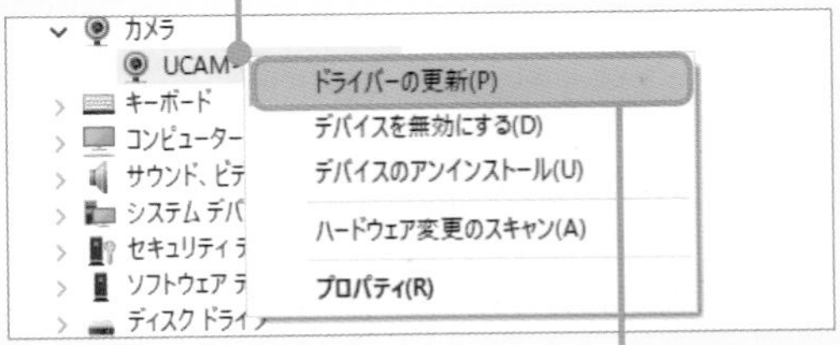

3 [ドライバーの更新] をクリックします。

4 [ドライバーを自動的に検索] をクリックします。

ドライバーの更新 - UCAM-DLE300T series

ドライバーの検索方法

→ ドライバーを自動的に検索(S)
お使いのコンピューターで、使用可能な最も適したドライバーが検索され、デバイスにインストールされます。

→ コンピューターを参照してドライバーを検索(R)
ドライバーを手動で検索してインストールします。

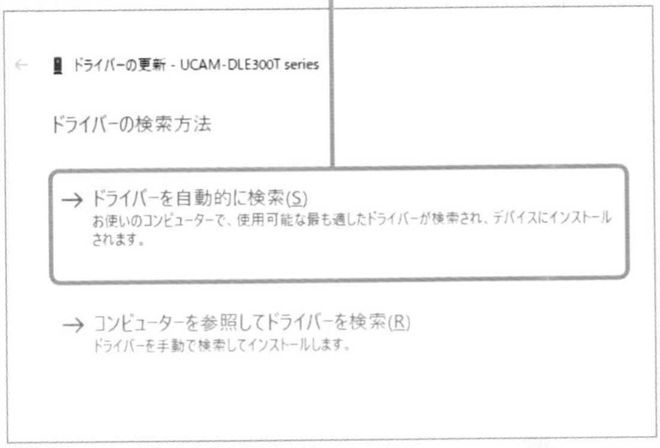

5 インターネット経由で最新版のドライバーが検索されます。

おトクな情報 周辺機器の販売元がドライバーを配布している場合もある

ドライバーの自動検索を行っても見つからないときでも、周辺機器の販売元の Web ページで、最新のドライバーを配布している場合があります。
Web ページから最新のドライバーソフトウェアをダウンロードしたときは、上の画面の［コンピューターを参照してドライバーを検索］からドライバーの更新を行います。

Q415 お役立ち度 ★★★ 周辺機器の接続

パソコンがBluetoothに対応しているか確認するには?

A デバイスマネージャーで確認します。

Bluetooth（ブルートゥース）は、パソコンと周辺機器をワイヤレスで接続する無線通信の規格のひとつです。パソコンがBluetoothに対応しているかどうかは、デバイスマネージャーを開いて確認します。Bluetoothに対応していない場合は、後からBluetoothアダプターを接続することもできます。

1 Q412の操作でデバイスマネージャーを開きます。

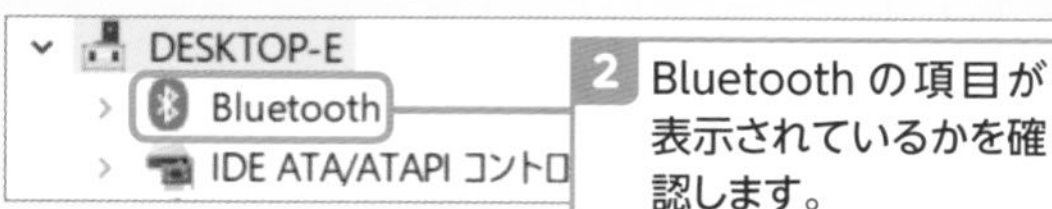

Q416 お役立ち度 ★★★ 周辺機器の接続

Bluetooth対応の周辺機器を接続するには?

A ペアリングの設定を行います。

パソコンとBluetooth対応の周辺機器を接続するには、**ペアリング**という設定が必要です。これは、パソコンがその周辺機器を認識して利用できるようにすることで、周辺機器をペアリングモードにして行います。周辺機器をペアリングモードにする方法は、それぞれの周辺機器の説明書を確認してください。

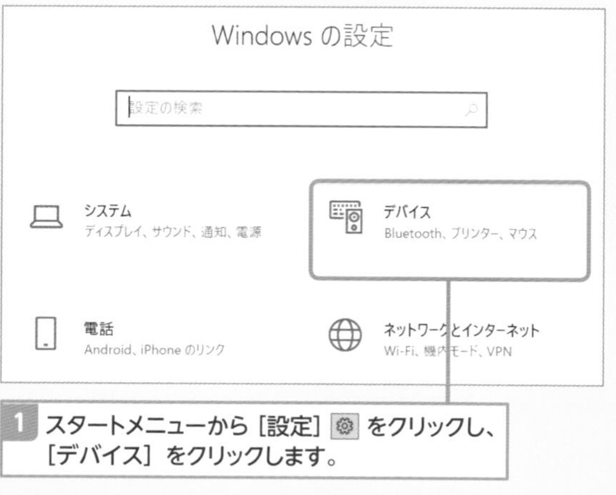

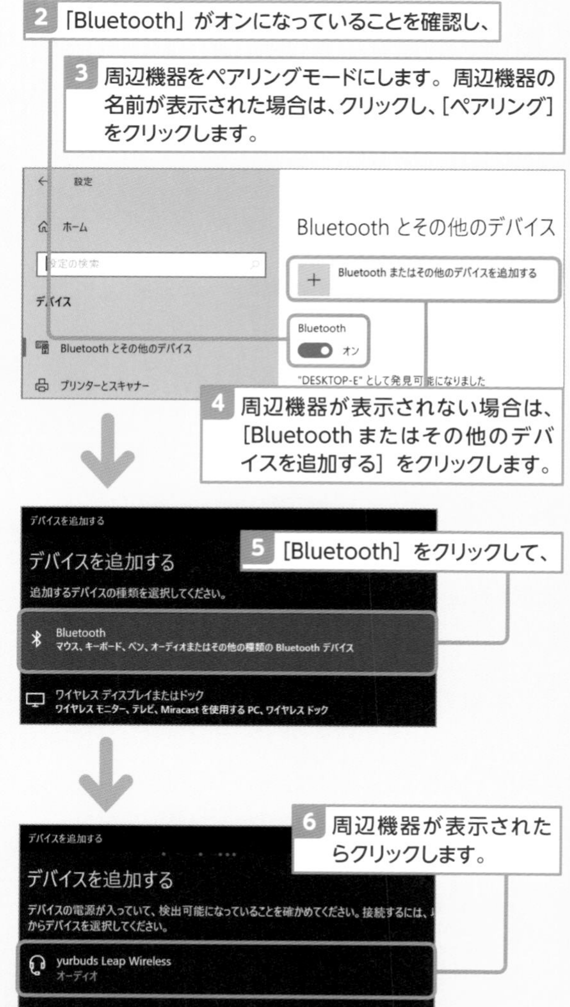

Q417 お役立ち度 ★★★ 周辺機器の接続

デジカメに入っているSDカードを接続するには?

A メモリーカードスロットに差します。

メモリーカードスロットは、データの読み書きに使用するメモリーカードを挿入するための差し込み口です。パソコンにSDカード用のメモリーカードスロットが付いている場合は、デジタルカメラなどで写真を保存したSDカードをメモリーカードスロットに直接差し込んで使えます。ただし、miniSDカードやmicroSDカードを接続したいときは、そのままではサイズが合わないので差し込むことができません。SDカードとして利用するための変換アダプターを使いましょう。メモリーカードスロットが付いていない場合は、別途SDカードリーダーを購入する必要があります。

(左)microSD アダプター
(右)miniSD アダプター

写真提供：
サンワサプライ株式会社

Q418 お役立ち度 ★★★ 周辺機器の接続

ストレージがいっぱいになったらどうするの?

A HDDやSSDを購入する方法があります。

パソコンのストレージ（ドライブ）の容量が少なくなって新しいファイルを保存できなくなると、パソコンの動作が遅くなるなど、使い勝手が低下します。不要なファイルを削除したり、Q454の方法でディスクのクリーンアップをしたりしても空き容量が増えない場合は、別途HDD（ハードディスクドライブ）やSSD（ソリッドステートドライブ）を購入して、ファイルを移動させることを検討しましょう。外付けタイプのHDDやSSDには、据え置きタイプのものや手のひらに収まる程度のコンパクトなタイプもあります。

関連 Q453 ストレージの空き容量の確認

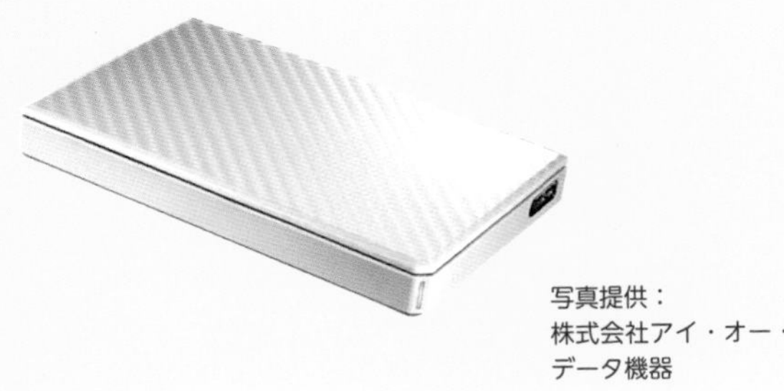

写真提供：
株式会社アイ・オー・データ機器

Q419 お役立ち度 ★★★ 周辺機器の接続

Webカメラを接続するには?

A USBケーブルやBluetooth、Wi-Fiを利用する方法があります。

テレワークやオンライン授業などで、お互いの顔を見ながら会議や授業を行うには、それぞれのパソコンにWebカメラが接続されている必要があります。ノートパソコンには最初からWebカメラが内蔵されているものもありますが、カメラが内蔵されていない場合は、別途Webカメラを購入します。Webカメラに付いているUSBケーブルやBluetooth、Wi-Fiを利用して接続します。
マイク内蔵型のWebカメラであれば、ヘッドセットやマイクを別途用意する必要がありません。なお、参加人数が多い会議では、画角の広いWebカメラを使うとよいでしょう。

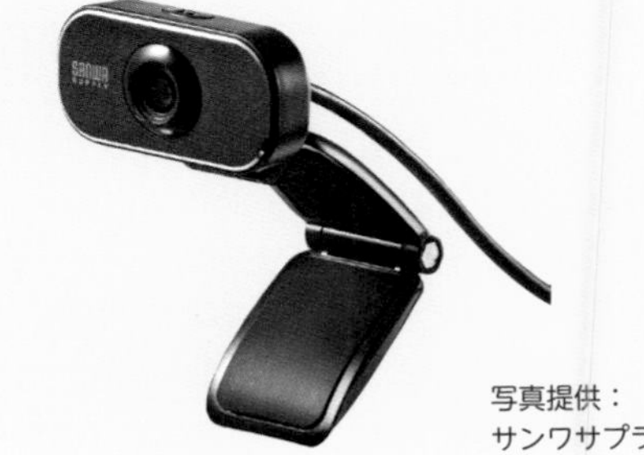

写真提供：
サンワサプライ株式会社

Q420 お役立ち度★★★ スゴわざ 周辺機器の接続

マイクが使えるかを事前にテストするには?

A 「サウンドの設定」画面でテストします。

Q419のWebカメラと同じように、オンライン会議ではマイクも必須です。以下の手順で、パソコンに接続したマイクが使えることを事前に確認しておきましょう。

1 通知領域のスピーカーのボタンを右クリックし、

2 ［サウンドの設定を開く］をクリックします。

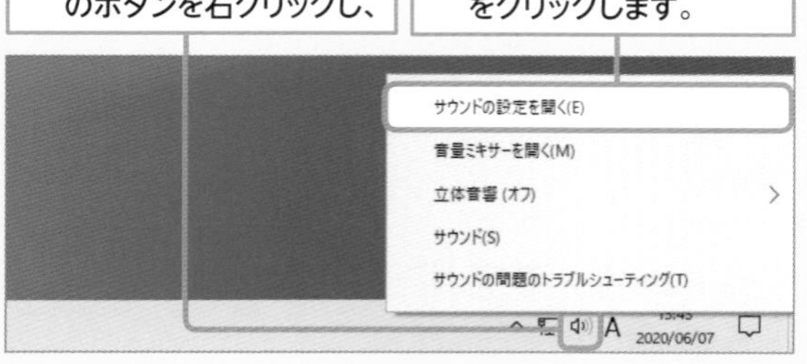

3 ［サウンド］をクリックします。

おトクな情報参照

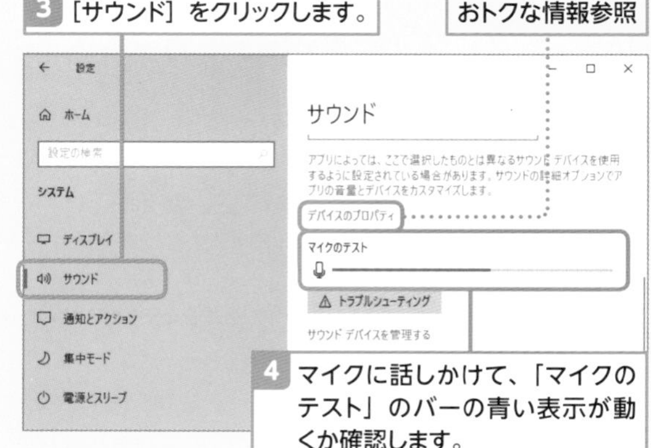

4 マイクに話しかけて、「マイクのテスト」のバーの青い表示が動くか確認します。

おトクな情報 音量の調整が必要な場合は

マイクテストの結果、音量の調整が必要な場合は［デバイスのプロパティ］をクリックし、「ボリューム」のつまみを100に近づけます。
なお、スピーカーやイヤフォンから直接音量を聴いて確認するには、「関連設定」の［追加のデバイスのプロパティ］をクリックし、「マイクのプロパティ」画面の［聴く］タブで［このデバイスを聴く］のチェックボックスをオンにします。

Q421 お役立ち度★★★ 周辺機器の接続

もっと音の良いスピーカーを接続するには?

A PC スピーカーを接続します。

パソコンに内蔵されているスピーカーの中には、音の響きがあまり良くないものもあります。音楽や映画などをより良い音で楽しみたい場合は、アンプが内蔵されたPCスピーカーを接続するとよいでしょう。低音再生能力があるものや立体感のある音を楽しめるものなど種類が豊富です。なお、パソコンとスピーカーを接続するには、光デジタル端子、USB端子、アナログ端子、無線のBluetoothやWi-Fiを使用する方法などがあります。ケーブルを使わずにスッキリ配置したい場合は、BluetoothやWi-Fiの環境を整えて使用すると便利です。

Q422 お役立ち度★★★ 周辺機器の接続

ワイヤレスマウスやワイヤレスキーボードを使うには?

A 無線 2.4GHz 接続や Bluetooth 接続のものがあります。

無線2.4GHz接続やBluetooth接続のワイヤレスマウスやワイヤレスキーボードは、ケーブルなしで利用できるため机の上がスッキリします。無線2.4GHz接続では、レシーバーという小さな機器をパソコンのUSB端子に差して、ケーブルなしでマウスやキーボードを使います。また、Bluetoothに対応しているパソコンならBluetooth対応のマウスやキーボードを接続できます。

関連 Q416 Bluetooth 対応機器の接続

Q423 お役立ち度 ★★★ 印刷

プリンターをパソコンに接続するには?

A パソコンに接続してドライバーをインストールします。

プリンターを使えるようにするには、最初にパソコンとプリンターをUSBケーブルで接続します（BluetoothやWi-Fiで接続する場合は、プリンターの取扱説明書を参照して接続します）。次に、プリンターを動かすための**ドライバー**というソフトをインストールします。通常は、プリンターの電源を入れた際に自動的にドライバーがインストールされますが、古いプリンターや無線で接続するときには、プリンターに付属しているCD-ROMをセットして手動でドライバーをインストールする場合もあります。プリンターが使えるようになっているかどうかは、以下の「設定」画面で確認します。

プリンターを確認する

1 スタートメニューから[設定] をクリックし、[デバイス] をクリックします。

2 [プリンターとスキャナー] をクリックし、

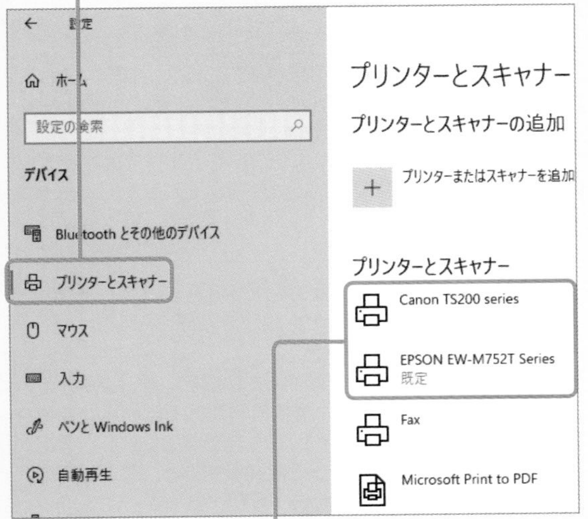

3 プリンターが表示されていることを確認します。

プリンターが見つからない場合

1 プリンターとスキャナーの設定画面で、「プリンターまたはスキャナーを追加します」の［+］をクリックします。

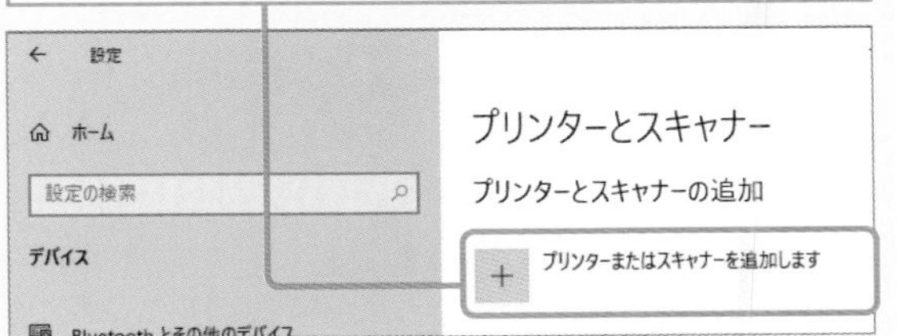

2 [プリンターが一覧にない場合] をクリックします。

3 [ローカルプリンターまたはネットワークプリンターを手動設定で追加する] をクリックし、

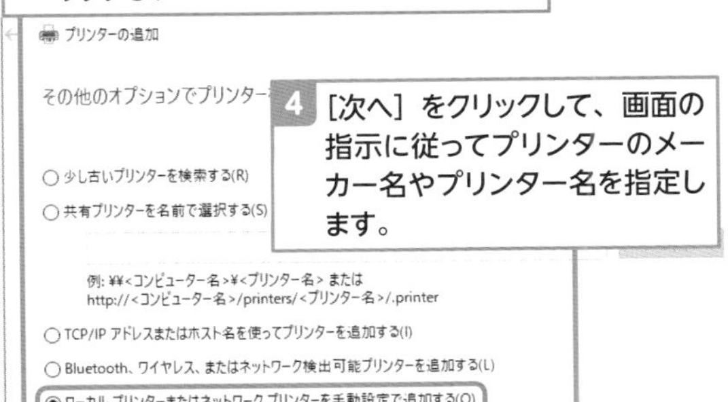

4 [次へ] をクリックして、画面の指示に従ってプリンターのメーカー名やプリンター名を指定します。

Q424 お役立ち度 ★★★ 印刷

印刷前に印刷イメージを確認するには?

A 印刷プレビューを表示します。

画面に表示されているデータがどのように印刷されるかを事前に確認すると、何度も印刷する手間が省け、用紙やインクを節約できます。印刷イメージを確認するには、アプリに用意されている「印刷プレビュー」機能を利用します。操作はアプリによって異なります。ここでは、Webブラウザーの「Edge」を例にして、印刷プレビューを表示します。

1 印刷したい Web ページを表示して、[…]（設定など）ボタンをクリックし、

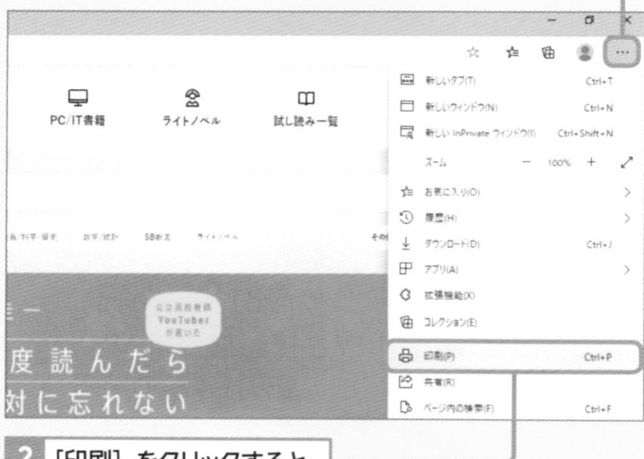

2 [印刷] をクリックすると、

3 印刷プレビューが表示されます。

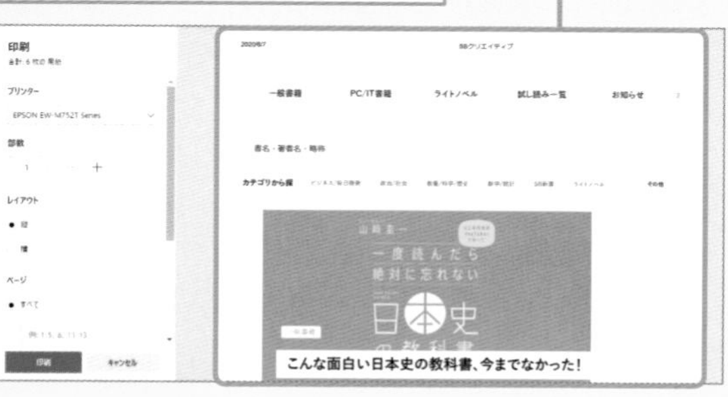

Q425 お役立ち度 ★★★ 印刷

印刷したい用紙サイズが選べない!

A プリンターによって印刷できる用紙サイズの種類は異なります。

印刷画面の用紙サイズの一覧の中に、目的の用紙サイズが表示されないことがあります。これは、パソコンに接続しているプリンターがその用紙サイズに対応していないためです。たとえば、A4判まで印刷できるプリンターが接続されているときは、A4判より大きいB4判やA3判の用紙サイズは表示されません。

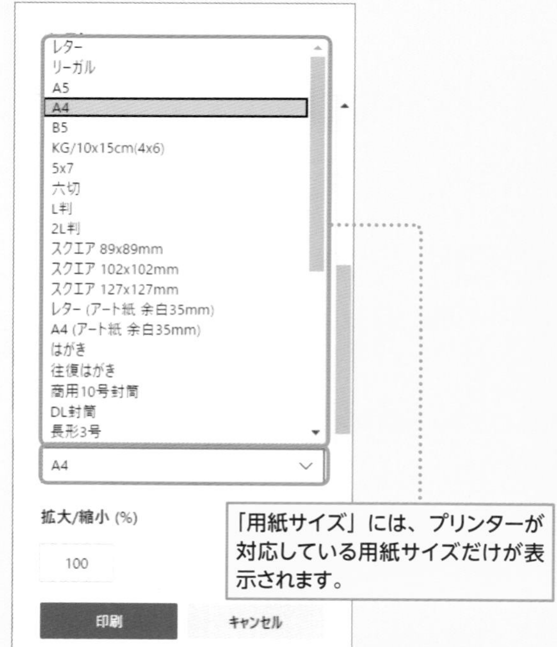

「用紙サイズ」には、プリンターが対応している用紙サイズだけが表示されます。

おトクな情報 プリンターが対応していないサイズで印刷するには

ポスターを A3 サイズで印刷したいなど、プリンターが対応していないサイズの用紙に印刷するには、コンビニのプリントサービスを利用する方法があります。指定されたファイル形式のデータを持参すると、コンビニのマルチコピー機を使って自分で印刷できます。また、ネット印刷を利用して印刷する方法もあります。

Q426 お役立ち度 ★★★ 印刷

できるだけ速く印刷するには?

A 印刷の品質を変更します。

試し印刷をするときや、品質よりもスピードを重視して印刷したいときはドラフト印刷を行います。これは、印刷の質を落として試し刷りモードで印刷する方法です。印刷するアプリの印刷画面からプリンターのプロパティを表示して設定します。ここではWordを例に操作しますが、印刷の品質を設定できないアプリもあります。

1 印刷するアプリの印刷画面を開きます。

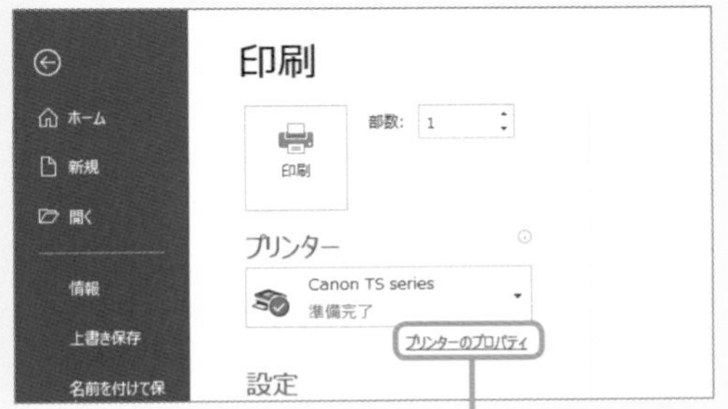

2 [プリンターのプロパティ] をクリックし、

3 [下書き] をクリックして、

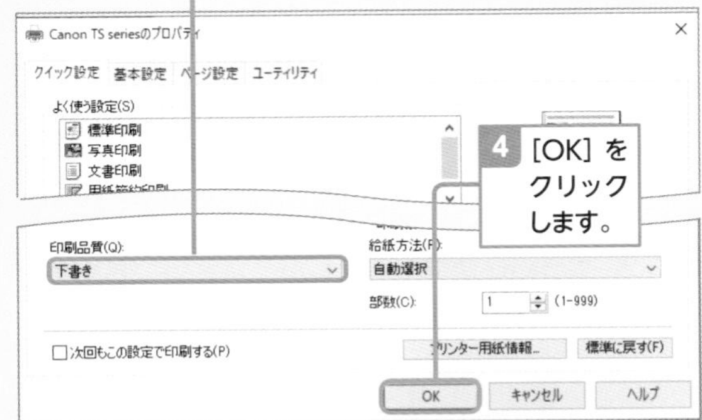

4 [OK] をクリックします。

プリンターのプロパティ画面の内容は、お使いのプリンターによって異なります。手順3で印刷品質を「ドラフト印刷」や「速度優先」などにする場合もあります。

Q427 お役立ち度 ★★★ 印刷

印刷を途中でキャンセルしたい!

A タスクバーからキャンセルします。

間違えて印刷を実行してしまったときは、印刷の命令がプリンターに送信される前であれば、以下の手順で印刷をキャンセルできます。また、プリンターによっては、印刷の命令がプリンターに送信された後でも印刷をキャンセルできるものもあるので、プリンターの取扱説明書を確認しましょう。

「印刷中」画面でキャンセルする

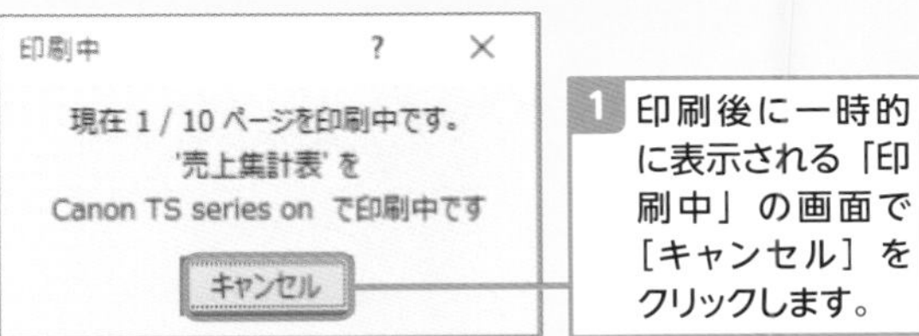

1 印刷後に一時的に表示される「印刷中」の画面で [キャンセル] をクリックします。

プリンターのボタンからキャンセルする

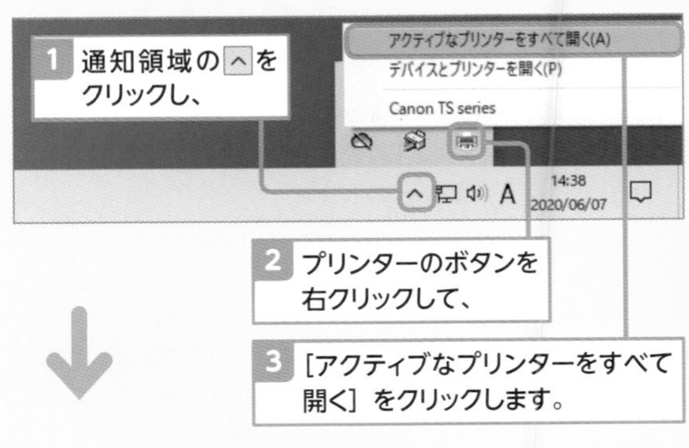

1 通知領域の ^ をクリックし、

2 プリンターのボタンを右クリックして、

3 [アクティブなプリンターをすべて開く] をクリックします。

4 キャンセルしたい印刷の項目を右クリックし、

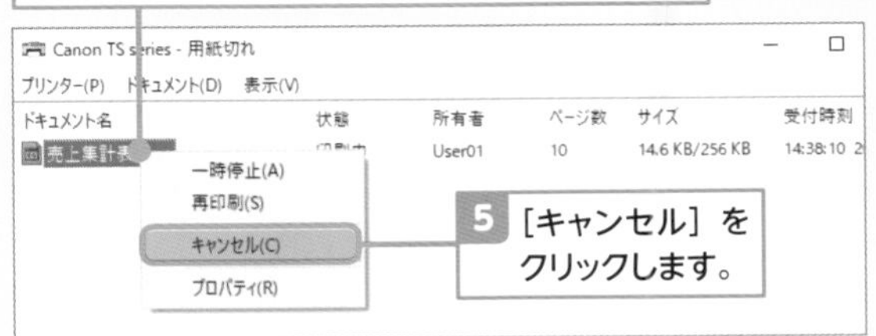

5 [キャンセル] をクリックします。

Q428 特定のページだけを印刷するには?

お役立ち度 ★★★ 印刷

A 印刷画面でページ番号を指定します。

特定のページだけを印刷するには、アプリの印刷画面の「ページ」の項目で印刷するページを指定します。たとえば、全部で5ページある中で3ページ目だけを印刷したければ「3」と指定します。2ページ目～5ページ目を印刷する場合は、「2-5」のように半角のハイフン記号で区切って指定します。アプリによっては2ページ目と5ページ目を印刷する場合に、「2,5」のように半角のカンマ記号で区切って指定できるものもあります。

1 Q424 の操作で印刷画面を表示し、

2 「ページ」のここをクリックします。

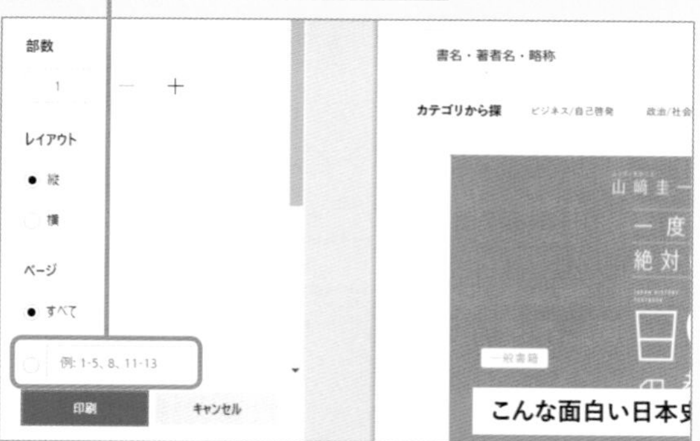

3 印刷したいページを指定して、

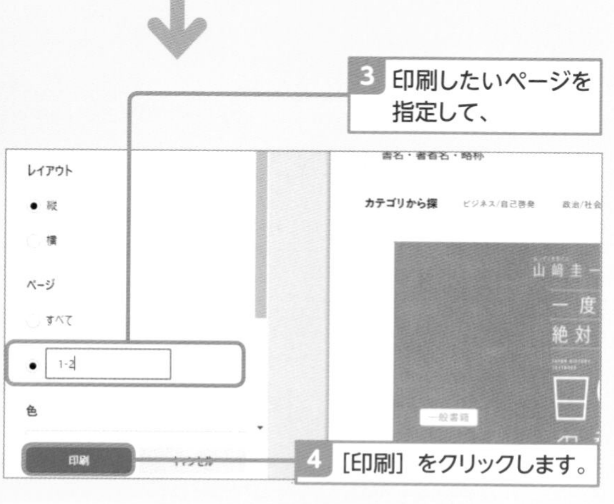

4 [印刷] をクリックします。

Q429 ページを縮小して印刷するには?

お役立ち度 ★★★ 印刷

A アプリ側で設定します。

1枚の用紙にたくさんのデータをまとめて印刷するには、縮小印刷を実行します。縮小印刷をするには、アプリ側で印刷時の縮小率を指定します。ここではブラウザーの「Edge」を例にして、縮小印刷の設定を行います。なお、プリンターによっては、プリンター側で拡大印刷や縮小印刷の設定を行えるものもあります。

1 Q424 の操作で印刷画面を表示し、

2 [その他の設定] をクリックして、

3 拡大 / 縮小のパーセントを指定します。

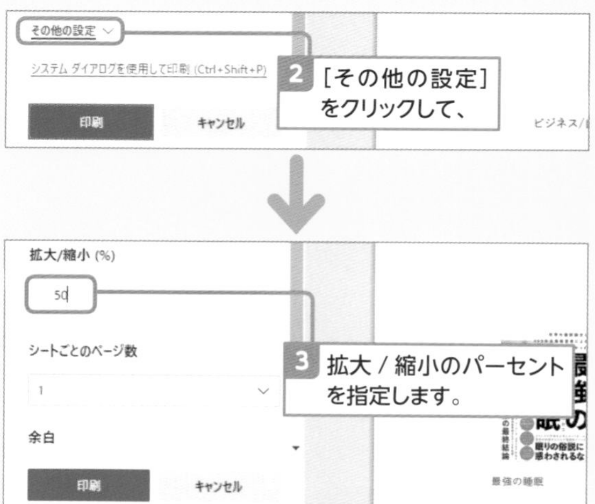

おトクな情報 Edge や Word の割り付け印刷

Edge の [シートごとのページ数] や Word の [1 ページ / 枚] の割り付け印刷の機能を使うと、1 枚の用紙に 2 ページ分や 3 ページ分をまとめて印刷できます。

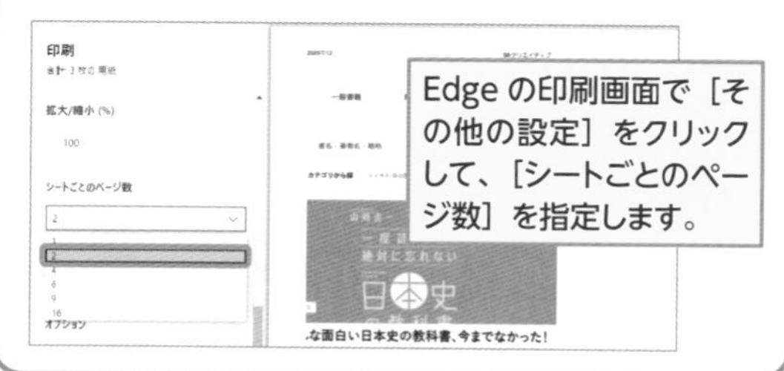

Edge の印刷画面で [その他の設定] をクリックして、[シートごとのページ数] を指定します。

Q430 お役立ち度 ★★★ USBメモリーとDVD

ファイルや写真を保存する媒体にはどんなものがあるの?

A USB メモリーや光ディスク、HDD や SSD などがあります。

ファイルや写真などのデータを保存する媒体にはいろいろな種類があります。小型のUSBメモリーや光ディスク（CDやDVDなど）は、データを持ち運んだり第三者に配布したりするのに適しています。光ディスクは、USBメモリーに比べて価格が安いため、データのバックアップをとるときなどにも向いています。

USBメモリーや光ディスクに入らない大きなデータのバックアップをとる場合は、外付けのHDD（ハードディスクドライブ）やSSD（ソリッドステートドライブ）を利用します。それぞれファイルを保存する容量や価格が異なるので、用途によって使い分けましょう。

媒体	容量	使用方法	特徴
USB メモリー	数百 MB ～数 TB	パソコンの USB ポートに差して接続します。	ファイルの持ち運びに便利です。
光ディスク	ディスクの種類によって異なります。Q432 参照	パソコンの光ディスクドライブにセットして使用します。	ファイルの持ち運びやファイルのバックアップなどに利用します。
外付け HDD	数百 GB ～数十 TB 以上	USB 接続や Wi-Fi 接続などでパソコンに接続します。	ファイルの保存やバックアップなどに利用します。大容量で安価で利用できます。
外付け SSD	数十 GB ～数百 GB 以上	パソコンの USB ポートに差して接続します。	ファイルの保存やバックアップなどに利用します。HDD よりサイズが小さく、読み書きの速度が速いのが特徴です。

Q431 お役立ち度 ★★★ USBメモリーとDVD

USB メモリーはどれを選べばいいの?

A 容量やセキュリティ機能の有無で選びましょう。

USBメモリーにはさまざまな容量のものがあります。また、デザインもシンプルなものから動物や食べ物を装飾したものがあったり、小指の先ぐらいの極小サイズのものもあったりします。見た目も大切ですが、USBメモリーを選ぶポイントは容量です。最近は価格も安くなってきたので、余裕のある容量のものを選択するとよいでしょう。また、USBメモリーを持ち歩く場合は、紛失してデータを見られることがないようにセキュリティ機能が付いているものがお勧めです。

写真提供：株式会社アイ・オー・データ機器

USBメモリーのセキュリティ機能には以下のようなものがあります。

■ USB メモリーのセキュリティ機能

セキュリティ機能	内容
パスワード認証	データを見るのにパスワードの入力を求める機能です。
指紋認証	指紋認証を行う指紋認証リーダーが付いたもので、データを見るのに指紋認証が必要です。
データの暗号化	データを暗号化する機能です。暗号化されたデータを見るときにパスワードが必要です。
データの自動消去	一定時間経過したらデータを自動消去する機能です。
ウイルス対策ソフト	ウイルス対策ソフトがあらかじめ入ったものです。

光ディスクの種類の違いを教えて!

容量の違いで「CD」「DVD」「BD」に分かれます。

光ディスクには、**CD**（Compact Disc）や**DVD**（Digital Versatile Disc）、**BD**（Blu-ray Disc）などがあり、どれも音楽CDのような円盤状の記憶媒体です。レーザー光線を使ってデータを読み書きすることから「光ディスク」とか「光学式ディスク」とも呼びます。

光ディスクはファイルや写真などのバックアップ用として利用するだけでなく、低価格で購入できるため、旅行に行った写真を保存して配布するといった使い方もできるでしょう。CDやDVD、BDはそれぞれ保存できる容量が異なります。また、CDやDVD、BDともにそれぞれいくつかの種類があり、データの読み取りしかできないもの、読み取りと書き込みだけができるもの、読み取りや書き込みや書き換えができるものなどがあります。たとえば、**CD-R**は書き込んだデータの削除や上書きができませんが、**CD-RW**は何度でもデータの上書きや消去が可能です。また、**DVD-RW/DVD+RW**と**DVD-RAM**はどちらもデータの読み取り、書き込み、書き換えや削除ができますが、書き込みできる回数が異なります。DVD-RW/DVD+RWは約1,000回、DVD-RAMは約10万回の書き込みが可能とされています。

■光ディスクの種類

	容量	種類	読み取り	書き込み	書き換えや削除
CD	650MB 700MB	CD-ROM	●	—	—
		CD-R	●	●	—
		CD-RW	●	●	●
DVD	4.7GB（片面１層） 8.5GB（片面２層） 9.4GB（両面１層） 17GB（両面２層）	DVD-ROM	●	—	—
		DVD-R	●	●	—
		DVD+R	●	●	—
		DVD-R DL	●	●	—
		DVD+R DL	●	●	—
		DVD-RW	●	●	●
		DVD+RW	●	●	●
		DVD-RAM	●	●	●
BD	25GB（片面１層） 50GB（片面２層） 100GB（片面３層） 128GB（片面４層）	BD-ROM	●	—	—
		BD-R	●	●	—
		BD-R DL	●	●	—
		BD-RE	●	●	●
		BD-RE DL	●	●	●
		BD-R XL	●	●	—
		BD-RE XL	●	●	●

Q433 お役立ち度 ★★★ USBメモリーとDVD

光ディスクはどれでもパソコンにセットできるの？

パソコンに接続されている光ディスクドライブによって異なります。

パソコンに接続されている光ディスクドライブによって、どの種類の光ディスクを使用できるかは異なります。主な光ディスクドライブの種類は右の表のとおりです。いずれも、パソコンに接続されている光ディスクドライブにロゴが明記されています。なお、パソコンによっては光ディスクドライブが付いていないものもありますが、外付けの光ディスクドライブを購入して接続することもできます。

パソコンに接続されている光ディスクドライブの種類の例	セットできる光ディスク
DVD-ROM ドライブ	CD や DVD の読み取りのみ可能です。
DVD スーパーマルチドライブ	CD-ROM/CD-R/CD-RW/DVD-ROM/DVD-R/DVD+R/DVD-RW/DVD+RW、DVD-RAM に対応しています。(DVD-R DL/DVD+R DL に対応しているものもあります)
BD ドライブ	BD-ROM/BD-R/BD-R DL/BD-RE/BD-RE DL に加えて DVD スーパーマルチドライブの機能に対応しています。(BD-R XL/BD-RE XL に対応しているものもあります)

Q434 お役立ち度 ★★★ USBメモリーとDVD

HDD と SSD って何が違うの？

容量や価格などが違います。

パソコンを動かすためのOSやアプリ、作成したデータは、パソコンに内蔵されたストレージに保存されています。これまでは、内蔵ストレージとしてHDD（ハードディスクドライブ）が主流でしたが、SSD（ソリッドステートドライブ）を搭載したパソコンも増えてきました。HDDもSSDも外付け型を購入して、後からパソコンに接続することもできます。HDDとSSDはともにデータを保存する記憶媒体ですが、データの保存方法や処理速度、価格、衝撃の強さなどに違いがあります。主な違いは以下の表のとおりです。

比較項目	HDD	SSD
記憶方法	内蔵の磁気ディスクを回転させてデータを読み書きする	USB メモリーのように、内蔵されたメモリーチップでデータを読み書きする
処理速度	磁気ディスクを回転する分、処理速度は SSD に劣る	処理速度が比較的速い
容量	数百 GB ～数十 TB 以上	数十 GB ～数百 GB 以上
価格	大容量で安く購入できる	HDD と比較すると割高
駆動音・発熱	トラブルがあると駆動音が異音に変わる。熱がこもると、大きな音で冷却ファンが作動する	駆動音が発生しにくい。消費電力が少ないため、ほとんど発熱がない
衝撃への強さ	読み書き中に衝撃を与えると磁気ディスクが傷つくため、故障の原因となる	振動や衝撃に強い
寿命	SSD より短い（使用時間による）	HDD より長い（使用時間による）

Q435 お役立ち度 ★★★ USBメモリーとDVD

ファイルを USB メモリーにコピーするには?

A ファイルのコピー先に USB メモリーのドライブを指定します。

携帯に便利なUSBメモリーにファイルをコピーすると、外出先や出張先に気軽にファイルを持ち出せます。以下の手順でコピー先にUSBメモリーのドライブを指定するとファイルをコピーできます。

1 USB メモリーをパソコンにセットして、

2 コピー元のファイルが保存されているフォルダーを開き、

3 コピーするファイルをクリックします。

4 [ホーム] タブの [コピー先] ボタンをクリックし、

5 [場所の選択] をクリックします。

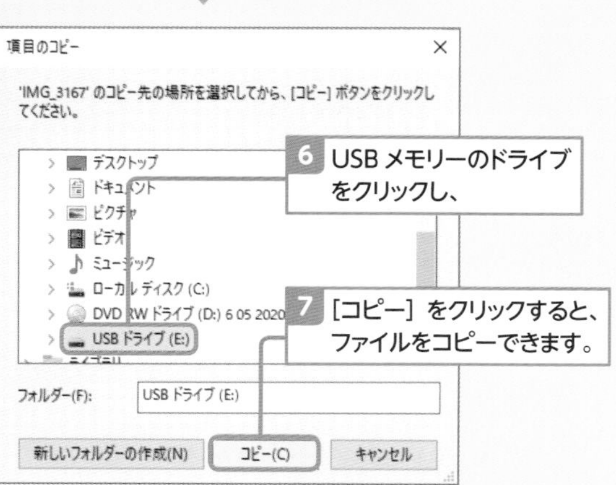

6 USB メモリーのドライブをクリックし、

7 [コピー] をクリックすると、ファイルをコピーできます。

Q436 お役立ち度 ★★★ USBメモリーとDVD

USB メモリーの中身を見るには?

A パソコンに USB メモリーをセットします。

USBメモリーに保存されているファイルを見るには、パソコンにUSBメモリーをセットします。メッセージが表示されたときは、メッセージをクリックしてUSBメモリーの中身を確認します。メッセージが表示されないときは、エクスプローラー画面を開いてUSBメモリーのドライブをクリックします。

1 USB メモリーをパソコンにセットして、

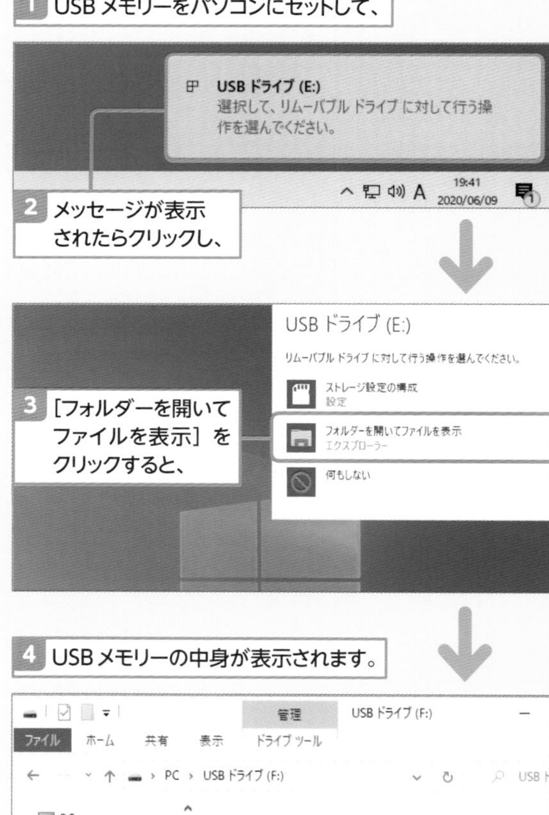

2 メッセージが表示されたらクリックし、

3 [フォルダーを開いてファイルを表示] をクリックすると、

4 USB メモリーの中身が表示されます。

Q437 お役立ち度 ★★★ USBメモリーとDVD

USB メモリーはいきなり抜いても大丈夫?

A いきなり抜くのは NG！安全に取り外すための操作をします。

USBメモリーをパソコンからいきなり抜いてしまうと、データが破損されてしまう可能性があります。以下の手順で取り外す習慣をつけましょう。ただし、Windows 10には「クイック取り出し」という機能があるため、USBメモリーのアクセスランプが点灯していないとき（USBメモリーの読み書きをしていないとき）であれば、いきなりUSBメモリーを抜いてもよい仕様になっています。

1 通知領域の ^ をクリックし、

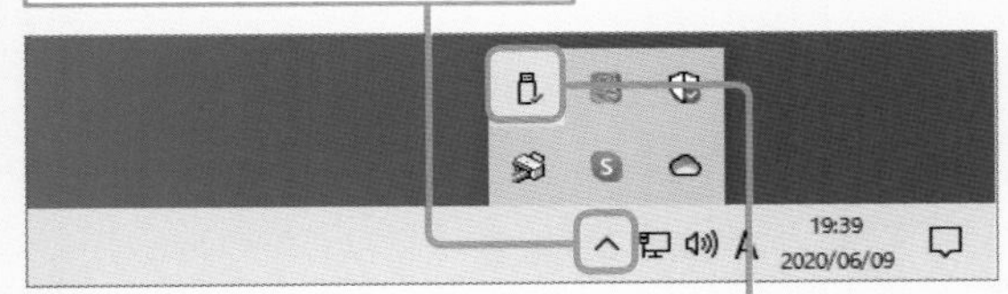

2 ［ハードウェアを安全に取り外してメディアを取り出す］をクリックして、

3 取り外す USB の項目をクリックします。

4 メッセージが表示されたら、USB メモリーを取り外します。

おトクな情報　パソコンをシャットダウンした後はそのまま抜いてOK

パソコンを正しくシャットダウンした後であれば、USBメモリーをそのまま抜いても問題ありません。

Q438 お役立ち度 ★★★ USBメモリーとDVD

光ディスクの書き込み形式の違いを教えて!

A 「ライブファイルシステム形式」と「マスター形式」があります。

Windows 10でファイルを光ディスクに書き込む方法には**ライブファイルシステム形式**と**マスター形式**があり、どちらで書き込むかを選択します。書き込んだファイルの内容を後から更新したい場合はライブファイルシステム形式、CD/DVDプレーヤーで再生するときや、書き込んだファイルの内容を更新・削除する必要がない場合はマスター形式を選択するとよいでしょう。

■ライブファイルシステム形式とマスター形式の違い

形式	内容	使用できる機器
ライブファイルシステム形式	USB メモリーのように、ファイルを自由に保存したり削除したりできます。	Windows XP 以降のパソコンで使用できます。
マスター形式	ファイルを書き込んだ後、他のファイルの追記はできますが、書き込んだファイルの編集や削除はできません。	CD/DVD プレーヤーやほとんどのパソコンで使用できます。

Q439 お役立ち度 ★★★ USBメモリーとDVD

新しい光ディスクを使えるようにするには?

A 「フォーマット」の操作を行います。

新しい光ディスクはそのままでは使えません。**フォーマット**と呼ばれる作業を経て光ディスクが使えるようになります。フォーマットが終わったら、Q440の操作でパソコンのファイルを光ディスクにコピーします。

1 光ディスクを光ディスクドライブにセットします。

2 メッセージをクリックし、

3 [ファイルをディスクに書き込む]をクリックします。

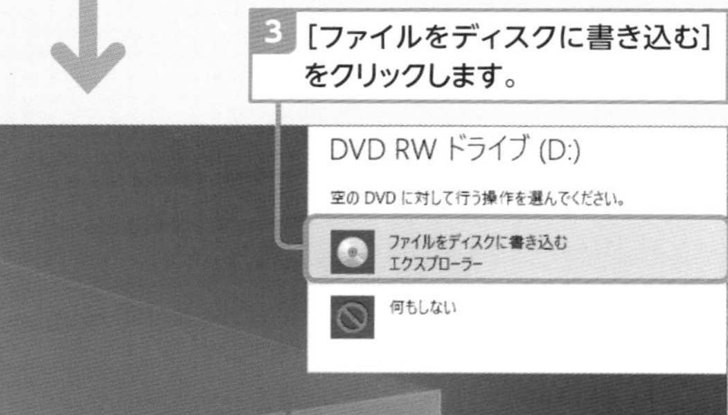

4 「ディスクのタイトル」欄にタイトルを入力し、

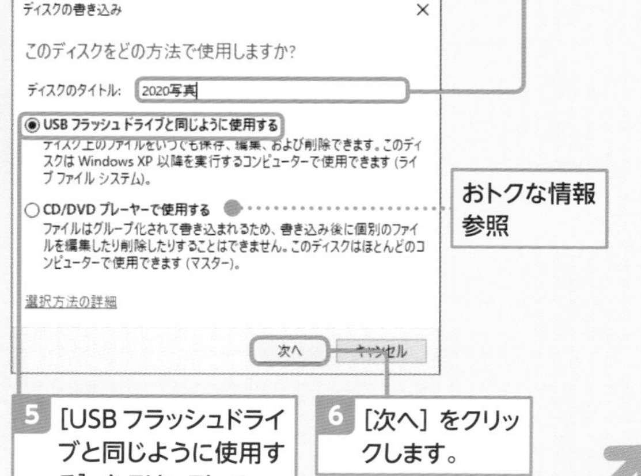

おトクな情報参照

5 [USB フラッシュドライブと同じように使用する]をクリックして、

6 [次へ]をクリックします。

7 フォーマットが始まります。

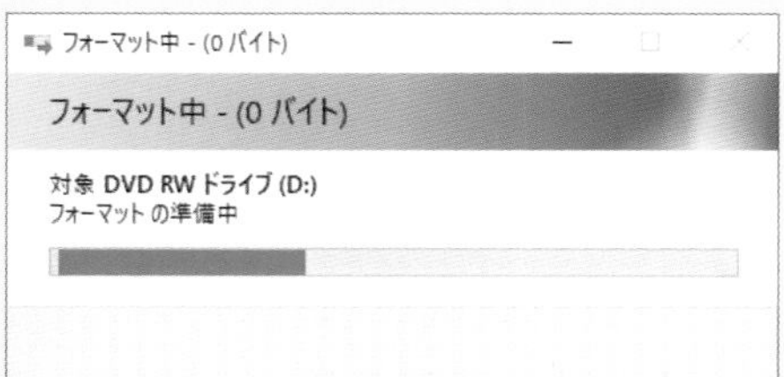

8 フォーマットが終了したらメッセージをクリックし、

9 [フォルダーを開いてファイルを表示]をクリックします。

手順 2、3 と手順 8、9 の画面は表示されない場合があります。

おトクな情報 マスター形式で書き込むには

手順 5 で [CD/DVD プレーヤーで使用する] をクリックすると、マスター形式で書き込むことができます。マスター形式では一度しか書き込むことができませんが、さまざまなパソコンの CD/DVD プレーヤーで読み込むことができます。

Q440 お役立ち度 ★★★ USBメモリーとDVD

ファイルを光ディスクにコピーするには?

A コピーしたいファイルを光ディスクのウィンドウにドラッグします。

Q439の操作で光ディスクのフォーマットができたら、エクスプローラー画面を使ってファイルをコピーします。前準備として、光ディスクのウィンドウとコピーしたいファイルが保存されているウィンドウを並べて表示しておきます。なお、後から光ディスクにファイルを追加するときや、光ディスクのファイルをパソコンにコピーするときも同じ操作です。

ライブファイルシステム形式の場合

1 光ディスクのウィンドウとコピーしたいファイルが保存されているウィンドウを表示します。

2 コピーしたいファイルを光ディスクのウィンドウにドラッグすると、

3 ファイルがコピーされます。

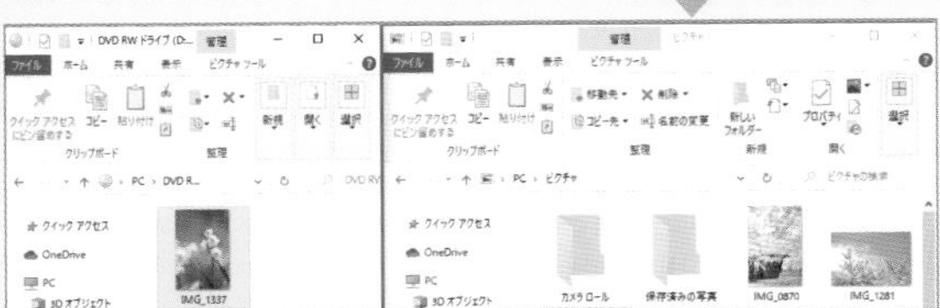

おトクな情報 マスター形式の場合は

マスター形式の光ディスクにファイルをコピーするには、手順2の後で光ディスクのウィンドウの[管理]タブの[書き込みを完了する]をクリックします。

Q441 お役立ち度 ★★★ USBメモリーとDVD

光ディスクに入っているファイルを削除するには?

A ファイルを選択して Delete キーを押します。

光ディスクへの書き込み形式がライブファイルシステム形式の場合は、光ディスクに入っているファイルを削除できます。マスター形式の場合は、ファイルを削除できません。

1 光ディスクのウィンドウを表示して、

2 削除するファイルを選択して、Delete キーを押します。

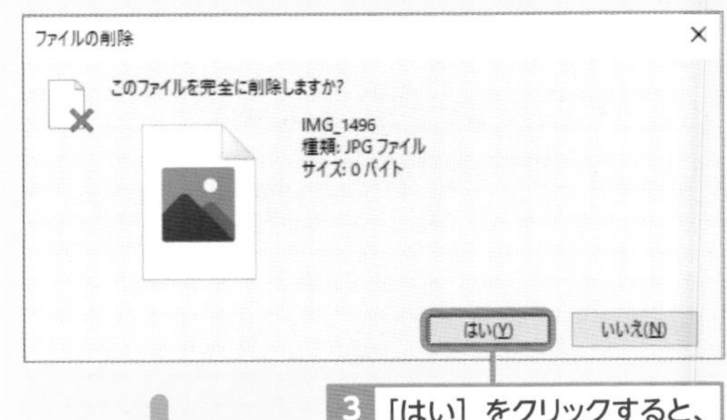

3 [はい] をクリックすると、

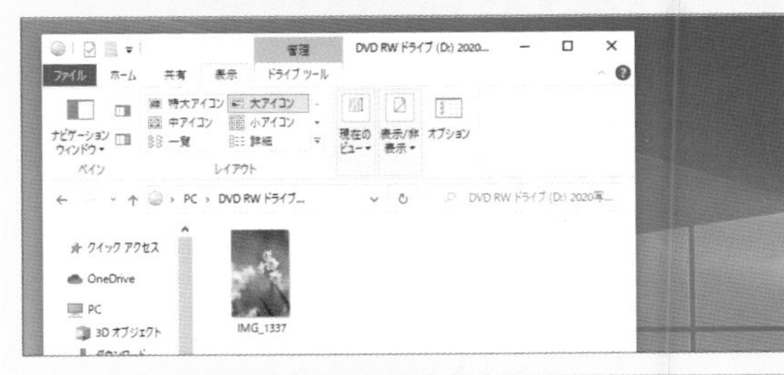

4 ファイルが削除されます。

Q442 お役立ち度 ★★★ USBメモリーとDVD

光ディスクをセットする／取り出すには?

A イジェクトボタンを押します。

光ディスクをパソコンの光ディスクドライブにセットしたり取り出したりするには、パソコンの電源が入っている状態で行います。光ディスクドライブにあるイジェクトボタンを押すとディスクトレイが出てくるので、光ディスクをセットしたり取り出したりできます。なお、光ディスクを取り出すには、以下のように、エクスプローラー画面から操作する方法もあります。

1 エクスプローラーの画面を開き、[PC] をクリックします。

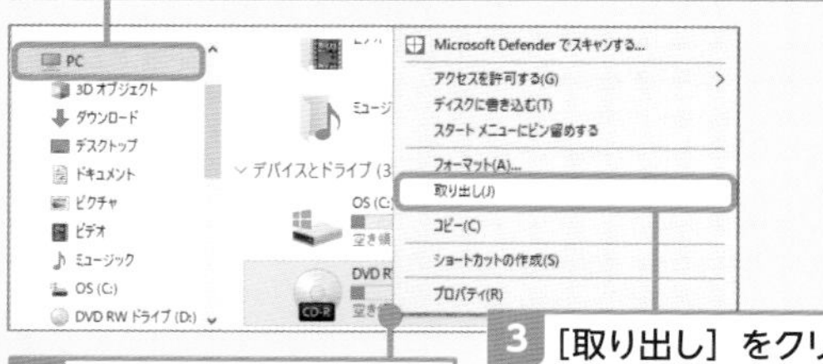

2 光ディスクドライブのアイコンを右クリックし、

3 [取り出し] をクリックすると、ディスクトレイが出てきます。

Q443 お役立ち度 ★★★ USBメモリーとDVD

光ディスクが取り出せない!

A まずはパソコンの電源が入っていることを確認します。

光ディスクが取り出せなくなる原因はいろいろあります。パソコンの電源が切れている場合や省電力モードの場合は、電源を入れて省電力モードを解除します。それでも取り出せない場合は、次のステップに沿って対処してみましょう。

ステップ1	使用中のアプリによっては、光ディスクが取り出せなくなる場合があります。使用中のアプリをすべて終了し、Q442 の操作でエクスプローラーの画面から取り出します。
ステップ2	ディスクトレイのランプが点灯していないことを確認し、イジェクトボタンを押します。ディスクトレイが出てきたら光ディスクを取り出します。
最終手段	パソコンの電源が入らない場合や、ディスクトレイが何かに引っかかっている場合など緊急の場合は、ディスクトレイにあるイジェクトホールに太めの針金やクリップを伸ばした棒などを差し込みます。ディスクトレイが出てきたら、ディスクトレイを手前に引いて光ディスクを取り出します。

Q444 お役立ち度 ★★★ USBメモリーとDVD

光ディスクを入れても何も反応しないのはなぜ?

A 自動再生機能を設定します。

通常は、パソコンに光ディスクを入れると画面右下にメッセージが出ます。何も反応しないときは、「自動再生」の設定を変更しましょう。「自動再生」が「何もしない」になっていると、光ディスクをセットしても何も反応しません。

1 スタートメニューから [設定] をクリックし、[デバイス] をクリックします。

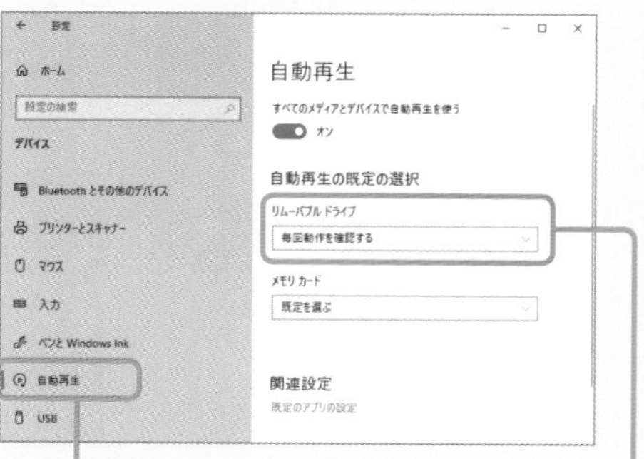

2 [自動再生] をクリックし、

3 リムーバブルドライブを [毎回動作を確認する] に変更します。

Q445 お役立ち度 ★★★ スマホとの連携

スマホとパソコンを接続するには何が必要?

A USB ケーブルで接続します。

パソコンとスマートフォンを接続すると、写真などのファイルを相互にやり取りできます。接続する方法には、「Wi-Fiで接続する」「USBケーブルで接続する」「スマートフォンのSDカードをパソコンのSDカードリーダーに差して接続する」などがあります。ここでは、スマートフォンに付属のUSBケーブルで接続します。

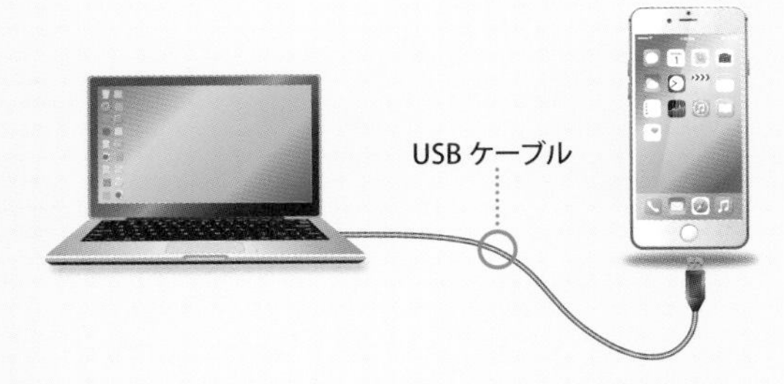

1 スマートフォンとパソコンの電源を入れ、付属の USB ケーブルで接続します。

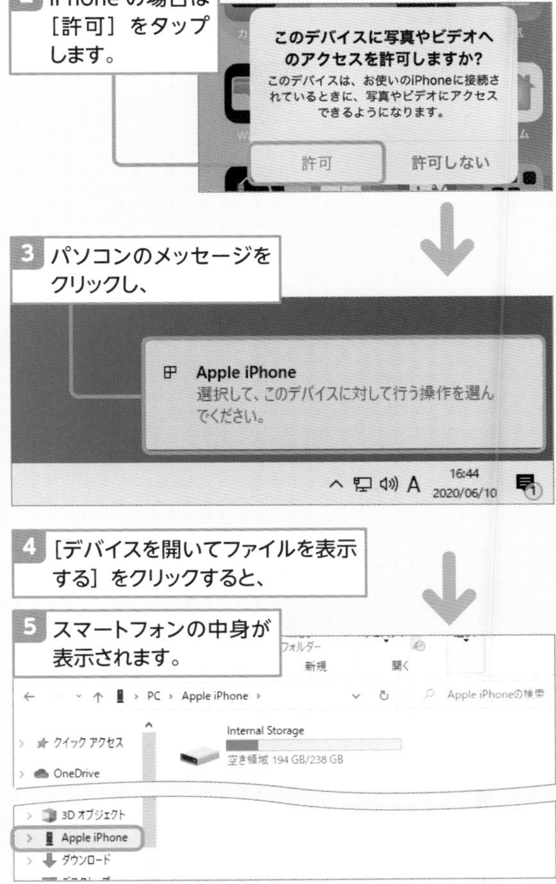

2 iPhone の場合は［許可］をタップします。
このデバイスに写真やビデオへのアクセスを許可しますか?
このデバイスは、お使いのiPhoneに接続されているときに、写真やビデオにアクセスできるようになります。
許可
許可しない
3 パソコンのメッセージをクリックし、
Apple iPhone
選択して、このデバイスに対して行う操作を選んでください。
16:44
2020/06/10
4 ［デバイスを開いてファイルを表示する］をクリックすると、
5 スマートフォンの中身が表示されます。
新規
開く
PC › Apple iPhone ›
Apple iPhoneの検索
Internal Storage
空き領域 194 GB/238 GB
クイック アクセス
OneDrive
3D オブジェクト
Apple iPhone
ダウンロード

Q446 お役立ち度 ★★★ スゴわざ スマホとの連携

スマホで撮影した写真をパソコンにコピーするには?

A スマホのファイルの保存場所を開いて、ファイルをコピーします。

Q445の操作でスマートフォンとパソコンをUSBケーブルで接続したら、エクスプローラー画面を使ってスマートフォンに保存されているファイルをパソコンにコピーします。前準備として、スマートフォンの写真が保存されているウィンドウと、保存先のパソコンのウィンドウを並べて表示しておきます。

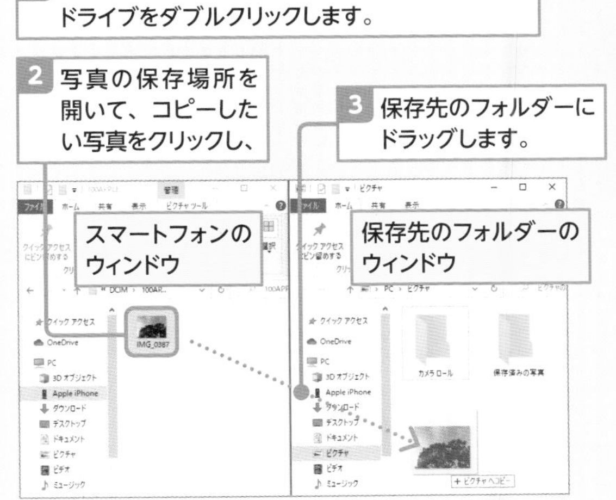

スマホに OneDrive アプリをインストールするには?

A 「App Store」や「Google Play」からインストールします。

OneDriveをはじめとしたクラウドサービスを利用すると、ケーブルを接続しなくてもパソコンとスマートフォンのデータをやり取りできます。それには、スマートフォンに無料の**OneDriveアプリ**をインストールしておく必要があります。OneDriveアプリを使うと、外出先からでもスマートフォンでファイルの表示やコピー、削除などが行えます。ここでは、「App Store」からiPhone用のOneDriveアプリをインストールします。

1 [App Store] をタップします。

2 [検索] をタップして、

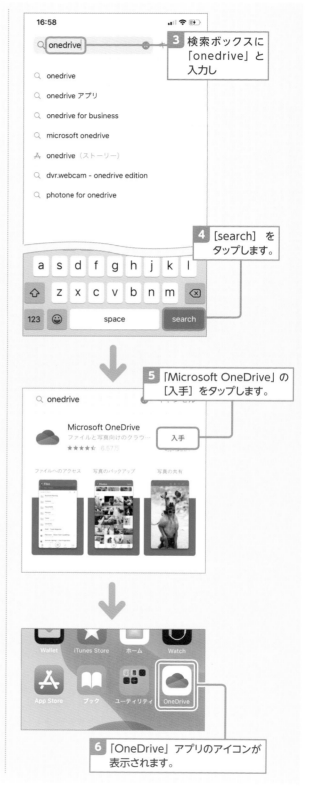

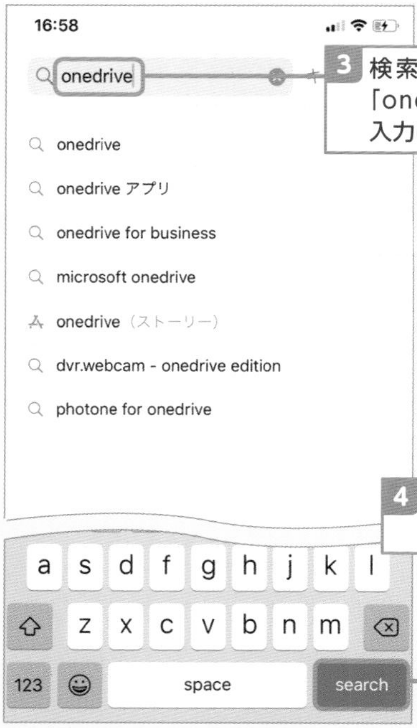

3 検索ボックスに「onedrive」と入力し

4 [search] をタップします。

5 「Microsoft OneDrive」の[入手] をタップします。

6 「OneDrive」アプリのアイコンが表示されます。

OneDrive を介してパソコンの写真をスマホにコピーするには?

A パソコンに保存した写真を OneDrive にアップロードします。

パソコンに保存されている写真をスマートフォンにコピーするには、最初にQ140の方法でOneDriveにサインインし、Q142の方法でパソコンに保存した写真をOneDriveにアップロードしておきます。次に、スマートフォンでOneDriveアプリを開いて写真をダウンロードします。

1 スマートフォンの OneDrive アプリにサインインします。

2 OneDrive 上の写真の保存先を開き、

3 スマートフォンに保存する写真をタップします。

4 ここをタップし、

17:26
詳細
ダウンロード
このファイルの名前の変更
別のアプリで開く
フォト アルバムに追加

5 [ダウンロード] をタップします。

6 [OK] をタップすると、写真がスマホに保存されます。

"OneDrive"が写真へのアクセスを求めています
写真やビデオをアップロードするには、OneDrive によるアクセス許可が必要です。
許可しない
OK

7 OneDrive アプリを閉じ、スマートフォンの写真の保存先をタップすると、

8 写真がスマホに保存されていることを確認できます。

iPhone の場合は、写真は「写真」アプリで確認できます。

おトクな情報　スマホの写真もコピーできる

OneDrive を使うと、USB ケーブルでパソコンとスマートフォンを接続しなくてもデータのやり取りができます。本ワザでは、OneDrive を介してパソコンの写真をスマートフォンにコピーしましたが、反対にスマートフォンの写真を OneDrive にコピーをして、パソコンに取り込むこともできます。それには、スマートフォンの OneDrive 画面右上にある [+] をタップして、[アップロード] をタップしてからアップロードしたい写真を選択します。

おトクな情報　データのやり取りには iTunes も使える

iPhone を使っている場合は、パソコンに「iTunes」アプリをインストールしてパソコンと iPhone 間でデータのやり取りをすることもできます。

スマホでメールをチェックするには?

A メールアプリにメールアカウントを追加する方法などがあります。

パソコンに設定しているプロバイダーのメールを外出先でスマートフォンからチェックできると便利です。スマートフォンでプロバイダーのメールを見る方法はいくつかありますが、ここではスマートフォンに入っているメールアプリにプロバイダーのアカウントを追加します。なお、Outlook.comやYahoo!メール、GmailなどのWebメールは、それぞれメールをやり取りする専用のアプリをインストールしてメールを見ることができます。

iPhone（iOS 13.5.1）の場合

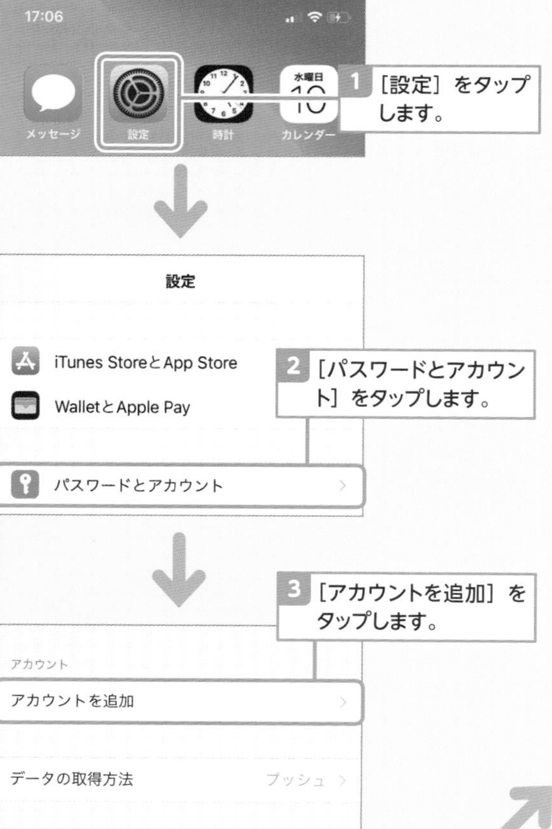

17:09
アカウント　アカウントを追加
iCloud
Microsoft Exchange
Outlook.com
その他

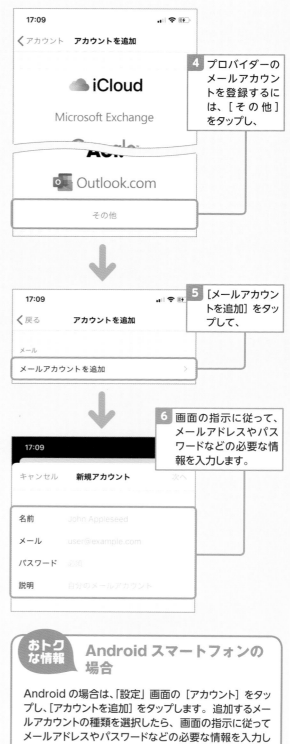

4 プロバイダーのメールアカウントを登録するには、［その他］をタップし、

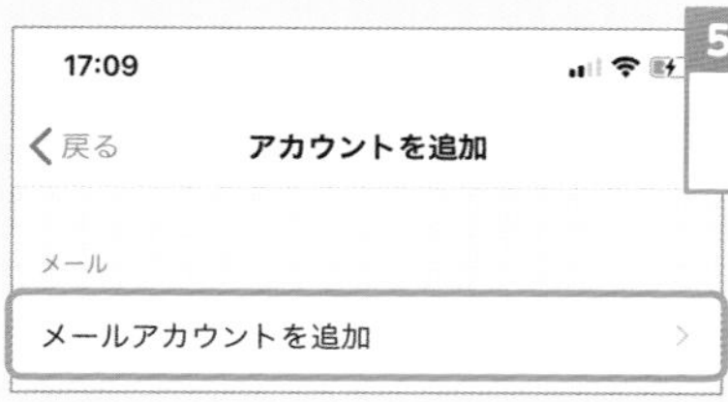

17:09
戻る　アカウントを追加
メール
メールアカウントを追加

5 ［メールアカウントを追加］をタップして、

17:09
キャンセル　新規アカウント　次へ
名前　John Appleseed
メール　user@example.com
パスワード　必須
説明　自分のメールアカウント

6 画面の指示に従って、メールアドレスやパスワードなどの必要な情報を入力します。

おトクな情報　Androidスマートフォンの場合

Androidの場合は、「設定」画面の［アカウント］をタップし、［アカウントを追加］をタップします。追加するメールアカウントの種類を選択したら、画面の指示に従ってメールアドレスやパスワードなどの必要な情報を入力します。

Windows 10を使いやすく「設定」しよう！

パソコンをもっと快適に使いたいと思ったら、まずはWindows 10の設定を確認しましょう。Windows 10の「コントロールパネル」や「設定」画面には、ディスプレイやマウス、電源などの設定項目が用意されており、使いやすいように自由にカスタマイズできます。この章では、Windows 10をカスタマイズするワザに加え、Windows 10で利用できるアカウントの種類や権限についても解説します。

アイコンの意味

- ぜひ習得したい基本ワザを示します。
- 時短に役立つ活用ワザを示します。
- 知っておきたい基礎知識を示します。
- スゴわざ 目からウロコのすごワザを示します。
- 基本を超えた上級ワザを示します。

コントロールパネルはどこにあるの?

A スタートメニューや検索ボックスから起動します。

Windowsを使ううえでのこまごまとした設定には「設定」画面を使いますが、この画面にはない詳細な内容を設定するのが「**コントロールパネル**」です。Windows 10ではコントロールパネルが見つけづらい場所に隠れており、以下の方法で起動します。頻繁に使用する場合は、Q036を参考にして、スタートメニューにピン留めしておくとよいでしょう。

スタートメニューから起動する

1 スタートメニューから[Windows システムツール]をクリックし、

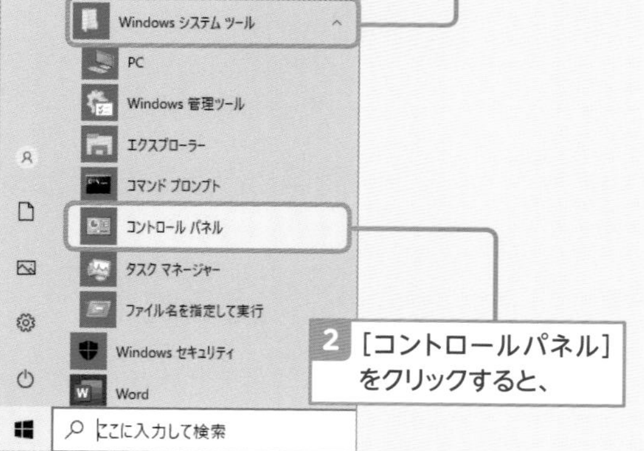

2 [コントロールパネル]をクリックすると、

3 コントロールパネルが表示されます。

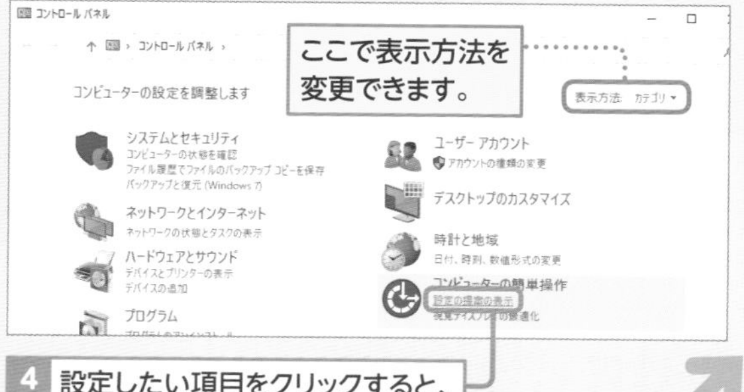

ここで表示方法を変更できます。

4 設定したい項目をクリックすると、

5 設定用の画面が表示されます。

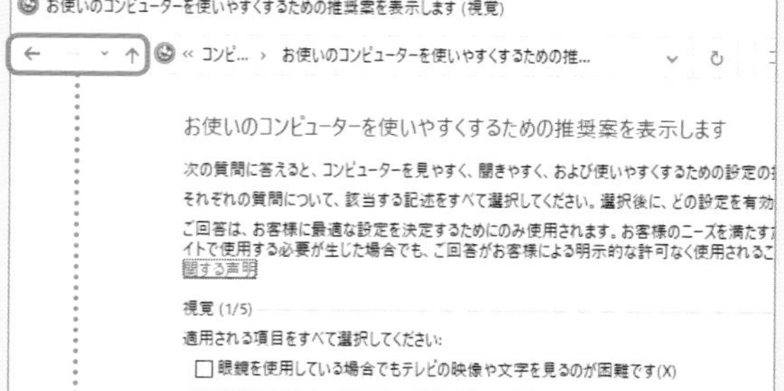

矢印ボタンで設定画面を行き来できます。

検索ボックスから起動する

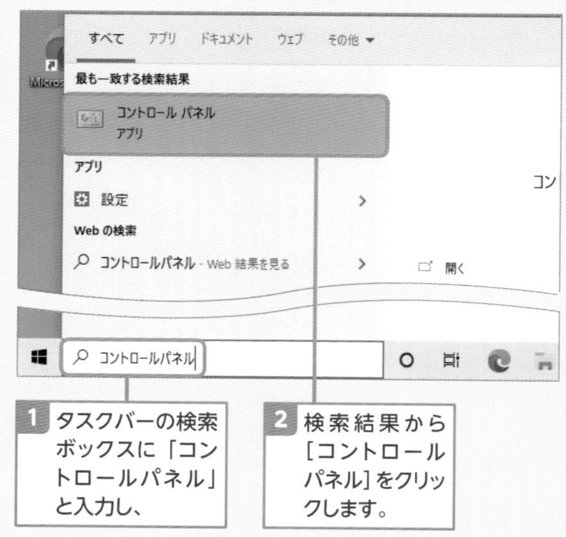

1 タスクバーの検索ボックスに「コントロールパネル」と入力し、

2 検索結果から[コントロールパネル]をクリックします。

おトクな情報 タスクバーへのピン留め

スタートメニューにある[コントロールパネル]を右クリックして、[その他]→[タスクバーにピン留めする]をクリックしても、すぐに表示できて便利です。

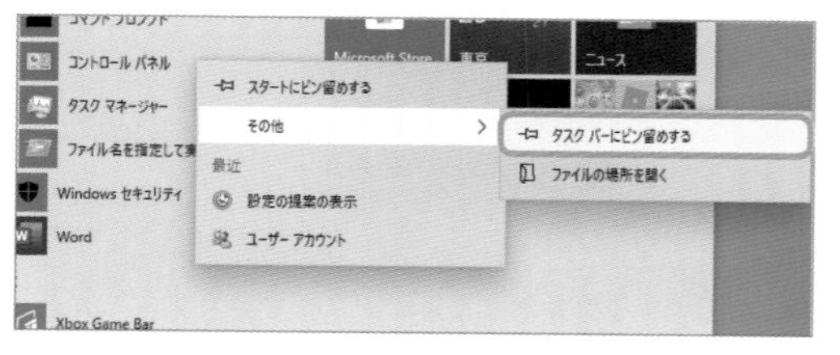

Q 451 お役立ち度 ★★★ 基本の設定

パソコンの基本情報を確認するには?

A 「設定」画面やコントロールパネルで確認しましょう。

Windows 10のエディションやバージョン、CPU、メモリの情報など、パソコンの基本情報を確認するには、「設定」画面を開きます。コントロールパネルでもパソコンの基本情報を確認できます。

「設定」画面で確認する

1 スタートメニューから［設定］⚙ をクリックして、「設定」画面を表示します。

2 ［システム］をクリックし、

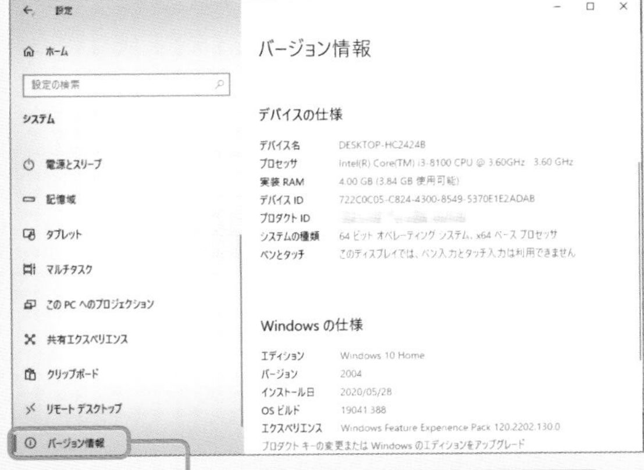

3 ［バージョン情報］をクリックすると、

4 パソコンの基本情報が表示されます。

コントロールパネルで確認する

1 Q450 の操作でコントロールパネルを開き、

2 ［システムとセキュリティ］をクリックします。

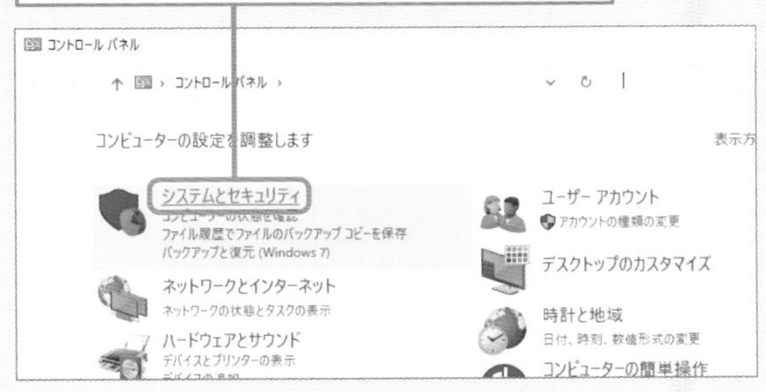

3 ［システム］をクリックすると、

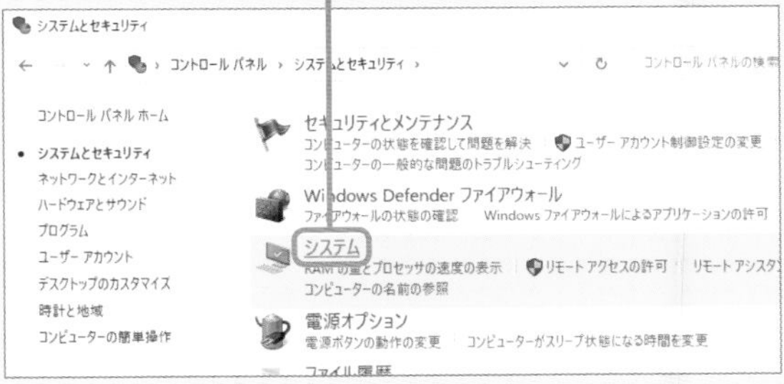

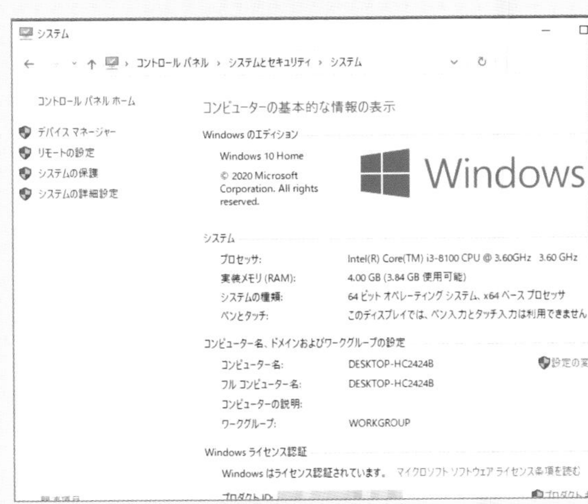

4 パソコンの基本情報が表示されます。

Q452 お役立ち度 ★★★ 基本の設定

目的の設定画面を素早く開くには?

A 検索ボックスで［設定］を選択します。

デスクトップの検索ボックスを使うと、目的の設定項目を素早く見つけて開くことができます。実際に開いた設定項目は次回から履歴として表示されるので、思いどおりの設定になるまで繰り返し表示したい場合などには便利です。

1 検索ボックスをクリックし、

2 ［その他］をクリックして、

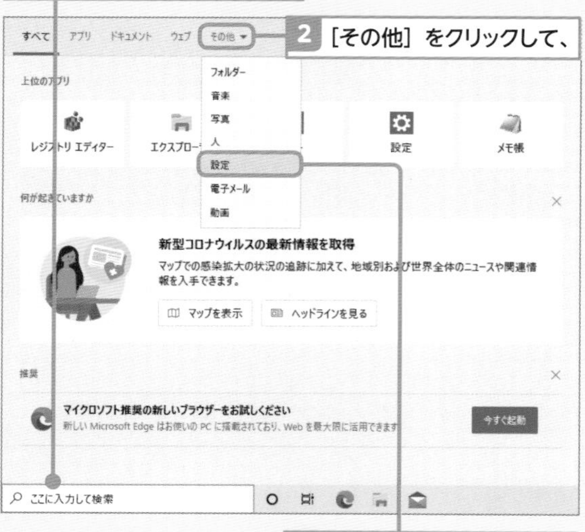

3 ［設定］をクリックします。

4 設定したい項目のキーワードを入力すると、

5 検索結果が表示されます。

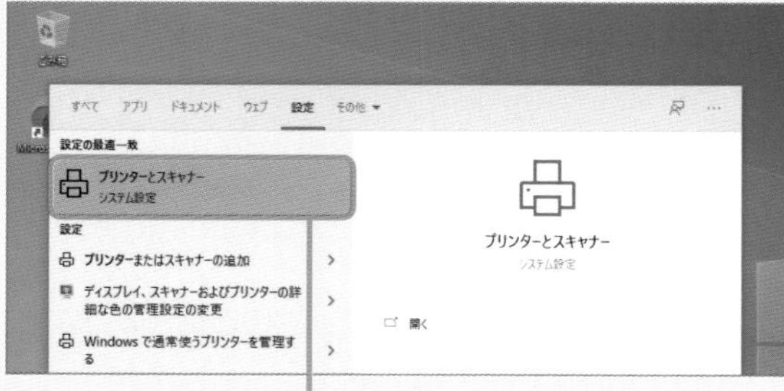

6 設定項目をクリックすると、

7 設定画面が表示されます。

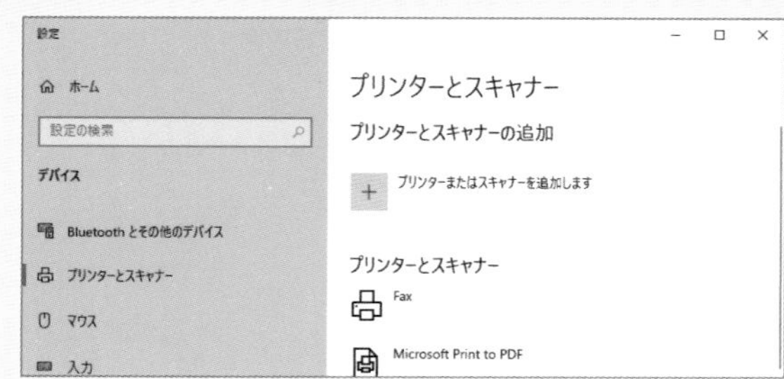

検索結果から設定画面を表示する

1 検索ボックスをクリックして［その他］→［設定］をクリックします。

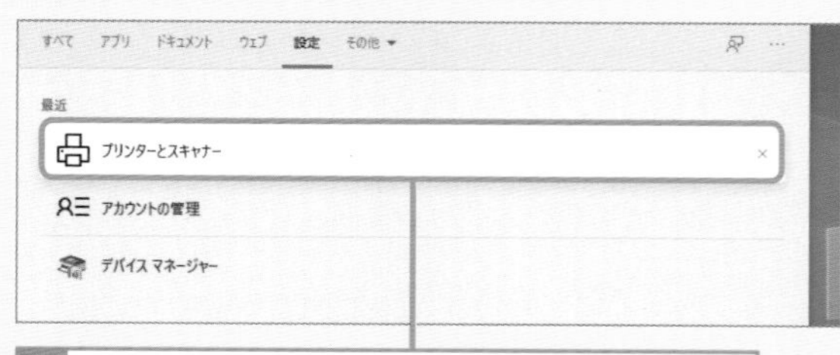

2 検索の履歴をクリックして設定画面を表示します。

おトクな情報 検索履歴の削除

設定が済んで履歴が不要になったら、［×］をクリックして削除することができます。

Q453 お役立ち度 ★★★ 基本の設定

ストレージの空き容量を確認するには?

A 「設定」画面やエクスプローラー画面で確認しましょう。

ストレージの空き容量を確認する方法はいくつかありますが、ここでは、「設定」画面を使います。

1 スタートメニューから［設定］ をクリックして、「設定」画面で［システム］をクリックします。

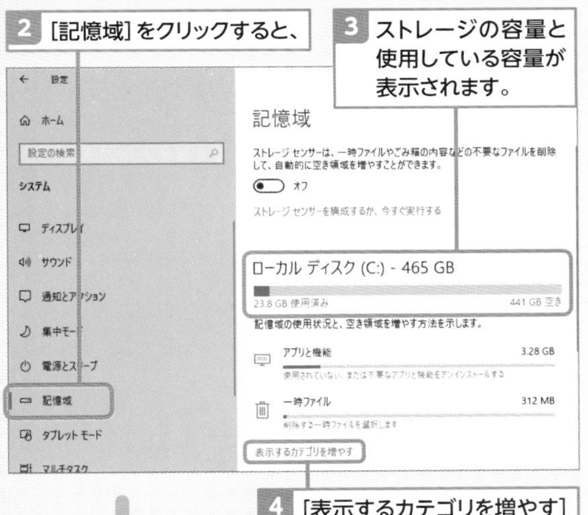

4 ［表示するカテゴリを増やす］をクリックすると、

5 ファイルの種類ごとの使用容量が表示されます。

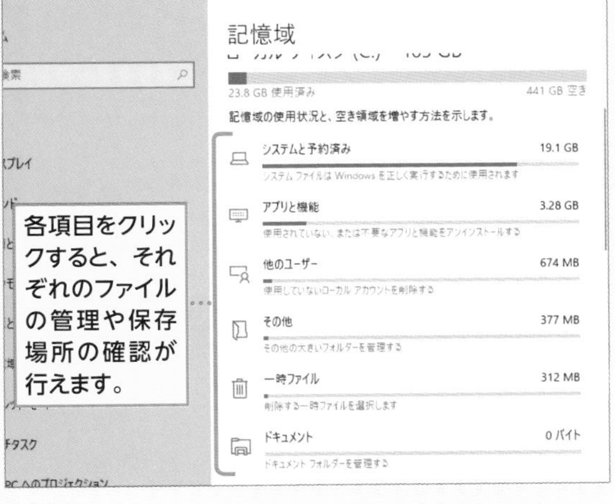

Q454 お役立ち度 ★★★ スゴわざ 基本の設定

ストレージの空き容量を増やすには?

A ディスククリーンアップを実行します。

ストレージの空き容量が少ないと、パソコンの動作が遅くなるなどの支障が出ます。こまめに不要なファイルを捨てたり不要なアプリを削除したりして空き容量が少なくならないように注意します。ただし、自分でも気づかないファイルが残ったままになっていることもあるので、定期的に**ディスククリーンアップ**を実行するとよいでしょう。ディスククリーンアップは、削除候補のファイルをパソコンが自動的に探し出し、それらのファイルを削除したときに増加するディスク容量を表示してくれます。

1 スタートメニューから［Windows 管理ツール］をクリックし、［ディスククリーンアップ］をクリックして、実行するドライブを指定します。

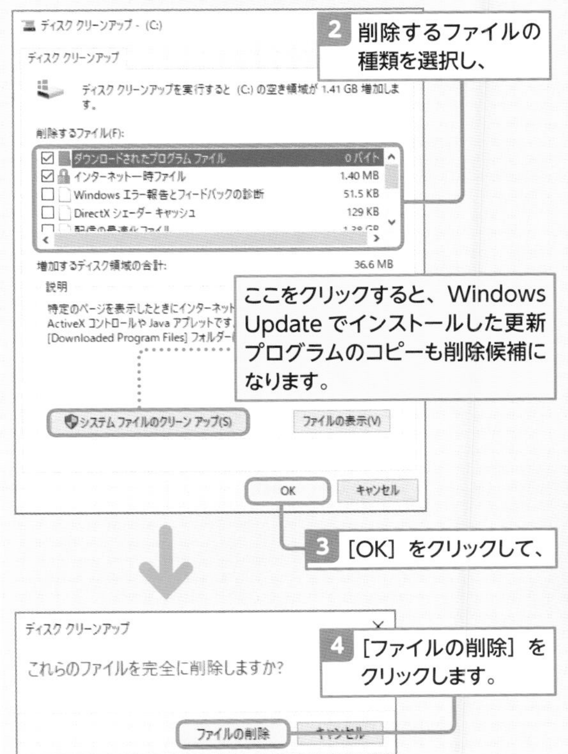

Q455 お役立ち度 ★★★ スゴわざ 基本の設定

ストレージの最適化を実行するには?

A デフラグを実行します。

ファイルを保存したり削除したりする操作を繰り返すと、ストレージ内のデータが散らかった状態になり、ストレージの処理能力が低下してきます。デフラグを実行すると、ハードディスクの場合はデータを連続した状態に再配置することで、また、SSDの場合は削除したデータの領域をすぐ書き込める状態にすることで、処理能力の向上が図れます。Windows 10では、初期設定で週に1回自動的にデフラグが実行されるようになっています。

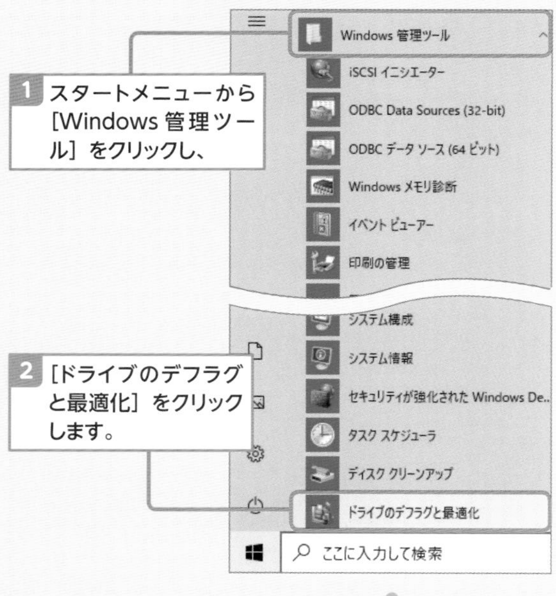

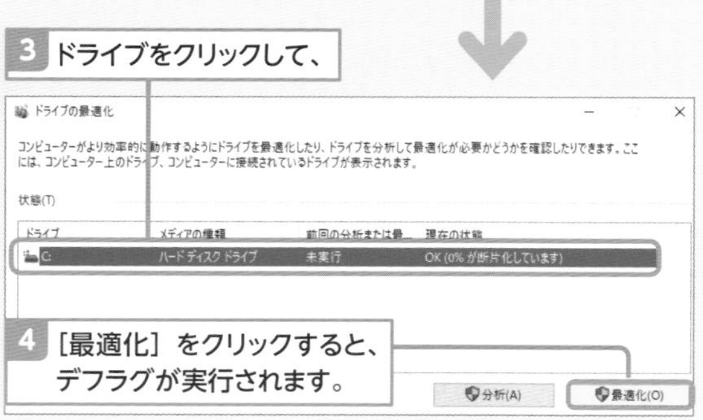

Q456 お役立ち度 ★★★ スゴわざ 基本の設定

位置情報を利用できるようにするには?

A Windows 10 の位置情報をオンにして使用するアプリを選択します。

パソコンにGPS機能が付いている場合は、位置情報を特定する機能を使用して天気アプリで現在地の天気を調べたり、マップアプリで現在地から目的地までの経路を調べたりすることが可能です。位置情報の使用を許可するかどうかは、「設定」画面で行います。
また、Windows 10では、GPS機能が付いていないパソコンでも、ネットワーク上でパソコンを識別するためにプロバイダーから割り振られるIPアドレスという番号や、Wi-Fiスポットなどの情報をもとに大まかな位置を特定して、その位置情報サービスを利用できます。その場合も、位置情報サービスを使用するかどうか指定します。

1 スタートメニューから［設定］をクリックして、「設定」画面で［プライバシー］をクリックします。

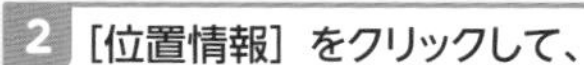

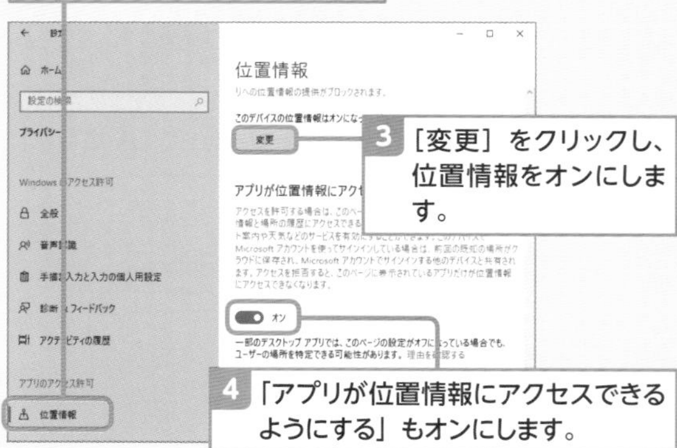

3 ［変更］をクリックし、位置情報をオンにします。
4 「アプリが位置情報にアクセスできるようにする」もオンにします。
位置情報
変更
オン

5 画面の下方で、位置情報の使用を許可するアプリの設定をオンにします。

ホーム
設定の検索
プライバシー
Windows のアクセス許可
全般
音声認識
位置情報
詳しい位置情報にアクセスできるアプリを選ぶ
3D ビューアー オン
Microsoft ニュース オフ
Skype オン

Q457 お役立ち度 ★★★ 基本の設定

日付や時刻を設定し直すには?

A 日付や時刻の自動設定を行います。

タスクバーに表示される日付や時刻が間違っているときは、以下の手順で調整します。[時刻を自動的に設定する] をオンにすると、インターネット経由で自動的に調整されます。[時刻を自動的に設定する]をオフにすると、日付と時刻を手動で調整できます。

1 日付や時刻が表示されているところを右クリックし、

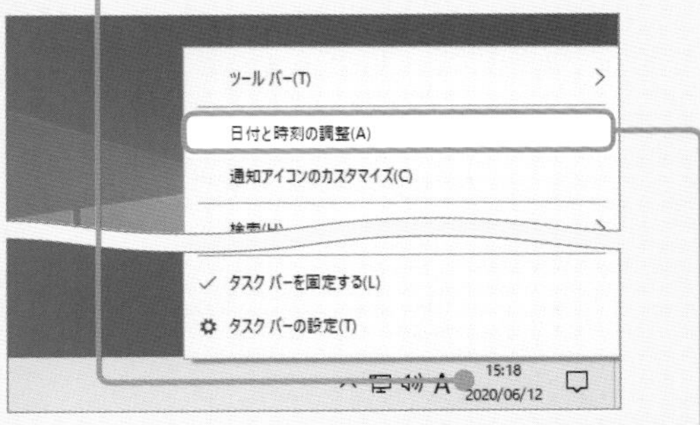

2 [日付と時刻の調整] をクリックします。

3 [日付と時刻] をクリックし、

4 「タイムゾーン」が「大阪、札幌、東京」になっていることを確認し、

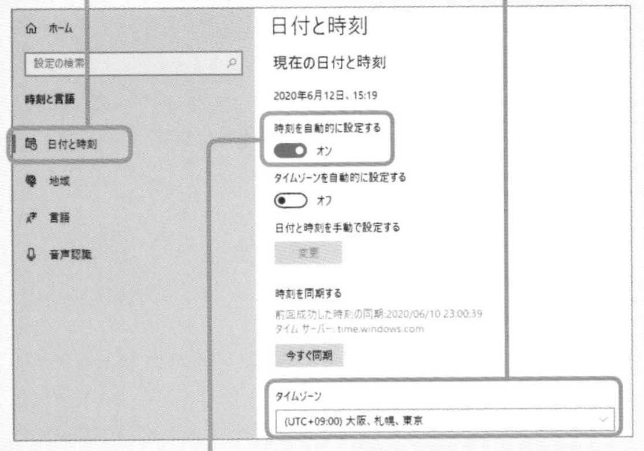

5 [時刻を自動的に設定する] をオンにして、

6 [閉じる] ボタン☒をクリックします。

Q458 お役立ち度 ★★★ スゴわざ 基本の設定

通知メッセージの表示秒数をのばすには?

A 「設定」画面で通知を表示する長さを変更します。

パソコンの操作中に、画面の右下にWindows 10からのメッセージが表示されることがあります。メッセージは、通常5秒間表示されて消える設定になっています。メッセージを見逃すことが多い場合は、表示時間を長く変更して使いましょう。 関連 Q075 通知を減らす

通知が表示される

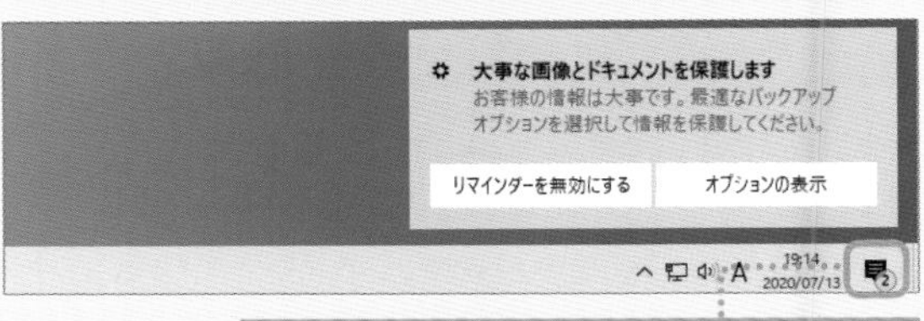

タスクバーの [アクションセンター] を クリックすると、通知内容を確認できます。

通知の表示時間を指定する

1 スタートメニューから [設定] をクリックして、「設定」画面を表示します。

2 [簡単操作] をクリックし、

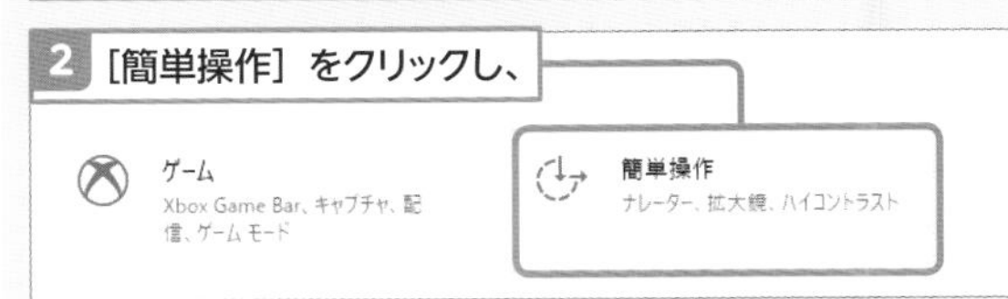

3 [ディスプレイ] をクリックします。

4 [通知を表示する長さ] をクリックして表示する時間を選択します。

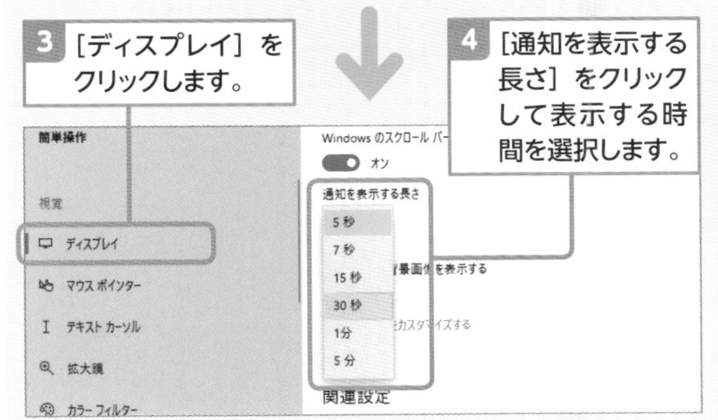

ノートパソコンのディスプレイの明るさを調整するには?

A アクションセンターや「設定」画面で調整します。

ノートパソコンのディスプレイの明るさは、アクションセンターから調整できます。また、「設定」画面で明るさを微調整することも可能です。これらの方法で明るさを調整できない場合や、デスクトップパソコンに接続されているディスプレイでは、ディスプレイの取扱説明書を確認してディスプレイに付いている調整用のボタンを使いましょう。

アクションセンターから調整する

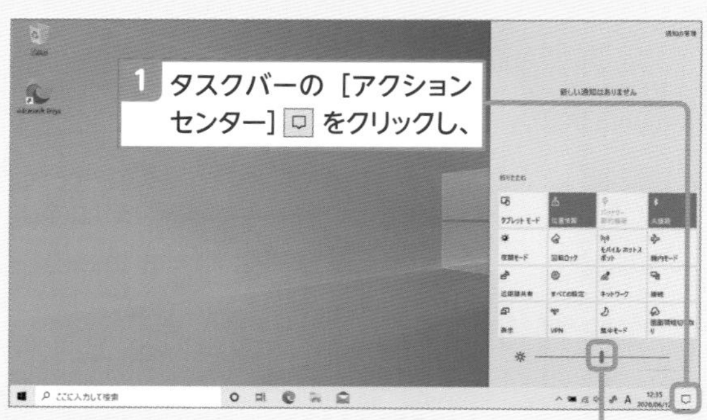

1 タスクバーの［アクションセンター］□ をクリックし、

2 ここをドラッグすると、

3 ディスプレイの明るさが変わります。

「設定」画面から調整する

1 スタートメニューから［設定］⚙ をクリックして、「設定」画面を表示します。

2 ［システム］をクリックし、

3 ［ディスプレイ］をクリックします。

4 「明るさと色」のつまみをドラッグして、明るさを調整します。

おトクな情報 キーボードから明るさを調整

ノートパソコンでは、キーボードから明るさを調整できるものがあります。明るさを調整するキーの場所はノートパソコンの取扱説明書を確認してください。

Q460 お役立ち度 ★★★ 画面の設定

ディスプレイから出るブルーライトを減らすには?

A 「夜間モード」に切り替えましょう。

パソコンのディスプレイから出る**ブルーライト**という強い青い光は、目の疲れの原因になると言われています。ブルーライトを軽減するには、Windows 10で「夜間モード」に切り替える方法があります。[夜間モード]をクリックするたびに、夜間モードのオンとオフが交互に切り替わります。また、「設定」画面の［システム］→［ディスプレイ］でも夜間モードの設定を行えます。

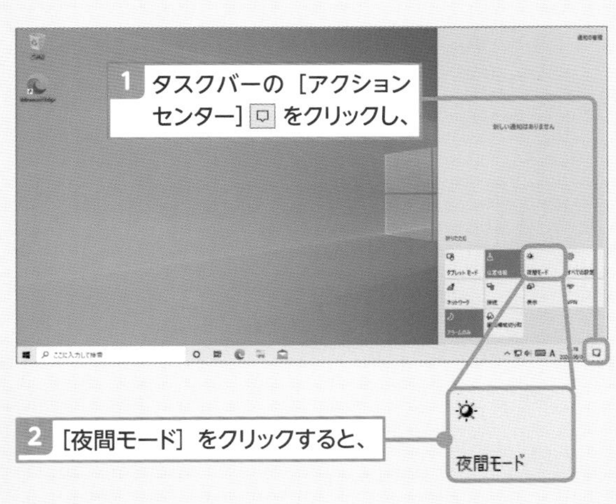

3 夜間モードに切り替わり、画面の色合いが少し変わります。

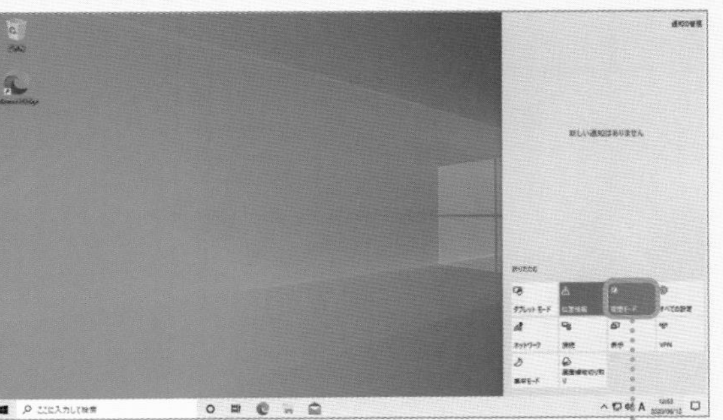

もう一度［夜間モード］をクリックすると、夜間モードがオフになります。

Q461 お役立ち度 ★★★ 画面の設定

暗い車内だとディスプレイが明るすぎてまぶしい!

A アプリの背景色を黒に変更しましょう。

暗い車内などでパソコンを使用すると、ディスプレイが明るすぎてまぶしいときがあります。以下の操作で色を変更してからWindows 10のアプリを開くと、ウィンドウの背景が黒く表示されます。

1 スタートメニューから［設定］をクリックして、「設定」画面で［個人用設定］をクリックします。

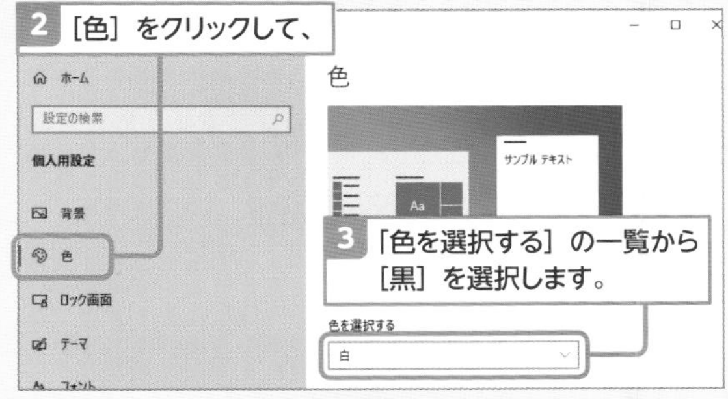

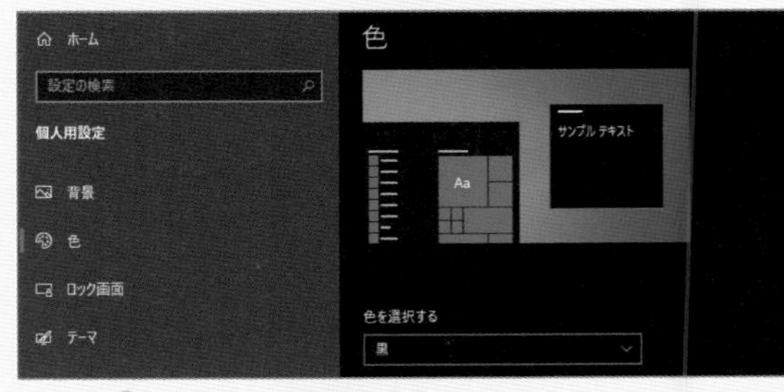

4 ウィンドウの背景が黒くなります。

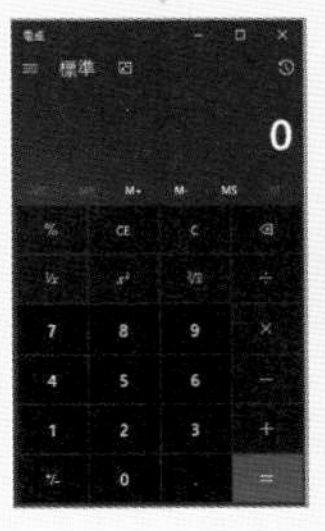

5 アプリ（ここでは「電卓」）を起動すると、アプリ画面の背景も黒に変わったことがわかります。

Q462 お役立ち度 ★★★ 画面の設定

画面デザインを変更するには?

A 用意されている「テーマ」を変更します。

Windows 10のデスクトップに表示されるデザイン全体を変更するには「**テーマ**」機能を使います。テーマとは、デスクトップの背景画像と色、サウンドなどがセットになったものです。手動で1つずつ変更することもできますが、用意されているテーマを使うと、クリックするだけでデスクトップの雰囲気ががらりと変わります。

1 スタートメニューから［設定］をクリックして、「設定」画面で［個人用設定］をクリックします。

2 ［テーマ］をクリックし、

3 変更したいテーマをクリックすると、

4 デスクトップのテーマが変更されます。テーマに合わせてスタートメニューのアイコンの色なども変更されます。

Q463 お役立ち度 ★★★ 画面の設定

画面デザインの色合いを変更するには?

A 「個人用設定」の「色」を変更します。

Q462の「テーマ」を適用すると、背景画像やスタートメニューの色合い、サウンドなどがまとめて変更されます。背景画像は今のままで色合いだけを変えたいときは、「個人用設定」の「色」を変更しましょう。色を変更すると、スタートメニューのアイコンやタイルなど、画面デザインの色合いが変わります。

1 スタートメニューから［設定］をクリックして、「設定」画面で［個人用設定］をクリックします。

2 ［色］をクリックし、

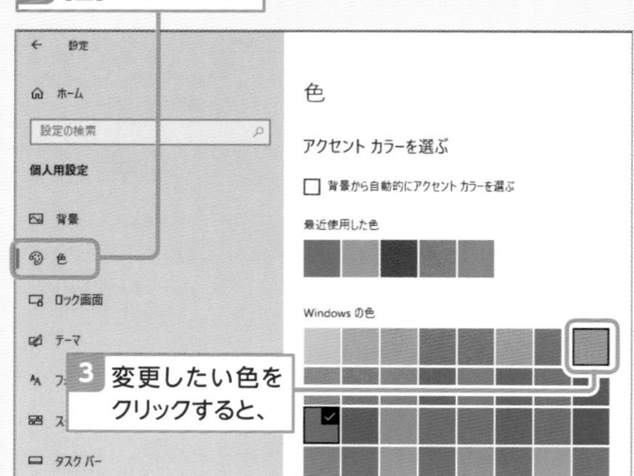

3 変更したい色をクリックすると、

4 スタートメニューのアイコンやタイルなどの色合いが変更されます。

Windows 10 の最初の色に戻すには、Q462 の操作で「Windows」のテーマを設定します。

Q464 お役立ち度 ★★★ 画面の設定

画面の解像度を変更するには?

A 「設定」画面で「ディスプレイ」の「解像度」を変更します。

解像度とは画面のきめ細かさを示すもので、数値が大きいほど画面がきめ細かにきれいに見え、デスクトップ上の作業スペースが広くなります。たとえば、画面の解像度が「1366×768」ならば、横に1366、縦に768の点（画素、ドット、ピクセル）があるということです。通常は、ディスプレイに最適な解像度が設定されていますが、後から変更して使うこともできます。

1 スタートメニューから［設定］⚙ をクリックして、「設定」画面で［システム］をクリックします。

2 ［ディスプレイ］をクリックし、

3 ［ディスプレイの解像度］をクリックして、変更後の解像度（ここでは［1024×768］）をクリックすると、

4 画面の解像度が変更されます。

Q465 お役立ち度 ★★★ 画面の設定

デスクトップの背景にお気に入りの写真を表示するには?

A 写真を「デスクトップの背景として設定」します。

デスクトップの背景画像には、自分が撮影した写真やお気に入りの画像を設定できます。背景に表示したい写真をパソコンに保存しておけば、写真を右クリックして表示されるメニューから［デスクトップの背景として設定］を選ぶだけで設定できます。背景画像を変更すると、デスクトップのテーマのうち背景画像だけが変わります。

1 デスクトップの背景にする写真ファイルを右クリックし、

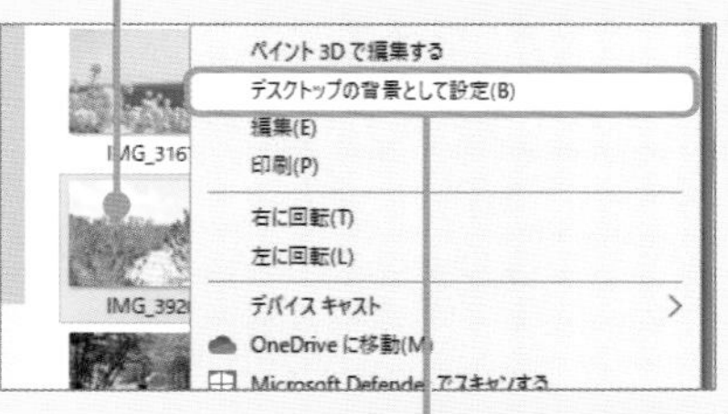

2 ［デスクトップの背景として設定］をクリックします。

3 デスクトップの背景に指定した写真が表示されます。

おトクな情報 デスクトップの背景画像を元の状態に戻すには

デスクトップ画面の画像を元の状態に戻すには、「設定」画面を表示し、［個人用設定］→［背景］をクリックし、背景の画像一覧から元の画像をクリックします。

Q466 お役立ち度 ★★★ 画面の設定

デスクトップに写真をスライドショーで表示するには?

A 「背景」の設定を「スライドショー」にします。

デスクトップの背景にお気に入りの写真が次々と自動的に表示されるようにするには、「背景」の設定を「スライドショー」に変更します。すると、指定したフォルダーに保存されている写真がスライドショーとして表示されます。初期設定では30分ごとに背景写真が切り替わりますが、切り替わる間隔は自由に変更できます。

1 スタートメニューから［設定］⚙をクリックして、「設定」画面で［個人用設定］をクリックします。

2 ［背景］をクリックして、

3 「背景」から［スライドショー］をクリックします。

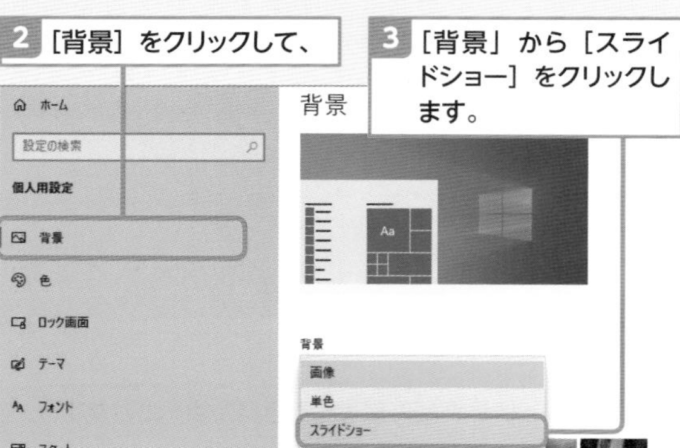

4 スライドショーで使用する画像が保存されたフォルダーを指定し、

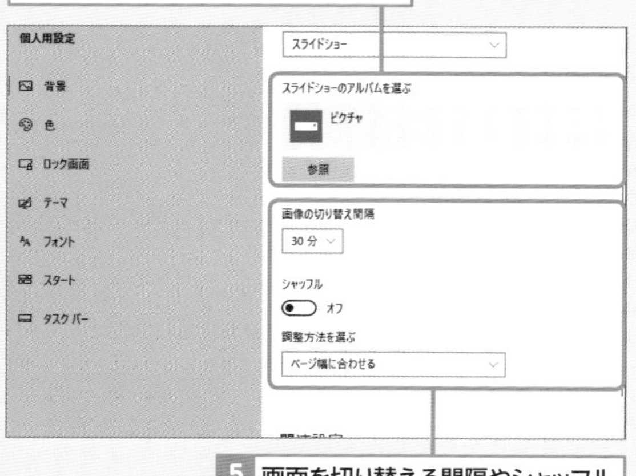

5 画面を切り替える間隔やシャッフルなどを指定します。

Q467 お役立ち度 ★★★ スゴわざ 画面の設定

画面の文字の一部を拡大して見るには?

A 「拡大鏡」アプリを使いましょう。

画面の一部を拡大して見るには、「**拡大鏡**」アプリを使うと便利です。拡大鏡はレンズ表示（Ctrl ＋ Alt ＋ L キー）と全画面表示（Ctrl ＋ Alt ＋ F キー）で利用できます。また、拡大鏡を使用中に文字を選択してから「拡大鏡」アプリの［▶］をクリックすると、文字の読み上げ機能を使うこともできます。 関連 Q047 文字の拡大

1 スタートメニューから［Windows簡単操作］をクリックし、

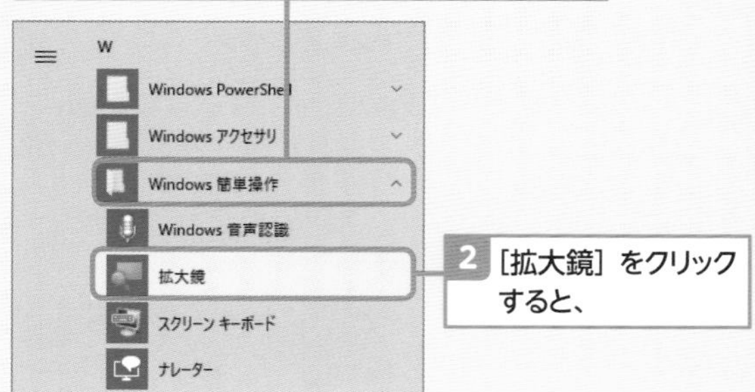

2 ［拡大鏡］をクリックすると、

3 拡大鏡アプリが起動します。

4 マウスポインターの動きに連動して部分的に画面が拡大されます。

拡大鏡を終了するには、⊞ ＋ Esc キーを押します。

Q468 お役立ち度 ★★★ ロック画面／サインイン画面の設定

スクリーンセーバーを設定するには?

A 「ロック画面」の「スクリーンセーバー」を設定します。

スクリーンセーバーとは、キーボードやマウスを一定時間操作しなかったときに自動的に表示される簡単なアニメーションです。たとえば、「3Dテキスト」のスクリーンセーバーを選んで、「席を外しています」の文字を入力すると、パソコンを使っていないときに画面にメッセージを流すことができます。

1 スタートメニューから［設定］をクリックして、「設定」画面で［個人用設定］をクリックします。

2 ［ロック画面］をクリックして、

3 ［スクリーンセーバー設定］をクリックし、

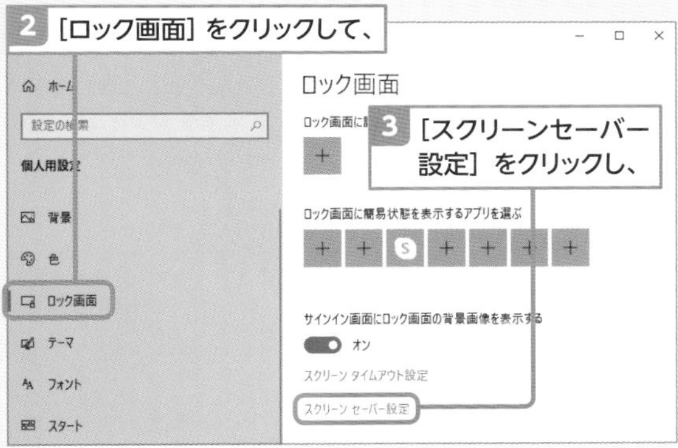

4 ［スクリーンセーバー］をクリックして使いたいものをクリックし、

［設定］をクリックすると、詳細を設定できます。

5 ［OK］をクリックします。

Q469 お役立ち度 ★★★ ロック画面／サインイン画面の設定

ロック画面の画像を変更するには?

A 「設定」画面の「ロック画面」で変更します。

Q023で解説したように、パソコンから離れるときに第三者が操作できない状態にすることを「**ロック**」といいます。ロック画面の画像は後から自由に変更できます。

1 スタートメニューから［設定］をクリックして、「設定」画面で［個人用設定］をクリックします。

2 ［ロック画面］をクリックし、

3 「背景」から［画像］をクリックします。

4 背景に表示する画像をクリックします。

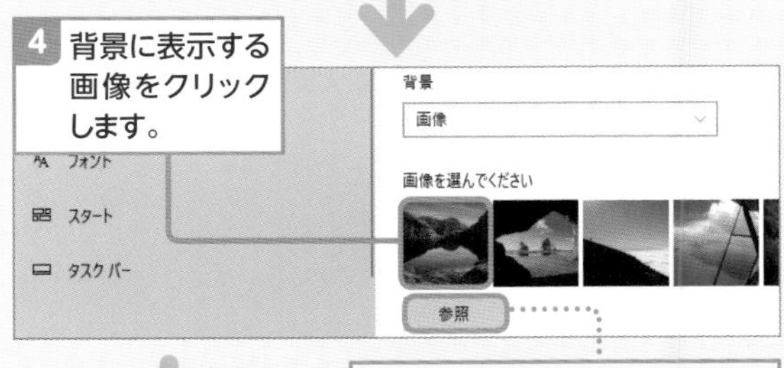

ここから一覧に表示されている以外の画像を選択できます。

5  + L キーを押してロック画面にすると、画像が変更されています。

Q470 お役立ち度 ★★★ スゴわざ　ロック画面／サインイン画面の設定

スリープ状態からのパスワード入力を省略するには？

A 「サインインオプション」画面で設定を変更します。

スリープ状態を解除するとき入力するパスワードを省略するには、「設定」画面で「サインインオプション」を変更します。パスワードを省略すると、素早く元の画面に戻れる利点がありますが、一方で誰でもスリープ状態を解除してパソコンを使用できる状態になります。設定を変更するときは、セキュリティ上問題がないかどうかをじっくり考えましょう。

関連 Q475 スリープ状態に切り替わる時間

1 スタートメニューから［設定］をクリックして、「設定」画面で［アカウント］をクリックします。

2 ［サインインオプション］をクリックし、

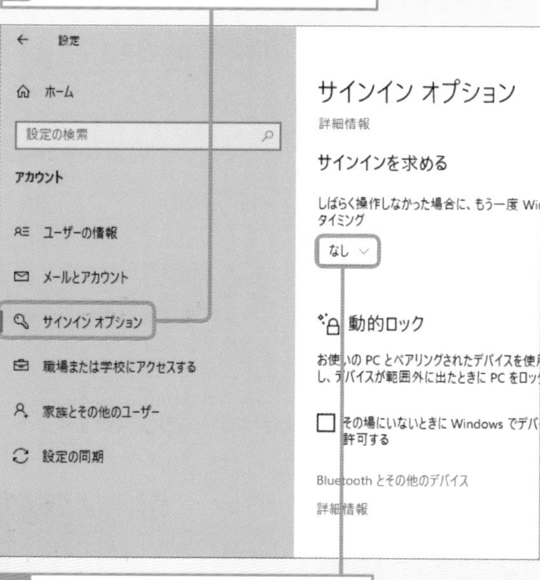

3 「サインインを求める」から［なし］をクリックします。

4 以降は、スリープ状態を解除するときにパスワード入力画面が表示されなくなります。

Q471 お役立ち度 ★★★ スゴわざ　ロック画面／サインイン画面の設定

ロック画面に表示する情報を変更するには？

A 情報を表示するアプリを指定します。

ロック画面には日付と時刻が表示されますが、それ以外にもさまざまなアプリから通知される情報を表示できます。たとえば、ロック画面に天気アプリからの情報を表示する設定にすると、わざわざロック画面を解除しなくても天気情報をチェックできます。どのアプリの情報を表示するかは「設定」画面で指定します。

1 スタートメニューから［設定］をクリックして、「設定」画面で［個人用設定］をクリックします。

2 ［ロック画面］をクリックし、

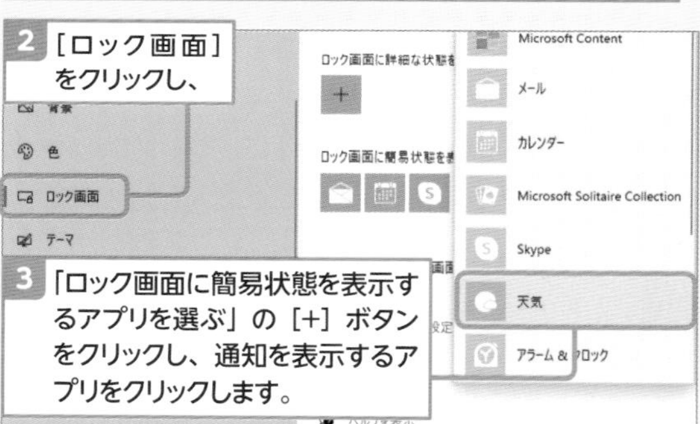

3 「ロック画面に簡易状態を表示するアプリを選ぶ」の［+］ボタンをクリックし、通知を表示するアプリをクリックします。

4 「ロック画面に詳細な状態を表示するアプリを1つ選択します」の［+］アイコンをクリックしてアプリを選びます。

5 ロック画面に、指定したアプリ（ここでは「天気」）の情報が表示されます。

Q472 お役立ち度 ★★★ スゴわざ

ロック画面／サイン イン画面の設定

数字 4 桁の簡単なパスワードでサインインするには?

A 「PIN（ピン）」を設定します。

Windows 10にサインインしたりロック画面を解除したりするときに、毎回複雑なパスワードを入力するのが面倒な場合は、数字を組み合わせた**PIN**を登録してサインインすると便利です。PINは、使用しているパソコンと関連付けられるため、万が一PINを誰かに盗み見られても他のパソコンではPINを利用できません。パソコンさえ手元にあれば、アカウントを乗っ取られる心配はありません。

1 スタートメニューから［設定］⚙をクリックして、「設定」画面で［アカウント］をクリックします。

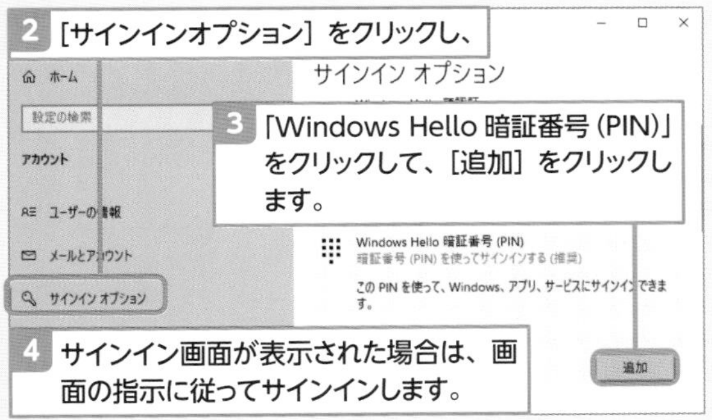

2 ［サインインオプション］をクリックし、

3 「Windows Hello 暗証番号（PIN）」をクリックして、［追加］をクリックします。

4 サインイン画面が表示された場合は、画面の指示に従ってサインインします。

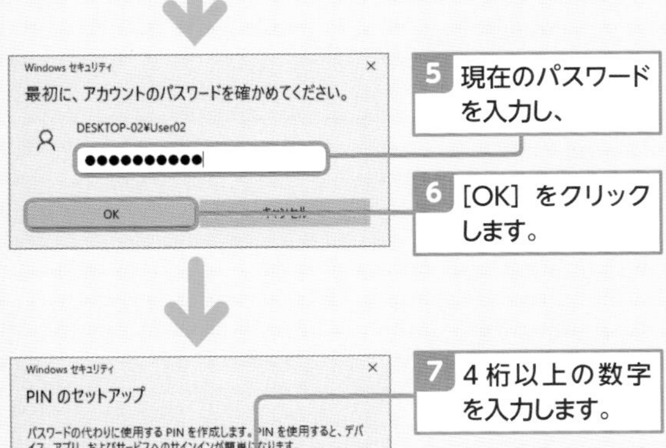

5 現在のパスワードを入力し、

6 ［OK］をクリックします。

7 4 桁以上の数字を入力します。

8 上と同じ数字を入力し、

9 ［OK］をクリックします。

Q473 お役立ち度 ★★★ スゴわざ

ロック画面／サインイン画面の設定

画面を指でなぞってサインインするには?

A 「ピクチャパスワード」を設定します。

画面を指でなぞるだけでWindows 10にサインインしたりロック画面を解除したりできるようにするには、**ピクチャパスワード**を登録します。ピクチャパスワードを使うには、以下の手順であらかじめ画面に表示する画像とどこを指でなぞるかを登録しておきます。ピクチャパスワードは、タッチパネル対応のディスプレイを使用している場合のみ利用できます。

1 スタートメニューから［設定］⚙をクリックして、「設定」画面で［アカウント］をクリックします。

2 ［サインインオプション］をクリックし、

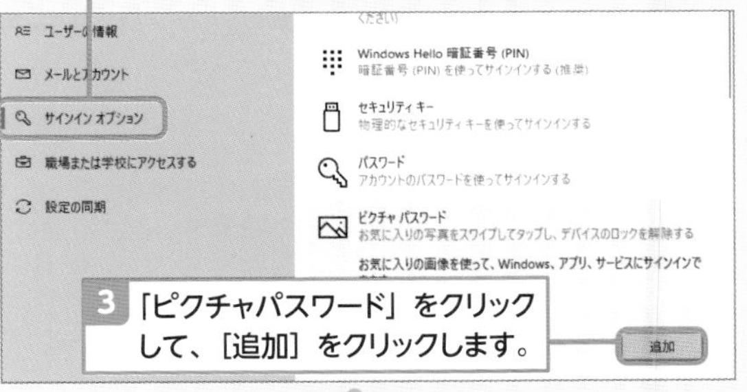

3 「ピクチャパスワード」をクリックして、［追加］をクリックします。

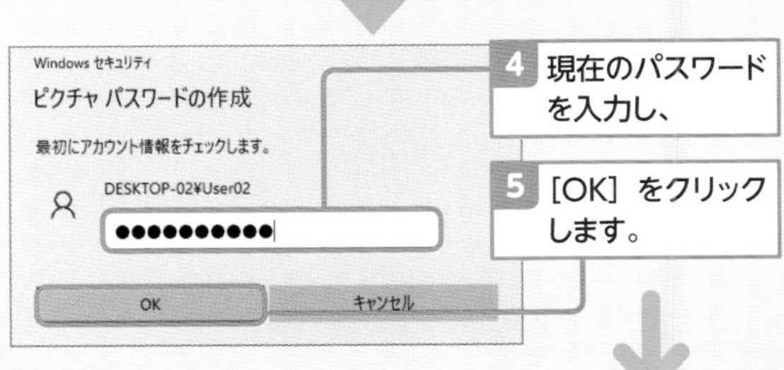

4 現在のパスワードを入力し、

5 ［OK］をクリックします。

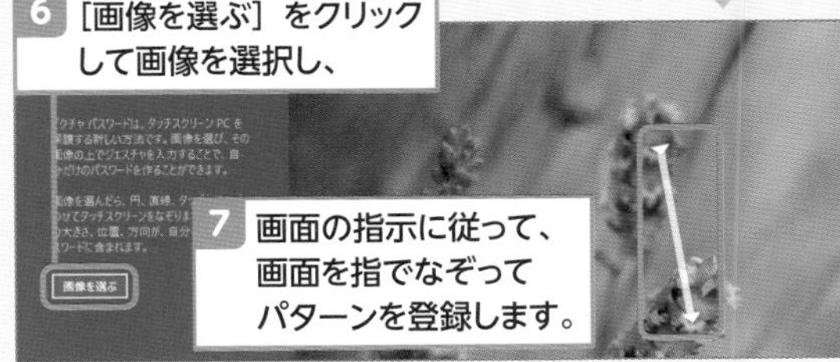

6 ［画像を選ぶ］をクリックして画像を選択し、

7 画面の指示に従って、画面を指でなぞってパターンを登録します。

Q474 お役立ち度 ★★★ スゴわざ 電源／省電力モードの設定

ディスプレイの電源が切れるまでの時間を指定するには?

A 「設定」画面の「電源とスリープ」で指定します。

パソコンの使用を中断してから一定時間経過すると、消費電力を抑えるために自動的にディスプレイの電源をオフにできます。そこで、使用を中断してからどのくらい経過したらディスプレイの電源を切るかを指定します。

1 スタートメニューから［設定］⚙ をクリックして、「設定」画面で［システム］をクリックします。

2 ［電源とスリープ］をクリックし、

3 ［次の時間が経過後、ディスプレイの電源を切る（電源に接続時）］をクリックして、

4 時間をクリックします。

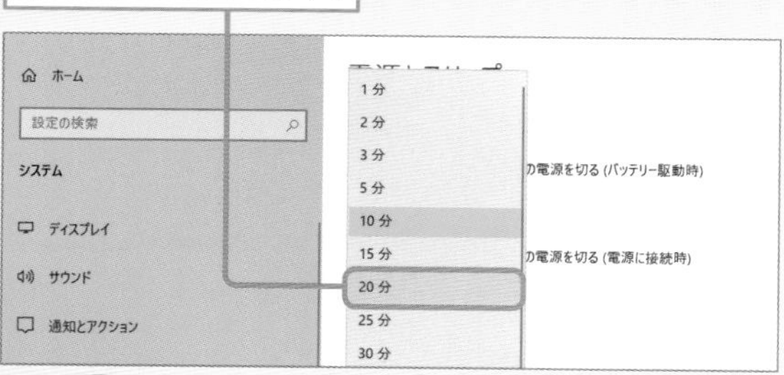

おトクな情報 ノートパソコンの場合

ノートパソコンを出先などで使用する場合は、「電源とスリープ」で［次の時間が経過後、ディスプレイの電源を切る（バッテリー駆動時）］も設定しておきましょう。

Q475 お役立ち度 ★★★ スゴわざ 電源／省電力モードの設定

スリープ状態に切り替わるまでの時間を指定するには?

A 「設定」画面の「電源とスリープ」で指定します。

Q474の操作と同じように、パソコンの使用を中断してから一定時間経過すると、消費電力を抑えるために自動的にスリープ状態（省電力モード）にできます。ここでは、パソコンの使用を中断してからどのくらい経過したら省電力モードに切り替えるかを指定します。

1 スタートメニューから［設定］⚙ をクリックして、「設定」画面で［システム］をクリックします。

2 ［電源とスリープ］をクリックし、

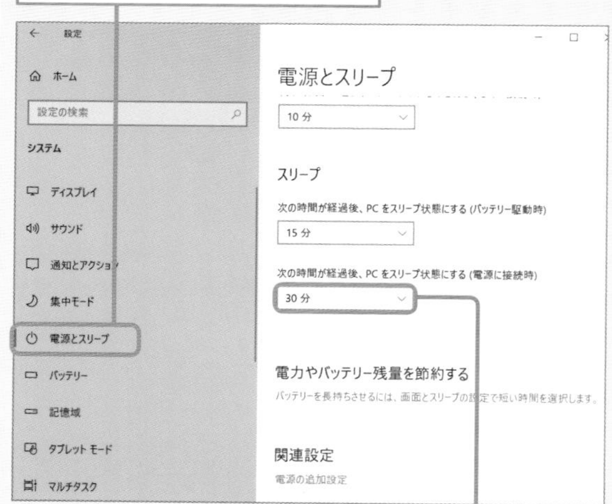

3 ［次の時間が経過後、PC をスリープ状態にする（電源に接続時）］をクリックして、時間をクリックします。

おトクな情報 デスクトップパソコンの場合

デスクトップパソコンでは、Q474 と Q475 の「電源とスリープ」画面に表示される「バッテリー駆動時」の項目は表示されません。

Q476 お役立ち度 ★★★ スゴわざ　電源／省電力モードの設定

パソコンの電源ボタンを押したときの動作を指定するには?

A 電源ボタンの設定を変更します。

最近のデスクトップパソコンでは、Windows 10の起動後に電源ボタンを押すと、自動的にシャットダウンするように設定されています。電源ボタンの設定は「何もしない」「スリープ状態」「休止状態」「シャットダウン」「ディスプレイの電源を切る」の5つの中から指定できます。なお、ノートパソコンでは、ノートパソコンのディスプレイを閉じたときの動作も指定できます。

1 スタートメニューから［設定］をクリックして、「設定」画面で［システム］をクリックします。

2 ［電源とスリープ］をクリックし、

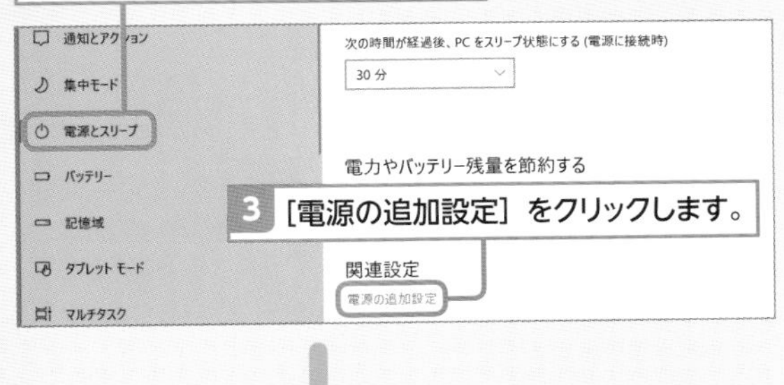

3 ［電源の追加設定］をクリックします。

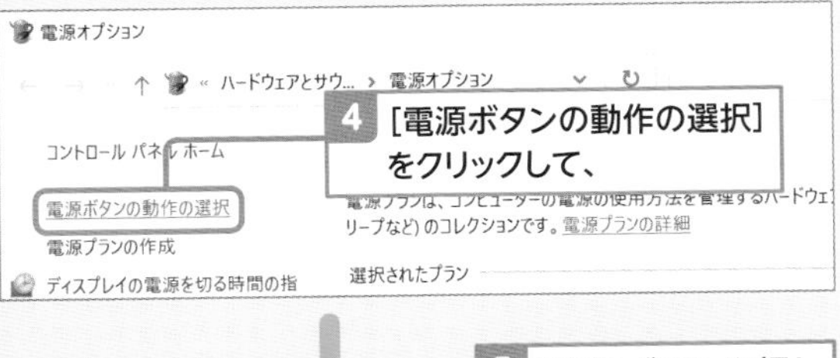

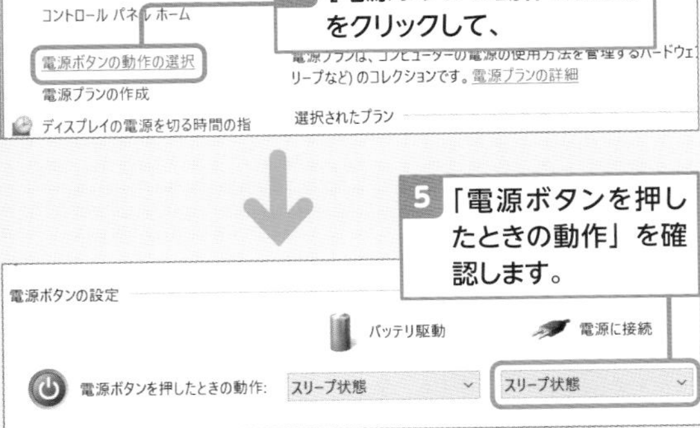

5 「電源ボタンを押したときの動作」を確認します。

蓋のあるノートパソコンの場合は、「カバーを閉じたときの動作」という設定項目が表示され、動作を指定できます。

Q477 お役立ち度 ★★★　電源／省電力モードの設定

「高速スタートアップ」の設定を変更するには?

A 「シャットダウン設定」を変更します。

高速スタートアップ（Q025）の設定は既定で有効になっていますが、状況に応じて変更することもできます。やり方は、管理者ユーザー（Q502）でサインインした状態で、以下の方法で行います。なお、通常は高速スタートアップの設定は有効のままでよいでしょう。パソコンのシャットダウン後にハードウェア構成が変更される場合など、システムの状態を引き継ぐことが不具合の原因になると考えられるときに、それを解消するための方法のひとつと考えてください。

1 Q476の手順1～4の操作で、電源ボタンの動作の設定画面を表示します。

2 ［現在利用可能ではない設定を変更します］をクリックすると、

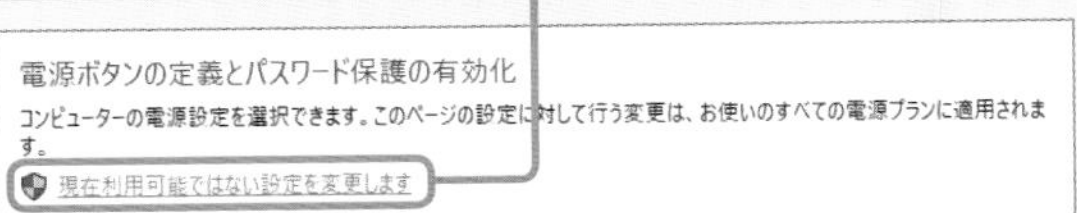

3 「シャットダウン設定」のチェックボックスが変更可能になります。

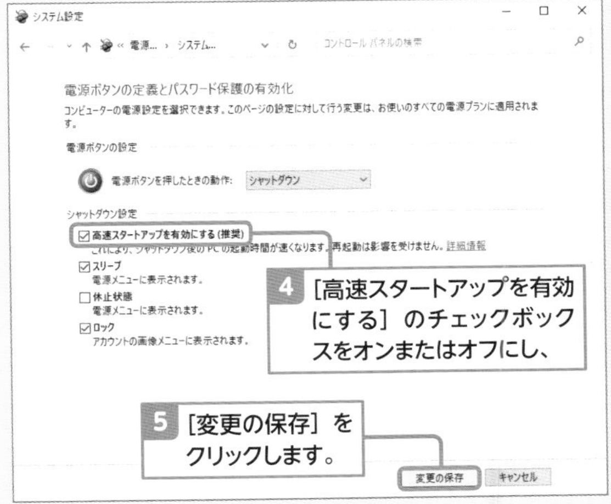

4 ［高速スタートアップを有効にする］のチェックボックスをオンまたはオフにし、
5 ［変更の保存］をクリックします。

Q478 お役立ち度 ★★★ スゴわざ 電源／省電力モードの設定

バッテリーの節約機能を使うには?

A バッテリーの残量が何%になったらオンにするか指定します。

外出先でノートパソコンのバッテリーの残量が少なくなると心配です。**バッテリー節約機能**を使うと、バッテリーの残量が少なくなったときに、バックグラウンドで動作する内容を制限したり画面の明るさを下げたりして消費電量を抑えることができます。ここでは、バッテリーの残量が何%になったらバッテリー節約機能に切り替えるかを指定します。

タスクバーからバッテリー節約機能の状態を表示する方法も覚えておくと便利です。

設定を確認する

1 スタートメニューから［設定］⚙ をクリックして、「設定」画面で［システム］をクリックします。

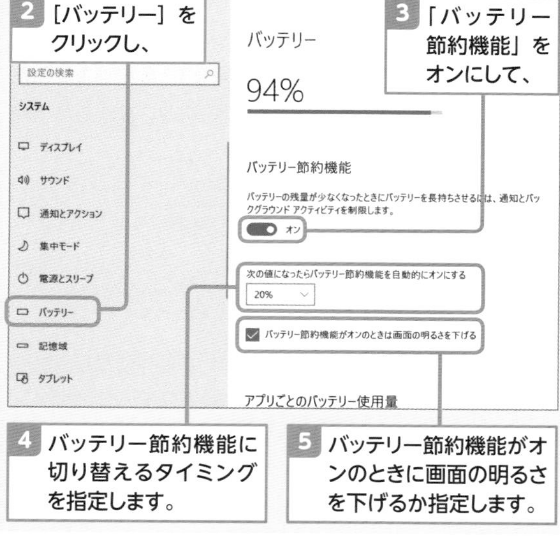

現在の状態を確認する

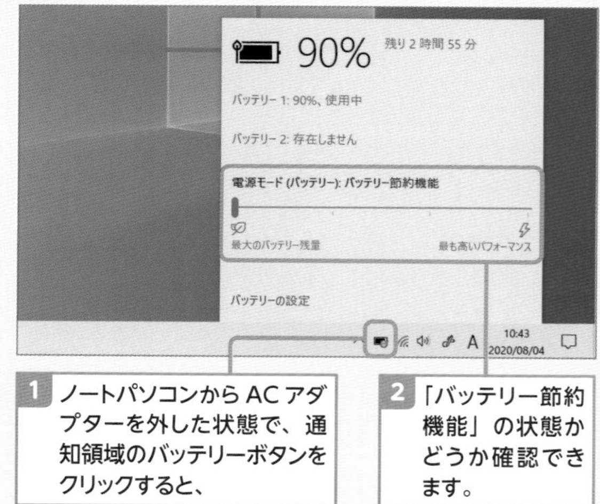

Q479 お役立ち度 ★★★ スゴわざ 電源／省電力モードの設定

ノートパソコンの消費電力をなるべく抑えたい!

A バックグラウンドでアプリを実行するかどうかを指定します。

パソコンの消費電力を抑える対策のひとつに、アプリのバックグラウンドでの実行を許可するかを指定する方法があります。これは、使用していないアプリがバックグラウンドで情報の受信や通知などの処理を実行しないように指定する機能です。アプリごとに指定できるので、ノートパソコンの消費電力をなるべく抑えたいときは、使わないアプリはオフにしておくとよいでしょう。

1 スタートメニューから［設定］⚙ をクリックして、「設定」画面で［プライバシー］をクリックします。

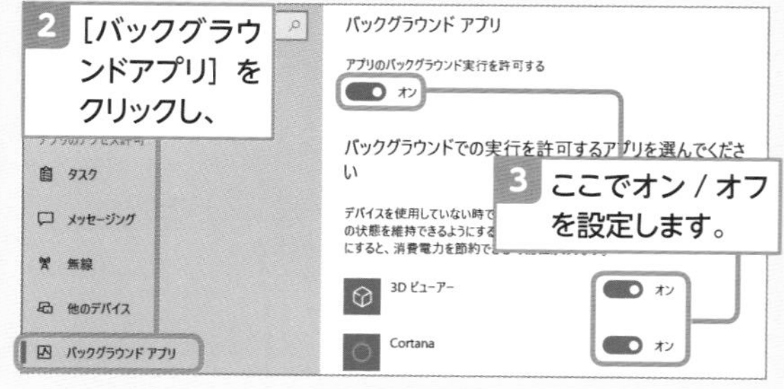

Q480

お役立ち度 ★★★ スゴわざ

マウスやタッチパネルの設定

マウスの矢印を大きく表示するには?

A 「マウスポインター」の設定画面で指定できます。

ワイドディスプレイや解像度の高いディスプレイにはたくさんの情報が表示できるので、マウスポインターが今どこにあるのか探しにくくなる場合があります。このようなときは、「マウスポインター」の設定画面でマウスポインターの矢印を大きくして目立たせるとよいでしょう。

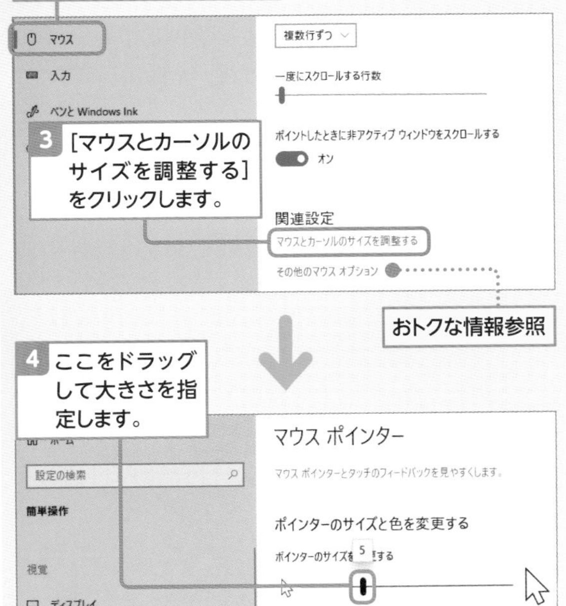

おトクな情報　マウスポインターのデザインを変更する

手順 2 の後で［その他のマウスオプション］をクリックすると、「マウスのプロパティ」画面が表示されます。［ポインター］タブでマウスポインターのデザインを指定できます。

Q481

お役立ち度 ★★★ スゴわざ

マウスやタッチパネルの設定

マウスを左利き用にするには?

A マウスの［主に使用するボタン］を指定します。

Windows 10の初期設定では、マウスが右利き用として設定されているため、左ボタンで選択したり実行したりしますが、これを左利き用に変更できます。マウスを左利き用にすると、何かを選択したりドラッグしたりするときにマウスの右ボタンが使えるようになります。反対に、通常は右クリックで表示するショートカットメニューの表示は左クリックになります。

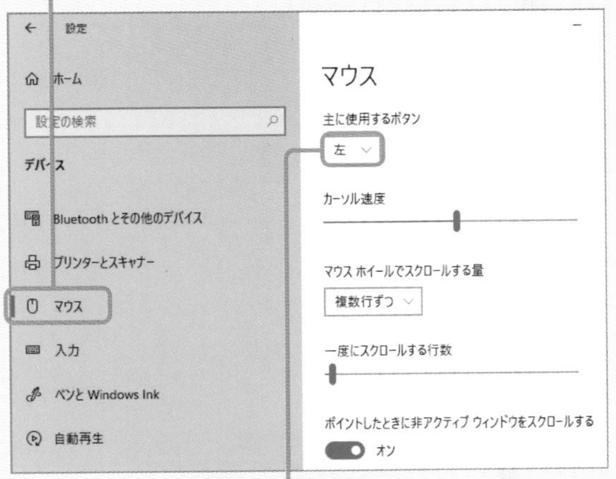

おトクな情報　マウスが左利き用の製品の場合

マウスそのものが左利き用として開発された製品もあります。その場合は、Windows 10 で左利き用の設定をする必要はありません。

Q482 お役立ち度 ★★★ スゴわざ　マウスやタッチパネルの設定

マウスで一度にスクロールする量を調整するには?

A マウスの［一度にスクロールする行数］を指定します。

マウスのホイールを回転させたときに、どのくらいの量をスクロールするか指定できます。右の手順で操作します。

1 スタートメニューから［設定］をクリックして、「設定」画面で［デバイス］をクリックします。

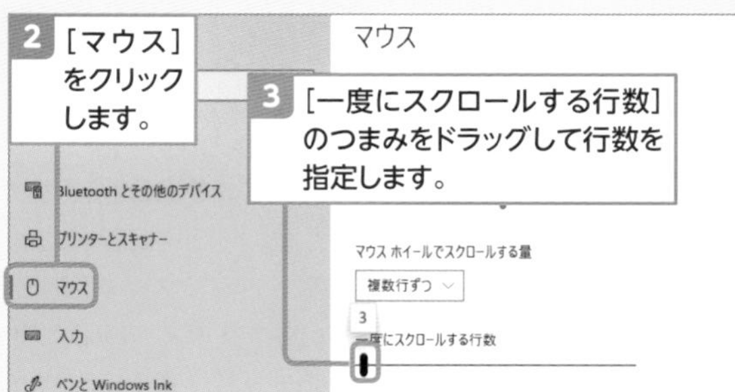

Q483 お役立ち度 ★★★ スゴわざ　マウスやタッチパネルの設定

ダブルクリックの速度を調整するには?

A 「マウスのプロパティ」画面で「ダブルクリックの速度」を変更します。

ダブルクリックの操作が苦手だったり、ダブルクリックをしても正しくダブルクリックと認識されなかったりするときは、「マウスのプロパティ」画面で「ダブルクリックの速度」を「遅く」に変更します。すると、マウスのボタンをゆっくり2回押したときもダブルクリックと認識されるようになります。

1 Q480 の手順1～2の操作で「マウス」の設定画面を開き、［その他のマウスオプション］をクリックして「マウスのプロパティ」画面を開きます。

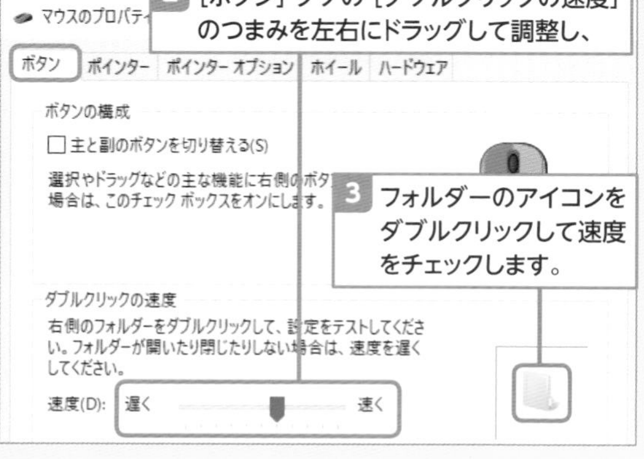

Q484 お役立ち度 ★★★ スゴわざ　マウスやタッチパネルの設定

マウスの矢印が速く（遅く）動くようにするには?

A マウスの［カーソル速度］を指定します。

マウスを素早く動かすと、マウスポインターがどこにあるのか見失うときがあります。マウスポインターの速度が速すぎるときは、「マウス」の設定画面で「カーソル速度」を指定します。数値を大きくすると、マウスの矢印の動きが速くなります。自分が使いやすい速さになるようにいろいろな速度を試してみるとよいでしょう。

1 スタートメニューから［設定］をクリックして、「設定」画面で［デバイス］をクリックします。

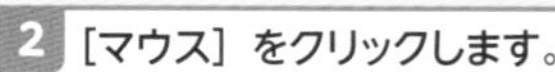

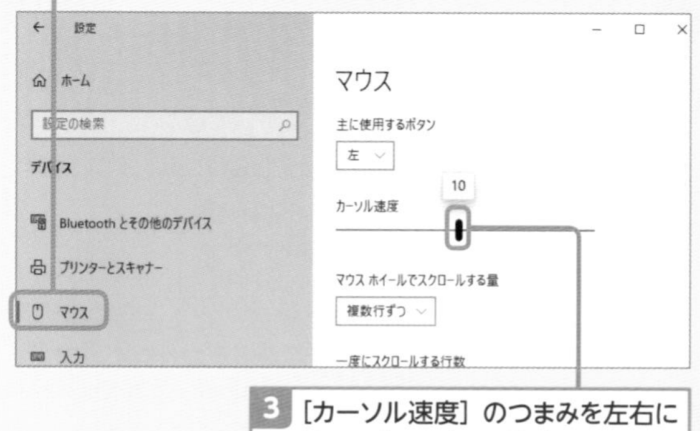

Q485

お役立ち度 ★★★ スゴわざ

マウスやタッチパネルの設定

マウスの矢印の軌跡を表示するには?

A 「マウスのプロパティ」画面で「ポインターの軌跡を表示する」をオンにします。

マウスポインターの動きが見づらかったり矢印を追うのに苦労したりするときは、矢印の動きの軌跡を表示してみるのもひとつの方法です。軌跡を長くすると、マウスの動きに合わせてマウスポインターの分身のようなものがたくさん表示されます。ただし、その分マウスポインターの動きが遅くなります。

1 Q480 の手順 1 〜 2 の操作で「マウス」の設定画面を開き、[その他のマウスオプション] をクリックして「マウスのプロパティ」画面を開きます。

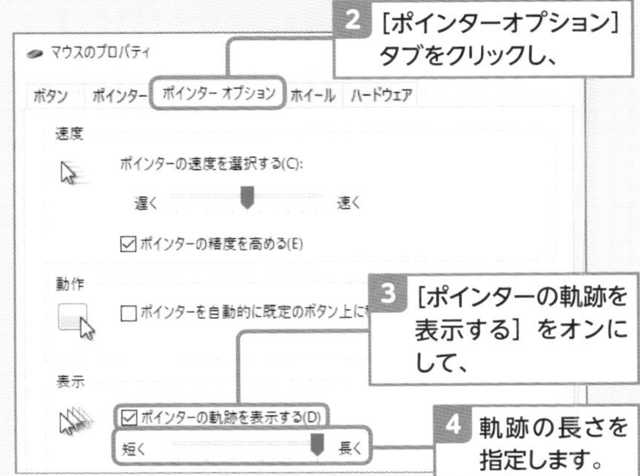

Q486

お役立ち度 ★★★ スゴわざ

マウスやタッチパネルの設定

タッチパネルでダブルタップの速度を調整するには?

A 「ペンとタッチ」画面で「スピード」を変更します。

タッチパネル対応のディスプレイで、トントンと2回連続して画面をタップしてもダブルタップと認識されないときは、「ペンとタッチ」画面で「スピード」を「遅く」に変更します。すると、ゆっくり2回タップしたときもダブルタップと認識されるようになります。

1 Q450 の操作でコントロールパネルを開き、[ハードウェアとサウンド] をクリックします。

2 [タッチ入力設定の変更] をクリックし、

ペンとタッチ
タブレット ペン設定の変更　フリックの有効化または無効化　特定の操作を実
タッチ入力設定の変更
タブレット PC 設定

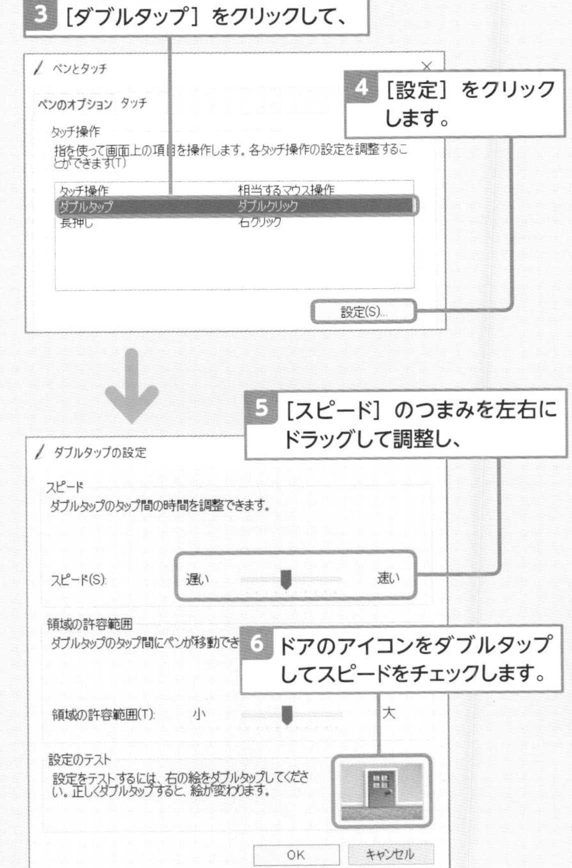

タッチパネルで長押し操作の時間を調整するには?

A [右クリックモードのアクティブ化] のつまみをドラッグします。

タッチパネル対応のディスプレイを長押しすると右クリックと認識されますが、長押ししたときに右クリックと認識されるまでが長く感じる場合は、速度を調整しましょう。

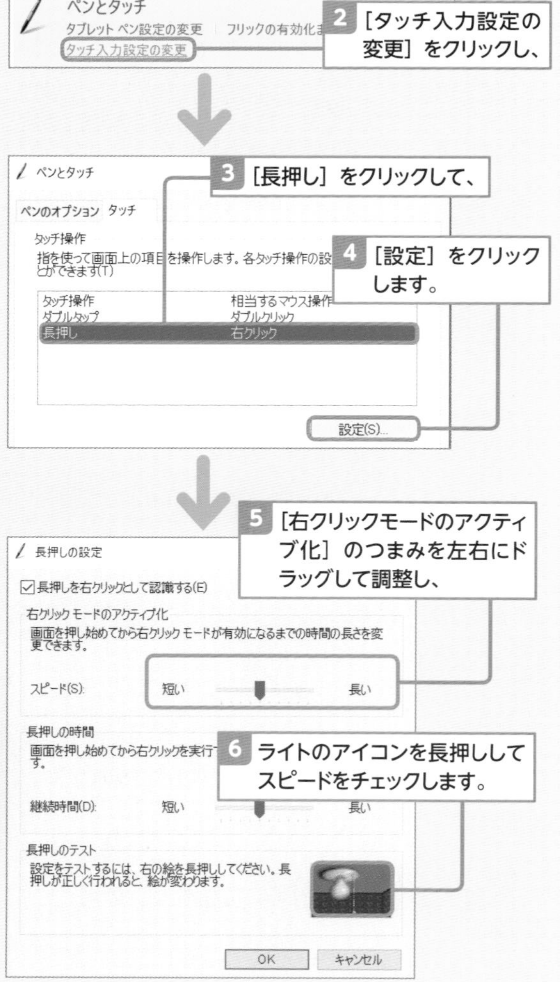

Q488 お役立ち度 ★★★ スゴわざ マウスや タッチパネルの設定

タッチパネルでタッチの位置補正を行うには?

A [ペン入力またはタッチ入力に合わせた画面の調整] から設定します。

タッチパネル対応のディスプレイで画面をタップしてパソコンを操作しているときに、画面をタップしてもタッチした箇所とずれるなどの違和感を感じるときは、画面の位置を調整してみるとよいでしょう。

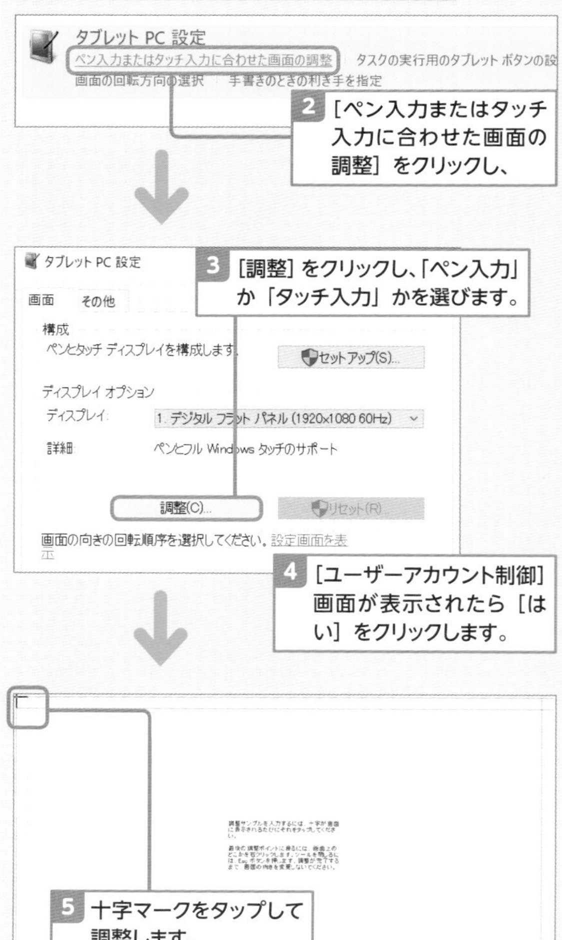

Q489 お役立ち度 ★★★ Microsoft アカウントの設定

Microsoft アカウントで何ができるの？

A Microsoft アカウントを取得すると、次のようなことができます。

Microsoftアカウントは、マイクロソフトが提供するさまざまなサービスを利用するためのもので、無料で取得できます。Microsoftアカウントがあると、Windows 10の利用範囲が広がります。

Windows 10 のアカウントとして利用できる

Windows 10は、「ローカルアカウント」または「Microsoftアカウント」を使用してサインインします。Microsoftアカウントがあれば、ローカルアカウントを作成しなくてもパソコンを使用できます。

さまざまなアプリを使用できる

Windows 10には最初からたくさんのアプリが入っていますが、アプリの中にはMicrosoftアカウントでサインインしていないと使えないものもあります。また、Microsoftアカウントを取得していると、Microsoft Storeからアプリをインストールして追加できます。

メールアドレスがもらえる

Microsoftアカウントは、既存のメールアドレスを使って登録することもできますが、その場で新規のメールアドレスを取得して登録することもできます。Windows 10にMicrosoftアカウントでサインインしていると、「メール」アプリを起動したときに自動的にMicrosoftアカウントとして登録したメールのアカウントが追加されます。

OneDrive を使用できる

Microsoftアカウントを取得すると、OneDriveというWeb上の保存先を使用できます。既定では、5GBの容量を使用できるので、写真や動画などもたっぷり保存できます。また、OneDriveを介して外出先のパソコンやスマートフォン、タブレット端末からファイルを表示したり編集したりできます。

Skype のアカウントとして利用できる

Microsoftアカウントを取得すると、Skypeにサインインしてテレビ電話を利用できます。

Q490 お役立ち度 ★★★ Microsoft アカウントの設定

ローカルアカウントと Microsoft アカウントの違いは何？

A 利用できる機能に違いがあります。

Windows 10にローカルアカウントでサインインしている状態と、Microsoftアカウントでサインインしている状態とでは、操作できる内容に違いがあります。

■ローカルアカウントと Microsoft アカウントの違い

形式	ローカルアカウント	Microsoftアカウント
アプリの使用	Microsoft Store やカレンダーアプリ、People アプリなど、一部のアプリの使用が制限されます。	制限なく使用できます。
OneDrive	使用できません。	使用できます。
サインイン	ローカルアカウントが設定してあるパソコンにだけサインインできます。	複数のパソコンに同じ Microsoft アカウントでサインインできます。

Microsoft アカウントを作りたい!

A Web 上で取得できます。

新しくMicrosoftアカウントを作成するには、Web上のMicrosoftアカウントの作成ページにアクセスします。メールアドレスやパスワードの入力など、画面に表示される質問に答えるだけで作成できます。既存のメールアドレスを使ってMicrosoftアカウントを作成することもできますが、ここでは、新規にメールアドレスを取得する方法でMicrosoftアカウントを作成してみます。

1 ブラウザーを起動し、「https://signup.live.com/」にアクセスします。

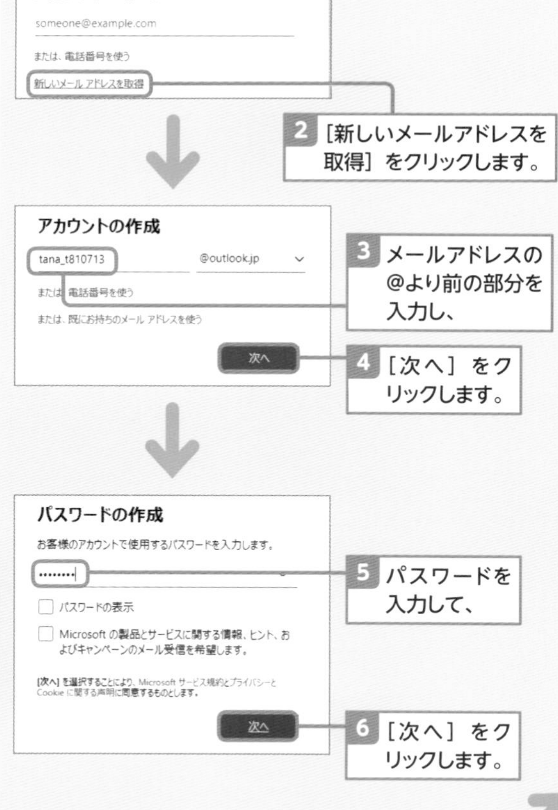

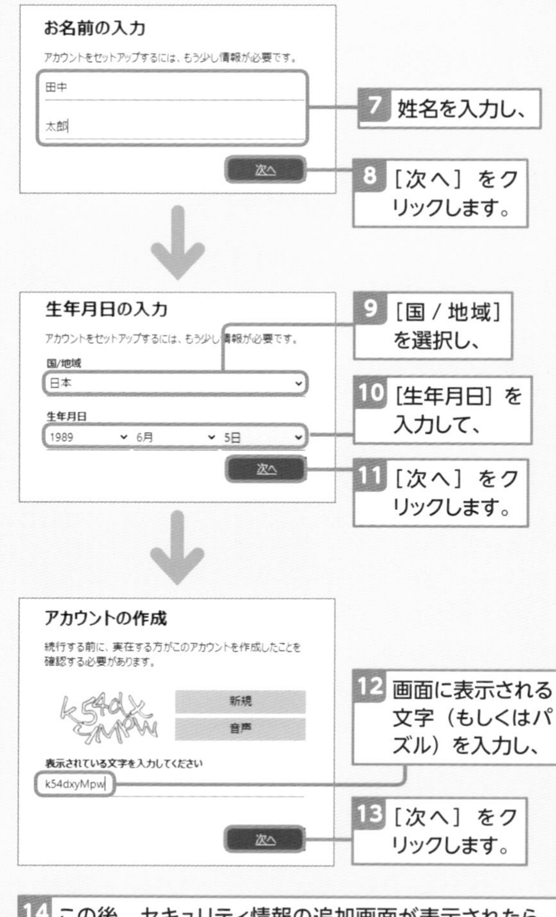

14 この後、セキュリティ情報の追加画面が表示されたら、SMS でアクセスコードを受け取れる電話番号を入力します。画面の指示に従って、SMS で送られてきたアクセスコードを入力して画面を進めます。

15 Microsoft アカウントが作成され、マイページが表示されます。

Q492 お役立ち度 ★★★ Microsoft アカウントの設定

Microsoft アカウントがなくても Windows 10 は使えるの?

A ローカルアカウントで使用できます。

Microsoftアカウントがなくても、ローカルアカウントでWindows 10を使用できます。
ローカルアカウントとは、個人を識別するためにユーザー名とパスワードを組み合わせたもので、そのパソコンだけで使う固有のものです。ローカルアカウントでもWindows 10の多くの機能を使うことができますが、中にはMicrosoftアカウントでサインインしないと使えないサービスもあります。

Q493 お役立ち度 ★★★ Microsoft アカウントの設定

自分が Microsoft アカウントでサインインしているか知りたい!

A 「ユーザーの情報」画面で確認できます。

Windows 10にMicrosoftアカウントとローカルアカウントのどちらでサインインしているのかは、「設定」画面の「ユーザーの情報」で確認できます。Microsoftアカウントでサインインしていると、ユーザー名とパスワードの他にメールアドレスが表示されます。

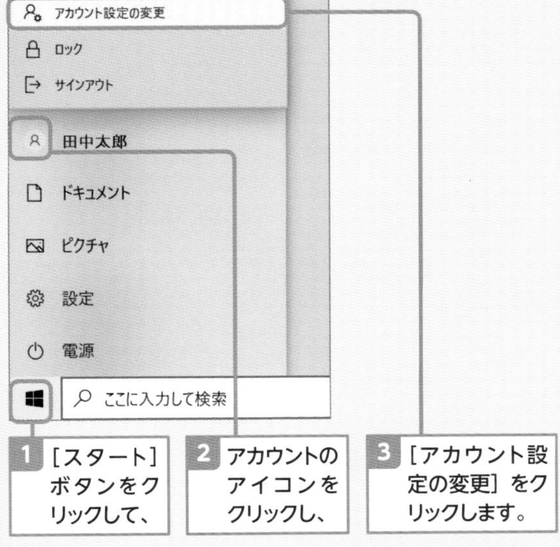

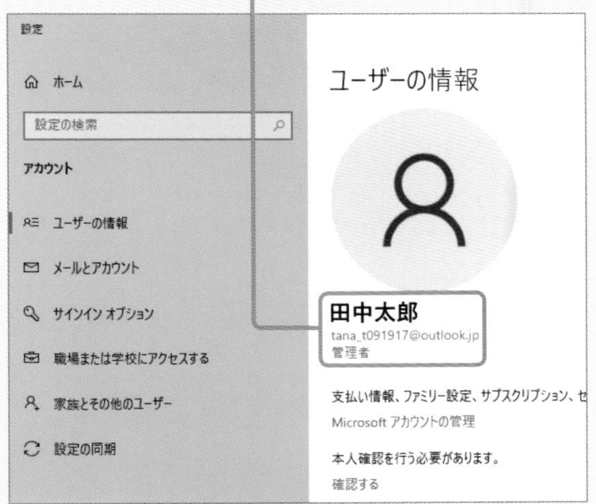

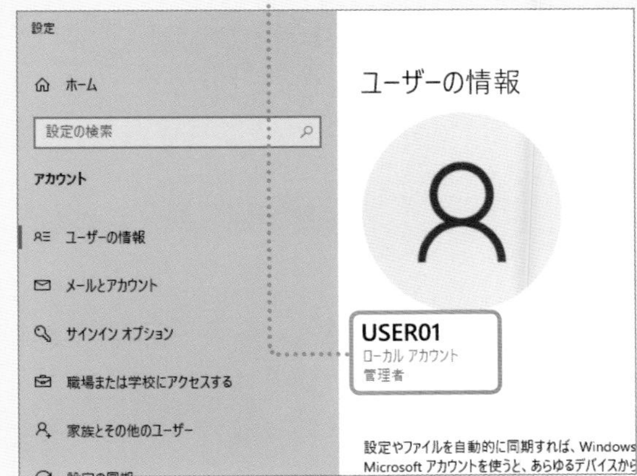

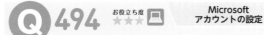

Q494 お役立ち度 ★★★ Microsoft アカウントの設定

アカウントの画像を設定するには?

A 「ユーザーの情報」で画像を指定します。

ローカルアカウントやMicrosoftアカウントに画像を設定すると、サインイン画面などに表示されるアカウントの画像が変わります。画像を設定しなくてもかまいませんが、自分の好きな画像を設定しておくと、自分のアカウントであることがわかりやすくなります。ローカルアカウントとMicrosoftアカウントの画像は、どちらかを設定するともう一方にも同じ画像が反映され、Microsoftアカウントの管理画面などに表示されるプロフィール画像も連動して変わります。ここでは、Microsoftアカウントの画像を変更してみます。

1 スタートメニューから［設定］ をクリックして、「設定」画面で［アカウント］をクリックします。

2 ［ユーザーの情報］をクリックして、

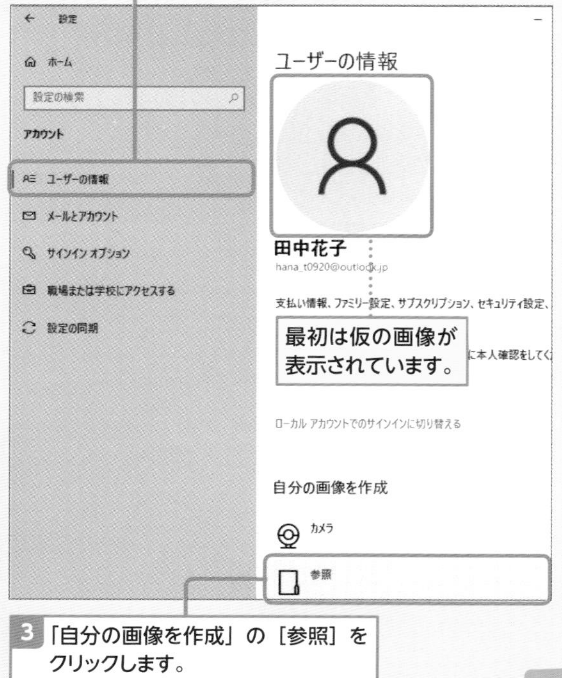

3 「自分の画像を作成」の［参照］をクリックします。

4 画像をクリックし、

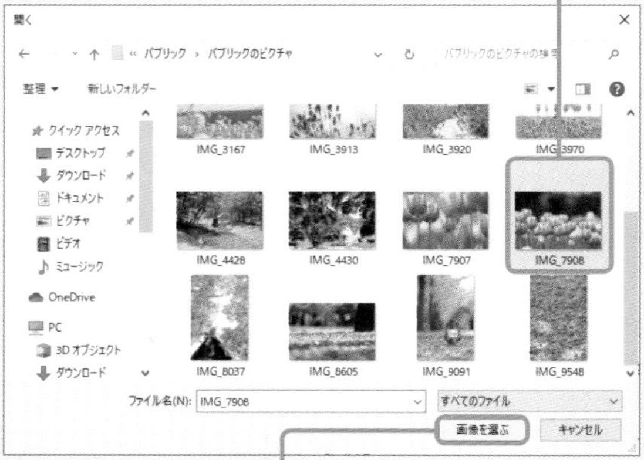

開く
パブリック › パブリックのピクチャ
整理 新しいフォルダー
クイック アクセス
デスクトップ
ダウンロード
ドキュメント
ピクチャ
ビデオ
ミュージック
OneDrive
PC
3D オブジェクト
ダウンロード
IMG_3167 IMG_3913 IMG_3920 IMG_3970
IMG_4428 IMG_4430 IMG_7907 IMG_7908
IMG_8037 IMG_8605 IMG_9091 IMG_9548
ファイル名(N): IMG_7908 すべてのファイル
画像を選ぶ キャンセル

5 ［画像を選ぶ］をクリックすると、

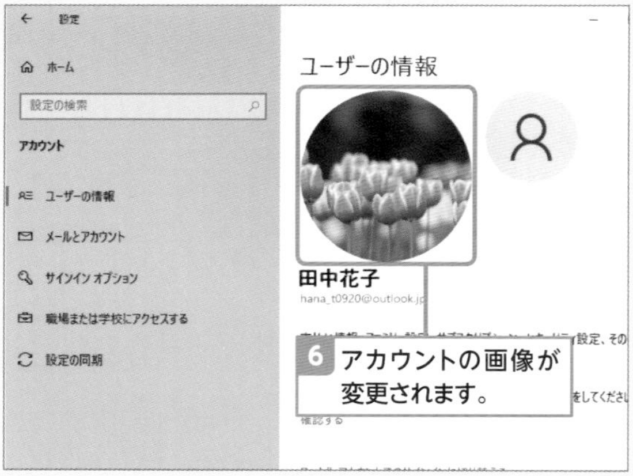

設定
ホーム
設定の検索
アカウント
ユーザーの情報
メールとアカウント
サインイン オプション
職場または学校にアクセスする
設定の同期
ユーザーの情報
田中花子
hana_t0920@outlook.jp

6 アカウントの画像が変更されます。

7 スタートメニューに表示されるアカウントの画像も変更されます。

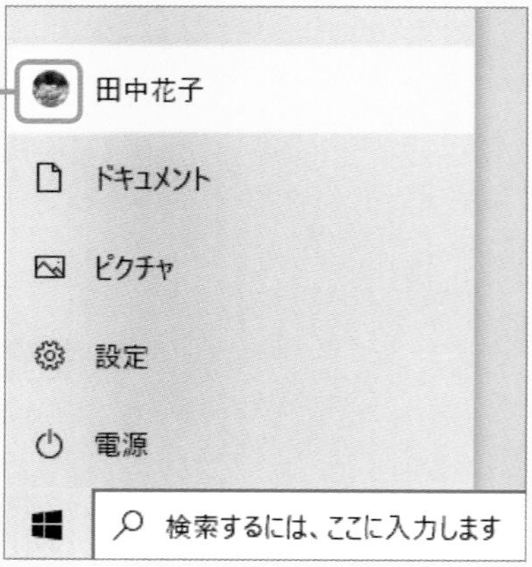

田中花子
ドキュメント
ピクチャ
設定
電源
検索するには、ここに入力します

Q495 お役立ち度 ★★★ Microsoft アカウントの設定

ローカルアカウントと Microsoft アカウントを切り替えるには?

A 「ユーザーの情報」画面で切り替えます。

ローカルアカウントとMicrosoftアカウントは、「ユーザーの情報」画面からいつでも切り替えることができます。ローカルアカウントでサインインしているときは［Microsoftアカウントでのサインインに切り替える］をクリックし、Microsoftアカウントでサインインしているときは［ローカルアカウントでのサインインに切り替える］をクリックして、それぞれ画面の指示に従って操作します。ここでは、ローカルアカウントからMicrosoftアカウントに切り替えます。

1 スタートメニューから［設定］をクリックして、「設定」画面で［アカウント］をクリックします。

2 ［ユーザーの情報］をクリックして、

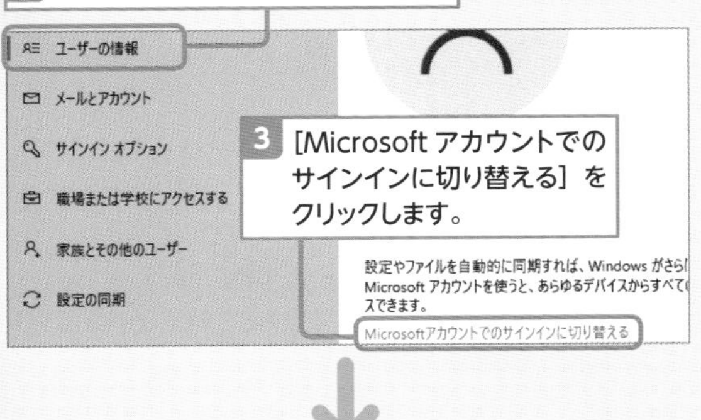

ユーザーの情報
メールとアカウント
サインイン オプション
職場または学校にアクセスする
家族とその他のユーザー
設定の同期
3 ［Microsoft アカウントでのサインインに切り替える］をクリックします。
Microsoftアカウントでのサインインに切り替える

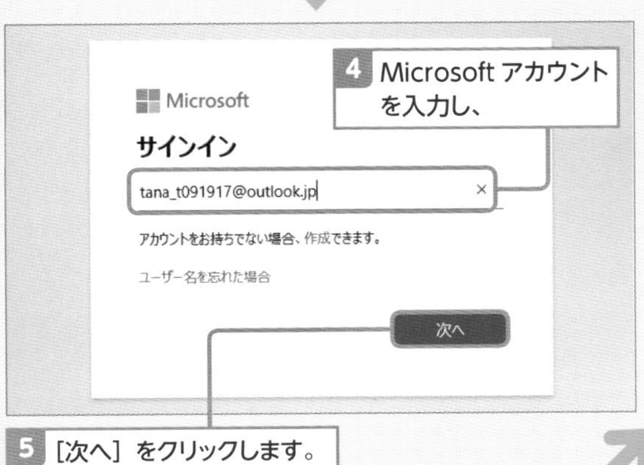

Microsoft
サインイン
4 Microsoft アカウントを入力し、
tana_t091917@outlook.jp
アカウントをお持ちでない場合、作成できます。
ユーザー名を忘れた場合
次へ

5 ［次へ］をクリックします。

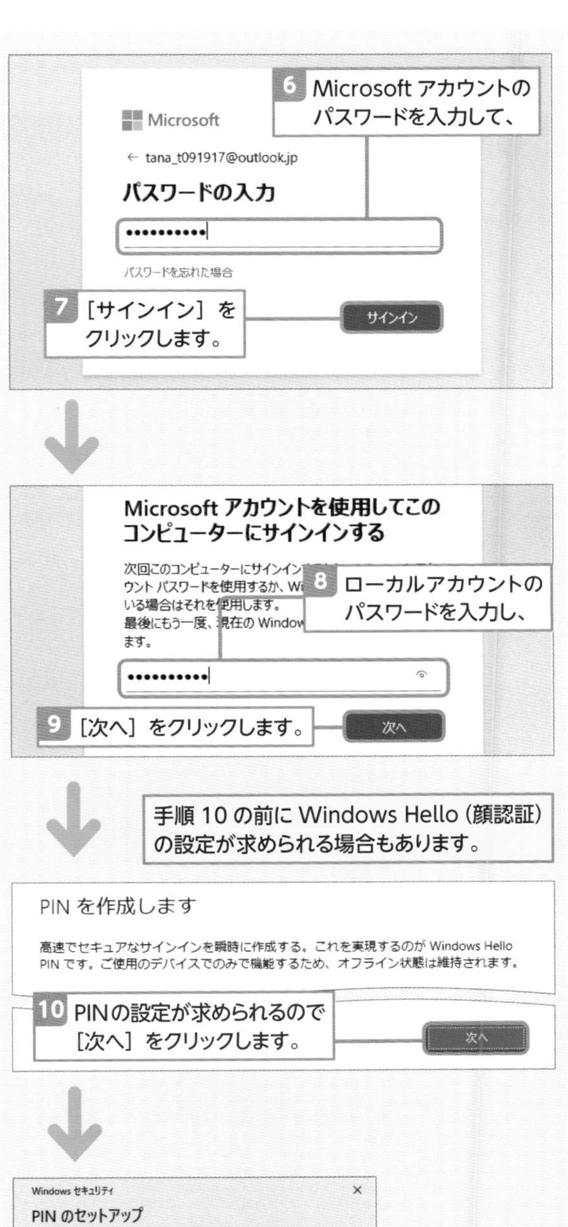

Microsoft
tana_t091917@outlook.jp
パスワードの入力
6 Microsoft アカウントのパスワードを入力して、
パスワードを忘れた場合
7 ［サインイン］をクリックします。
サインイン
Microsoft アカウントを使用してこのコンピューターにサインインする
8 ローカルアカウントのパスワードを入力し、
9 ［次へ］をクリックします。
次へ
手順 10 の前に Windows Hello（顔認証）の設定が求められる場合もあります。
PIN を作成します
高速でセキュアなサインインを瞬時に作成する。これを実現するのが Windows Hello PIN です。ご使用のデバイスでのみで機能するため、オフライン状態は維持されます。
10 PINの設定が求められるので［次へ］をクリックします。
次へ

Windows セキュリティ

PIN のセットアップ

パスワードの代わりに使用する PIN を作成します。PIN を使用すると、デバイス、アプリ、およびサービスへのサインインが簡単になります。

11 PIN を入力して、

英字と記号を含める

OK キャンセル

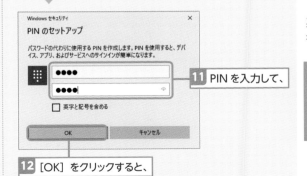

12 ［OK］をクリックすると、

13 Microsoft アカウントに切り替わります。

後から別のアカウントを追加するには?

A 「家族とその他のユーザー」画面で追加します。

パソコンを複数のユーザーで共有するには、ユーザーごとに別々のデスクトップ環境が利用できると便利です。それには、後からユーザーごとにアカウントを追加してサインインしましょう。このとき、Microsoftアカウントを追加するのか、ローカルアカウントを追加するのかによって操作が異なります。なお、**管理者**権限についてはQ501を参照してください。

Microsoft アカウントを追加する

1 管理者権限を持つアカウントでサインインしておきます。

2 スタートメニューから［設定］⚙をクリックして、「設定」画面で［アカウント］をクリックします。

3 ［家族とその他のユーザー］をクリックして、

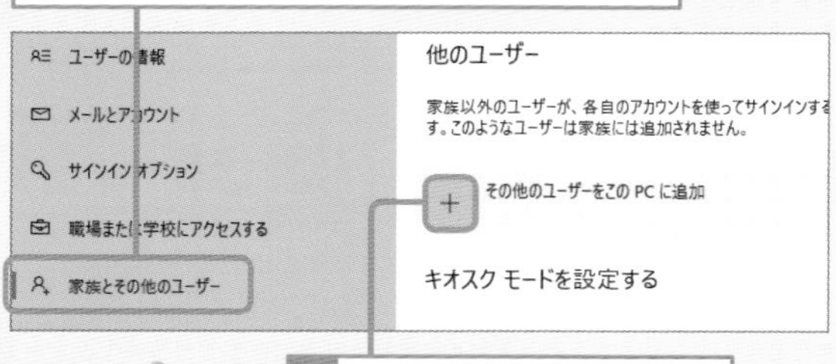

4 「他のユーザー」の［+］をクリックします。

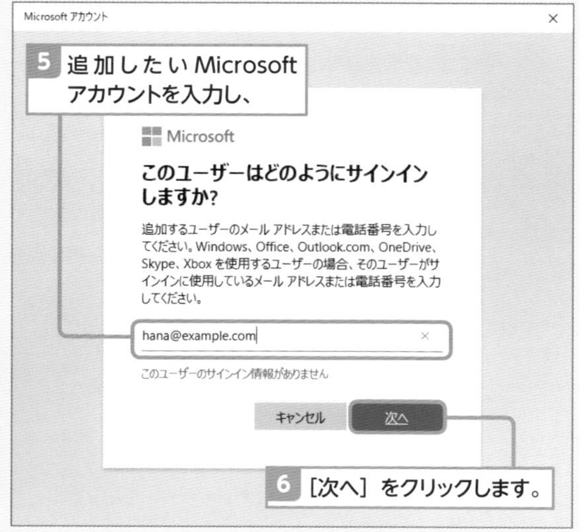

5 追加したいMicrosoftアカウントを入力し、

6 ［次へ］をクリックします。

7 次の画面で［完了］をクリックすると、設定が終了します。

ローカルアカウントを追加する

1 スタートメニューから［設定］⚙をクリックして、「設定」画面で［アカウント］をクリックします。

2 ［家族とその他のユーザー］をクリックして、

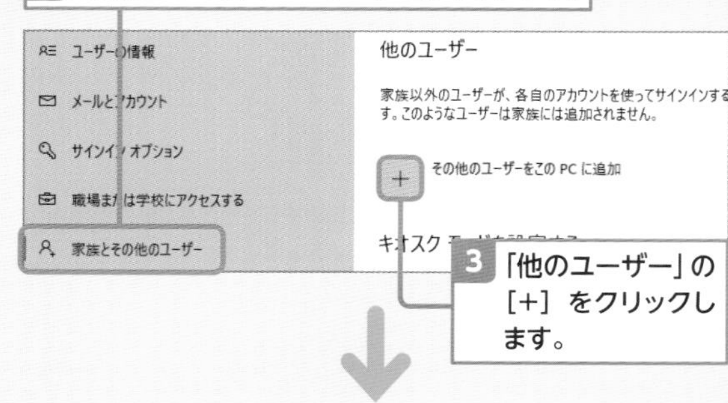

3 「他のユーザー」の［+］をクリックします。

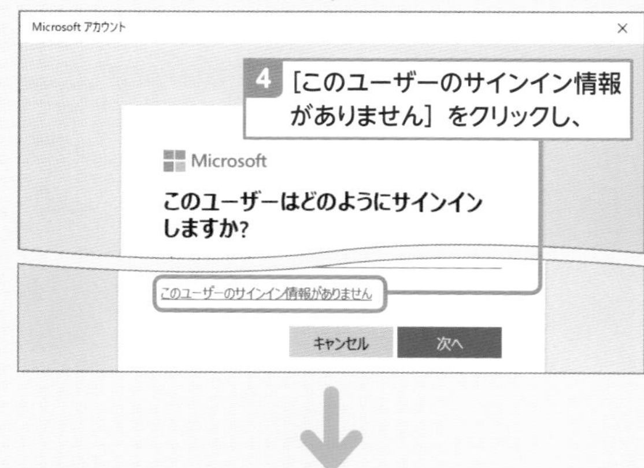

4 ［このユーザーのサインイン情報がありません］をクリックし、

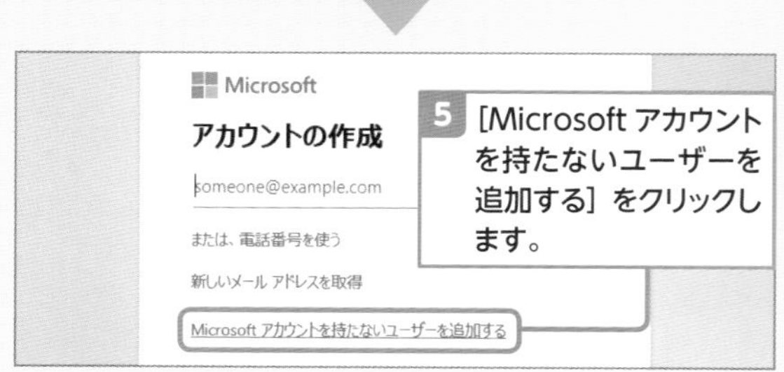

5 ［Microsoft アカウントを持たないユーザーを追加する］をクリックします。

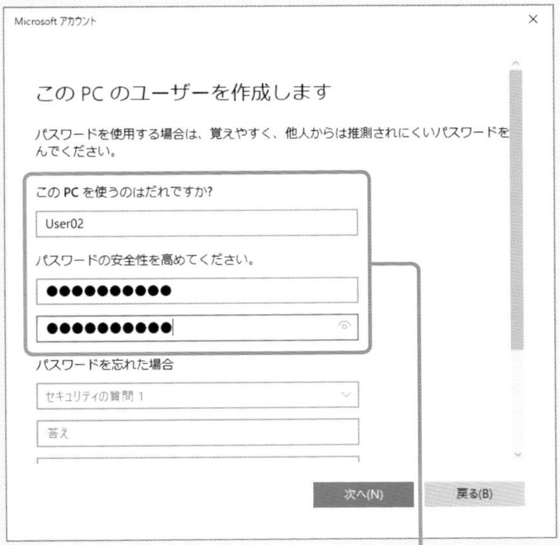

6 ユーザー名やパスワードを入力し、

7 [パスワードを忘れた場合]の質問と答えを3つ設定して、

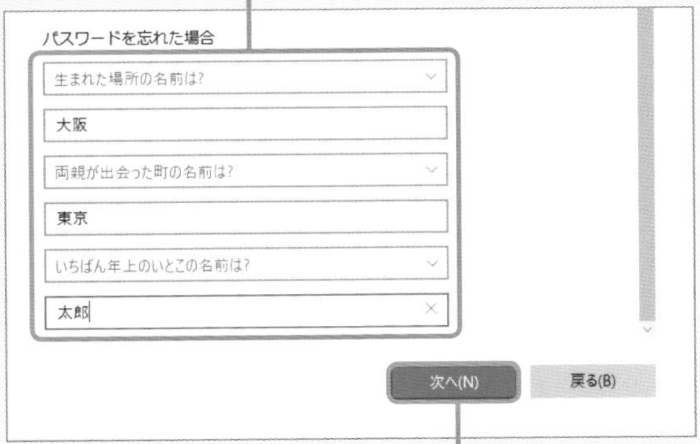

8 [次へ]をクリックすると、

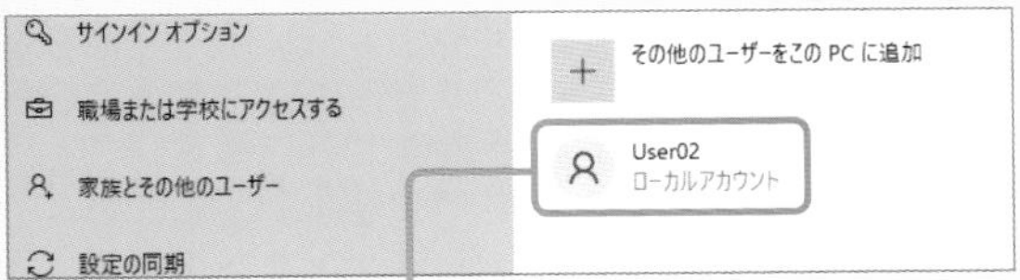

9 アカウントが追加されます。

Q497 アカウントを削除するには?

お役立ち度 ★★★

Microsoft アカウントの設定

A 「家族とその他のユーザー」画面で削除します。

Q496の操作で追加したアカウントが不要になったら、「家族とその他のユーザー」画面でいつでも削除できます。ローカルアカウントもMicrosoftアカウントも同じ操作で削除できます。

1 管理者権限を持つアカウントでサインインしておきます。

2 スタートメニューから[設定] をクリックして、「設定」画面で[アカウント]をクリックします。

3 [家族とその他のユーザー]をクリックして、

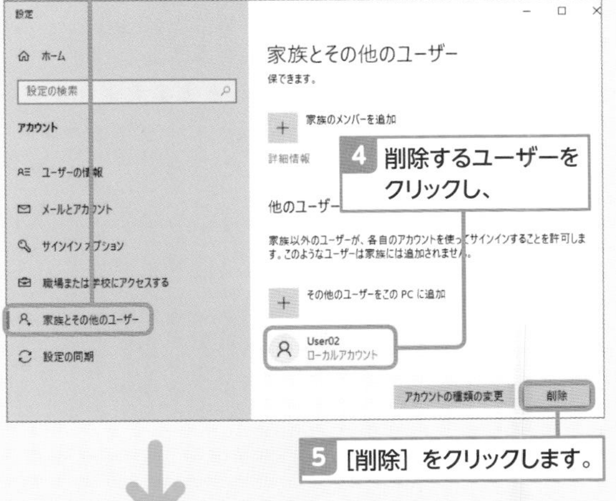

4 削除するユーザーをクリックし、

5 [削除]をクリックします。

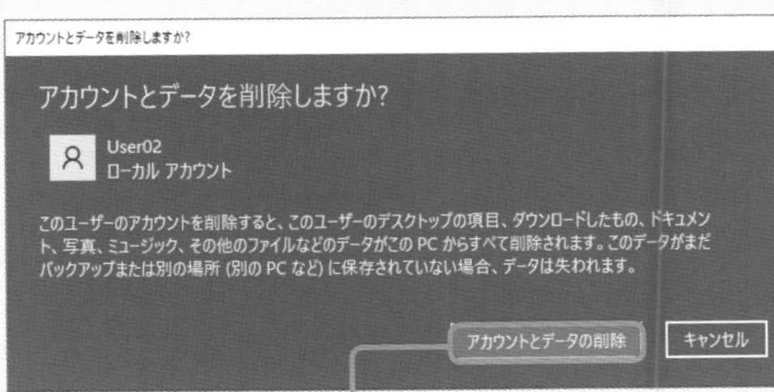

6 [アカウントとデータの削除]をクリックすると、アカウントが削除されます。

ローカルアカウントのパスワードを変更するには?

A 「サインインオプション」画面で変更します。

ローカルアカウントやMicrosoftアカウントのパスワードは後から変更できます。ローカルアカウントのパスワードを変更するには、変更したいアカウントでサインインした状態で、下のように操作します。Microsoftアカウントのパスワードを変更する操作は、Q500を参照してください。

関連 Q499 ローカルアカウントのパスワードを忘れたら

1 ローカルアカウントでサインインしておきます。

2 スタートメニューから［設定］をクリックして、「設定」画面で［アカウント］をクリックします。

3 ［サインインオプション］をクリックして、

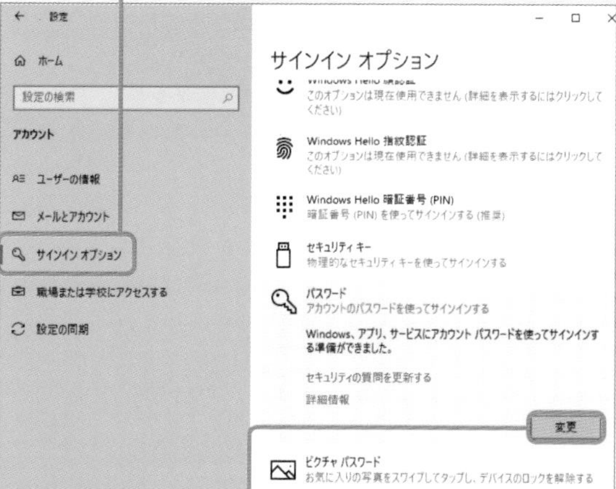

4 「パスワード」をクリックして、［変更］をクリックします。

個人用パスワードの変更
まず、現在のパスワードを入力してください。
User02
現在のパスワード
次へ キャンセル

5 現在のパスワードを入力し、

6 ［次へ］をクリックします。

7 新しいパスワードとパスワードのヒントを入力して、

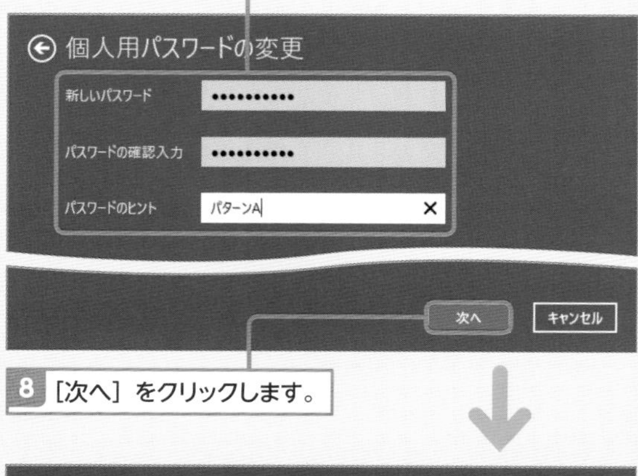

8 ［次へ］をクリックします。

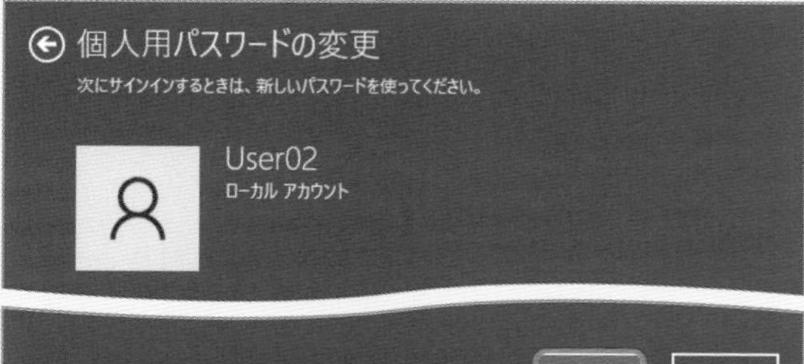

完了 キャンセル

9 ［完了］をクリックすると、パスワードの変更が完了します。

おトクな情報 セキュリティの質問

ローカルアカウントのパスワードを忘れてしまった場合に備えて、セキュリティの質問を設定しておくとよいでしょう。セキュリティの質問を設定する場合は、手順3の画面で［セキュリティの質問を更新する］をクリックして画面の指示に従って、質問内容と回答を指定します。セキュリティの質問は、サインイン画面でパスワード入力に失敗したときに表示される［パスワードのリセット］で使用します。

Q 499 お役立ち度 ★★★ スゴわざ Microsoft アカウントの設定

ローカルアカウントのパスワードを忘れたら?

A 管理者アカウントで変更するほか、いくつかの方法があります。

パソコンを使っているとさまざまなシーンでIDとパスワードの入力が求められ、たくさんあるパスワードを管理しきれなくなってしまいます。Windows 10で複数のローカルアカウントを作成しているときに、特定のローカルアカウントのパスワードを忘れた場合は、管理者アカウントのパスワードがわかれば、下の手順でローカルアカウントのパスワードを変更できます。管理者アカウントのパスワードが不明な場合は、サインイン画面でパスワードのリセットを行い画面の指示に従ってセキュリティの質問（Q498参照）に答える方法を使います。また、パスワードリセット用ディスク（Q534参照）を作成していた場合はパスワードをリセットできます。

1 Q450の操作でコントロールパネルを開き、［ユーザーアカウント］をクリックして、

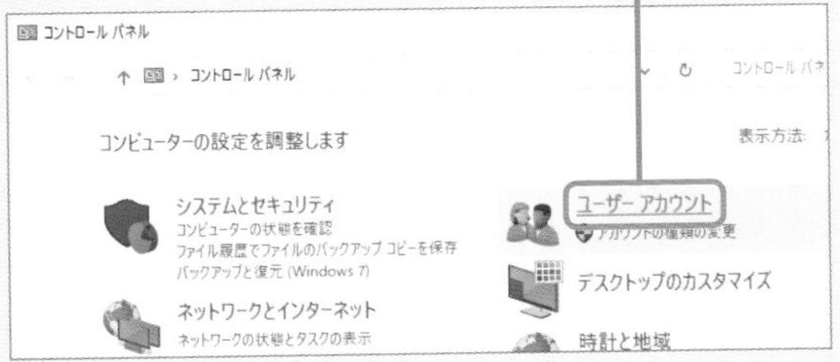

2 ［ユーザーアカウント］をクリックします。

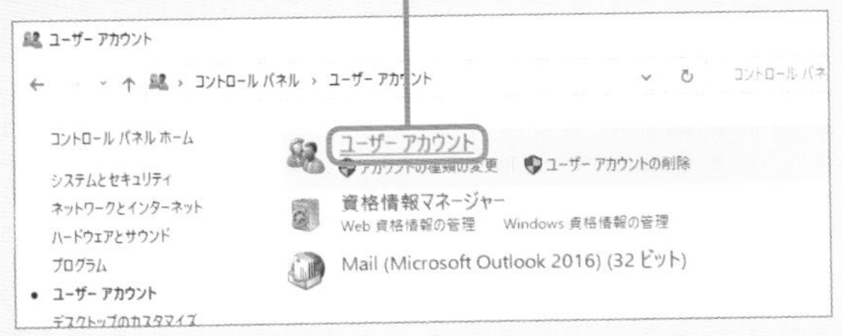

3 ［別のアカウントの管理］をクリックし、

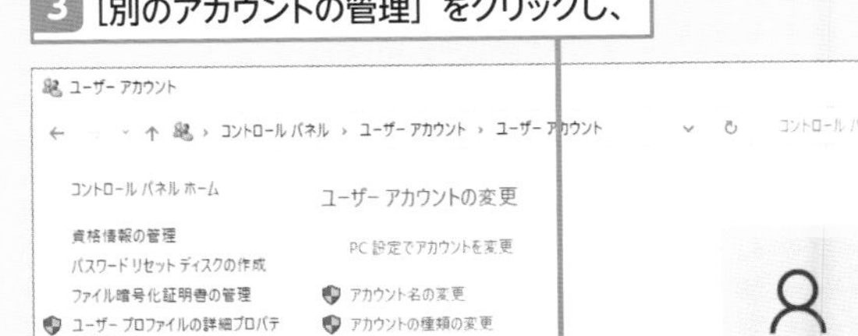

4 この後、管理者のパスワードやPINの入力を求められたら入力します。

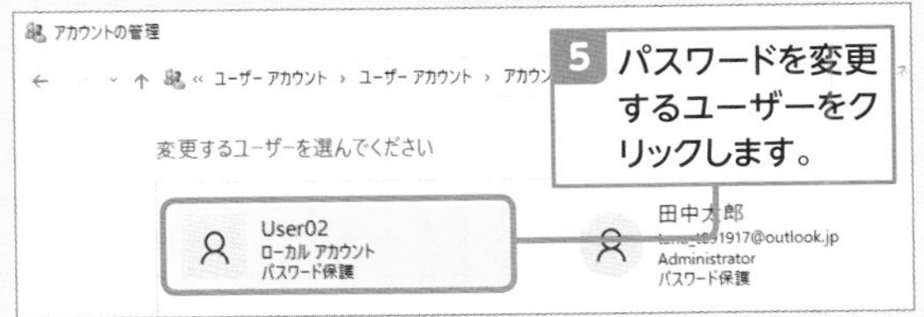

5 パスワードを変更するユーザーをクリックします。

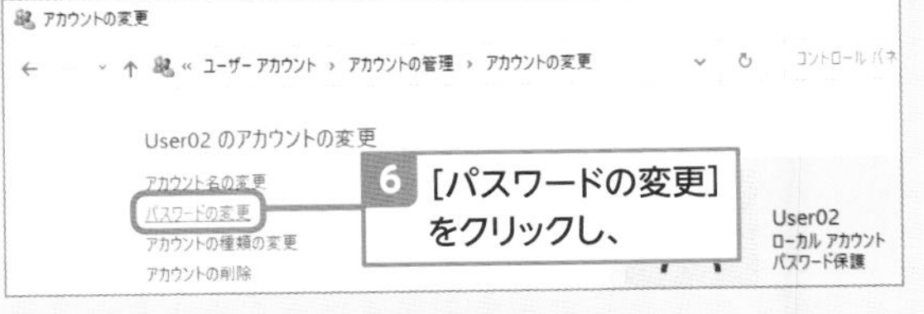

6 ［パスワードの変更］をクリックし、

7 新しいパスワードやパスワードのヒントを入力して、

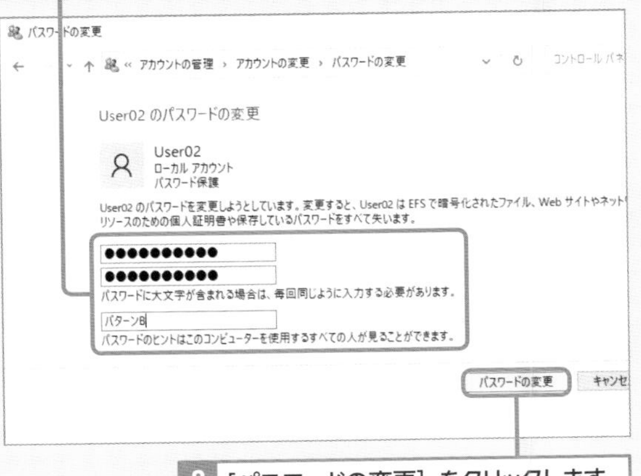

8 ［パスワードの変更］をクリックします。

Microsoft アカウントのパスワードを変更するには？

A Web ページから変更できます。

Microsoftアカウントのパスワードを忘れた場合は、ブラウザーで専用ページにアクセスしてからパスワードを変更します。

1 ブラウザーを起動し、「https://account.live.com/password/reset/」にアクセスします。

2 パスワードを忘れた Microsoft アカウントを入力し、

Microsoft
アカウントの回復
手順に従って、パスワードとセキュリティ情報をリセットできます。まず、お使いの Microsoft アカウントを入力し、以下の手順に従ってください。
tana_t091917@outlook.jp
キャンセル　次へ

3 ［次へ］をクリックします。

4 セキュリティコードの受け取り方法をクリックし、

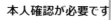

本人確認が必要です
どの方法でセキュリティ コードを受け取りますか?
*****@yahoo.co.jp にメールを送信
ご自身のメール アドレスであることを確認するため、隠れている部分を完成させ、[コードの送信] をクリックしてコードを受け取ってください。
************ @yahoo.co.jp
コードを持っている場合
すべての情報が不明
キャンセル　コードの取得

5 連絡先に登録したメールアドレス（SMS で受け取る場合は登録した電話番号の最後の4桁）を入力して、

6 ［コードの取得］をクリックします。

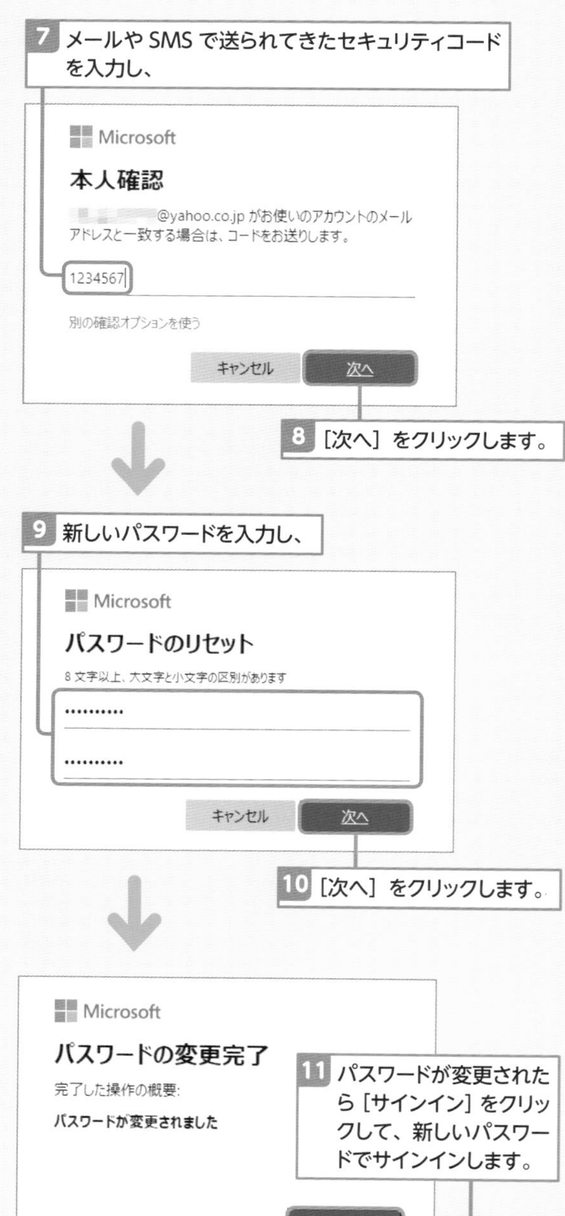

7 メールや SMS で送られてきたセキュリティコードを入力し、

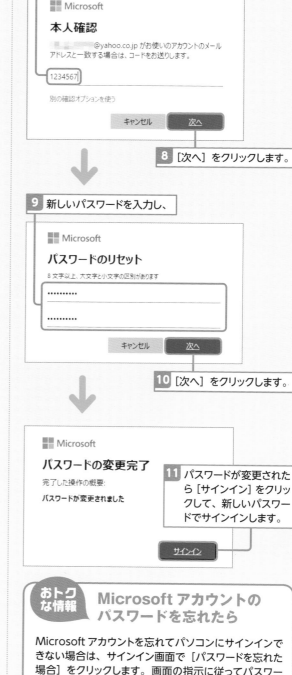

8 ［次へ］をクリックします。

9 新しいパスワードを入力し、

10 ［次へ］をクリックします。

11 パスワードが変更されたら［サインイン］をクリックして、新しいパスワードでサインインします。

おトクな情報　Microsoft アカウントのパスワードを忘れたら

Microsoft アカウントを忘れてパソコンにサインインできない場合は、サインイン画面で［パスワードを忘れた場合］をクリックします。画面の指示に従ってパスワードをリセットします。

Q501 お役立ち度 ★★★ Microsoft アカウントの設定

「管理者」と「標準ユーザー」って何が違うの？

A 管理者でサインインしないとできないことがあります。

Windows 10にサインインするには、**Microsoftアカウント**か**ローカルアカウント**のいずれかが必要になります。さらに、それぞれのアカウントごとに**管理者**と**標準ユーザー**のどちらかの権限を設定します。管理者の権限を設定すると、Windows 10のすべての機能を利用できますが、標準ユーザーの権限では利用できる機能が限定されます。

■管理者と標準ユーザーの違い

管理者	パソコンのアプリの操作や設定ができる以外に、他のアカウントの管理に関する設定や、一部のセキュリティ設定などを変更する権限を持ちます。たとえば、アプリのインストールやアンインストール、Windows 10 の動作に必要なファイルの削除など、パソコンやWindows 全体にかかわる設定を行えます。
標準ユーザー	パソコンでアプリを使用したり、パソコンのさまざまな設定を変更したりできますが、他のアカウントの管理やセキュリティに影響する操作は制限されます。

Q502 お役立ち度 ★★★ Microsoft アカウントの設定

「管理者」と「標準ユーザー」はどこでわかるの？

A 「設定」画面の「ユーザーの情報」で確認します。

アカウントに管理者と標準ユーザーのどちらの権限が設定されているかは、「設定」画面の「ユーザーの情報」で確認できます。管理者の場合は、アカウント名の下に「管理者」と表示されます。「管理者」と表示されないアカウントは「標準ユーザー」です。

1 スタートメニューから［設定］⚙をクリックし、

2 ［アカウント］をクリックします。

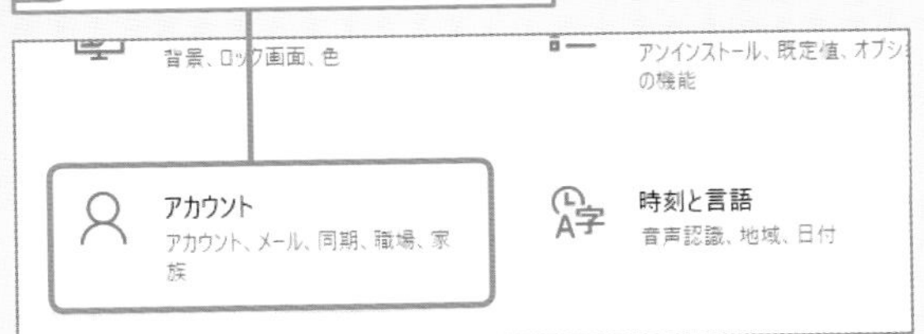

3 ［ユーザーの情報］をクリックすると、

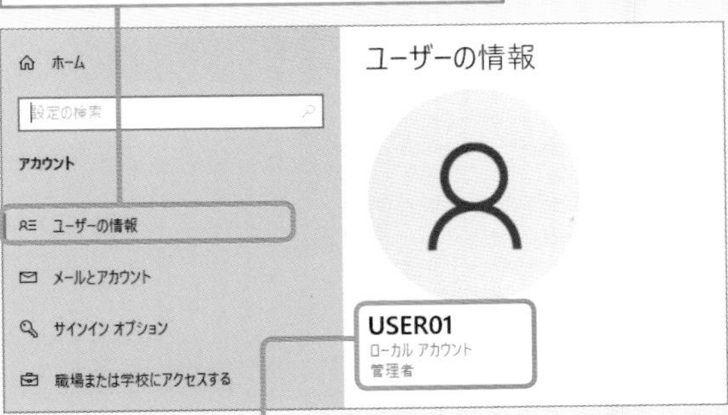

4 管理者の場合は、アカウントの下に「管理者」と表示されます。

USER01 は、ローカルアカウントで管理者であることがわかります。

田中太郎は、Microsoft アカウントで管理者であることがわかります。

USER02 は、ローカルアカウントで標準ユーザーであることがわかります。

サインイン オプション
職場または学校にアクセスする
USER02
ローカル アカウント

Q503 お役立ち度 ★★★ スゴわざ Microsoft アカウントの設定

「管理者」と「標準ユーザー」を切り替えるには?

A ［アカウントの種類の変更］をクリックします。

パソコンに最初に設定したアカウントは**管理者**として登録され、後から追加したアカウントは**標準ユーザー**になります。後から管理者を標準ユーザーに変更したり、標準ユーザーを管理者に変更したりすることもできます。ただし、最低でも1つのアカウントが管理者として登録されている必要があります。そのため、管理者のアカウントが1つしかない場合は、そのアカウントを標準ユーザーに変更することはできません。

1 管理者のアカウントでサインインしておきます。

2 スタートメニューから［設定］⚙をクリックし、

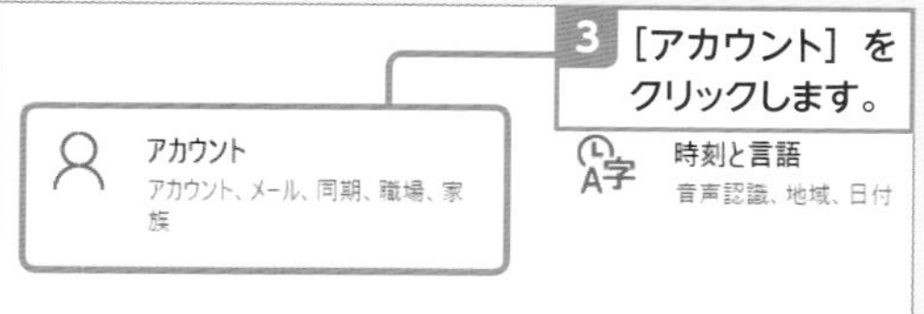

3 ［アカウント］をクリックします。

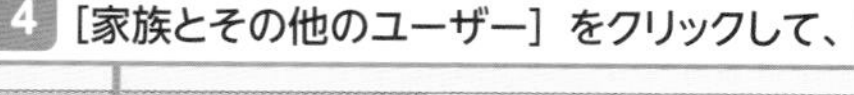

4 ［家族とその他のユーザー］をクリックして、

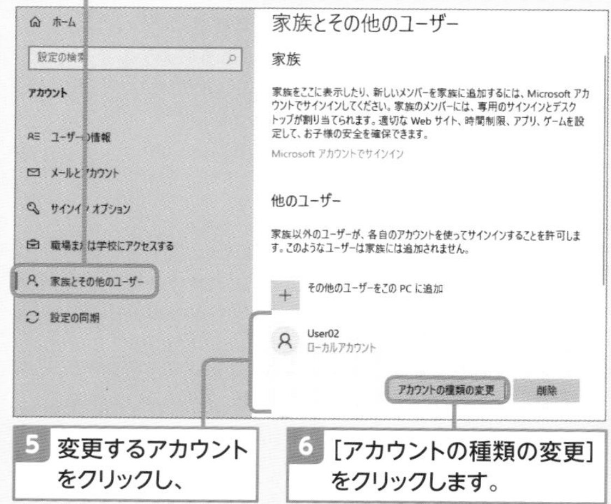

5 変更するアカウントをクリックし、

6 ［アカウントの種類の変更］をクリックします。

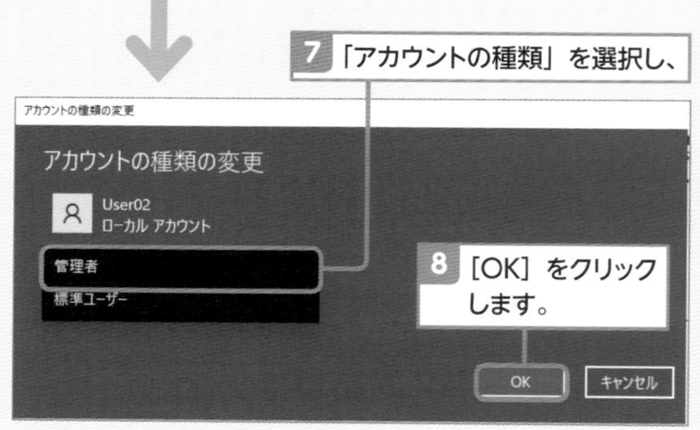

7 「アカウントの種類」を選択し、

8 ［OK］をクリックします。

Q504 お役立ち度 ★★★ Microsoft アカウントの設定

Windows 10 で使えるアカウントの種類を教えて!

A ローカルアカウント、Microsoft アカウント、家族アカウントなどがあります。

Windows 10を利用するときに、ローカルアカウントやMicrosoftアカウント、管理者、標準ユーザーなど、たくさんの用語が出てきて混乱することもあるでしょう。**アカウント**とは、パソコンにサインインするときに使うもので、主なものにローカルアカウント、Microsoftアカウント、家族アカウント（保護者と子供）があります。家族アカウントは取得済みのMicrosoftアカウントを使って作成するので、Microsoftアカウントの1つと見なす場合もあります（Q505以降で紹介）。そして、それぞれのアカウントがどのような権限を持つかを決めるのが「管理者」と「標準ユーザー」です。アカウントと権限は必ずセットになっています。

つまり、どのようにアカウントと権限を組み合わせるかによって、「Microsoftアカウントで管理者」もいれば、「ローカルアカウントで標準ユーザー」もいることになります。さらに、「Microsoftアカウントで家族アカウントで管理者」という場合もあります。アカウントの情報はQ502の操作でユーザーの情報画面で確認できます。

Q505 お役立ち度 ★★★ ファミリーでの利用

家族アカウントって何?

A 「保護者」と「子供」の2種類が用意されています。

1台のパソコンを家族で共有するには、Q496の操作で人数分のアカウントを追加する方法に加えて**家族**としてアカウントを追加する方法があります。家族アカウントには**保護者**と**子供**の2種類があり、保護者が子供のパソコンの使用状況を把握したり、Webページの閲覧を制限したりするなど、子供がパソコンを使う機能を制限できます。なお、1台の同じパソコンではなく別々のパソコンであっても、子供用のアカウントでサインインすると、保護者による使用制限がかかります。

Q506 お役立ち度 ★★★ スゴわざ ファミリーでの利用

家族のアカウントを作るには?

A 「家族とその他のユーザー」で家族のメンバーを追加します。

子供が使うパソコンを保護者が管理できるように、取得済みのMicrosoftアカウントを使って、**保護者**と**子供**の家族アカウントを追加してみましょう。

1 Microsoft アカウントで、なおかつ管理者でサインインしておきます。

2 スタートメニューから［設定］をクリックして、「設定」画面で［アカウント］をクリックします。

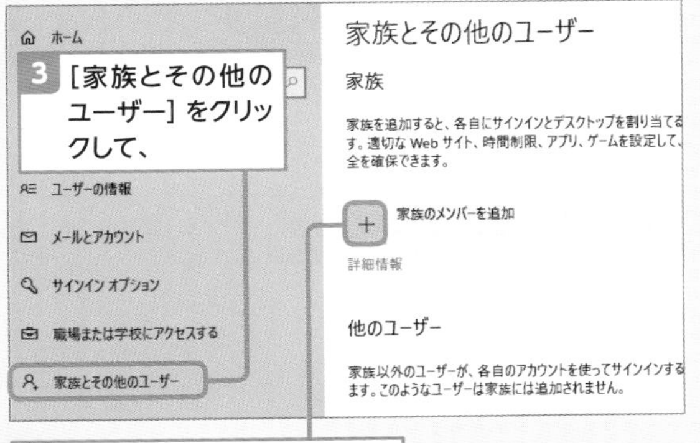

3 ［家族とその他のユーザー］をクリックして、

4 「家族のメンバーを追加」の［+］をクリックします。

5 子供（メンバー）か保護者（オーガナイザー）か、追加したいほうをクリックし、

6 追加する子供や保護者の Microsoft アカウントを入力して、

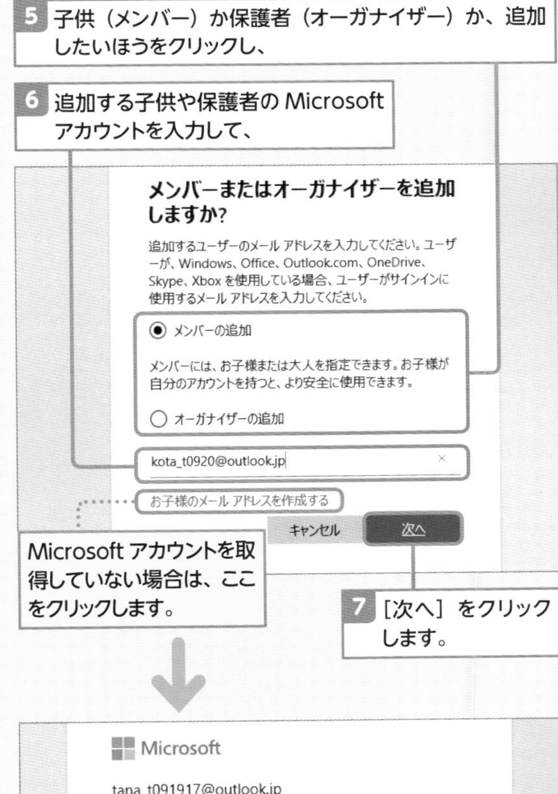

Microsoft アカウントを取得していない場合は、ここをクリックします。

7 ［次へ］をクリックします。

8 ［確認］をクリックし、

9 次の画面で［閉じる］をクリックします。

使いはじめ　デスクトップ　ファイル　文字入力　アプリ　インターネット　メール　写真・音楽・動画　周辺機器・スマホ　設定　安全に使う

ファミリーでの利用

家族の間でファイルを共有したい!

A パブリックフォルダーを利用します。

1台のパソコンを家族で共有しているときに、家族旅行の写真など家族全員に見てもらいたいファイルは「パブリック」フォルダーに保存するとよいでしょう。通常は他の家族のフォルダーにアクセスできませんが、「パブリック」フォルダーに保存したファイルは、家族がそれぞれ異なるアカウントでサインインしても見ることができます。

1 C: ドライブの「ユーザー」フォルダーをダブルクリックして開きます。

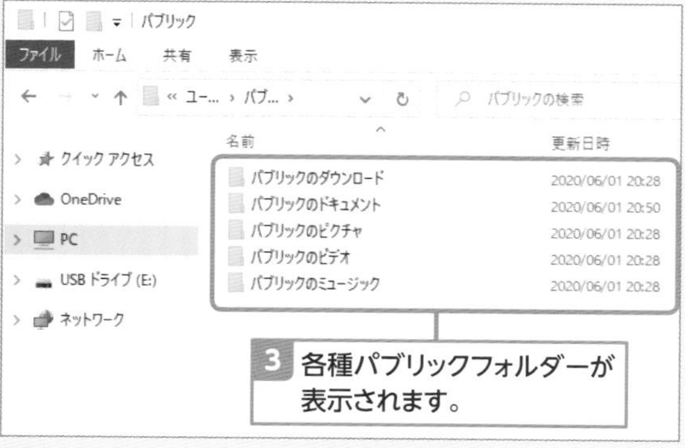

4 パブリックフォルダーに、自分のファイルやフォルダーをドラッグして移動すると、他の家族からも閲覧できる状態になります。

ファミリーでの利用

家族がそれぞれのアカウントでパソコンを起動するには?

A パソコンを起動したときにアカウントを選択します。

家族が自分のアカウントでパソコンを起動するには、起動時に表示されるアカウントの一覧から選択します。

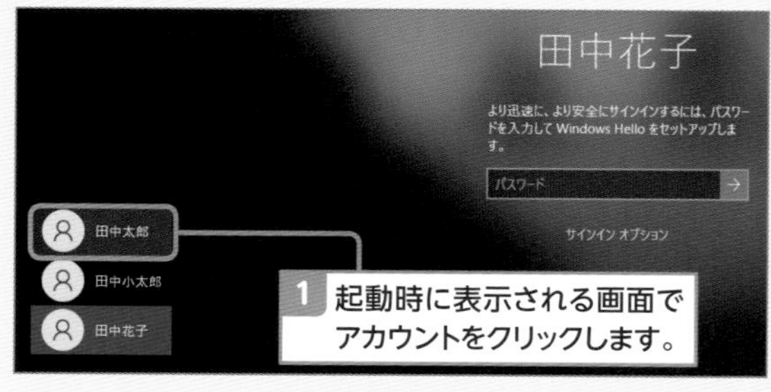

2 パスワードを入力し、

3 ここをクリックすると、

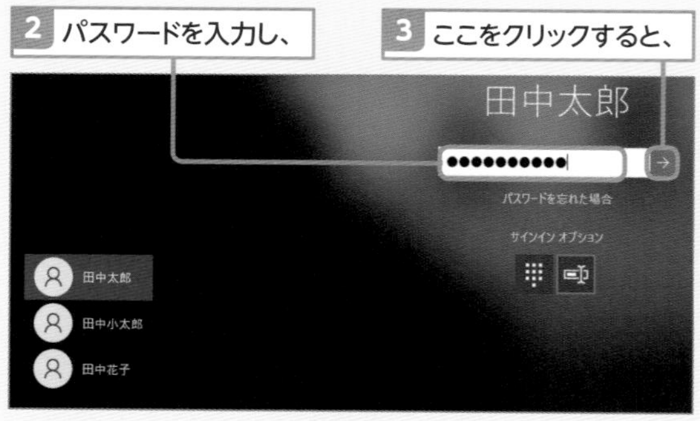

4 自分のアカウントでサインインできます。

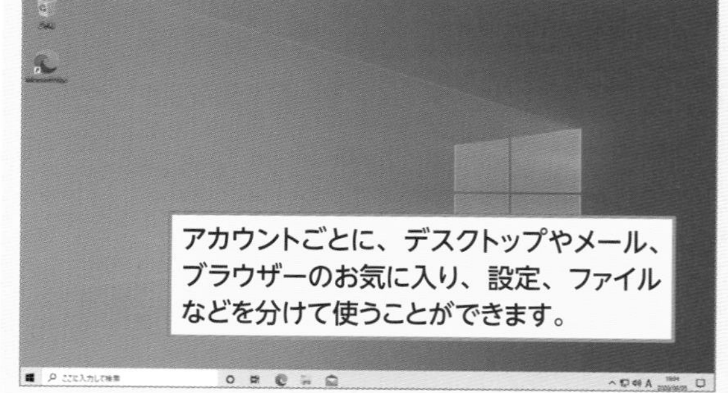

アカウントごとに、デスクトップやメール、ブラウザーのお気に入り、設定、ファイルなどを分けて使うことができます。

Q509 お役立ち度 ★★★ スゴわざ　ファミリーでの利用

家族のアカウントを切り替えるには?

A 別のアカウントでサインインします。

パソコンを使用中に家族の誰かがパソコンを使いたいと言ってきたら、わざわざ再起動する必要はありません。**サインアウト**の操作を実行すると、使用中のアカウントから別のアカウントに切り替えられます。

1 ［スタート］ボタンをクリックして、アカウントのアイコンをクリックし、

2 ［サインアウト］をクリックします。

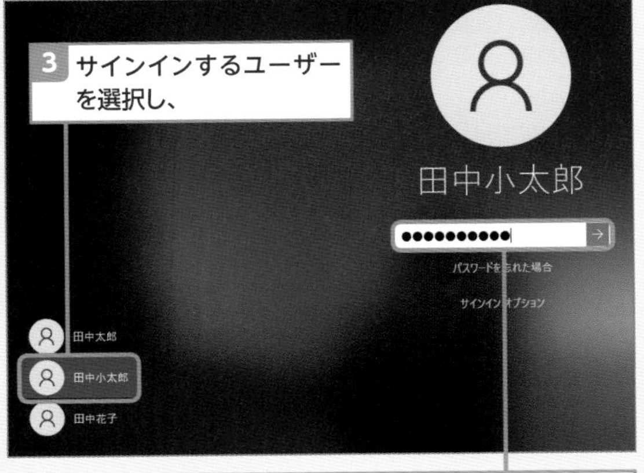

3 サインインするユーザーを選択し、

4 パスワードを入力してサインインします。

Q510 お役立ち度 ★★★ スゴわざ　ファミリーでの利用

追加した子供のアカウントを削除するには?

A Web 上で削除します。

追加した子供のアカウントをファミリーから削除するには、Web上で操作します。アカウントをファミリーから削除すると、子供のパソコンの使用を管理したりできなくなりますが、パソコンにサインインすることなどはできます。

1 保護者のアカウントでサインインしておきます。

2 スタートメニューから［設定］ をクリックして、「設定」画面で［アカウント］をクリックします。

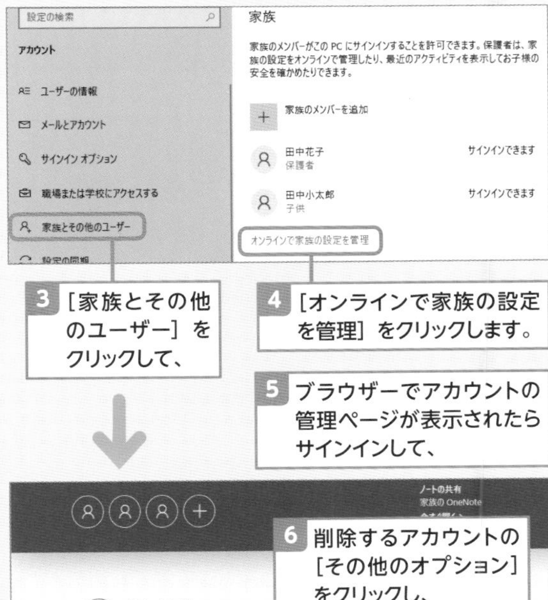

3 ［家族とその他のユーザー］をクリックして、

4 ［オンラインで家族の設定を管理］をクリックします。

5 ブラウザーでアカウントの管理ページが表示されたらサインインして、

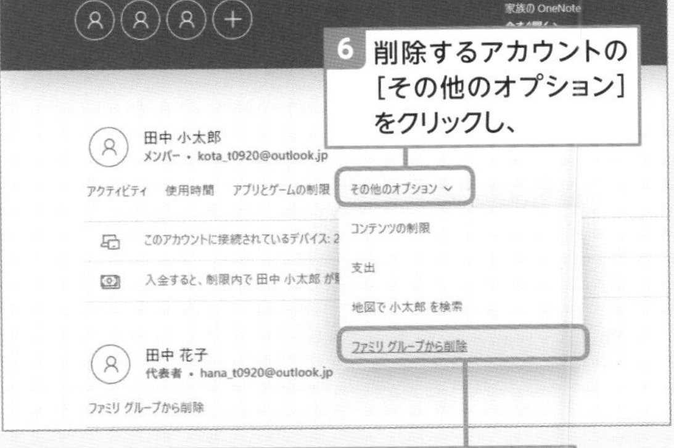

6 削除するアカウントの［その他のオプション］をクリックし、

7 ［ファミリグループから削除］をクリックします。

Q511 お役立ち度 ★★★ スゴわざ ファミリーでの利用

子供が使うアカウントの利用を制限するには?

A Web 上で指定します。

Q506の操作で子供のアカウントを作成し、子供側に送られるメールで家族への招待を「承諾」すると、子供がパソコンを使用するときの条件を指定できます。保護者がサインインしたときに家族の情報に「保留中」と表示される場合は、ファミリーへの招待メールで「承諾」をしていない状態です。

子供側

1 自分の Microsoft アカウントに届くメールを開き、

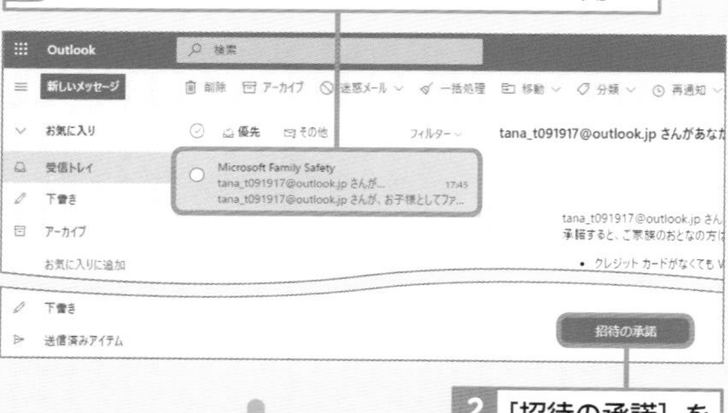

2 ［招待の承諾］をクリックします。

メンバーとしてファミリ グループに参加する

家族の代表者は次を行うことができます

- Microsoft Store でのショッピングに使用できる金額を追加できます
- 使用しているアプリやゲーム、アクセスした Web サイト、検索した情報対象などが報告される活動記録レポートを確認できます
- アプリやゲームなどに対して、年齢制限を使用してコンテンツのフィルターを設定できます
- デバイス、アプリ、ゲームを使用する場合の時間制限を設定する
- デバイスの正常性と安全性を確認できます
- どこにいても Skype によって家族とつながる (ご家族は自動的に追加されます)
- Microsoft Launcher がインストールされた Android のスマートフォンを持っているときに、地図で居場所を特定する

招待されたものと…ます。

サインインと参加　今は行わない

3 ［サインインと参加］をクリックします。

4 この後に表示される画面で、［ファミリに参加］をクリックします。

保護者側

1 保護者のアカウントでサインインしておきます。

2 スタートメニューから［設定］ をクリックして、「設定」画面で［アカウント］をクリックします。

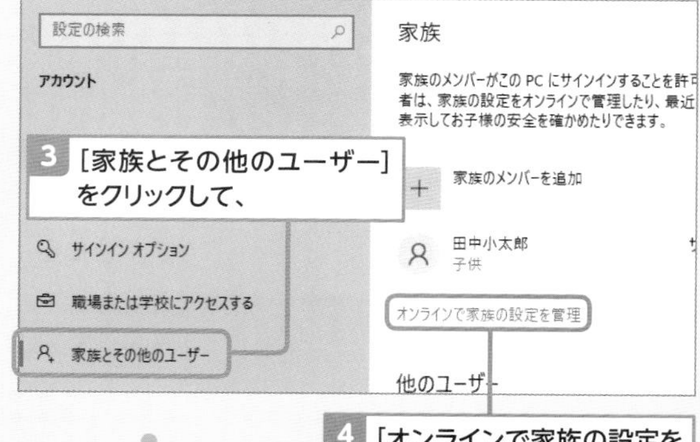

3 ［家族とその他のユーザー］をクリックして、

4 ［オンラインで家族の設定を管理］をクリックします。

5 ブラウザーでアカウントの管理ページが表示されたらサインインして、

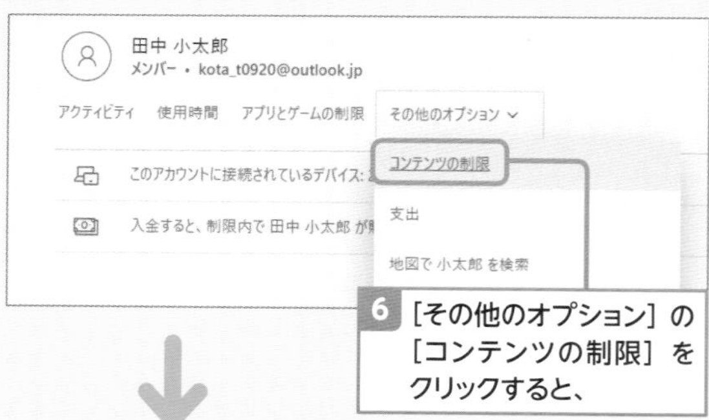

6 ［その他のオプション］の［コンテンツの制限］をクリックすると、

7 Web 閲覧など制限する内容を指定できます。

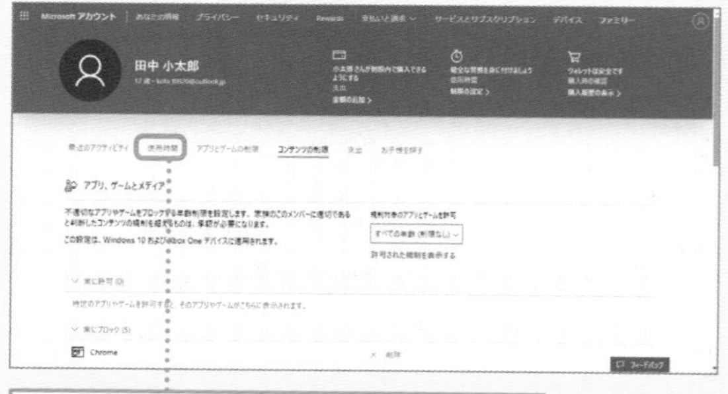

［使用時間］をクリックすると、パソコンの使用を許可する時間帯を指定できます。

Windows 10を「安全」に使おう！

現代のパソコンは、インターネットやメールなどを介して、常にウイルスの脅威にさらされているといっても過言ではありません。自分のパソコンを守れるのは自分だけです。この章では、Windows 10をウイルスから守って、安全に使うためのワザを解説します。また、パソコンにトラブルが発生したときに最小限の被害で済むように、パソコンを元の状態に戻す「バックアップ」のワザも解説します。

アイコンの意味

- ぜひ習得したい基本ワザを示します。
- 時短に役立つ活用ワザを示します。
- 知っておきたい基礎知識を示します。
- 目からウロコのすごワザを示します。（スゴわざ）
- 基本を超えた上級ワザを示します。

Q 512

お役立ち度 ★★★　セキュリティ

ウイルスにはどんなものがあるの？

A 「トロイの木馬」や「スパイウェア」などいろいろあります。

「パソコンがウイルスに感染した」という話を聞いたことがあると思います。**ウイルス**はマルウェア（Malicious Software）の一種で、パソコンに害を与えるために悪意をもって作られるプログラムです。マルウェア全体のことをウイルスと言うケースもあるので、本書でもわかりやすいように悪意をもったプログラム全般をウイルスと呼びます。ウイルスの中にはパソコンに保存してある大切なデータを削除するものもあるので、ウイルスに感染しないように注意する必要があります。

■主なウイルス（パソコンに害を与えるプログラム）

種類	内容
ウイルス	パソコンに保存されているファイルに自動的に感染し、他のファイルやネットワークで接続されているファイルにまで感染を広め、パソコンのデータを改ざんしたりします。
ワーム	自己増殖をして感染を広め、勝手にウイルスを添付するメールを送信したりします。
トロイの木馬	パソコンのデータから勝手にさまざまな個人情報を盗み出したり、パソコンの設定を勝手に変更したりします。
スパイウェア	パソコンのデータから勝手にさまざまな情報・個人情報などを盗み出すものです。
ランサムウェア	パソコンを使えないようにしたり、データを見られないようにしたりして、それを解除するためのお金を要求するものです。
スケアウェア	パソコンがウイルスに感染したなどの嘘のメッセージを表示して、それを解決するためのお金を要求するものです。

Q 513

お役立ち度 　セキュリティ

どうやったらウイルスに感染するの？

A 感染経路はさまざまあります。

パソコンがウイルスに感染してしまうルートはいろいろありますが、インターネットの普及に伴い、電子メールを見ただけで感染したり、Webページを表示しただけで感染したりするものが多くなってきました。また、銀行とそっくりのWebページにアクセスさせて、IDやパスワードを盗み出して預金を引き出す悪質なものもあります。

■ウイルスの主な感染経路

感染経路	内容
ダウンロードしたファイル	Web ページからダウンロードしたアプリなどにウイルスが入っているケースです。そのアプリを実行すると、ウイルスに感染します。
メールに添付されたファイルやメール本文に記載されたリンク	メールに添付されたファイルにウイルスが入っているケースです。そのファイルを開くと、ウイルスに感染してしまいます。また、メールに書かれているリンクをクリックしただけでウイルスに感染する場合があります。
USB メモリーなどの接続	USB メモリーなどに保存されているファイルにウイルスが入っているケースです。USB メモリーをパソコンに接続するだけでウイルスに感染する場合があります。
Web ページの閲覧	ウイルスに感染するように作られた怪しい Web ページを閲覧すると、ウイルスに感染する場合があります。
ネットワークへの接続	ウイルスに感染したパソコンと同じネットワークに接続すると、ウイルスに感染する場合があります。

Q514

お役立ち度 ★★★ セキュリティ

ウイルスに感染したらどうなるの?

A パソコンが異常終了するなど、正しく動作しなくなります。

ウイルスに感染すると、パソコンが正常に起動できなくなったり、勝手にパソコンがシャットダウンしたり、パソコンの動作が極端に遅くなったりといった症状が現れることがあります。また、表面上は何も変わった様子がなくても実際にはウイルスに感染しており、パソコンからさまざまな情報を抜き取られるケースもあります。パソコンの動作がおかしい場合はもちろん、特に思い当たることが無い場合でも、定期的にウイルスに感染していないかをチェックすることが重要です。

Q515

お役立ち度 ★★★ セキュリティ

Windows 10 にはウイルス対策ソフトが入っているの?

A 「Windows セキュリティ」が入っています。

Windows 10には、ウイルスからパソコンを保護する機能や、パソコンがウイルスに感染していないかチェックする機能、ウイルスが検出された場合にウイルスを除去する機能を備えた「**Windowsセキュリティ**」というアプリが入っています。市販のウイルス対策ソフトを使用していない場合は、Q517の操作を参考にして、Windowsセキュリティの機能をオンにして使いましょう。

Q516

お役立ち度 ★★★ セキュリティ

ウイルスに感染しないために気を付けることは何?

A 必ずウイルス対策を行いましょう。

ウイルスに感染すると、パソコンの大事なデータが改ざんされたり削除されたりするなどの致命的な損害を被ります。まずは、ウイルスについての正しい知識を持ち、日頃からウイルスに感染しないように次のような対策を行いましょう。特に、Webページの閲覧やメールのやり取りには注意が必要です。

■主なウイルス対策

対策・注意すること	内容
Windows 10 を最新の状態にしておく	Windows 10 では、セキュリティ上の問題を解決するプログラムなどを更新プログラムとして配布しています。Q011 の方法で、自動的に更新プログラムがインストールされているかを確認しておきます。
ウイルス対策ソフトをインストールする	ウイルス対策ソフトをインストールして、ウイルスに感染しないようにします。パソコンによっては、あらかじめウイルス対策ソフトが入っているものもあります。また、プロバイダーがウイルス対策の機能を提供している場合もあります。
怪しい Web ページにアクセスしない	怪しい Web ページにアクセスしたり、その Web ページからファイルをダウンロードしたりしないようにします。
怪しいメールは開かない	知らない人から届いた怪しいメールを開いたり、メールに書かれたリンクをクリックしたり、メールに添付されているファイルを開いたりしないようにします。
知らない USB メモリーなどは接続しない	知らない人からもらった USB メモリーなどはパソコンに接続しないようにします。

Q517 お役立ち度 ★★★ セキュリティ

ウイルス対策の状態を確認するには?

A 「Windows セキュリティ」の設定画面を表示します。

Windows 10では標準機能でウイルス対策がなされているので、通常は何もする必要はありません。ただし、問題が通知された場合や気になる事象が発生した場合は、「Windowsセキュリティ」の設定画面でウイルス対策の状態を確認できます。市販のウイルス対策ソフトの状態もこの画面で確認できます。

1 スタートメニューから[設定] をクリックし、[更新とセキュリティ] をクリックします。

2 [Windows セキュリティ] をクリックすると、ウイルス対策の状態が表示されます。

[ウイルスと脅威の防止] に「処置は不要です。」と表示されていれば問題はありません。

おトクな情報 市販のウイルス対策ソフトの状態

市販のウイルス対策ソフトが動作している場合も、手順2の画面で [ウイルスと脅威の防止] をクリックすれば状態を確認できます。

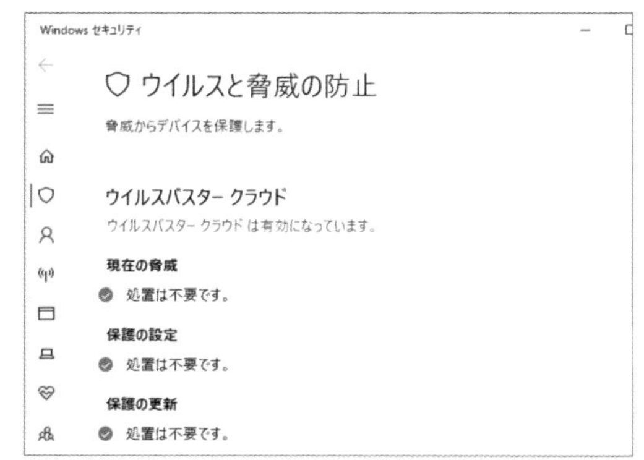

おトクな情報 ウイルス対策ソフトが機能していない場合

市販のウイルス対策ソフトがインストールされていない状態で、手順2の画面で「×」や「!」が表示されている場合は、[ウイルスと脅威の防止] をクリックし、「ウイルスと脅威の防止の設定」で [有効にする] をクリックして Windows セキュリティを有効にします。

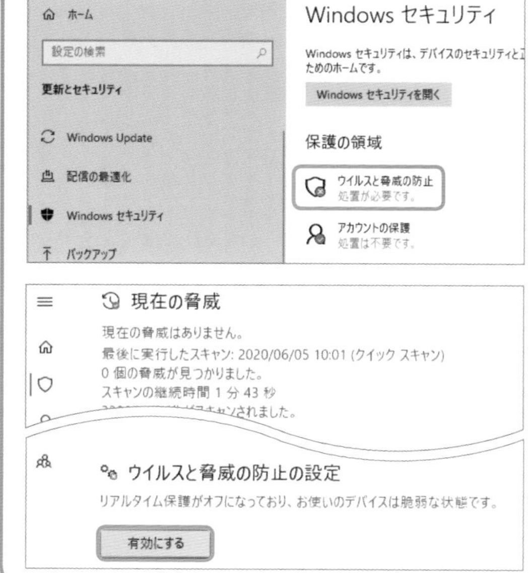

Q 518 お役立ち度 ★★★ スゴわざ　セキュリティ

Windows セキュリティでウイルスに感染していないかチェックするには?

A Windows セキュリティの［今すぐスキャン］をクリックします。

Windows 10に最初から用意されている「Windowsセキュリティ」アプリを使って、パソコンがウイルスに感染していないかチェックしてみましょう。

1 スタートメニューで[Windows セキュリティ]をクリックします。

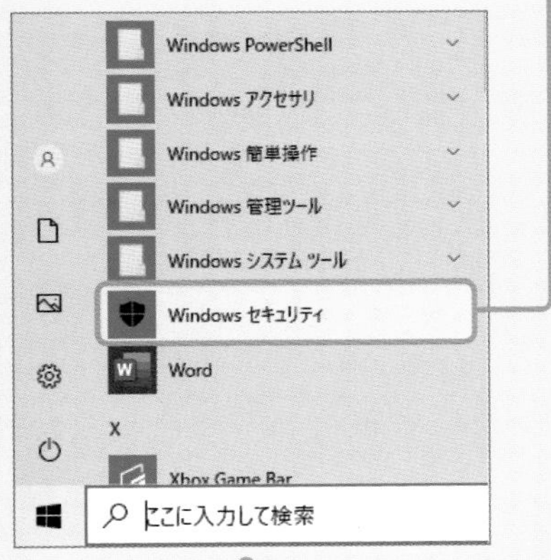

2 ［ウイルスと脅威の防止］をクリックし、

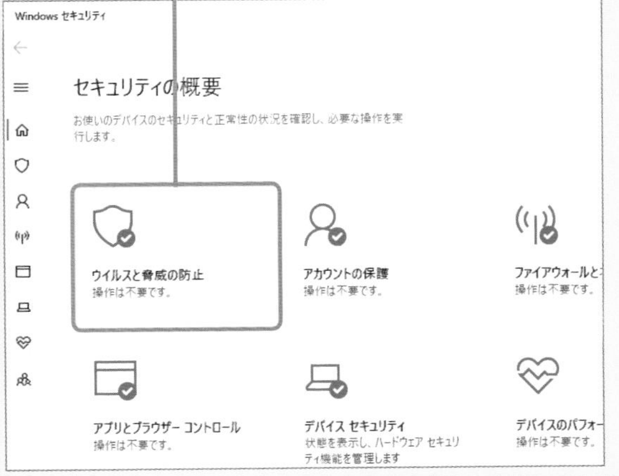

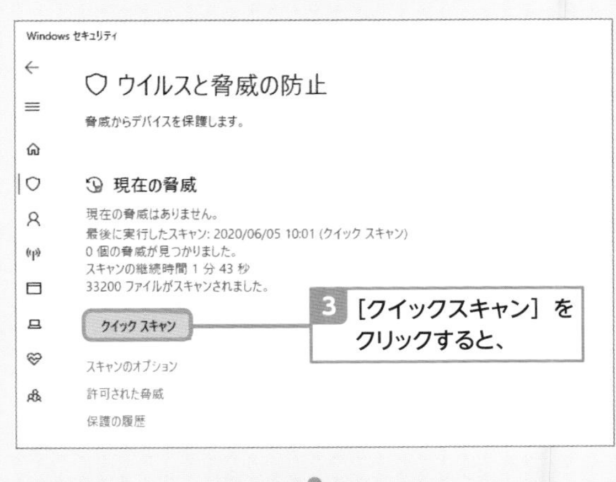

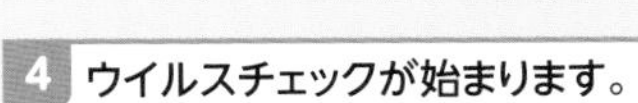

3 ［クイックスキャン］をクリックすると、

4 ウイルスチェックが始まります。

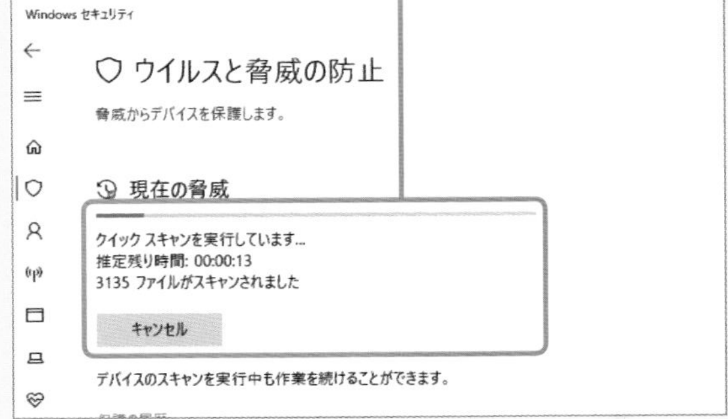

5 しばらくすると、チェック結果が表示されます。

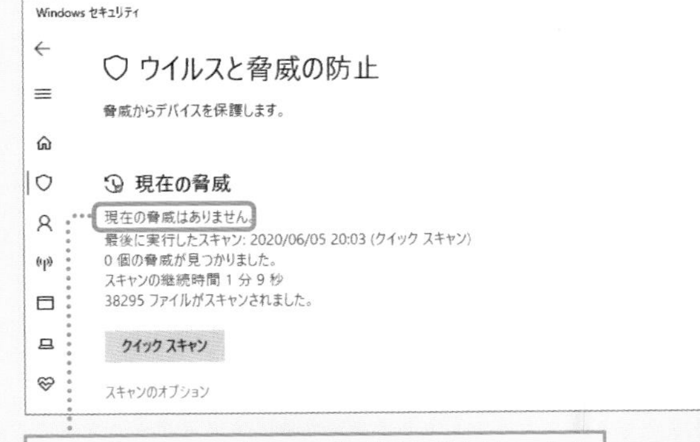

問題がなければ「現在の脅威はありません。」と表示されます。

Q519 お役立ち度 ★★★ セキュリティ

市販のウイルス対策ソフトを使うメリットは何?

A より安全な環境でパソコンを利用できます。

次から次へと新種のウイルスが出てくる中で、ウイルス対策に万全はありません。市販のウイルス対策ソフトを使うと、Windows 10にあらかじめ付属している「Windowsセキュリティ」よりも高機能なセキュリティ対策を行えるため、より安全にパソコンを利用する環境を整えられます。市販のウイルス対策ソフトは主に以下のような機能を備えています。

■市販のウイルス対策ソフトの主な機能

機能	内容
高機能なウイルスチェック	高機能なウイルスチェック機能を利用し、ウイルスが見つかった場合に除去します。
ウイルスチェックの自動化	指定した日に指定した条件で自動的にウイルスチェックを実行します。
検索結果に安全性を表示	Web ページの検索結果に安全かどうかの印を表示します。
危険な Web サイトをブロック	危険な Web ページを開こうとすると、警告が表示されます。
フィッシングサイトをブロック	フィッシングサイトの疑いのある Web ページを開くと、警告が表示されます。
危険なファイルのダウンロードをブロック	危険なファイルをダウンロードしようとすると、警告が表示されます。
迷惑メールをブロック	危険なメールを迷惑メールと認識します。
添付ファイルのチェック	添付ファイルにウイルスが含まれていないかをチェックします。
過去の履歴をチェック	ウイルスチェックをした結果、過去にどのような問題があったかをレポートで確認できます。
子供の使用をチェック	子供のパソコンの使用時間や閲覧できる Web ページを制限します。

Q520 お役立ち度 ★★★ セキュリティ

市販のウイルス対策ソフトにはどんなものがあるの?

A 「ウイルスバスター」や「ノートン」、「マカフィー」などがあります。

市販のウイルス対策ソフトには無料のものから有料のものまであり、トレンドマイクロ社の「ウイルスバスター」や、ノートンライフロック社の「ノートン」、マカフィー社の「マカフィー」などが有名です。これらのウイルス対策ソフトを利用するには、別途ソフトを購入してパソコンにインストールする必要があります。ソフトはCDなどの媒体に入って販売されているもののほか、それぞれのWebページで購入してダウンロードすることもできます。

Q521 お役立ち度 ★★★ セキュリティ

市販のウイルス対策ソフトを選ぶポイントは?

A 機能や利用台数、価格などを考慮して選びましょう。

市販のウイルス対策ソフトは機能や操作性などに違いがあるので、Webページでしっかり確認・比較することが大切です。有料のものは、一般的に1年や3年などのプランが用意されており、指定された期間がきたときに契約を更新しながら利用します。同じ価格で複数台にインストールできるものもあるため、パソコンやスマホなどを複数台使っている場合は、利用可能台数なども確認するとよいでしょう。どれを選べばよいかわからない場合は、期間限定で利用できる無料のお試し版を使ってみるのもひとつの方法です。

Q522 お役立ち度 ★★★ セキュリティ

個人情報には何が含まれるの?

A 氏名や生年月日などが含まれます。

個人情報とは、氏名や生年月日、マイナンバーなど、個人を識別できる情報のことです。これらの個人情報以外にも、パソコンには以下のような重要な情報が保存されています。

情報	内容
個人情報	氏名や生年月日、住所、家族構成、所得情報など
マネー情報	クレジットカード番号や使用履歴、ネットショッピングのログインやパスワード情報や購入履歴、銀行の通帳番号、ネットバンキングやネット証券のログイン・パスワード情報や明細データなど
身の回りの情報	スケジュールやメールの内容、メールの連絡先など
Web サイト関連	Web サイトの閲覧履歴や検索履歴など
SNS 関連	SNS のユーザー名・パスワード情報、SNS の利用履歴や閲覧履歴など
その他ファイルなど	集計ファイルや重要文書など

Q523 お役立ち度 ★★★ セキュリティ

個人情報や重要な情報が流出したらどうなるの?

A 重篤な被害を受ける可能性があります。

個人情報や重要な情報が漏洩してしまうと、詐欺や乗っ取り、預金の引き出しなどのさまざまな被害を受けることになります。漏洩した情報にもよりますが、漏洩した情報がインターネットなどを介して悪意をもった人に広がることで、さらに危険が増すこともあります。

Q524 お役立ち度 ★★★ セキュリティ

個人情報や重要な情報はどうやって流出するの?

A さまざまな流出経路があります。

個人情報が流出してしまう原因はさまざまで、中には流出していることに気づかないケースもあります。ネットショッピングやネットバンキングなど、個人情報を入力するサービスを利用する場合は、特に注意が必要です。

関連 Q298 Web ページの信頼性

流出原因	内容
ウイルス感染	ウイルスに感染することによって、個人情報を盗み見されてしまう可能性があります。
詐欺サイト	実際にあるネットショッピングやネットバンキングなどの Web ページにそっくりな詐欺サイトにアクセスすると、入力した個人情報やクレジットカード番号、ネットバンキングのログイン情報などが漏洩します。
注意不足	メールでクレジットカード番号などの重要な情報を送ると、それを盗み見られてしまう可能性があります。
SNS 経由	SNS のアカウントを乗っ取られることによって、個人情報やその他の情報が漏洩します。GPS 機能の付いたパソコンで写真を撮って SNS で公開すると、写真に付いた位置情報をもとに自宅の場所などを特定されてしまうことがあります。
パソコンや記憶媒体の廃棄	個人情報などを残したままパソコンやデータが入った記憶媒体を廃棄すると、悪意をもった人にデータを復旧されてしまい、情報が漏洩する可能性があります。

おトクな情報 ドライブの暗号化

Windows 10 Pro/Enterprise の「BitLocker」 機能でドライブを暗号化すると、廃棄・盗難されたパソコンからデータを取り出せなくなります。ただし Home エディションでは使えない機能です。

Q 525 お役立ち度 ★★★ セキュリティ

個人情報や重要な情報を守るために気を付けることは何?

A ウイルス対策ソフトをインストールしたうえで、パソコンの使い方に注意します。

パソコンのセキュリティ対策に万全はありません。ウイルス対策ソフトをインストールしたからもう大丈夫と安心せずに、Web上のサービスを利用する場合などは、情報が漏洩しないように常に注意する心づもりが必要です。関連 Q519 市販のウイルス対策ソフト

対策	内容
ウイルス対策ソフトをインストールする	ウイルス対策ソフトには、個人情報の流出などを防ぐ機能を搭載しているものが多くあります。また、高性能なウイルスチェック機能などを利用できます。ウイルス対策ソフトを使ってさまざまなセキュリティ対策を行うことをお勧めします。
利用する場所を注意する	インターネットカフェなど、さまざまな人が利用するパソコンを使う場合や、外出先のWi-Fi スポットなどでは、情報を盗み見られてしまう可能性も高くなります。安全な場所以外では、重要な情報のやり取りやネットショッピングやネットバンキングの利用などは避けましょう。
Web ページの閲覧について	Web サービスを利用するときは、信頼できるページかどうかを確認しましょう。利用する Web サービスごとに異なるユーザー名やパスワードを使用し、パスワードはなるべく複雑なものにするようにします。
メールの利用について	怪しいメールを見たり、怪しいメールのリンクをクリックしたりしないようにします。また、メールで個人情報やクレジットカード番号を送信するのはやめましょう。
SNS の投稿に関して	SNS にログインするパスワードは、なるべく複雑なものにするとよいでしょう。また、自宅の写真を撮影してアップするときなどは、位置情報サービスをオフにして写真を撮影します。外出中など自宅に不在であることがわかるような投稿は、公開範囲を限定しておくことが大切です。
パソコンや記憶媒体を廃棄するときは	パソコンや記憶媒体を廃棄するときは、データを完全に削除するアプリなどを使用してデータを削除してから廃棄します。また、SD カードなどは、ハサミで細かく切断してから廃棄します。

Q 526 お役立ち度 ★★★ セキュリティ

無料の Wi-Fi(フリー Wi-Fi)を利用しても大丈夫?

A 重要な情報にはアクセスしないようにしましょう。

レストランやホテル、交通機関などでは無料で使えるWi-Fiを提供しているケースがあります。これ以外にも提供元のわからない無料Wi-Fiもあります。外出先で無料Wi-Fiが使えるのは便利ですが、こういったものの中には安全性の低いものもあります。
無料Wi-Fiを利用するときには、ネットバンキングやネットショッピングなど、口座番号やクレジットカード情報などを入力するサイトにはアクセスしないようにしましょう。

おトクな情報 無料 Wi-Fi の接続方法

無料 Wi-Fi を利用する方法は、携帯電話事業者(ドコモ、au、ソフトバンク)のサービスのように近くに接続可能なアクセスポイントを見つけるだけで自動的に接続できるものや、接続用のアプリをインストールするもの、接続用の情報をパソコンやスマートフォンに手動で設定するものなど、事業者ごとに異なります。

Q527 お役立ち度 ★★★ セキュリティ

Windows 10をアップデートするとセキュリティも強化されるの？

A セキュリティが強化される場合もあります。

Windowsの更新プログラムには、Windows 10の機能を更新するものやセキュリティ上の問題を改善するものなどが含まれます。その中でも、セキュリティ上の問題を改善するプログラムを「**セキュリティ更新プログラム**」と呼びます。Windows 10のアップデートを実行してセキュリティ更新プログラムがインストールされたときは、セキュリティ上の問題がある箇所が修正されるため、セキュリティが以前よりも強化されます。更新プログラムは、Q011の方法で自動的にインストールされているか確認しておきましょう。

Q528 お役立ち度 ★★★ スゴわざ セキュリティ

時々表示される「ユーザーアカウント制御」って何？

A パソコンから表示される警告メッセージです。

悪意のあるプログラムによる問題発生を避けるため、アプリをインストールしたり、重要な設定を変更したりするときは、パソコンから「**ユーザーアカウント制御**」の警告メッセージが表示されます。メッセージに対して実行を許可すると、操作ができる状態になります。ワンクッション入れることで、ユーザーに注意を喚起する効果もあります。なお、どのような場合に警告メッセージを表示するかは、コントロールパネルで指定できます。

1 Q450の操作でコントロールパネルを開き、[システムとセキュリティ]をクリックします。

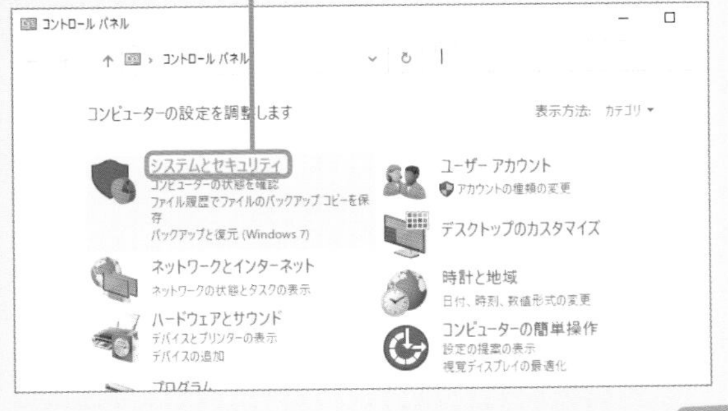

2 [ユーザーアカウント制御設定の変更]をクリックします。

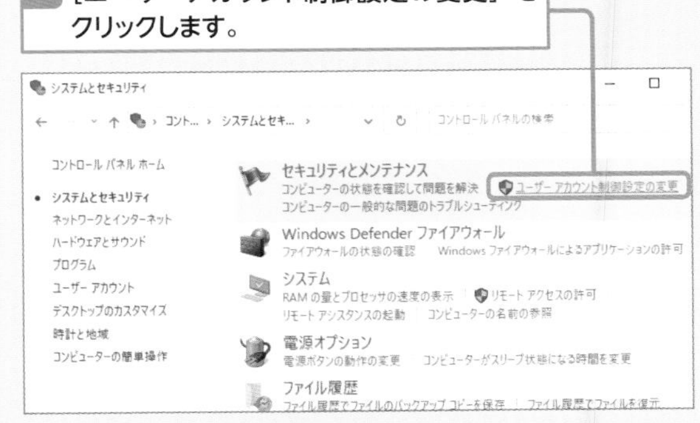

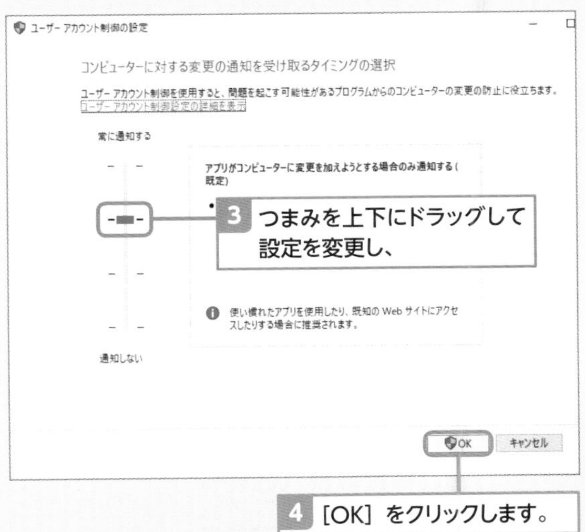

3 つまみを上下にドラッグして設定を変更し、

4 [OK]をクリックします。

Q529 お役立ち度 ★★★ スゴわざ セキュリティ

「管理者として○○してください」と表示された!

A 管理者アカウントのパスワードを入力したり、サインインしたりします。

Q501で解説したように、アカウントには「管理者」と「標準ユーザー」があります。普通にパソコンを使用するときは標準ユーザーでかまいませんが、他のアカウントの管理やセキュリティに関する設定などは、管理者でないと実行できません。「管理者のユーザー名とパスワードを入力してください」と表示されたときは管理者のパスワードを入力すると、続きの操作を行えます。

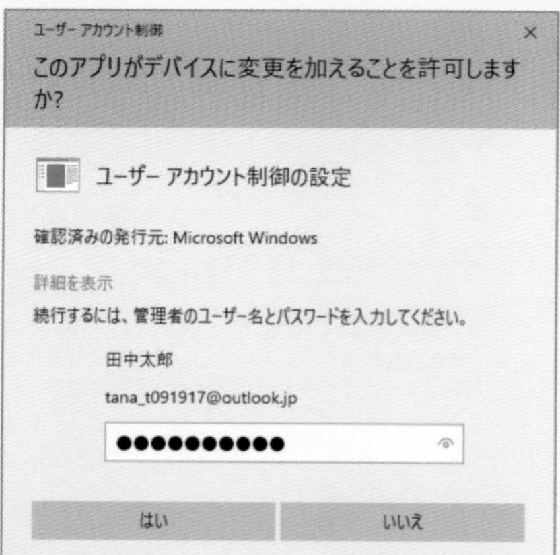

管理者のパスワードを入力する画面

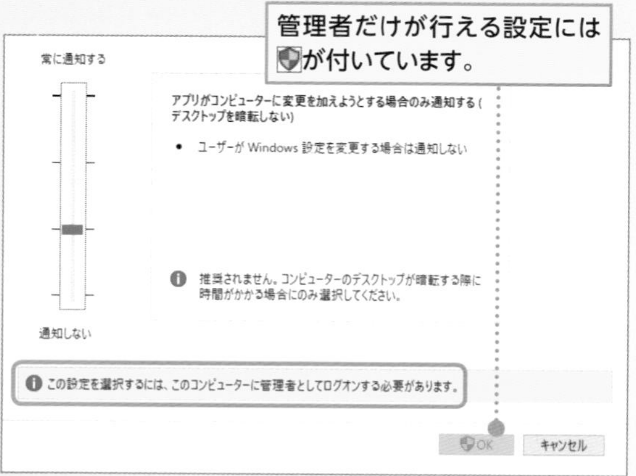

設定が行えない場合は、管理者のユーザーでサインインし直します。

Q530 お役立ち度 ★★★ バックアップ

パソコンを買ったときの状態に戻せるの?

A リカバリーディスクがあれば比較的簡単に戻せます。

パソコンにトラブルが発生して、購入時の状態に戻す方法はいくつかあります。一番簡単なのは、購入時に付属していた「**リカバリーディスク**」を使う方法です。リカバリーディスクをセットして画面に表示されるメッセージに従って操作すると、購入時の初期状態に戻ります。リカバリーディスクがないときは、パソコンメーカーのWebページを確認したり、回復ドライブを使う方法もあります。ただし、どの方法を選択したとしても、保存したファイルが無くなる可能性があります。日頃から重要なファイルをWeb上の保存場所や外部記憶装置にコピーして、バックアップをとる習慣を付けましょう。

■ パソコンを初期状態に戻す主な方法

方法	内容
①リカバリーディスクを利用する	パソコン購入時に付属・作成したリカバリーディスクから回復する方法です。
② Web ページを確認する	パソコンメーカーによって、回復や初期化の手順が異なります。パソコンメーカーの Web ページで手順を確認します。
③ハードディスクのデータから回復する	「設定」画面の［更新とセキュリティ］→［回復］から回復を試みる方法です。
④回復ドライブから回復する	回復ドライブから回復する方法です。あらかじめ、USB メモリーなどに回復ドライブを作成しておく必要があります。

おトクな情報 リカバリーディスクを用意しよう

リカバリーディスクは、パソコンを購入したときに付属してくる場合もありますが、後から作成することもできます。リカバリーディスクの作成方法はパソコンによって操作が異なるため、パソコンの取扱説明書やメーカーの Web ページを参照してください。リカバリーディスクが無い場合は、パソコンメーカーから購入できる場合もあるので確認してみるとよいでしょう。

回復ドライブを作成するには?

A USBメモリーに回復ドライブを作成します。

「**回復ドライブ**」とは、パソコンにトラブルがあって起動しなくなったときのために、USBメモリーからパソコンを復元したり初期状態に戻せるようにするものです。1時間くらいかかる作業ですが、面倒がらずに作成しておくと、万が一のときに安心です。なお、パソコンに保存したファイルなどは、回復ドライブとは別にバックアップをとっておく必要があります。回復ドライブからパソコンを起動する方法は、お使いのパソコンメーカーのWebページなどで確認してください。

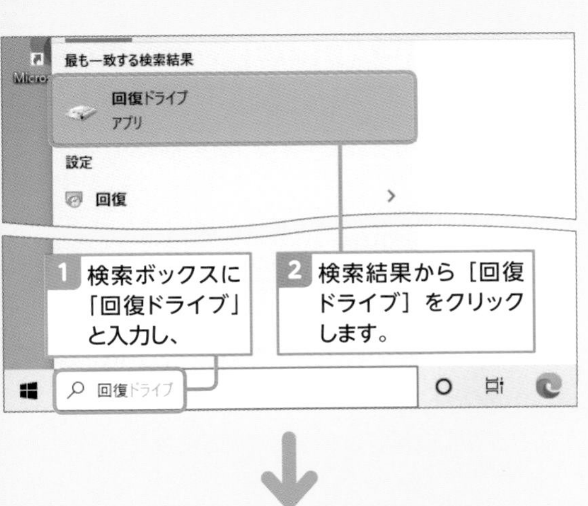

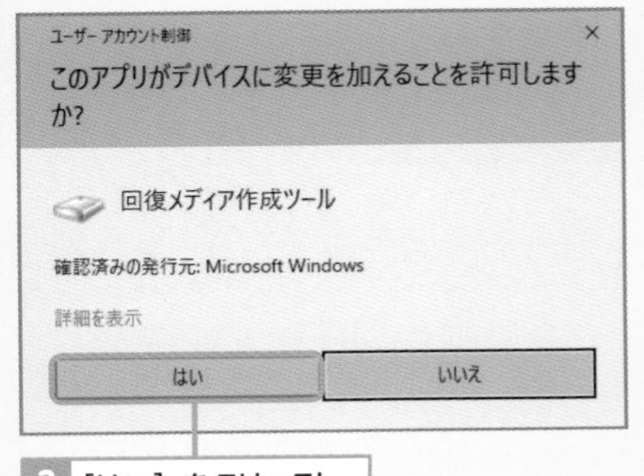

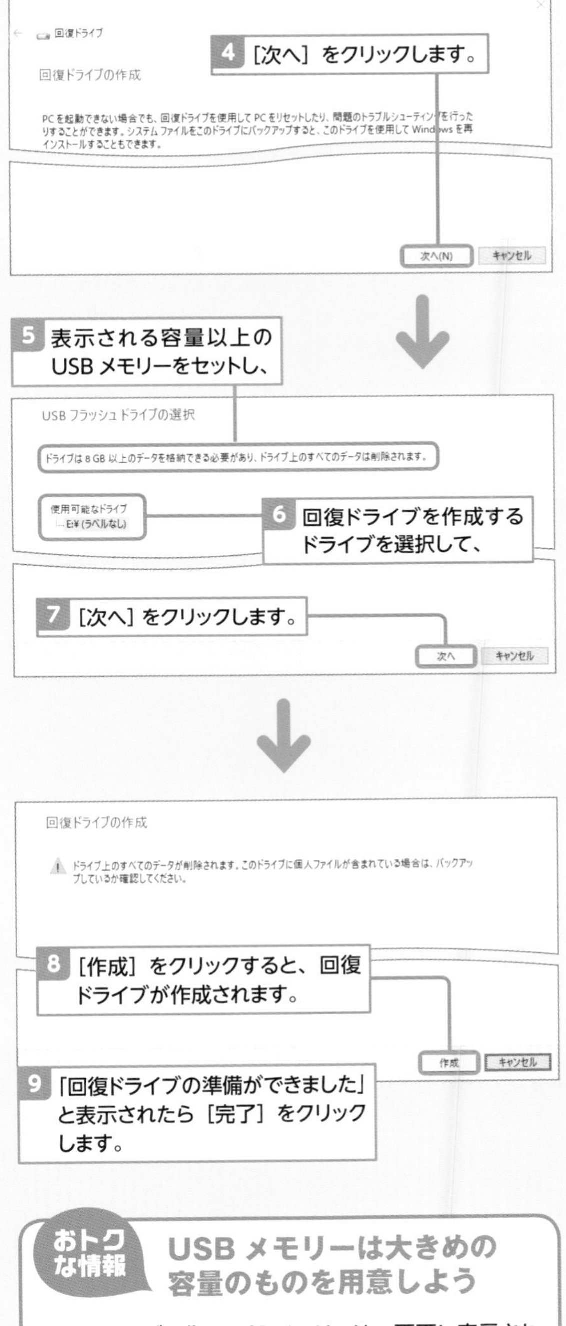

おトクな情報 USBメモリーは大きめの容量のものを用意しよう

回復ドライブを作るUSBメモリーは、画面に表示されるサイズよりも容量の大きいものを準備します。このUSBメモリーは回復ドライブ専用となるので、他には利用しないUSBメモリーを使います。最近はUSBメモリーの価格が下がっているので、回復ドライブ用に新しく購入してもよいでしょう。

大切なファイルのバックアップをとるには?

A ファイル履歴を使用する方法があります。

ファイルのバックアップを外部記憶装置やWeb上の保存場所にとっておくと、万が一パソコンのトラブルがあってもファイルが無くなることを防げます。手動で1つずつファイルやフォルダーをコピーしてバックアップすることもできますが、「**ファイル履歴**」を使う方法もあります。ファイル履歴を使用すると、指定したフォルダーを指定したタイミングで自動的にバックアップできます。

1 パソコンに外部記憶装置を接続しておきます。

2 スタートメニューから［設定］をクリックし、［更新とセキュリティ］をクリックします。

3 ［バックアップ］をクリックし、

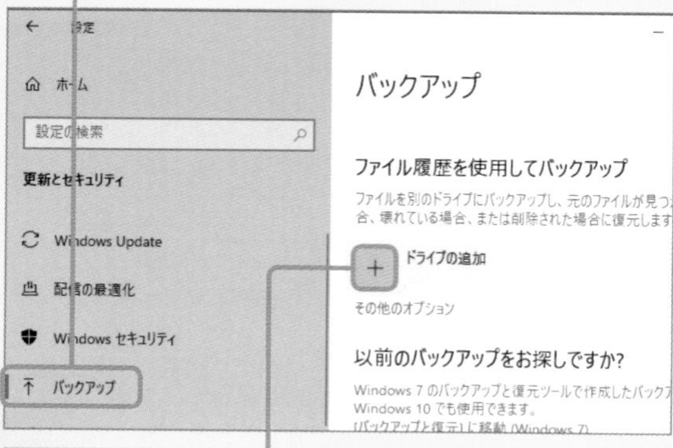

4 「ファイル履歴を使用してバックアップ」の［+］をクリックして、

5 バックアップ先のドライブをクリックします。

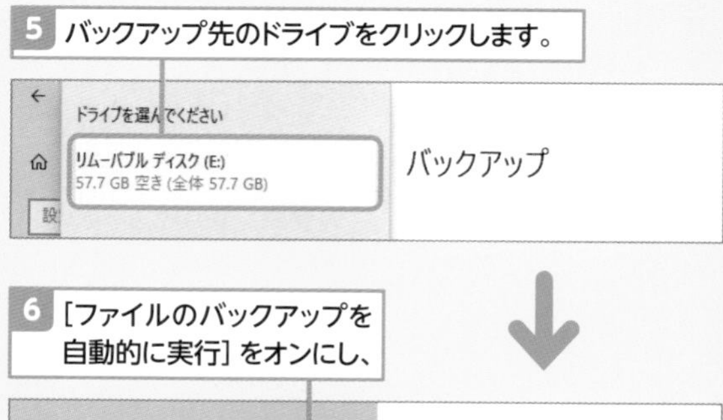

6 ［ファイルのバックアップを自動的に実行］をオンにし、

7 ［その他のオプション］をクリックします。

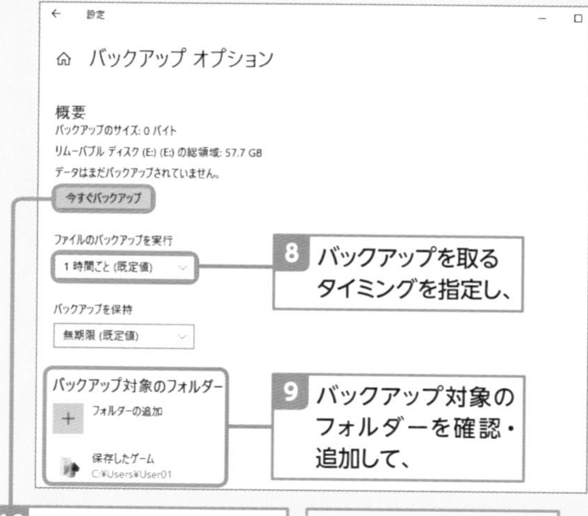

8 バックアップを取るタイミングを指定し、

9 バックアップ対象のフォルダーを確認・追加して、

10 ［今すぐバックアップ］をクリックします。

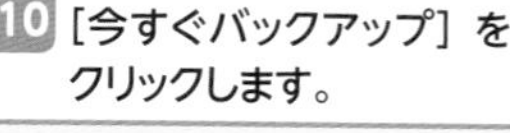

バックアップ対象から外すには、フォルダーをクリックして、［取り出し］をクリックします。

おトクな情報 バックアップに使える媒体

バックアップには、外付けハードディスクドライブやUSBメモリーなどの外部記憶装置が使えます。バックアップは自動で実行されるので、常にパソコンに接続しておく必要があります。

Q533 お役立ち度 ★★★ バックアップ

バックアップしたファイルを復元するには?

A [現在のバックアップからファイルを復元] をクリックします。

Q532の操作で、ファイル履歴を使用してバックアップしたファイルを復元するには、「ファイル履歴」画面から復元したい日付やフォルダーを指定します。復元するときには、バックアップ先の外部記憶装置を接続しておきましょう。

1 スタートメニューから［設定］  をクリックし、［更新とセキュリティ］をクリックします。

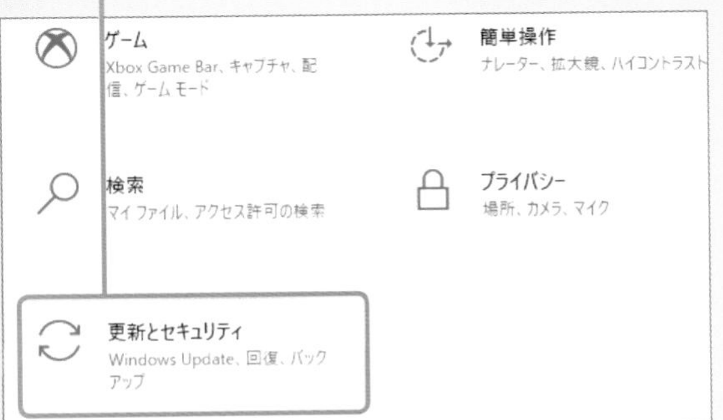

2 ［バックアップ］をクリックし、

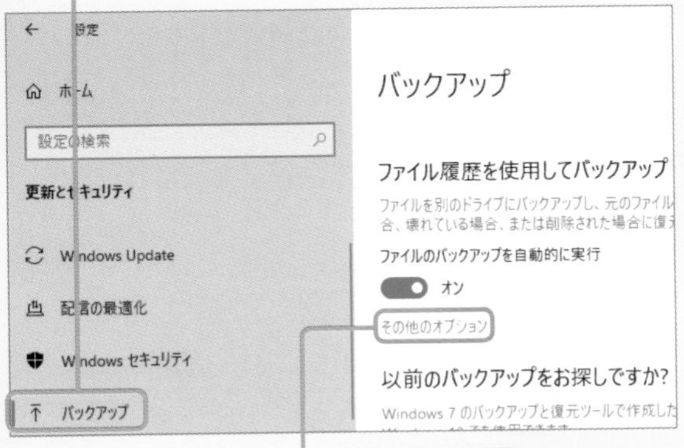

3 「ファイル履歴を使用してバックアップ」の［その他のオプション］をクリックして、

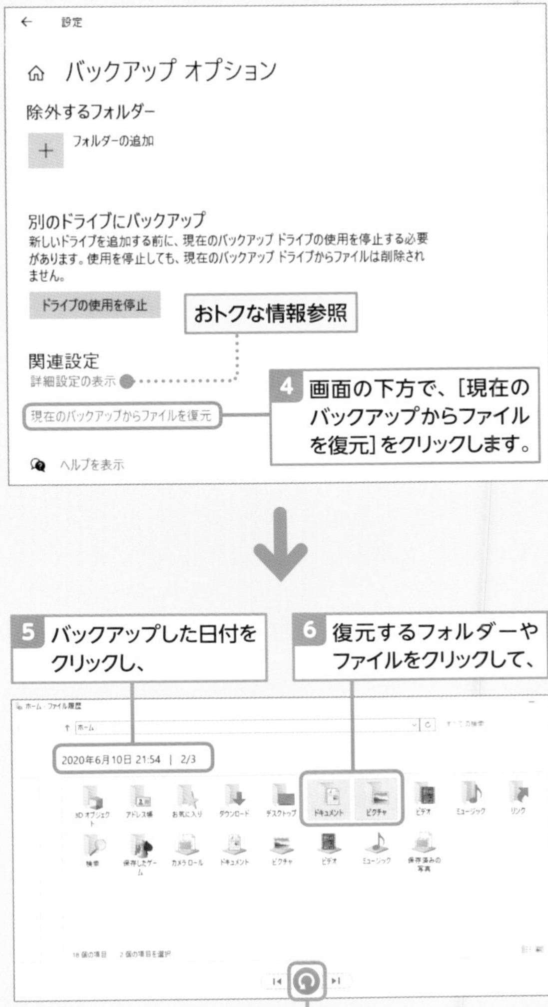

4 画面の下方で、［現在のバックアップからファイルを復元］をクリックします。

5 バックアップした日付をクリックし、

6 復元するフォルダーやファイルをクリックして、

2020年6月10日 21:54 | 2/3

7 ここをクリックすると、

8 フォルダーが元の状態に戻ります。

おトクな情報 古いバックアップファイルを削除する

バックアップファイルはサイズが大きいので、古いものは削除するとよいでしょう。それには、手順 4 の画面で［詳細設定の表示］をクリックし、表示された「ファイル履歴」画面の［詳細設定］をクリックします。続けて、［保存されたバージョンを保存する期間］をクリックして選択してから［変更の保存］をクリックします

パスワードをリセットするディスクを作成するには？

A コントロールパネルから操作します。

パソコンにサインインするときのパスワードを忘れてしまったら、MicrosoftアカウントはQ500の操作、ローカルアカウントはQ499の操作で設定し直すことができます。ただし、管理者のユーザーのパスワードがわからない場合で、かつセキュリティの質問の答えもわからないときはこれらの方法が使えません。こういったことを防ぐには、前もって「**パスワードリセットディスク**」と呼ばれるファイルをUSBメモリーなどに作成しておくと安心です。「パスワードリセットディスク」さえあれば、パスワードをリセットして設定し直すことができます。

USB メモリーに作成する

1 USB メモリーをパソコンに接続し、パスワードリセットディスクを作りたい管理者のユーザーでサインインします。

2 Q450 の操作でコントロールパネルを開いて［ユーザーアカウント］をクリックし、

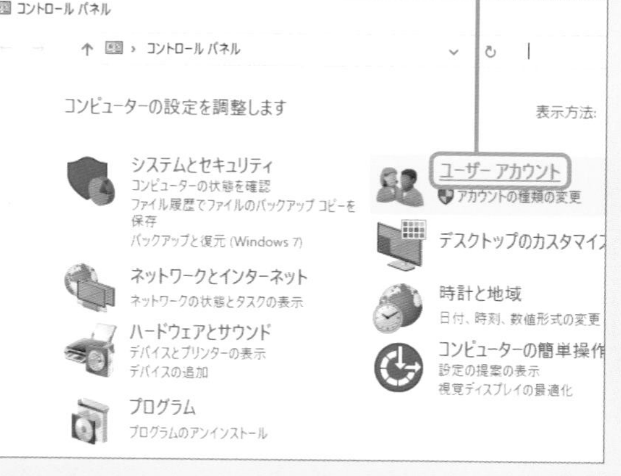

3 ［ユーザーアカウント］をクリックします。

4 ［パスワードリセットディスクの作成］をクリックします。

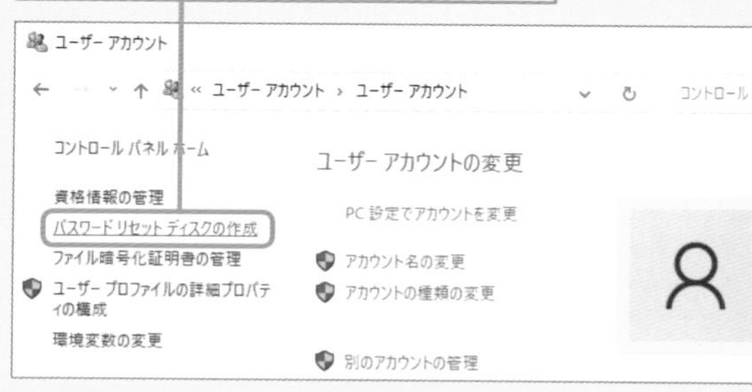

5 後は画面の指示に従って作成します。

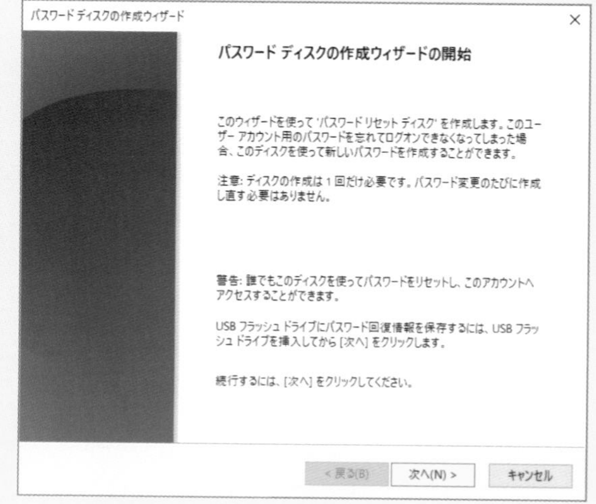

USB メモリーからパスワードをリセットする

1 パスワードリセットディスクを作成した USB メモリーをパソコンにセットします。

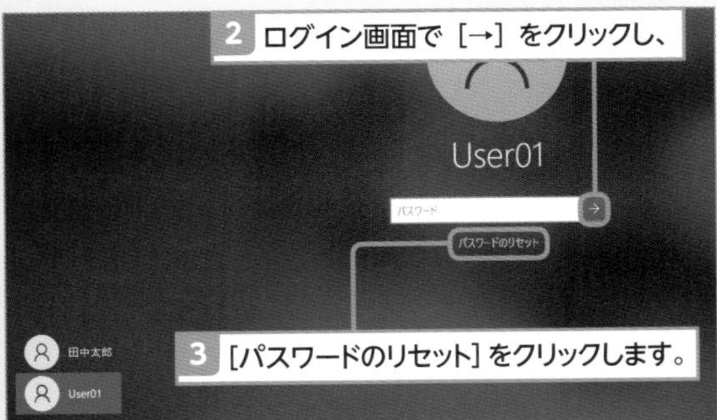

2 ログイン画面で［→］をクリックし、

3［パスワードのリセット］をクリックします。

4［代わりにパスワードリセットディスクを使用する］をクリックすると、

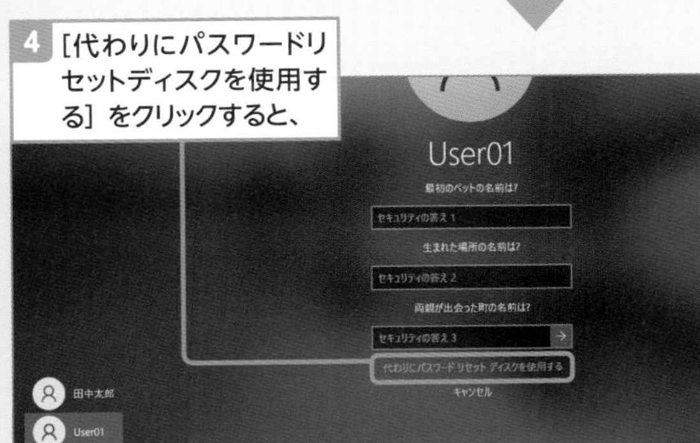

5 パスワードのリセットウィザードが起動します。

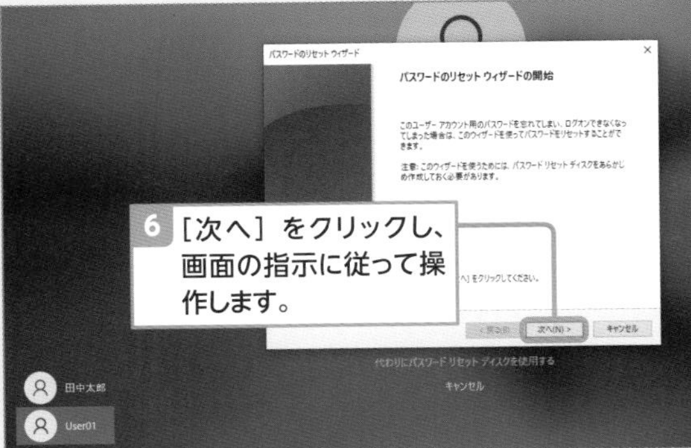

6［次へ］をクリックし、画面の指示に従って操作します。

7 ウィザードが終了したら［完了］をクリックし、元の画面に戻ったら［キャンセル］をクリックします。新しく設定したパスワードを入力してサインインします。

Q 535 お役立ち度 ★★★ バックアップ

パソコン全体のバックアップをとるには?

A［システムイメージの作成］を実行します。

パソコンのトラブルに備えてパソコン全体のバックアップをとるには、「コントロールパネル」の［システムとセキュリティ］→［バックアップと復元（Windows7)］の順にクリックし、［システムイメージの作成］をクリックします。システムイメージを作成すると、Windows 10のシステムドライブ（一般的にはCドライブ）のすべてのデータのバックアップを作成できます。

1 パソコンに外部記憶装置を接続しておきます。

2 Q450 の操作でコントロールパネルを開いて［システムとセキュリティ］をクリックし、

3［バックアップと復元（Windows7)］をクリックします。

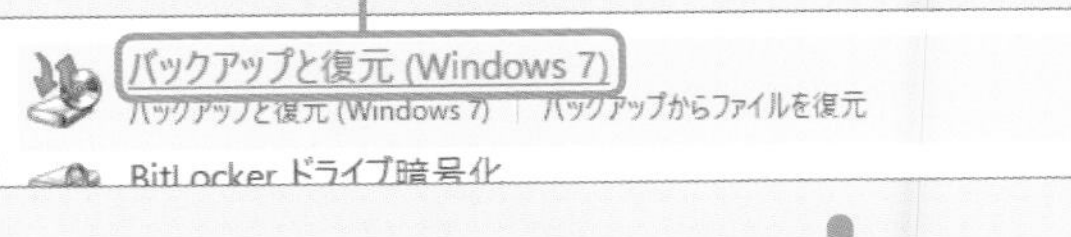

4［システムイメージの作成］をクリックし、

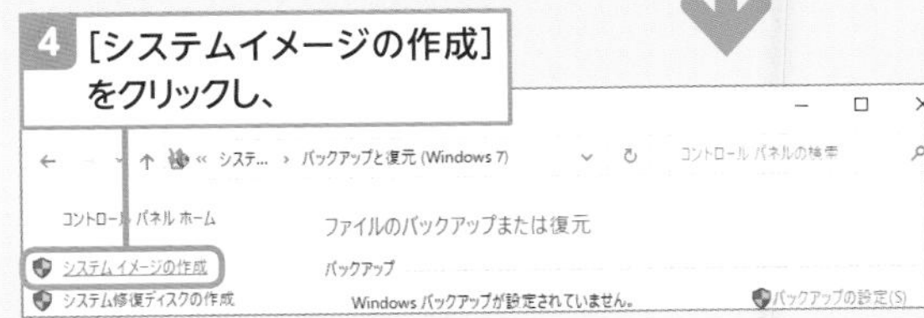

5 後は画面の指示に従って操作します。

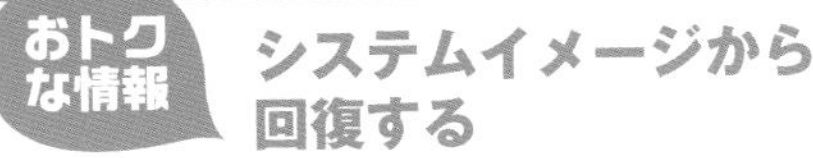

おトクな情報 システムイメージから回復する

作成したバックアップからシステムを回復するには、「設定」画面で［更新とセキュリティ］→［回復］をクリックし、「PC の起動をカスタマイズする」の［今すぐ再起動］をクリックしてパソコンを再起動します。再起動後に表示される「オプションの選択」画面で［トラブルシューティング］→［詳細オプション］→［その他の修復オプションを表示］→［イメージでシステムを回復］をクリックします。

ローマ字／かな対応表

あ行

あ	い	う	え	お
A	I YI	U WU WHU	E	O

ぁ	ぃ	ぅ	ぇ	ぉ
LA XA	LI XI LYI XYI	LU XU	LE XE LYE XYE	LO XO

	いぇ			
	YE			

うぁ	うぃ		うぇ	うぉ
WHA	WHI WI		WHE WE	WHO

か行

か	き	く	け	こ
KA CA	KI	KU CU QU	KE	KO CO

ヵ			ヶ	
LKA XKA			LKE XKE	

きゃ	きぃ	きゅ	きぇ	きょ
KYA	KYI	KYU	KYE	KYO

くぁ	くぃ	くぅ	くぇ	くぉ
QWA QA KWA	QWI QI QYI	QWU	QWE QE QYE	QWO QO

くゃ		くゅ		くょ
QYA		QYU		QYO

が	ぎ	ぐ	げ	ご
GA	GI	GU	GE	GO

ぎゃ	ぎぃ	ぎゅ	ぎぇ	ぎょ
GYA	GYI	GYU	GYE	GYO

ぐぁ	ぐぃ	ぐぅ	ぐぇ	ぐぉ
GWA	GWI	GWU	GWE	GWO

さ行

さ	し	す	せ	そ
SA	SI CI SHI	SU	SE CE	SO

しゃ	しぃ	しゅ	しぇ	しょ
SYA SHA	SYI	SYU SHU	SYE SHE	SYO SHO

すぁ	すぃ	すぅ	すぇ	すぉ
SWA	SWI	SWU	SWE	SWO

ざ	じ	ず	ぜ	ぞ
ZA	ZI JI	ZU	ZE	ZO

じゃ	じぃ	じゅ	じぇ	じょ
JYA ZYA JA	JYI ZYI	JYU ZYU JU	JYE ZYE JE	JYO ZYO JO

た行

た	ち	つ	て	と
TA	TI CHI	TU TSU	TE	TO

		っ		
		LTU XTU LTSU		

だ	ぢ	づ	で	ど
DA	DI	DU	DE	DO

ちゃ	ちぃ	ちゅ	ちぇ	ちょ	ぢゃ	ぢぃ	ぢゅ	ぢぇ	ぢょ
TYA CYA CHA	TYI CYI	TYU CYU CHU	TYE CYE CHE	TYO CYO CHO	DYA	DYI	DYU	DYE	DYO
つぁ	つぃ		つぇ	つぉ					
TSA	TSI		TSE	TSO					
てゃ	てぃ	てゅ	てぇ	てょ	でゃ	でぃ	でゅ	でぇ	でょ
THA	THI	THU	THE	THO	DHA	DHI	DHU	DHE	DHO
とぁ	とぃ	とぅ	とぇ	とぉ	どぁ	どぃ	どぅ	どぇ	どぉ
TWA	TWI	TWU	TWE	TWO	DWA	DWI	DWU	DWE	DWO

な行

な	に	ぬ	ね	の	にゃ	にぃ	にゅ	にぇ	にょ
NA	NI	NU	NE	NO	NYA	NYI	NYU	NYE	NYO

は行

は	ひ	ふ	へ	ほ	ば	び	ぶ	べ	ぼ
HA	HI	HU FU	HE	HO	BA	BI	BU	BE	BO
					ぱ	ぴ	ぷ	ぺ	ぽ
					PA	PI	PU	PE	PO
ひゃ	ひぃ	ひゅ	ひぇ	ひょ	びゃ	びぃ	びゅ	びぇ	びょ
HYA	HYI	HYU	HYE	HYO	BYA	BYI	BYU	BYE	BYO
					ぴゃ	ぴぃ	ぴゅ	ぴぇ	ぴょ
					PYA	PYI	PYU	PYE	PYO
ふぁ	ふぃ	ふぅ	ふぇ	ふぉ	ヴぁ	ヴぃ	ヴ	ヴぇ	ヴぉ
FWA FA	FWI FI FYI	FWU	FWE FE FYE	FWO FO	VA	VI VYI	VU	VE VYE	VO
ふゃ		ふゅ		ふょ	ヴゃ	ヴぃ	ヴゅ	ヴぇ	ヴょ
FYA		FYU		FYO	VYA		VYU		VYO

ま行

ま	み	む	め	も	みゃ	みぃ	みゅ	みぇ	みょ
MA	MI	MU	ME	MO	MYA	MYI	MYU	MYE	MYO

や行

や		ゆ		よ	ゃ		ゅ		ょ
YA		YU		YO	LYA XYA		LYU XYU		LYO XYO

ら行

ら	り	る	れ	ろ	りゃ	りぃ	りゅ	りぇ	りょ
RA	RI	RU	RE	RO	RYA	RYI	RYU	RYE	RYO

わ行

わ	ゐ		ゑ	を	ん
WA	WI		WE	WO	N NN XN N'

- 「ん」は、母音（A、I、U、E、O）の前と、単語の最後ではNNと入力します。（TANI→たに、TANNI→たんい、HONN→ほん）
- 「っ」は、N以外の子音を連続しても入力できます。（ITTA→いった）
- 「ヴ」のひらがなはありません。

便利なショートカットキー

Windowsを使ううえで知っておくと便利なショートカットキーをまとめました。効果的なものばかりですので、気になるものをぜひ使ってみてください。

●デスクトップやエクスプローラーで使えるショートカットキー

ショートカットキー	操作内容
F2	ファイル名やフォルダー名の変更 ▶Q111、127
F5	デスクトップやフォルダーを最新の情報に更新 ▶Q053
⊞（ウィンドウズ）＋ 1（2 3）*	左から○番目のタスクバーのボタンを起動 ▶Q058
⊞（ウィンドウズ）＋ A	アクションセンターを開く
⊞（ウィンドウズ）＋ D	すべてのウィンドウを最小化してデスクトップを表示 もう一度押すと元の状態に戻る ▶Q089
⊞（ウィンドウズ）＋ E	エクスプローラーを表示 ▶Q059
⊞（ウィンドウズ）＋ L	パソコンをロックしてロック画面を表示 ▶Q469
⊞（ウィンドウズ）＋ M	すべてのウィンドウを最小化してデスクトップを表示 ▶Q090
⊞（ウィンドウズ）＋ R	「ファイル名を指定して実行」画面を開く ▶Q033
⊞（ウィンドウズ）＋ S	検索ボックスにカーソルを移動する ▶Q270
⊞（ウィンドウズ）＋ Tab	タスクビュー、タイムラインを表示
⊞（ウィンドウズ）＋ ,	押している間だけ一時的にデスクトップを表示
⊞（ウィンドウズ）＋ Home	アクティブウィンドウ以外を最小化 ▶Q091
⊞（ウィンドウズ）＋ →／←	アクティブウィンドウを画面右半分（左半分）に表示 ▶Q081
⊞（ウィンドウズ）＋ ↑	アクティブウィンドウを最大化 ▶Q081
⊞（ウィンドウズ）＋ ↓	アクティブウィンドウを最小化 ▶Q081
⊞（ウィンドウズ）＋ PrtScn	スクリーンショットを撮影して「ピクチャ」フォルダーに保存 ▶Q049
⊞（ウィンドウズ）＋ Shift ＋ S	画面領域の切り取り ▶Q050
⊞（ウィンドウズ）＋ Shift ＋ ↑	ウィンドウを縦方向に拡大 ▶Q081
⊞（ウィンドウズ）＋ Ctrl ＋ D	仮想デスクトップを追加 ▶Q093
⊞（ウィンドウズ）＋ Ctrl ＋ F4	現在表示中の仮想デスクトップを閉じる
⊞（ウィンドウズ）＋ Ctrl ＋ →／←	仮想デスクトップ間の移動 ▶Q094
Ctrl を押しながらファイルをドラッグ	選択したファイルをコピーする ▶Q129
Ctrl ＋ Shift ＋ Esc	タスクマネージャーを表示 ▶Q026
Alt ＋ P	エクスプローラーのプレビューウィンドウを表示 ▶Q120
Alt ＋ Enter	ファイルやフォルダーのプロパティを開く ▶Q113
Alt ＋ Tab	アプリの切り替え ▶Q084
Shift ＋ Delete	ごみ箱に入れずにファイルを完全削除 ▶Q131

*テンキーは使えません

●プログラム共通で使えるショートカットキー

ショートカットキー	操作内容
F1	ヘルプの表示
Ctrl ＋ A	表示されている文字やファイルやフォルダーをすべて選択
Ctrl ＋ C	選択したデータをクリップボードにコピーする ▶Q128、195
Ctrl ＋ F	検索機能を開く ▶Q268
Ctrl ＋ O	ファイルを開く
Ctrl ＋ P	印刷画面を開く ▶Q259
Ctrl ＋ S	上書き保存
Ctrl ＋ V	クリップボードに保存したデータを貼り付ける ▶Q128、195
Ctrl ＋ W	ウィンドウを閉じる
Ctrl ＋ X	選択したデータを切り取ってクリップボードに保存する ▶Q128、195
Ctrl ＋ Y	Ctrl ＋ Z で戻した操作を取り消す
Ctrl ＋ Z	直前の操作を取り消して元に戻す
Alt ＋ F4	アプリの終了 ▶Q035

●文字入力で使えるショートカットキー

ショートカットキー	操作内容
F6	ひらがな変換 ▶Q181
F7	全角カタカナ変換 ▶Q167
F8	半角カタカナ変換 ▶Q181
F9	全角英数字変換 ▶Q176
F10	半角英数字変換 ▶Q177

●ブラウザー（Edge、Internet Explorer）で使えるショートカットキー

ショートカットキー	操作内容
F4	アドレスバーにカーソルを移動
F5	Web ページを再読み込み ▶Q255
F7	キャレットブラウズの有効／無効を切り替え ▶Q269
Ctrl ＋ 1（2 3）*	左から○番目のタブに切り替え ▶Q288
Ctrl ＋ 9 *	右端のタブに切り替え ▶Q288
Ctrl ＋ D	表示中の Web ページをお気に入りに登録 ▶Q272
Ctrl ＋ H	履歴の一覧を表示 ▶Q257
Ctrl ＋ L	アドレスバーにカーソルを移動 ▶Q264
Ctrl ＋ T	新しいタブを開く ▶Q280
Ctrl ＋ W	表示中のタブを閉じる ▶Q288
Ctrl ＋ Tab	右にあるタブに切り替える ▶Q288
Ctrl を押しながらリンクをクリック	リンク先を新しいタブに開く ▶Q281
Ctrl ＋ Shift ＋ T	最後に閉じたタブを再び開く ▶Q287
Ctrl ＋ Shift ＋ Tab	左にあるタブに切り替える ▶Q288
Ctrl ＋ Shift ＋ Delete	履歴データ消去画面を表示 ▶Q294
Alt ＋ Home	ホームページに戻る
Alt ＋ Shift を押しながらリンクをクリック	リンク先を新しいウィンドウで表示 ▶Q288

*テンキーは使えません

用語集

本書に登場する用語や、パソコンを使ううえで知っておくと便利な用語をまとめました。用語の意味で困ったときに活用してください。

アルファベット

Android（アンドロイド）

グーグル社が開発した技術を搭載したスマートフォンの総称。

App Store（アップストア）

アップル社が運営するiPhone、iPad、iPod touch向けのアプリを配信するサービスの名前。

BCC（ビーシーシー）

Blind Carbon Copyの略。メールアプリで宛先以外に複製を送りたい宛先のメールアドレスを指定する。BCCに指定したメールアドレスは他の人には見えない。

BD、Blue-ray Disc（ブルーレイディスク）

青紫色半導体レーザーを用いた、書き換え可能な大容量の光ディスク。容量が大きいので、動画や音楽などの保存に適している。

Bing（ビング）

マイクロソフトが開発・運営をしているインターネット検索サービスの総称。初期設定では、ブラウザーのEdgeで検索するとBingを使った検索結果が表示される。

Bluetooth（ブルートゥース）

パソコンと周辺機器の接続に使われる無線通信技術のひとつ。ケーブルを使わずに周辺機器を接続できるが、機器同士の距離が数m以内に限定される。

CATV（シーエーティーブイ）

Community Antenna TeleVisionの略。「ケーブルテレビ」ともいう。テレビ放送だけでなく、電話やインターネットの回線としても利用されている。

CC（シーシー）

Carbon Copyの略。メールアプリで宛先以外に複製を送りたい宛先のメールアドレスを指定する。CCに指定したメールアドレスは全員に見える。

Cookie（クッキー）

Webページで閲覧した情報の一部（利用者の識別や属性に関する情報、最後にサイトを訪れた日時など）を保存しておく特別なファイル。これにより、次に同じWebページにアクセスしたときに、自動的に利用者の識別が行われる。

Cortana（コルタナ）

Windows 10に搭載されている音声によるアシスタント機能。マイクに話しかけることで、天気や株価をチェックしたりWebページの検索を行える。

CPU（シーピーユー）

Central Processing Unitの略。「中央処理装置」ともいう。パソコンの制御や計算などを行う心臓部。

Edge（エッジ）

ブラウザーのひとつ。Windows 10では、Edgeが既定のブラウザーとして設定されている。2020年1月に新しいEdgeが公開された。

Gmail（ジーメール）

グーグル社が無料で提供しているWebメールサービスの名称。

Google（グーグル）

アメリカの大手インターネット企業のひとつ。Googleというブランドは、同社が提供するWeb検索エンジンやサービスの大半に用いられている。

Google Play（グーグルプレイ）

グーグル社がAndroidを搭載したスマートフォンやタブレット向けのアプリなどを配信するサービスの名前。

GPS（ジーピーエス）

Global Positioning Systemの略。「全地球測位システム」ともいう。人工衛星を利用して自分が地球上のどこにいるのかを正確に割り出すシステムのこと。Windows 10では、「天気」などのアプリでGPSを使って現在地の情報を表示している。

Grooveミュージック（グルーブミュージック）

Windows 10に最初からインストールされている音楽再生専用アプリの名前。

IME（アイエムイー）

日本語を入力するためのプログラム。Windows 10には初めから「IME」がインストールされている。

IMEツールバー（アイエムイーツールバー）

ひらがなや漢字などの文字を入力する専用のツールバーのこと。Windows 10の初期設定では、IMEツールバーは表示されない。

IMEパッド（アイエムイーパッド）

IMEに搭載されている機能のひとつで、「読み」のわからない漢字を画数や部首などから検索できる。

Internet Explorer（インターネットエクスプローラー）

ブラウザーのひとつ。Windows 10では既定のブラウザーがEdgeになったが、Internet Explorerも利用できる。

iPhone（アイフォーン）

アップル社が開発・販売しているスマートフォンのこと。同社が運営するApp Storeからアプリをダウンロードして追加できる。

JPEG（ジェイペグ）

画像データのファイル形式のひとつ。デジタルカメラで撮影した写真は一般的にJPEG形式で保存される。ファイル名の拡張子は「.jpg」。

LAN（ラン）

Local Area Networkの略。室内や同じ建物内など、限られた範囲内にあるパソコンと周辺機器をケーブルや無線電波などで接続して、相互にデータ通信できるようにしたネットワークのこと。

Microsoft 365（マイクロソフト 365）

マイクロソフトが開発したサブスクリプションライセンスのOfficeの名称。Office 2019がパッケージを購入して使うのに対し、Microsoft 365は毎月または毎年、一定額の料金を支払うことで継続的に利用できる。

Microsoftアカウント（マイクロソフトアカウント）

Windows 10にサインインするアカウントのひとつ。マイクロソフトのWebページから無料で取得できる。Microsoftアカウントがあると、OneDriveなどのさまざまなクラウドサービスが利用できる。

Microsoftニュース（マイクロソフトニュース）

政治経済、スポーツ、エンタメなどの総合的な最新ニュースを閲覧できるアプリ。「Microsoft Store」から無料でダウンロードできる。

NumLock（ナムロック）

テンキーの動作を切り替えるキー。 NumLock キーがオンのときはテンキーの数字を入力できるが、オフのときは数字の入力が行えない。

Office 2019（オフィス2019）

購入後は追加料金が発生しない永続ライセンスのOfficeのことで、2020年8月現在の最新版。

OneNote（ワンノート）

マイクロソフトのOfficeアプリのひとつ。パソコンやスマホを使ったデジタルノート。「ノートブック」と呼ばれる用紙に文字や画像、手書きの文字などを自由に書き込める。保存先をOneDriveにすれば、どこからでも閲覧できる。

OneDrive（ワンドライブ）

マイクロソフトが提供しているクラウドサービスのひとつで、Web上の保管場所（オンラインストレージ）のこと。Microsoftアカウントでサインインすると、無料で5GBの容量が使える。OneDriveにアップロードしたファイルは、他の人と共有したり、外出先からスマートフォンなどで閲覧・編集したりできる。

OS（オーエス）

Operating Systemの略。「基本ソフト」とも呼ぶ。パソコンを動かすための基本的な機能を持ったソフトウェアのこと。

Outlook.com（アウトルックドットコム）

マイクロソフトが提供しているWebメールサービスの名前。

PDF（ピーディーエフ）

Portable Document Formatの略。アドビシステムズ社が開発した電子文書のためのフォーマット。PDFファイルは作成元のパソコンの機種や環境に関係なくファイルを表示できる。

People（ピープル）

Windows 10に最初からインストールされている連絡帳アプリの名前。氏名やメールアドレスなどを登録しておくと、「メール」アプリからメールアドレスを検索して表示できる。

PIN（ピン）

Personal Identification Numberの略。「個人識別番号」ともいう。本人確認のために用いる番号のこと。

POP3（ポップスリー）サーバー

電子メールを受信するためのサーバーのひとつで、メール受信プロトコル（通信規約）であるPOP3に対応している。

SDカード（エスディーカード）

Secure Digital memory cardの略。メモリーカードの規格のひとつ。デジタルカメラで撮影した写真や音楽を保存するのに利用されている。

Skype（スカイプ）

インターネットを通じて、音声通話やテレビ電話、文字によるチャットを行える。Windows 10には最初から「Skype」アプリがインストールされている。

SMTP（エスエムティーピー）サーバー

電子メールを送信するためのサーバーで、メール送信プロトコル（通信規約）であるSMTPに対応している。

SNS（エスエヌエス）

Social Networking Serviceの略。TwitterやFacebook、Instagramなど、パソコンやスマートフォンを使ったコミュニケーションの手段のひとつ。世界中の人と簡単につながれる。

SSD（エスエスディー）

Solid State Driveの略。半導体メモリーを使用した大容量の外部記憶装置。ハードディスクよりも高速で消費電力が少なく、耐衝撃性に優れ、軽量で動作音もない。ハードディスクからの置き換えが進んでいる。

URL（ユーアールエル）

Uniform Resource Locatorの略で、Web上の情報の位置を示す住所のようなもの。ブラウザーのアドレスバーに「http://」「https://」から始まるURLを入力して、目的のWebページを表示する。

USB（ユーエスビー）

Universal Serial Busの略で、キーボードやマウスなどの周辺機器とパソコンを結ぶデータ伝送路の規格のひとつ。データの伝送速度によっていくつかの種類に分かれる。

USBハブ（ユーエスビーハブ）

パソコンのUSBポートが足りなくなったときに、USBポートを増やすための分岐装置。

USBメモリー（ユーエスビーメモリー）

パソコンのUSBポートに差し込んで使用する小型の外部記憶装置（ストレージ）。着脱や持ち運びが容易なため、外部記憶装置としてよく用いられる。

Webメール（ウェブメール）

ブラウザーで利用するメールのこと。メールの作成や受信メールの閲覧などをブラウザー上で行う。すべてのメールがWeb上に保存されるため、どこからでもメールのチェックができる。

Wi-Fi（ワイファイ）

Wireless Fidelityの略。ある無線LAN製品が他の無線LAN製品と正しく接続できることを保証するブランドで、相互接続テストに合格した製品にはWi-Fiロゴが付いている。

Windows Ink（ウィンドウズインク）ワークスペース

「Whiteboard」を使ってホワイトボードに自由に絵を描いたり、「全画面表示の領域切り取り」を使ってスクリーンショットに手書きのメモを追加したりできる。

Windowsセキュリティ（ウィンドウズセキュリティ）

Windows 10に最初からインストールされているセキュリティソフトの名前。

Windows Media Player（ウィンドウズメディアプレーヤー）

Windows 10に最初からインストールされている音楽・動画再生アプリの名前。

Windows Update（ウィンドウズアップデート）

インターネットを通じてマイクロソフトが自動的にWindowsの修正・更新プログラムを適用するシステムのこと。手動で実行することもできる。

ZIP（ジップ）

複数のファイルやフォルダーをまとめて圧縮する形式のひとつ。ファイルの拡張子は「.zip」。容量の大きなファイルを圧縮すると、ファイルサイズを小さくできる。

あ

アイコン

ファイルやフォルダー、アプリなどを表した小さな絵柄のこと。

アカウント

パソコンを利用するための固有の番号や権利のこと。Windows 10では、ローカルアカウント、Microsoftアカウント、家族アカウントが利用できる。

アクションセンター

通知領域の右端のボタン□をクリックして開く画面。タブレットモードや夜間モードの切り替えなどのボタンが並ぶ。マイクロソフトからのメッセージがあると、アクションセンターのボタンにメッセージの数が表示される。

アップグレード

パソコンにインストールされているアプリを新しいバージョンに入れ替えること。大幅な更新を「アップグレード」と呼ぶのに対し、細かいな改良や不具合の修正を「アップデート」と呼ぶ。

アップロード

インターネットやネットワークなどの回線を使って、パソコンからWeb上の保存場所や別のパソコンにファイルやフォルダーなどを送信すること。

アドレスバー

ブラウザーの上部にある領域で、WebページのURLを表示したり入力したりする場所。検索キーワードを入力する場所としても使う。

アプリ

「アプリケーションソフト」「ソフトウェア」「プログラム」ともいう。ワープロソフトや表計算ソフトなど、特定の目的のために作られたソフトウェアのこと。Windows 10には最初から多くのアプリがインストールされている。

アラーム＆クロック

Windows 10に最初からインストールされているアプリの名前。アラーム、世界時計、タイマー、ストップウォッチの機能が使える。

アンインストール

パソコンにインストールされているアプリを削除すること。

位置情報

GPSを利用してパソコンやスマートフォンなどの場所を取得すること。位置情報を使ったサービスを「位置情報サービス」という。

印刷プレビュー

作成したファイルがどのように印刷されるかを画面で確認するときに使う機能。

インストール

パソコンにアプリを組み込んで、使用できる状態にすること。

インターネット

世界中の膨大な数のパソコンを相互につないだ、巨大なコンピューターネットワーク。

インポート
他のアプリで作成したデータを読み込んで利用できるようにすること。

ウイルス
悪意をもって作られたプログラムのこと。メールやWeb経由でパソコンがウイルスに感染すると、パソコンを起動できなくなったり、ファイルを勝手に削除されたりするなどの被害が出る。

ウイルス対策ソフト
パソコンをウイルスから守るためのプログラム。Windows 10には最初から「Windowsセキュリティ」という名前のウイルス対策ソフトがインストールされている。市販のウイルス対策ソフトを使うと、パソコンのセキュリティが一層高まる。

ウィンドウ
Windows 10のデスクトップに表示される矩形の表示領域のこと。複数のウィンドウを表示して作業することから「Windows」という名前が付いたといわれる。

映画＆テレビ
Windows 10に最初からインストールされているアプリの名前。映画を購入したりレンタルして楽しめる。

エクスプローラー
タスクバーの「エクスプローラー」ボタンをクリックして表示されるウィンドウのこと。パソコンに接続されている機器や保存したファイルやフォルダーが表示される。

エディション
出版物でいう「版」のこと。Windows 10では、構成や機能、販売方法が異なる複数の製品があり、それぞれの製品のことを「エディション」と呼ぶ。

お気に入り
「ブックマーク」ともいう。ブラウザーでよく見るWebページに名前を付けて登録しておく機能のこと。お気に入りに登録すると、次回からは一覧からクリックするだけでWebページを開ける。

か

カーソル
文字を入力する位置に表示される点滅した縦棒のこと。

解像度
ディスプレイで表示できる細かさを表すもの。幅1インチ（約2.54cm）あたりに並ぶ点の数である「ピクセル」や「ドット」で解像度を表す。解像度が高いほど精彩で細かい表現ができる。

回復ドライブ
Windows 10に問題が発生してパソコンを起動できないときなどに、事前に作成しておいた「USB回復ドライブ」を使ってシステムの修復や復元を行うことができる。

隠しファイル
一覧表示されないように設定されているファイルのこと。Windows 10を動かすための重要なファイルは間違って削除されることがないように隠しファイルとして設定されている。

拡張子
ファイル名の中で、「.」（ピリオド）以降の部分。アプリごとに拡張子が決まっており、たとえばメモ帳アプリで作成したファイルには「.txt」の拡張子が自動的に付与される。

仮想デスクトップ
デスクトップを複数作成し、それぞれでアプリの起動やウィンドウの管理ができる機能のこと。

家族アカウント
Microsoftアカウントに紐付いたアカウントのこと。家族アカウントには「子供」「保護者」がある。

かな入力
文字の入力方法のひとつで、キーボード表面に刻印されているかな文字を見ながら入力する方法。「あ」と入力するには、[あ]キーを押す。

壁紙
デスクトップの背景に表示する画像のこと。最初から用意されている画像のほかに、利用者が用意した画像も設定できる。

カメラ
Windows 10に最初からインストールされているアプリの名前。パソコンに接続したカメラを使って写真の撮影ができる。

カレンダー
Windows 10に最初からインストールされているアプリの名前。予定を入力しておくと、日単位、月単位、週単位に切り替えて表示できる。

管理者
アカウントに設定する権限のひとつ。管理者として設定したアカウントは、セキュリティ設定の変更やアカウントの管理、アプリのインストールなどを実行できる。

切り取り
選択した文字などのデータを画面から消すこと。切り取ったデータはクリップボードに保存される。

近距離共有
Bluetoothの通信機能を使って、近くのパソコンとファイルやWebページの情報を共有する機能のこと。

クイックアクセス
エクスプローラー画面の左側に表示される項目。クイックアクセスには、自分で登録したファイルやフォルダーだけでなく、よく使うファイルやフォルダーが自動で表示される。

クイックアクセスツールバー

アプリの左上に表示される小さなバーのこと。アプリの中で頻繁に使われる機能がボタンとして登録されている。後からボタンを追加することも可能。

クラウド

インターネットを介してメールやストレージなどのさまざまなサービスを提供する方式のことを「クラウド」とか「クラウドサービス」と呼ぶ。

クリック

マウスの左ボタンを1回押す操作のこと。

クリップボード

コピーしたり切り取ったりしたデータを一時的に保存しておく領域のこと。クリップボードには常に最新のデータが1つだけ保存されるため、後からコピー／切り取ったデータに上書きされる。ただし、履歴機能を有効にすると複数のデータが利用できる。

検索エンジン

インターネットで公開されている情報をキーワードなどを使って検索するためのWebページ。「Google」や「Yahoo！JAPAN」「Bing」などがある。

検索ボックス

「スタート」ボタンの右横にある入力欄（ここに入力して検索）をクリックして表示される画面のこと。キーワードを入力して、アプリやファイル、Webページなどを検索できる。

高速スタートアップ

システムの状態を保存してからシャットダウンし、次回の起動時にその情報を読み込むことで高速な起動を可能にする設定のこと。

個人情報

特定の個人を識別できる情報。氏名や住所、電話番号、メールアドレス、生年月日などがある。

コピー

選択したデータをコピーして、別の場所に貼り付ける操作のこと。「コピー」と「貼り付け」をセットで使う。

ごみ箱

不要なファイルやフォルダーを集めておく場所。ごみ箱に集まったデータは［ごみ箱を空にする］を実行することで完全に削除できる。

コレクション

新しいEdgeの機能。関連するWebページや画像などを「コレクション」単位でまとめて管理できる。

コントロールパネル

アカウントに関する設定や、ディスプレイ、マウス、キーボード、プリンターに関する設定などを詳細に設定する画面のこと。

さ

サーバー

電子メールの送受信やWebページの表示など、各種のサービスを提供し、必要となる情報を格納しておくコンピューターのこと。メールサーバーやWebサーバー、ファイルサーバーなどがある。

再起動

Windows 10をいったん終了して起動し直すこと。

最適化

データの書き込みや移動、削除の繰り返しで断片化したファイルを、連続した領域にまとめて配置し直すこと。「デフラグ」ともいう。

サインアウト

サインインしたパソコンの使用を終了すること。「ログオフ」ともいう。

サインイン

ユーザー名（ID）とパスワードを入力して、パソコンを利用できるようにすること。「ログオン」ともいう。

システムの復元

Windows 10にトラブルが発生した際に、トラブルが発生する以前の状態に戻す機能。

自動再生

パソコンにデジタルカメラを接続したり、光ディスクをセットしたときに自動的に表示されるメニューのこと。その後の操作を選択できる。

指紋認証

手指の指紋を使って個人を識別する認証方式。Windows 10では、指紋認証でサインインすることもできる。

シャットダウン

Windows 10を終了してパソコンの電源を切る操作。

集中モード

作業に集中したいときやプレゼン中などに、画面に表示される通知を減らす設定のこと。

周辺機器

キーボード、マウス、ディスプレイ、プリンターなど、単体では動作せずに、パソコンに接続して利用できる装置のこと。

ショートカットアイコン

別の場所にあるファイルやフォルダーを簡単に起動できるようにするアイコンのこと。アイコンの下に矢印が表示され、元ファイルやフォルダーと区別できる。「ショートカット」とも呼ぶ。

ショートカットキー

複数のキーを同時に押して機能を実行すること。リボンから機能を実行するよりも素早く実行できる。

ショートカットメニュー

アイコンやファイルなどを右クリックしたときに表示されるメニュー。

署名

メール本文の末尾に、氏名や会社名などをまとめて挿入すること。

スクリーンキーボード

画面上に平面的なキーボードを表示し、キーが表示されている部分をクリックやタッチすることで文字入力できるアプリのこと。

スクリーンショット

ディスプレイに表示されている内容をそのままカメラで撮影したように画像として保存すること。

スクリーンセーバー

一定時間パソコンの操作を行わなかったときに自動的に起動する簡易的なアニメーション。

スタートボタン

Windows 10の画面左下にあるボタン。文字どおり、何かの操作を始めるときに使う。

スタートメニュー

Windows 10の［スタート］ボタンをクリックしたときに開くメニュー。

ステータスバー

アプリの最下部に表示される帯状の部分。アプリの操作状況が表示される。表示される内容はアプリによって異なる。

ストアアプリ

Windows 10の「Microsoft Store」アプリからダウンロードするアプリのこと。パソコンにアプリをインストールして使うデスクトップアプリに対して、ストアアプリはパソコン、スマホ、タブレット端末などで利用できる。

ストレッチ

タッチ操作のひとつ。画面上で2本の指を同時に広げる操作のこと。画面表示を拡大するときに使う。

スパイウェア

勝手に広告を表示したり、勝手に個人情報を収集するなどの動作を行うソフトウェア。中には勝手にパソコンの設定を変えてしまうものもある。

スライド

タッチ操作のひとつ。画面を指で押さえたまま上下または左右にまっすぐ動かすこと。主に、画面表示をスクロールしたり、ファイルを移動したりするときに使う。

スライドショー

複数の画像を自動的に切り替えて表示すること。Windows 10では、デスクトップの背景にスライドショーを設定したり、「フォト」アプリで写真のスライドショーを実行したりできる。

スリープ

パソコンを一時的に停止させて節電状態にすること。スリープを解除すると、スリープ前の状態に戻る。

スワイプ

タッチ操作のひとつ。画面の上下左右の端から素早く指で払う操作のこと。

設定

アカウントやセキュリティなど、パソコンの基本的な設定メニューが集まった画面のこと。

セットアップ

アプリをパソコンに組み込んで使えるようにすること。「インストール」ともいう。

全員に返信

「メール」アプリで、受信したメールに設定されているすべての人に返信するときに使う。自動的に宛先やCCにメールアドレスが表示される。

ソフトウェア

「アプリケーションソフト」「アプリ」「プログラム」ともいう。ワープロソフトや表計算ソフトなど、特定の目的のために作られたプログラムのこと。

た

ダイアログボックス

特定の機能を選んだときに表示されるウィンドウで、ウィンドウ内には設定可能な項目が表示される。

タイトルバー

ウィンドウ上部に表示されるバーのこと。タイトルバーにはアプリの名前やファイル名、最大化ボタン、最小化ボタン、閉じるボタンが表示される。

タイムライン

開いたファイルやWebページなどを時系列で表示する履歴機能。履歴をクリックすると作業を再開できる。

タイル

スタートメニューに表示される四角いタイル状のもの。タイルにはアプリやフォルダーが登録されており、クリックして起動できる。

ダウンロード

回線を通じて、Web上にあるファイルなどを自分のパソコンにコピーすること。

タスクバー

画面下部に表示される帯状のバーのこと。作業中のアプリのアイコンや表示中のフォルダーやファイルのアイコンなどが表示され、現在の作業状態を確認できる。

タスクビュー

検索ボックスの右側に表示されているボタン■。「タスクビュー」ボタンをクリックすると、起動中のアプリやウィンドウが一覧表示され、クリックして切り替えられる。

タスクマネージャー

起動中のアプリの切り替えやアプリの強制終了などが行える。また、CPUやメモリの使用状況を監視している。

タッチキーボード

タッチ操作で入力できるキーボードのこと。タッチ操作対応のディスプレイが接続されている必要がある。

タッチパッド

ノートパソコンの手前に用意されているタッチ操作用のパネルのこと。

タッチパネル

スマートフォンのように画面に直接触れることでパソコンの操作が行えるディスプレイのこと。

タップ

タッチ操作のひとつ。画面の任意の場所をポンと押す操作。項目の選択や決定に使う。

タブ

リボン上部の突起物のこと。ボタンを分類して、機能的に近いボタンが「タブ」にまとめられている。ブラウザーでは、情報がタブごとに分かれて表示される。

ダブルクリック

マウスのボタンを2回連続して素早く押すこと。

ダブルタップ

タッチ操作のひとつ。画面上の特定の場所を指先で素早く軽く2回叩く操作のこと。

タブレット端末

小型で薄型の軽量端末のこと。画面上をタッチして操作する。スマートフォンと同じOSを使用しており、アップル社の「iPad」が有名。パソコンと同じOSを使うものは「タブレットPC」と呼ぶ。

タブレットモード

タッチ操作がしやすいように設計された画面のこと。タブレットモードに切り替えると、スタート画面が全画面で表示される。

単語登録

IME機能のひとつ。よく使う文字列に名前を付けて登録すること。次回からは登録した「読み」で変換できる。

著作権

著作物の作成者に与えられる権利。Web上の画像や文章、動画、音楽、アプリなどには著作権があり、無断で使用すると著作権侵害になる。

通知領域

タスクバーの右端の領域のこと。日付や入力モードなどが表示されている。音量やネットワークの状態などを管理できる。

ディスククリーンアップ

不要なファイルを削除してストレージの空き容量を増やすこと。結果的にパソコンのパフォーマンスが向上する。

テーマ

デスクトップの背景として用意されている画像とサウンドと色の組み合わせのこと。

テザリング

スマートフォンをルーターとして使うこと。テザリング機能を使うと、Wi-Fi環境のない屋外でもインターネットが使える。

デスクトップ

Windows 10を起動して最初に表示される画面。デスクトップにさまざまなウィンドウを開いて操作する。

デスクトップアプリ

デスクトップ画面で実行されるアプリで、従来のWindowsで使用されてきたもの。アプリの媒体やダウンロードデータを購入するなどして、パソコンにインストールして使う。

デバイスマネージャー

パソコンを構成するすべての機器を表示・管理するソフトウェア。

デフラグ

データの書き込みや移動、削除の繰り返しで断片化したファイルを、連続した領域にまとめて配置し直すこと。「最適化」ともいう。

テレビチューナー

地上波、BS、CSなどの電波を受信するもの。パソコンにテレビチューナーを接続すると、パソコンでテレビが見られる。

展開

圧縮されて小さくなったファイルサイズを元のサイズに戻す作業のこと。「解凍」ともいう。

天気

Windows 10に最初からインストールされているアプリのひとつ。各地の現在の天気や週間天気などを検索できる。

テンキー

キーボードの右側にある数字や演算子のキーが集まった部分。テンキーだけが独立した製品もある。

電源プラン

パソコンの電力の使用を管理するためのもの。使用状況や目的に合わせて電源プランを切り替えると、パソコンの消費電力の低減やパフォーマンスの最大化を期待できる。

転送

受信したメールを、そのままの内容で他のメールアドレスに送り直すこと。

電卓

Windows 10に最初からインストールされているアプリのひとつ。単純な計算だけでなく、関数を使った計算や単位の変換にも使える。

添付ファイル

メールの本文とは別に、写真やファイルなどを添えること。メールの本文に書けるのは文字だけだが、添付ファイルを利用することにより、画像や動画、音声などを送受信できる。

ドキュメントフォルダー

Windows 10に最初から用意されているフォルダーの名前。パソコンに不慣れな人でもわかりやすく保存できるための場所として提供されている。

ドライバー

パソコンに接続した機器を制御・管理するための専用のソフトウェア。「デバイスドライバー」ともいう。

ドライブ

ハードディスクや光ディスク、USBメモリーなど、データを保存するための記憶媒体装置のこと。

ドラッグ

マウスのボタンを押したまま動かすこと。

な

ナビゲーションウィンドウ

「メール」アプリや「Outlook.com」の画面の左側に表示され、「受信トレイ」や「送信済みアイテム」などのメニューが並んでいる部分の名称。エクスプローラー画面の左側にも表示される。

入力モード

入力する文字の種類を指定するIMEの機能。 半角/全角 キーを押すと、日本語入力モードと半角英数モードを交互に切り替えることができる。

ネットワーク

複数のパソコンをつないで、相互にデータのやり取りができるようにしたもの。「コンピューターネットワーク」「通信ネットワーク」ともいう。

は

ハードディスク

大容量の外部記憶装置。「HD」や「HDD」と表示する場合もある。パソコンに最初から内蔵されているもののほかに、後からUSBなどで接続して使うものもある。

パス

外部記憶装置の中で目的のファイルの位置を表すのに用いられる。先頭をドライブ名、区切り文字を「¥」で表すのがルール。

パスワード

利用者本人であることを証明するために設定した文字列のこと。銀行のキャッシュカードの暗証番号のようなもの。

バックアップ

パソコンのトラブルに備えて、ストレージの内容を複製し、別の外部記憶装置や媒体に保存すること。

貼り付け

クリップボードに一時的に保存されているデータを指定された位置に入力すること。「コピー」と「貼り付け」を組み合わせるとコピー、「切り取り」と「貼り付け」を組み合わせると移動となる。

ハンドル

画像や図形などを選択したときに表示される周囲の小さなつまみのこと。ハンドルをドラッグして画像などのサイズを調整したり、トリミング位置を調整したりする。

光回線（光ファイバー）

光ファイバーを使って光信号で情報の送受信を行う通信回線のこと。大容量のデータを高速に送受信できるのが特徴。

光ディスク

CDやDVD、BDのように、レーザー光によってデータを読み書きする円盤状の記憶媒体。読み取り専用のものや書き換え可能なものなどたくさんの種類がある。

ピクチャパスワード

Windows 10にサインインする方法のひとつ。従来のパスワードのように文字を入力する代わりに、あらかじめ登録した操作で画像をなぞることでサインインできる。

ピクチャフォルダー

Windows 10に最初から用意されているフォルダーの名前。主に写真などの画像を保存するときに使う。デジタルカメラから取り込んだ写真は、既定で「ピクチャ」フォルダーに保存される。

標準ユーザー

アカウントに設定する権限のひとつ。Windows 10のほとんどの操作が可能だが、アカウントの設定やセキュリティなど、標準ユーザーでは操作できない機能がある。

ピンチ

タッチ操作のひとつ。画面上で2本の指をつまむように同時に近付ける操作のこと。画面表示を縮小するときに使う。

ピン留め

スタートメニューやタスクバーなどによく使うアプリのアイコンを追加すること。

ファイル

パソコンでデータを扱うときの基本単位となるデータのまとまりのこと。アプリを使って作成したデータ、デジタルカメラから取り込んだ写真など、それぞれがファイルとして保存される。

フィッシング

インターネット上での詐欺のひとつ。金融機関やクレジットカード会社を装ったメールを送り、利用者がリンクをクリックすると偽装サイトに誘導してクレジットカード番号やパスワードなどを盗み取る。

フォーマット

ハードディスクや光ディスク、USBメモリーの内容を消去し、まっさらな状態に戻すこと。「初期化」ともいう。

フォト

Windows 10に最初からインストールされているアプリのひとつ。写真や動画の表示や編集、加工ができる。

フォルダー

ファイルやアプリなどを保存しておく入れ物のこと。フォルダーは黄色いバインダーのアイコンで表示される。関連するファイルを分類するときに使う。

復元ポイント

Windows 10のシステムファイルの過去の状態を保存したもの。パソコンにトラブルがあったときに復元ポイントまでさかのぼって不具合が起こる前の状態に戻せる。

付箋

Windows 10に最初からインストールされている付箋アプリの名前。付箋紙を貼るように、デスクトップに付箋を表示してメモを入力できる。

ブラウザー

インターネットのWebページを表示する目的で作られたアプリのこと。Windows 10には「Edge」と「InternetExplorer」の2種類がインストールされている。

フラグ

他のメールと区別するために印を付けること。フラグを付けることで後から目的のメールを探しやすくなる。

プレイリスト

Windows Media Playerなどの音楽再生アプリで、好きな曲を好きな順番で集めたもの。「再生リスト」ともいう。

プレビューウィンドウ

選択したファイルの内容を表示するためのウィンドウ。Alt＋Pキーを押すと、エクスプローラー画面の右側に表示される。

プロバイダー

インターネットへの接続サービスを行う業者のこと。「インターネットサービスプロバイダー」ともいう。

プロパティ

ファイルが持つ性質・属性のこと。ファイルサイズや作成日、作成者、作成元のアプリなどの詳細情報が含まれる。

ペイント

Windows 10に最初からインストールされているアプリのひとつ。マウスでドラッグして自由に絵を描ける。

返信

メールアプリで、メールの送信先に対して返事をすること。「返信」をクリックすると、自動的に相手のメールアドレスが宛先に表示される。

ホームページ

ブラウザーを起動したときに最初に表示されるWebページのこと。よく見るWebページをホームページに設定できる。

ホームボタン

Edgeに用意されているボタン。Edge利用中に［ホーム］ボタンをクリックすると、登録したWebページにジャンプできる。

ま

マウスポインター

マウスの動きに連動して動く小さなマークのこと。「マウスカーソル」とも呼ぶ。操作状況に応じてマウスポインターの形状は変化する。

マップ

Windows 10に最初からインストールされている地図アプリ。キーワードを入力して目的地の地図を表示できる。

マルウェア

悪意をもって作られたプログラムの総称。「マル（mal）」には「悪」という意味がある。

右クリック

マウスの右ボタンを1回押す操作。通常は右クリックでショートカットメニューが表示される。

無線LAN

無線でコンピューター同士を接続し、相互にデータ通信できるようにしたネットワークのこと。

迷惑メール
多くの人に一方的に一斉に送信される宣伝などのメールのこと。「スパムメール」ともいう。

メール
Windows 10に最初からインストールされているアプリのひとつ。メールの作成や送受信を行う。

メールアカウント
メールを送受信するための権限のこと。権限を識別するにはメールアドレスとパスワードを使ったり、メールアドレスの「@」より前のアカウントとパスワードを使ったりする。

メールアドレス
メールの宛先のこと。「tanaka@outlook.com」のように、「アカウント名@ドメイン名」を指定する。

メールサーバー
メールの送受信を管理するコンピューターのこと。メールの送信にはSMTPサーバーが用いられ、受信には主にPOP3サーバーやIMAP4サーバーが用いられることが多い。

メモ帳
Windows 10に最初からインストールされている簡易的なテキストエディターの名前。文字入力だけに限定したもので、文字に書式を付けることはできない。

や

夜間モード
ディスプレイの色を調整して、眠りを妨げる可能性のある「ブルーライト」を抑える機能。

ユーザーアカウント制御
不正にシステムファイルの変更がされないように、利用者に操作の確認を促す保護機能。

よく使うアプリ
スタートメニュー上部に表示される項目。直近で利用回数の多いアプリが表示される。Windows 10の初期設定では表示されないが、後から設定を変更できる。

予測変換
「読み」の入力途中で候補の単語を表示する機能。

ら

ライセンスキー
「プロダクトキー」ともいう。アプリを正規に入手したものであることを示すために入力する文字列。OSやアプリのインストール時にライセンスキーの入力を求められる。

ライブタイル
スタートメニューに表示されるタイルの中で、最新情報の記事や画像を表示するタイル。タイルに表示される内容は変化する。

リカバリー
ウイルスやファイルの誤削除など、なんらかの原因でパソコンが起動できなくなったときに、再度パソコンを使用できるようにするための作業。

リカバリーディスク
パソコンを購入時の状態に戻すために作られたディスクのこと。パソコン購入時にCDやDVDとして付随する場合もある。

リボン
アプリに用意されている機能を実行するためのボタンが並んだ帯状の領域のこと。通常はアプリ画面の上部に表示される。ボタンは機能ごとに「タブ」に分類されている。

履歴
ブラウザーで過去に表示したWebページの記録のこと。

リンク
ある情報が他の情報に関連付けられていること。リンク元をクリックするとリンク先にジャンプする。

ルーター
インターネットを利用するときの中継機器。ルーターを使うと、複数のパソコンでインターネット回線を利用できる。高速回線でインターネットにつなぐルーターを「ブローバンドルーター」ともいう。

ローカルアカウント
Windows 10にサインインするアカウントのひとつ。IDとパスワードの組み合わせでサインインする。そのパソコンでしか使えない固有のアカウント。

ローマ字入力
文字の入力方法のひとつで、日本語をローマ字に置き換えて入力する方法。「あ」と入力するには、[A]キーを押す。

ロック画面
パソコンを第三者が勝手に使えないように操作をロックした際に表示される画面のこと。

ロングタッチ
タッチ操作のひとつ。一定時間画面に触れてから離す操作のこと。長押しに相当する。「ロングタップ」ともいう。

わ

ワードパッド
Windows 10に最初からインストールされている簡易的なワープロソフトの名前。

語句索引

A～Z

あ行

か行

さ行

た行

な行

は行

目的引き索引

つ

て

と

ひ

ふ

注意事項

- 本書に掲載されている情報は、2020年8月7日現在のものです。本書の発行後にWindows 10の機能や操作方法、画面が変更された場合は、本書の手順どおりに操作できなくなる可能性があります。
- 本書に掲載されている画面や手順は一例であり、すべての環境で同様に動作することを保証するものではありません。読者がお使いのパソコン環境、周辺機器、スマートフォンなどによって、紙面とは異なる画面、異なる手順となる場合があります。
- 読者固有の環境についてのお問い合わせ、本書の発行後に変更されたアプリ、インターネットのサービス等についてのお問い合わせにはお答えできない場合があります。あらかじめご了承ください。
- 本書に掲載されている手順以外についてのご質問は受け付けておりません。
- 本書の内容に関するお問い合わせに際して、編集部への電話によるお問い合わせはご遠慮ください。

著者紹介

井上 香緒里（いのうえ かおり）

テクニカルライター。マイクロソフトのWindowsやOfficeソフトを中心に、書籍や雑誌、Webコンテンツを執筆。また、都内の短大で「ビジネス情報処理」の非常勤講師を担当。

●チーム・モーション　ホームページ
https://www.team-motion.com/

カバーデザイン　西垂水 敦（krran）
本文デザイン　ISSHIKI
制　作　トップスタジオ
編　集　友保 健太

Windows 10完全ガイド
基本操作＋疑問・困った解決＋便利ワザ 改訂3版
2020-2021年 最新バージョン対応

2018年 3月 2日　初版発行
2020年 9月 7日　第3版第1刷発行
2021年 2月26日　第3版第2刷発行

著　者　井上 香緒里
発行者　小川 淳
発行所　SBクリエイティブ株式会社
〒106-0032 東京都港区六本木2-4-5
https://www.sbcr.jp/
印　刷　株式会社シナノ

落丁本、乱丁本は小社営業部（03-5549-1201）にてお取り替えいたします。
定価はカバーに記載されております。
Printed in Japan　ISBN978-4-8156-0735-7